KB147363

해커스
중학영어듣기 모의고사 24회가
특별한 이유!

최신 경향과 출제 패턴을 반영한 문제로 실전 대비!

1

최신 출제경향을
그대로 반영한
양질의
실전 모의고사

2

듣기 능력을 한 단계
업그레이드해주는
만점 도전
고난도 모의고사

3

시험에 매번 나오는
기출 유형을 익히는
14개
대표 기출문제

해커스 중학영어듣기 모의고사 24회

Level 2

Level 3

다양한 버전의 음성으로 편리한 학습!

4

수준별로 속도를
선택해서 듣는

**기본 속도/1.2배속/
1.5배속 MP3**

5

복습이 간편해지는

**딕테이션 MP3/
문항별 MP3**

6

모든 음성 버전을
한 손에 쏙!

**문제 음성 듣기
QR코드**

이 책을 검토해주신 선생님들

경기

김하윤 프라임EM보습학원
이미림 다능학원
장윤진 골든클래스아카데미
조은혜 이든영수학원
최유리 제이엠학원
최희정 SJ클쌤영어

광주

박지수 JC에듀영어수학학원
조성영 이지스터디학원

대전

신주희 파써블영어학원

부산

정호경 A+단과학원

서울

이계윤 씨앤씨(목동) 학원
이지안 제임스영어
편영우 자이언학원

전북

김효성 연세입시학원

충남

성승민 SDH어학원 불당캠퍼스

해커스 어학연구소 자문위원단 1기

강원

손소혜 헤럴드스쿨영어전문학원
심수경 노아영어학원
황선준 청담어학원(춘천)

경기

강무정 광교EIE고려대학교어학원
강민정 김진성의 열정어학원
강상훈 RTS학원/수원대치명문
금성은 플래닛어학원
김경선 인사이트
김남균 SDH어학원 세교캠퍼스
김미영 My김쌤영어학원
김민성 빨리강해지는학원
김성철 코코스영어학원
김하윤 프라임EM보습학원
김현주 이존영어학원
남대연 대치성공스토리학원
민관홍 엔터스카이학원
박가영 한민고등학교
배동영 이바인어학원 탄현캠퍼스
서연원 호곡중학교
성미경 위너영수학원
송혜령 듀크영어학원
신민선 바로영어전문학원
연원기 신갈고등학교
오승환 성일고등학교
우규원 대치샵1학원
우재선 리더스학원
원다혜 IMI영어학원
이미림 다능학원
이지혜 리케이온 교육
이창석 정현영어학원
장윤진 골든클래스아카데미
전상호 평촌 이지어학원
전성훈 훈선생영어학원
정 준 고양외국어고등학교
정필두 시흥배곧 정상어학원
조수진 수원 메가스터디학원
조은진 CEJ영수전문학원
조은혜 이든영수학원
최승복 서인영어학원
최유리 제이엠학원
최지영 다른영어학원
최희정 SJ클쌤영어
탁은영 공터영어
홍성인 랍슨영수보습학원

경북

고일영 영어의비법학원
김종완 EMstory학원
문재원 포항영신고등학교
윤철순 윤찬어학원
정창용 엑소더스어학원

광주

곽상용 조선대학교여자고등학교
박지수 JC에듀영어수학학원
임희숙 설월여자고등학교
정영철 정영철영어전문학원
조성영 이지스터디학원

대구

구현정 헬렌영어학원
김상완 와이이피영어학원
김은아 헬렌영어학원
김혜란 김혜란 영어학원
박봉태 봉태영어학원
신동기 신통외국어학원
장준현 장쌤 독해종결영어

대전

손혜정 정상학원
신주희 파써블영어학원
오지현 영재의꿈
위지환 청명중등생학원
이재근 이재근영어수학학원
이주연 이제이영어학원

부산

김경빈 영어종결센터
김 현 김현베스트영어학원
박경진 마린케이원학원
이승의 에이치큐HQ영수학원
이혜정 로엠어학원
정호경 A+단과학원
최지은 하이영어학원

서울

권지현 독한영어학원
김대니 채움학원
김종오 입시형인간학원
박철홍 에픽영어
방준호 생각하는 황소영어학원
양세희 양세희수능영어학원
이계윤 씨앤씨(목동) 학원
이지안 제임스영어
이지연 중계케이트영어학원
이현아 이은재 어학원
장보금 EaT영어학원
제갈문국 제이포커스 잉글리쉬
조민석 더원영수학원
조정미 정철주니어학원 양천캠퍼스
채가희 대성세그루학원
최윤정 잉글리쉬앤매쓰매니저학원
최재천 K2영어전문학원
편영우 자이언학원

세종

양성욱 조치원GnB영어학원
주현아 백년대계입시학원
한나경 윈힐(WINHILL)영수전문학원

울산

김서이 예스(YES)어학원
김지현 메이저 영어수학 전문학원
윤보배 윤보배영어전문학원
윤창호 공부하는멘토학원
이동호 고려어학원

인천

김경준 러셀스터디
이상명 스카이영어
최형욱 메가프라임학원

전북

김설아 에듀캠프학원
김효성 연세입시학원
이예슬 YSL어학원
정석우 정석우영어학원
한선주 유나이츠리틀팍스학원

제주

김민정 제주낭만고등어학원
박철훈 EU외국어학원
이지은 제주낭만고등어학원

충북

강은구 박재성영어학원
남장길 에이탑정철어학원
주성훈 유베스타어학원
홍은영 서일영수학원

충남

김승혜 탑씨크리트 아산원
설재윤 마스터입시학원
성승민 SDH어학원 불당캠퍼스
이지선 힐베르트학원

영어듣기 만점을 위한 완벽한 실전 대비서

해커스 중학영어듣기 모의고사 24회

LEVEL 1

해커스 어학연구소

목차

기출 유형 분석

실전 모의고사

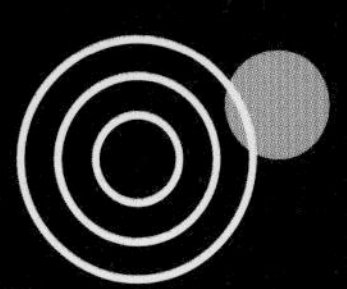

고난도 모의고사

책의 구성과 특징

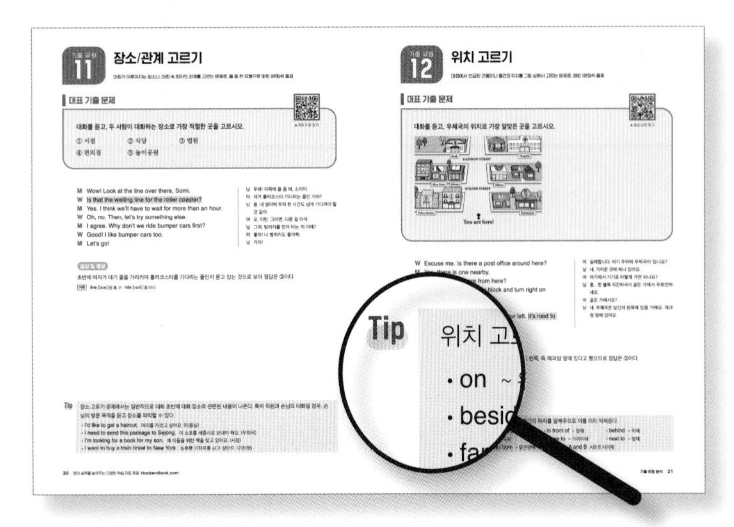

기출 유형 11 장소/관계 고르기

기출 유형 12 위치 고르기

대표 기출 문제

Tip

기출 유형 분석

<전국 16개 시·도교육청 공동 주관 영어듣기능력 평가>에 꼭 나오는 문제 유형을 철저히 분석했습니다. 14개 대표 기출 문제를 풀어보며 듣기 시험 전략을 적용해볼 수 있습니다.

유형별 빈출 오답 포인트나 자주 출제되는 단어, 표현 등 유용한 정보를 Tip에서 추가로 익힐 수 있습니다.

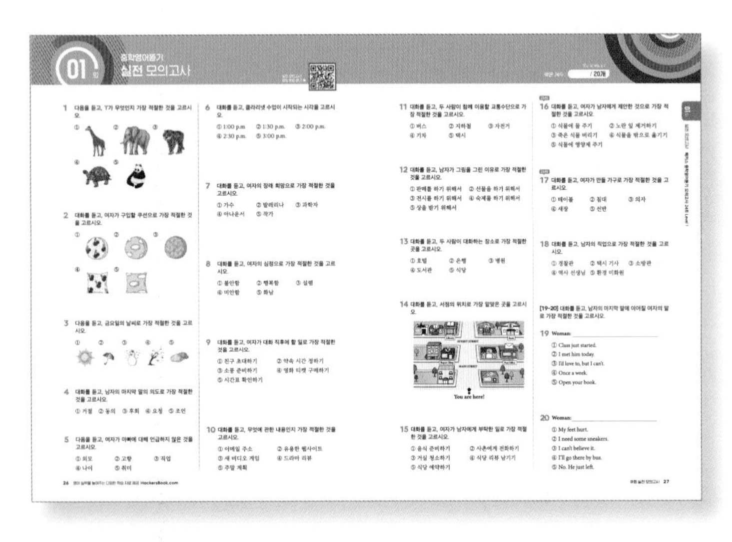

01 중학영어듣기 실전 모의고사

실전 모의고사 20회

실제 시험과 유형 및 출제 순서, 난이도가 동일한 20회분의 실전 모의고사 문제를 풀어보며 문제 풀이 능력을 향상시키고 듣기 실력을 쌓을 수 있습니다.

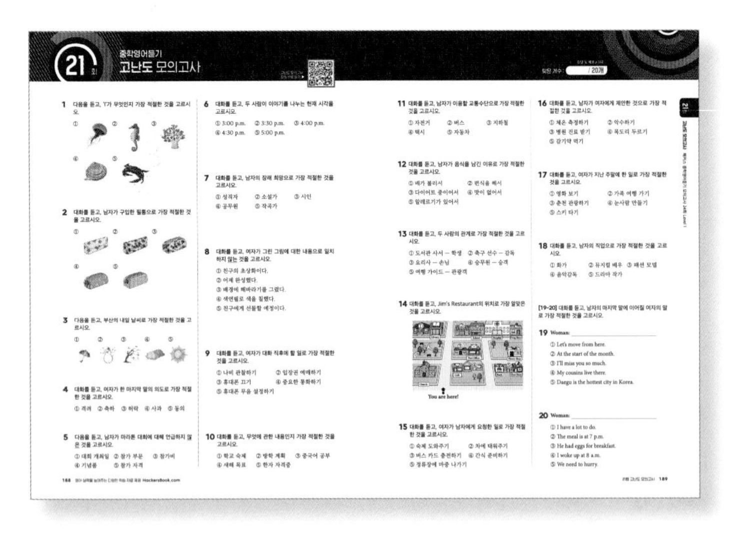

21 중학영어듣기 고난도 모의고사

고난도 모의고사 4회

실제 시험보다 길이가 더 길고 어려운 표현이 쓰인 4회분의 고난도 모의고사를 풀어보며 실제 시험에서 어려운 문제가 나와도 흔들리지 않고 고득점을 받을 수 있도록 완벽히 대비할 수 있습니다.

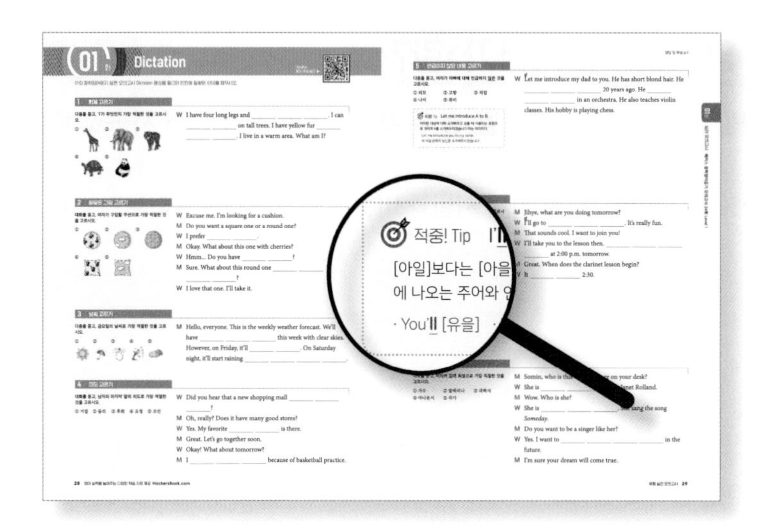

Dictation

매회 문제 풀이 후 Dictation을 하며 정답 단서를 스스로 확인하고, 잘 못 들었던 부분도 다시 들으며 복습할 수 있습니다.

연음 등 잘 들리지 않는 발음과 빈출 표현을 **적중! Tip**에서 짚어보며 듣기 기본기를 확실히 다질 수 있습니다.

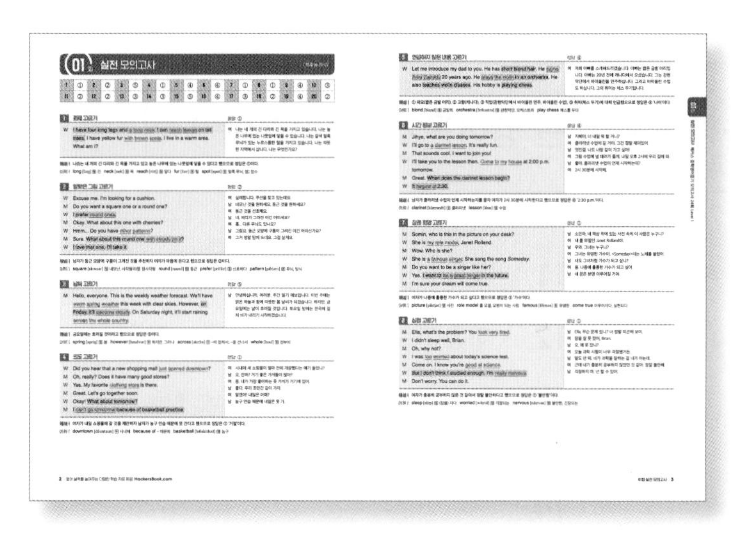

정답 및 해설

정답을 결정하는 단서와 자세한 해설을 통해 스스로 오답의 이유를 찾으며 다시 틀리지 않도록 확실하게 복습할 수 있습니다.

다양한 버전의 MP3

다양한 버전의 MP3를 이용해 학습 목적과 수준에 맞게 효과적으로 학습할 수 있습니다.

- 기출과 동일한 속도의 **기본 속도** MP3
- 듣기 실력 향상을 위한 **1.2배속 / 1.5배속** MP3
- 틀린 문제만 골라 다시 들으며 복습하는 **문항별** MP3
- 대화문만 들으며 Dictation 하는 **딕테이션** MP3

MP3 스트리밍 QR코드

매회 모의고사와 Dictation에 있는 QR코드로 간편하게 음성을 이용할 수 있습니다.
HackersBook.com에서 MP3 파일 다운로드도 가능합니다.

시험 소개

<전국 16개 시·도교육청 공동 주관 영어듣기능력평가>란?

<전국 16개 시·도교육청 공동 주관 영어듣기능력평가>는 **매년 4월과 9월, 총 두 차례**에 걸쳐 전국 16개 시·도교육청 주관 하에 시행되는 시험입니다.

학교에 따라 영어 내신 수행평가 점수에 5%~20%까지 반영되므로 실제 시험과 비슷한 모의고사를 풀어보면서 대비해두는 것이 좋습니다.

문제 출제 패턴

매회 **총 20문제가 출제**되며, 시험에 나오는 문제 유형이 정해져 있고, 출제 순서도 매회 크게 달라지지 않는답니다. 최근에는 각 문제 유형이 아래와 같은 순서로 자주 출제되고 있습니다.

제1회 전국 16개 시·도교육청 공동 주관 영어듣기능력평가(중1)

1. 화제 고르기
2. 알맞은 그림 고르기
3. 날씨 고르기
4. 의도 고르기
5. 언급하지 않은 내용 고르기
6. 시간 정보 고르기
7. 장래 희망 고르기
8. 심정 고르기 출제율 80%
일치하지 않는 내용 고르기 출제율 20%
9. 할 일 고르기
10. 주제 고르기
11. 교통수단 고르기
12. 이유 고르기
13. 장소고르기 출제율 80%
관계 고르기 출제율 20%
14. 위치 고르기
15. 부탁·요청한 일 고르기
16. 제안한 일 고르기
17. 한 일 고르기 출제율 60%
할 일 고르기 출제율 20%
특정 정보 고르기 출제율 20%
18. 직업 고르기
19. 적절한 응답 고르기
20. 적절한 응답 고르기

듣기 문제 풀이 Tip

듣기 문제를 풀 때에 어떤 문제 유형이든 빠짐없이 적용할 수 있는 두 가지 Tip이 있습니다. 어려운 문제도 수월하게 풀 수 있는 방법이니 기억해두고, 듣기 문제를 풀 때 꼭 실천하세요.

1 문제와 보기를 꼼꼼히 읽습니다.

음성이 나오기 전에 문제와 보기를 꼼꼼히 읽어두면 어떤 내용이 나올지 미리 파악할 수 있고, 대화에서 여자와 남자 중 어떤 사람의 말을 더 주의 깊게 들어야 할지 확인할 수 있습니다. 문제 음성이 끝나면 문제를 푸는 시간이 주어지므로, 음성이 끝나면 바로 정답을 체크하고, 남은 시간 동안 다음 문제와 보기를 확인해두면 좋습니다.

[문제지]

9 **대화를 듣고, 여자가 대화 직후에 할 일로 가장 적절한 것을 고르시오.**

① 기념품 사러 가기 ② 범퍼카 타러 가기
③ 퍼레이드 구경하기 ④ 핫도그 먹으러 가기
⑤ 안내데스크 방문하기

이 대화를 마치고 나서 여자가 할 일에 대해 언급하겠구나. 보기에 나온 단어를 말하는지 잘 들어보자.

2 음성은 끝까지 주의 깊게 듣습니다.

음성에서 여러 가지 선택지를 언급하다가 마지막 부분에서야 결정적인 정답 단서가 나오는 경우도 있으니 음성이 끝날 때까지 잘 듣고 정답을 고릅니다. 대화의 앞부분이나 일부 단어만 듣고 섣불리 정답을 판단하는 것은 좋지 않습니다.

[음성]

M Wow! The bumper cars were really fun.
W Yeah. It was so exciting.
M Where do you want to go next?
W Well... I feel a little hungry now.
M **Then why don't we have some hotdogs?**
W **Sounds good.** Let's go get some.

남자가 핫도그를 먹자고 제안했는데 여자가 좋다고 했으니 ④번이 정답! '범퍼카'에 속을 뻔 했지만 끝까지 잘 들었어!

해커스북 중·고등

www.HackersBook.com

기출 유형 분석

화제/주제 고르기

담화에서 설명하는 동물이나 사물, 또는 대화의 주제를 고르는 문제로, 매회 각 1문항씩 출제

대표 기출 문제

▲음성 바로 듣기

다음을 듣고, 'I'가 무엇인지 가장 적절한 것을 고르시오.

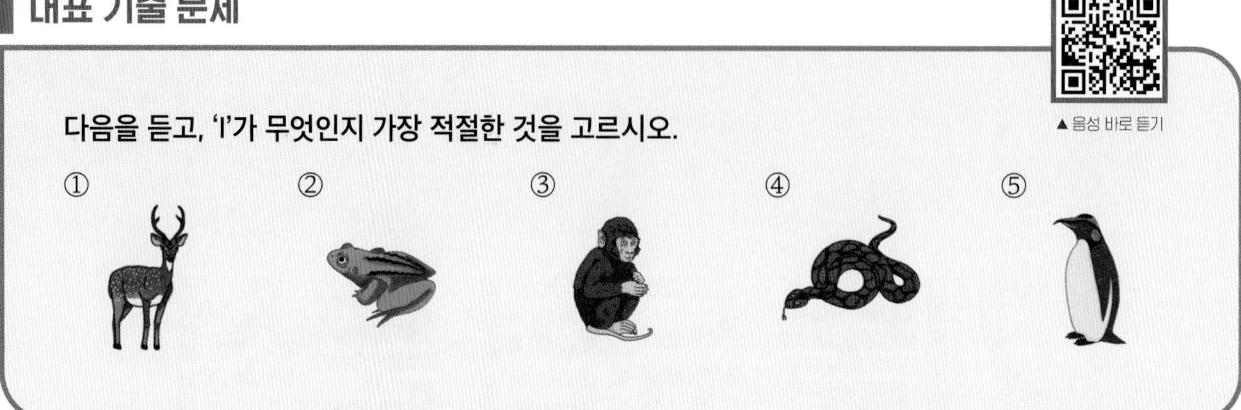

W I have four legs. My eyes are very big. I usually have wet skin. I live both in water and on land. I can jump very high. What am I?

여 나는 다리가 네 개입니다. 내 눈은 매우 큽니다. 나는 보통 축축한 피부를 가지고 있습니다. 나는 물속과 땅 위에서 모두 삽니다. 나는 매우 높이 점프할 수 있습니다. 나는 무엇인가요?

정답 및 해설

나(I)는 네 개의 다리와 큰 눈을 가지고 있으며, 특히 피부가 축축하고 물속과 땅 위에서 모두 산다고 했으므로 정답은 ②이다.

어휘 wet [wet] 형 축축한, 젖은 land [lænd] 명 땅

Tip 화제 고르기 문제에서는 동물의 생김새나 사물의 모양새를 묘사하기 위해 특정 어휘가 자주 쓰이므로 이를 미리 익혀둔다.

- leg 다리 · tail 꼬리 · neck 목 · wing 날개 · fur 털 · skin 피부
- large 큰 · heavy 무거운 · thick 두꺼운 · thin 가는 · sharp 날카로운 · soft 부드러운

알맞은 그림 고르기

비슷한 그림들 중 대화에서 묘사한 특징과 일치하는 그림을 고르는 문제로, 매회 1문항씩 출제

대표 기출 문제

대화를 듣고, 남자가 구입할 우산으로 가장 적절한 것을 고르시오.

①  ②  ③  ④  ⑤ 

W Can I help you, sir?
M Yes. I'm looking for an umbrella for my daughter.
W Okay. We have this one with stars.
M Hmm... Do you have any others?
W Yes. This one with hearts on it.
M Oh, good. She loves heart shapes.
W Great! Sounds like she'd like it.
M Right. I'll take it.

여 도와드릴까요, 손님?
남 네. 제 딸에게 줄 우산을 찾고 있어요.
여 그러시군요. 여기 별이 그려진 게 있어요.
남 흠... 다른 건 없나요?
여 있죠. 이건 하트가 있어요.
남 오, 좋네요. 딸이 하트 모양을 아주 좋아해서요.
여 잘됐네요! 따님이 좋아할 것 같아요.
남 그래요. 그걸로 할게요.

정답 및 해설

마지막에 남자가 하트가 그려진 우산을 두고 딸이 하트 모양을 좋아한다고 하면서 그것을 사겠다고 했으므로 정답은 ③이다. 초반에 여자가 별이 그려진 우산을 추천했지만, 남자가 거절했으므로 ①을 고르지 않도록 주의한다.

어휘 look for 찾다 umbrella [ʌmbrélə] 명 우산

Tip 알맞은 그림 고르기 문제에서는 사물의 모양, 무늬, 장식을 묘사하기 위해 특정 어휘가 자주 쓰이므로 이를 미리 익혀둔다.

- round 둥근
- square 네모난
- heart 하트
- diamond 다이아몬드
- dot 물방울무늬
- stripe 줄무늬
- ribbon 리본
- pocket 주머니

날씨 고르기

일기 예보에서 언급한 특정 시간이나 장소의 날씨를 고르는 문제로, 매회 1문항씩 출제

대표 기출 문제

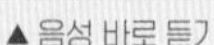
▲음성 바로 듣기

다음을 듣고, 오늘 오후의 날씨로 가장 적절한 것을 고르시오.

① 

②  

③ 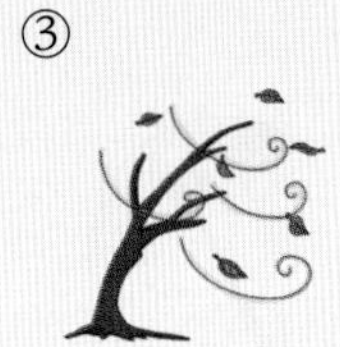

④ 

⑤ 

W Good morning. Here's the weather news. We have clear blue skies now. However, we will have rain this afternoon. The rain will continue until tomorrow morning. When you go out in the afternoon, take an umbrella with you.

여 안녕하십니까. 일기 예보입니다. 현재는 하늘이 맑고 파랗습니다. 하지만, 오늘 오후에는 비가 오겠습니다. 비는 내일 오전까지 계속될 것입니다. 오후에 외출하실 때, 우산을 챙기십시오.

정답 및 해설

오늘 오후에는 비가 오겠다고 했으므로 정답은 ①이다.
하늘이 맑고 파랗다는 것은 현재의 날씨이므로 ⑤를 고르지 않도록 주의한다.

어휘 clear [kliər] 형 맑은; 깨끗한 continue [kəntínjuː] 동 계속되다 go out 외출하다

Tip 날씨 고르기 문제에서는 날씨와 시간을 나타내는 어휘가 자주 쓰이므로 이를 미리 익혀둔다.

- sunny 화창한
- cloudy 흐린
- rainy 비가 내리는
- windy 바람이 부는
- clear 맑은
- yesterday 어제
- tomorrow 내일
- weekend 주말
- morning 오전
- afternoon 오후
- until ~까지
- all day (long) 온종일

의도/이유 고르기

대화 속 화자가 마지막에 한 말의 의도나, 행동에 대한 이유를 고르는 문제로, 매회 각 1문항씩 출제

대표 기출 문제

▲ 음성 바로 듣기

대화를 듣고, 남자가 한 마지막 말의 의도로 가장 적절한 것을 고르시오.

① 사과　② 거절　③ 위로
④ 감사　⑤ 칭찬

W Dad, I heard some bad news.
M What is it, Jiwon?
W You know my best friend, Sumi? She's moving to another town.
M I'm sorry to hear that. When is she going to move?
W Next Wednesday. I feel so sad.
M Don't worry. You can still keep in touch.

여 아빠, 저 안 좋은 소식을 들었어요.
남 그게 무엇이니, 지원아?
여 제 절친 수미 아시죠? 걔가 다른 도시로 이사 갈 거래요.
남 안 됐구나. 그 친구가 언제 이사를 하는데?
여 다음 주 수요일에요. 너무 슬퍼요.
남 걱정하지 마. 계속 연락하고 지낼 수 있을 거야.

정답 및 해설

친한 친구의 이사 소식으로 슬퍼하는 딸에게 걱정하지 말라고 위로하고 있으므로 정답은 ③이다.

어휘 move [muːv] 동 이사 가다; 움직이다 keep in touch 연락하고 지내다

Tip 의도 고르기 문제에서는 선택지가 위로, 충고, 축하, 감사, 거절, 승낙 등으로 출제되는 경우가 많으므로 상황별 관련 표현을 미리 익혀둔다.

- I'm sorry to hear that. 유감이야. (위로)
- You should get some rest. 너는 휴식을 좀 취해야 해. (충고)
- Congratulations! 축하해! (축하)
- Thanks for trying to cheer me up. 격려해줘서 고마워. (감사)
- Sorry, but I can't. 미안하지만, 안 되겠어. (거절)
- That's a good idea. 그거 좋은 생각이야. (승낙)

언급하지 않은 내용 고르기

담화에서 언급하지 않은 내용이나, 대화 속 설명과 일치하지 않는 내용을 고르는 문제로, 미언급은 매회 1문항씩, 불일치는 0~1문항씩 출제

대표 기출 문제

▲ 음성 바로 듣기

다음을 듣고, 여자가 선생님에 대해 언급하지 않은 것을 고르시오.

① 이름 ② 경력 ③ 과목
④ 취미 ⑤ 성격

W Hi, class. Let me introduce my favorite teacher to you. Her name is Subin Shin. She teaches history. I like her lessons very much. Her hobby is swimming. Many students like her because she is kind and gentle.

여 안녕하세요, 학생 여러분. 제가 가장 좋아하는 선생님을 여러분에게 소개해드리겠습니다. 선생님의 성함은 신수빈입니다. 선생님은 역사를 가르치십니다. 저는 그분의 수업을 정말 많이 좋아합니다. 선생님의 취미는 수영입니다. 선생님은 친절하시고 상냥하셔서 많은 학생들이 좋아합니다.

정답 및 해설

① 이름(신수빈), ③ 과목(역사), ④ 취미(수영), ⑤ 성격(친절하고 상냥함)에 대해 순서대로 언급한 반면, 경력에 대해서는 언급하지 않았으므로 정답은 ②이다.

어휘 introduce [ìntrədjúːs] 동 소개하다 lesson [lèsn] 명 수업 gentle [dʒéntl] 형 상냥한

Tip 언급하지 않은 내용 고르기 문제에서는 일반적으로 선택지의 순서대로 내용을 언급하므로 ①부터 차례대로 언급되었는지 확인하며 듣는다.

시간 정보 고르기

문제에서 물어본 시간을 대화 속에서 파악하여 고르는 문제로, 매회 1문항씩 출제

대표 기출 문제

▲ 음성 바로 듣기

대화를 듣고, 두 사람이 만날 시각을 고르시오.

① 1:00 p.m. ② 1:30 p.m. ③ 2:00 p.m.
④ 2:30 p.m. ⑤ 3:00 p.m.

M Hi, Susan. There is a free cooking class this afternoon.
W Really? Why don't we go together?
M Sounds good. It starts at 3 p.m.
W Then, I'll come to your house at 2:30.
M We'll be late. What about 2?
W 2 o'clock? Okay. I'll see you then.

남 안녕, Susan. 오늘 오후에 무료 요리 수업이 있어.
여 정말? 우리 함께 가는 게 어때?
남 좋아. 수업은 오후 3시에 시작해.
여 그러면, 내가 너희 집으로 2시 30분에 갈게.
남 늦겠는걸. 2시는 어때?
여 2시 정각? 좋아. 그때 보자.

정답 및 해설

마지막에 남자가 오후 2시에 만날 것을 제안하자 여자가 좋다고 했으므로 정답은 ③이다.
초반에 남자가 말한 오후 3시는 수업 시작 시각이고, 여자의 2시 30분에 만나자는 제안은 남자가 거절했으므로 ④나 ⑤를 고르지 않도록 주의한다.

어휘 cooking class 요리 수업 late [leit] 형 늦은

Tip 시간 정보 고르기 문제에서는 두 사람이 만날 시각 외에도 현재 시각, 출발 시각, 도착 시각, 시작 시각 등을 물어볼 수 있다.

기출 유형 07

장래 희망/직업 고르기

대화 속 화자의 장래 희망이나 직업을 고르는 문제로, 매회 각 1문항씩 출제

대표 기출 문제

▲ 음성 바로 듣기

대화를 듣고, 남자의 장래 희망으로 가장 적절한 것을 고르시오.

① 가수　② 발명가　③ 마술사
④ 영화감독　⑤ 스포츠 기자

M Kate, did you see the movie, *Big Plan*?
W Not yet. What's it about?
M It's about future life.
W You really love to watch movies.
M Yes. I want to be a movie director someday.
W I'm sure your dream will come true.

남 Kate, 너 영화 <Big Plan>봤어?
여 아직 안 봤어. 뭐에 관한 건데?
남 미래의 삶에 관한 거야.
여 너 정말 영화 보는 것을 좋아하는구나.
남 응. 나는 언젠가 영화감독이 되고 싶어.
여 네 꿈은 꼭 이뤄질 거야.

정답 및 해설

마지막에 남자가 영화감독이 되고 싶다고 말했으므로 정답은 ④이다.

어휘 future [fjúːtʃər] 형 미래의 명 미래 someday [sʌ́mdei] 부 언젠가 come true 이루어지다

Tip 장래 희망 고르기 문제에서는 직업을 나타내는 어휘를 직접적으로 언급하므로 이를 미리 익혀둔다.

- doctor 의사
- pianist 피아니스트
- designer 디자이너
- engineer 엔지니어
- guitarist 기타리스트
- director 감독
- architect 건축가
- photographer 사진작가
- farmer 농부
- reporter 기자
- painter 화가
- gardener 정원사

심정 고르기

대화 속 화자의 심정을 고르는 문제로, 매회 0~1문항씩 출제

대표 기출 문제

▲음성 바로 듣기

대화를 듣고, 여자의 심정으로 가장 적절한 것을 고르시오.

① 지루함 ② 수줍음 ③ 슬픔
④ 기쁨 ⑤ 화남

M Maria, is this your cellphone?
W Oh, that's mine! I was looking for it everywhere.
M I knew it was yours!
W I'm so glad you found it. Where was it?
M It was in the playground next to the bench.
W Thank you! I'm very happy now.

남 Maria, 이거 네 휴대폰이니?
여 오, 내 거야! 나 그걸 사방으로 찾아보고 있었어.
남 딱 네 것 같았어!
여 네가 찾아줘서 정말 다행이야. 어디에 있었어?
남 놀이터 벤치 옆에 있었어.
여 고마워! 지금 너무 기뻐.

정답 및 해설

남자가 여자의 휴대폰을 찾아줘서 여자가 너무 기쁘다고 했으므로 정답은 ④이다.

어휘 cellphone [sélfoun] 명 휴대폰 playground [pléigràund] 명 놀이터

Tip 심정 고르기 문제에서는 사람의 감정을 나타내는 어휘가 자주 쓰이므로 이를 미리 익혀둔다.

- excited 신난
- worried 걱정스러운
- shy 수줍은
- happy 기쁜, 행복한
- nervous 초조한
- sad 슬픈
- thankful 고마운
- angry 화난
- relaxed 느긋한
- proud 자랑스러운
- upset 속상한
- bored 지루한

할 일/한 일 고르기

대화 속 화자가 특정 시간에 할 일 또는 한 일을 고르는 문제로, 할 일은 매회 1~2문항씩, 한 일은 0~1문항씩 출제

대표 기출 문제

▲음성 바로 듣기

대화를 듣고, 남자가 대화 직후에 할 일로 가장 적절한 것을 고르시오.

① 과제 제출하기
② 선생님 찾아가기
③ 온라인 강의 듣기
④ 친구에게 전화하기
⑤ 그룹 채팅방 만들기

W Minho, we should talk about our group project.
M But John is not here today.
W Then, how can we choose a topic?
M Let's make a group chat room online.
W Sounds great! Then, John can also talk with us.
M Right. I'll make a group chat room right away.

여 민호야, 우리 그룹 과제에 관해 얘기해야 해.
남 그런데 John이 오늘 오지 않았는걸.
여 그러면, 주제를 어떻게 고를 수 있을까?
남 온라인으로 그룹 채팅방을 만들자.
여 좋은 생각이야! 그러면, John도 우리와 얘기할 수 있어.
남 맞아. 내가 곧바로 그룹 채팅방을 만들게.

정답 및 해설

마지막에 남자가 곧바로 그룹 채팅방을 만들겠다고 했으므로 정답은 ⑤이다.

어휘 project [prá:dʒekt] 명 과제; 계획 chat room 채팅방

Tip 할 일 고르기 문제에서는 대화 마지막에 조동사 will을 써서 할 일을 말하거나, 제안이나 당부하는 표현을 이용하여 할 일을 언급하는 경우가 많으므로 해당 표현이 나오면 주의 깊게 듣는다.

- I **will** buy some food for the rabbits now. 지금 토끼에게 줄 먹이를 사러 갈 거야.
- **How about** playing board games? 보드게임 하는 건 어때?
- You **should** stretch your neck. 넌 목을 스트레칭해야 해.

교통수단 고르기

대화 속 화자가 이용할 교통수단을 고르는 문제로, 매회 1문항씩 출제

대표 기출 문제

▲ 음성 바로 듣기

대화를 듣고, 남자가 이용할 교통수단으로 가장 적절한 것을 고르시오.

① 택시　② 비행기　③ 자전거
④ 지하철　⑤ 셔틀버스

W Seho, how will you get to the water park this weekend?
M I'm not sure, Mom.
W You have to carry a heavy bag. How about taking a taxi?
M It may be expensive.
W Then, why don't you take a shuttle bus? It's cheaper.
M A shuttle bus? That sounds good.

여 세호야, 이번 주말에 워터 파크 어떻게 갈 거니?
남 잘 모르겠어요, 엄마.
여 너 무거운 가방을 들고 가야 하잖니. 택시를 타는 게 어떨까?
남 비쌀지도 몰라요.
여 그러면, 셔틀버스를 타지 않을래? 그건 좀 더 싸단다.
남 셔틀버스요? 좋은 생각이네요.

정답 및 해설

마지막에 여자가 셔틀버스 탈 것을 제안하자 남자가 좋다고 했으므로 정답은 ⑤이다.
초반에 여자가 택시 탈 것을 제안했지만 남자가 거절했으므로 ①을 고르지 않도록 주의한다.

어휘 carry [kǽri] 동 들다, 운반하다　expensive [ikspénsiv] 형 비싼　cheap [tʃiːp] 형 싼, 저렴한

Tip 교통수단 고르기 문제에서는 이동 수단을 설명하는 표현이 자주 쓰이므로 이를 미리 익혀둔다.
- Why don't we **go by bus**? 버스로 가는 건 어때?
- Let's **ride the subway**. 지하철을 타자.
- I'll **take you by car**. 내가 차로 데려다줄게.

장소/관계 고르기

대화가 이루어지는 장소나, 대화 속 화자의 관계를 고르는 문제로, 둘 중 한 유형으로 매회 1문항씩 출제

대표 기출 문제

▲ 음성 바로 듣기

대화를 듣고, 두 사람이 대화하는 장소로 가장 적절한 곳을 고르시오.

① 서점 ② 식당 ③ 법원
④ 편의점 ⑤ 놀이공원

M Wow! Look at the line over there, Somi.
W Is that the waiting line for the roller coaster?
M Yes. I think we'll have to wait for more than an hour.
W Oh, no. Then, let's try something else.
M I agree. Why don't we ride bumper cars first?
W Good! I like bumper cars too.
M Let's go!

남 우와! 저쪽에 줄 좀 봐, 소미야.
여 저거 롤러코스터 기다리는 줄인 거야?
남 응. 내 생각에 우리 한 시간도 넘게 기다려야 할 것 같아.
여 오, 이런. 그러면, 다른 걸 타자.
남 그래. 범퍼카를 먼저 타는 게 어때?
여 좋아! 나 범퍼카도 좋아해.
남 가자!

정답 및 해설

초반에 여자가 대기 줄을 가리키며 롤러코스터를 기다리는 줄인지 묻고 있는 것으로 보아 정답은 ⑤이다.

어휘 line [lain] 명 줄, 선 ride [raid] 동 타다

Tip 장소 고르기 문제에서는 일반적으로 대화 초반에 대화 장소와 관련된 내용이 나온다. 특히 직원과 손님의 대화일 경우, 손님의 방문 목적을 듣고 장소를 파악할 수 있다.

- I'd like to get a haircut. 머리를 자르고 싶어요. (미용실)
- I need to send this package to Sejong. 이 소포를 세종시로 보내야 해요. (우체국)
- I'm looking for a book for my son. 제 아들을 위한 책을 찾고 있어요. (서점)
- I want to buy a train ticket to New York. 뉴욕행 기차표를 사고 싶어요. (기차역)

위치 고르기

대화에서 언급된 건물이나 물건의 위치를 그림 상에서 고르는 문제로, 매회 1문항씩 출제

대표 기출 문제

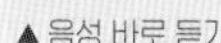

대화를 듣고, 우체국의 위치로 가장 알맞은 곳을 고르시오.

W Excuse me. Is there a post office around here?
M Yes, there is one nearby.
W How can I get there from here?
M Hmm... Go straight one block and turn right on Golden Street.
W On Golden Street?
M Yes. The post office will be on your left. It's next to the bakery.

여 실례합니다. 여기 주위에 우체국이 있나요?
남 네, 가까운 곳에 하나 있어요.
여 여기에서 거기로 어떻게 가면 되나요?
남 흠... 한 블록 직진하셔서 골든 가에서 우회전하세요.
여 골든 가에서요?
남 네. 우체국은 당신의 왼쪽에 있을 거예요. 제과점 옆에 있어요.

정답 및 해설

우체국은 한 블록 직진해서 골든 가에서 우회전한 다음 왼쪽, 즉 제과점 옆에 있다고 했으므로 정답은 ③이다.

어휘 nearby [nìərbái] 부 가까운 곳에, 인근에

Tip 위치 고르기 문제에서는 전치사를 이용해 건물이나 물건의 위치를 말해주므로 이를 미리 익혀둔다.

- on ~ 위에, ~ 거리에
- under ~ 아래에
- in front of ~ 앞에
- behind ~ 뒤에
- beside ~ 옆에
- near 근처에
- close to ~ 가까이에
- next to ~ 옆에
- far from ~로부터 먼
- across from ~ 맞은편에
- between A and B A와 B 사이에

기출 유형 13

제안/부탁·요청한 일 고르기

대화 속 화자가 제안한 것이나, 부탁·요청한 일을 고르는 문제로, 매회 각 1문항씩 출제

대표 기출 문제

▲음성 바로 듣기

대화를 듣고, 여자가 남자에게 제안한 것으로 가장 적절한 것을 고르시오.

① 병원 가기
② 천천히 먹기
③ 친구 초대하기
④ 식사 전 손 씻기
⑤ 규칙적으로 운동하기

W Jason, are you okay? You look sick.
M Mom, I have a stomachache.
W But, you were fine at lunch.
M I know. This pain started right after lunch.
W Maybe you ate too fast?
M No. I ate slowly. And I think I have a fever.
W Then, let's go see a doctor right now.
M Okay.

여 Jason, 괜찮니? 아파 보이는구나.
남 엄마, 저 배탈이 났어요.
여 그런데, 너 점심때는 괜찮았잖니.
남 맞아요. 통증이 점심 직후에 시작됐어요.
여 혹시 너무 빨리 먹었니?
남 아니요. 천천히 먹었어요. 그리고 열도 있는 것 같아요.
여 그러면, 지금 바로 병원에 가자.
남 알겠어요.

정답 및 해설

마지막에 여자가 남자에게 지금 바로 병원에 가자고 제안했으므로 정답은 ①이다.

[어휘] stomachache [stʌ́məkèik] 명 배탈 slowly [slóuli] 부 천천히 fever [fíːvər] 명 열

Tip 제안한 일 고르기 문제에서는 제안할 때 사용하는 특정 표현이 자주 쓰이므로, 이를 미리 익혀둔다.

- **Let's** make them together after school. 방과 후에 함께 그것들을 만들자.
- **How about** finding discount coupons online? 온라인으로 할인 쿠폰을 찾는 건 어때?
- **What about** buying one from the bakery? 빵집에서 하나 사는 건 어때?
- **Why don't you** add some more water? 물을 좀 더 추가하는 건 어때?
- **Why don't we** learn Chinese together? 우리 중국어를 함께 배우는 건 어때?

적절한 응답 고르기

대화의 흐름상 마지막 말에 이어질 가장 적절한 응답을 고르는 문제로, 매회 2문항씩 출제

대표 기출 문제

▲음성 바로 듣기

대화를 듣고, 여자의 마지막 말에 이어질 남자의 응답으로 가장 적절한 것을 고르시오.

Man: ______________________________

① I can't read it.

② I met him last night.

③ I'd like to meet him at 3 p.m.

④ We will meet at the playground.

⑤ He usually goes to school on foot.

[Telephone rings.]

W Hello?

M Hi, this is Minsu. Can I speak to Harry?

W I'm afraid he isn't home now.

M Then could I leave a message?

W Sure. Go ahead.

M Please tell him I want to play basketball with him tomorrow.

W Okay. What time do you want to meet him?

M ______________________________

[전화기가 울린다.]

여 여보세요?

남 안녕하세요. 저 민수인데요. Harry와 통화할 수 있을까요?

여 미안하지만 지금 집에 없단다.

남 그러면 메시지를 남길 수 있을까요?

여 물론이지. 그러렴.

남 제가 내일 Harry와 농구를 하고 싶어 한다고 말 해주세요.

여 알겠다. 몇 시에 Harry랑 만나고 싶은 거니?

남 ______________________________

정답 및 해설

마지막에 여자가 몇 시에 Harry와 만나고 싶어 하는지를 물었으므로 정답은 ③이다.
②는 어젯밤 Harry를 만났다고 했으므로 내일 만날 시간을 물어본 마지막 말에 대한 응답이 될 수 없다.

선택지 해석
① 그거 못 읽겠어요.
② 어젯밤에 그를 만났어요.
③ 오후 3시에 만나고 싶어요.
④ 우리는 놀이터에서 만날 거예요.
⑤ 그는 보통 걸어서 학교에 가요.

어휘 leave [liːv] 동 남기다; 떠나다 play basketball 농구를 하다

Tip 적절한 응답 고르기 문제에서는 대화의 마지막 말을 놓치지 않도록 끝까지 집중하며 듣는다. 특히 마지막 말이 의문사가 쓰인 질문일 경우, 질문의 내용을 잘 파악하기 위해 어떤 의문사가 쓰였는지 주의 깊게 듣는다.

실전 모의고사

01~20회 실전 모의고사

실전 모의고사
음성 바로 듣기 ▶

1 다음을 듣고, 'I'가 무엇인지 가장 적절한 것을 고르시오.

①  ②  ③ 

④  ⑤ 

2 대화를 듣고, 여자가 구입할 쿠션으로 가장 적절한 것을 고르시오.

① 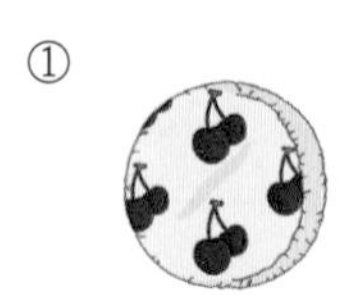 ② 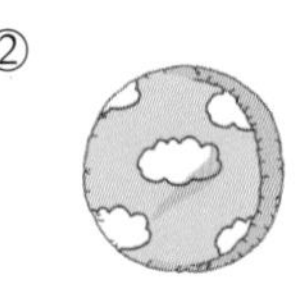 ③ 

④ 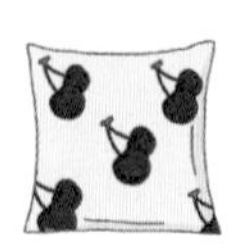 ⑤ 

3 다음을 듣고, 금요일의 날씨로 가장 적절한 것을 고르시오.

①   ②   ③   ④   ⑤  

4 대화를 듣고, 남자의 마지막 말의 의도로 가장 적절한 것을 고르시오.

① 거절 ② 동의 ③ 후회 ④ 요청 ⑤ 조언

5 다음을 듣고, 여자가 아빠에 대해 언급하지 않은 것을 고르시오.

① 외모 ② 고향 ③ 직업
④ 나이 ⑤ 취미

6 대화를 듣고, 클라리넷 수업이 시작되는 시각을 고르시오.

① 1:00 p.m ② 1:30 p.m. ③ 2:00 p.m.
④ 2:30 p.m. ⑤ 3:00 p.m.

7 대화를 듣고, 여자의 장래 희망으로 가장 적절한 것을 고르시오.

① 가수 ② 발레리나 ③ 과학자
④ 아나운서 ⑤ 작가

8 대화를 듣고, 여자의 심정으로 가장 적절한 것을 고르시오.

① 불안함 ② 행복함 ③ 설렘
④ 미안함 ⑤ 화남

9 대화를 듣고, 여자가 대화 직후에 할 일로 가장 적절한 것을 고르시오.

① 친구 초대하기 ② 약속 시간 정하기
③ 소풍 준비하기 ④ 영화 티켓 구매하기
⑤ 시간표 확인하기

10 대화를 듣고, 무엇에 관한 내용인지 가장 적절한 것을 고르시오.

① 이메일 주소 ② 유용한 웹사이트
③ 새 비디오 게임 ④ 드라마 리뷰
⑤ 주말 계획

11 대화를 듣고, 두 사람이 함께 이용할 교통수단으로 가장 적절한 것을 고르시오.

① 버스 ② 지하철 ③ 자전거
④ 기차 ⑤ 택시

12 대화를 듣고, 남자가 그림을 그린 이유로 가장 적절한 것을 고르시오.

① 판매를 하기 위해서 ② 선물을 하기 위해서
③ 전시를 하기 위해서 ④ 숙제를 하기 위해서
⑤ 상을 받기 위해서

13 대화를 듣고, 두 사람이 대화하는 장소로 가장 적절한 곳을 고르시오.

① 호텔 ② 은행 ③ 병원
④ 도서관 ⑤ 식당

14 대화를 듣고, 서점의 위치로 가장 알맞은 곳을 고르시오.

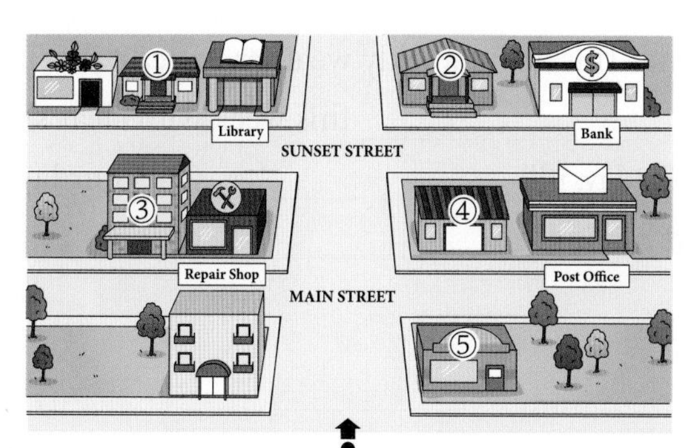

15 대화를 듣고, 여자가 남자에게 부탁한 일로 가장 적절한 것을 고르시오.

① 음식 준비하기 ② 사촌에게 전화하기
③ 거실 청소하기 ④ 식당 리뷰 남기기
⑤ 식당 예약하기

고난도
16 대화를 듣고, 여자가 남자에게 제안한 것으로 가장 적절한 것을 고르시오.

① 식물에 물 주기 ② 노란 잎 제거하기
③ 죽은 식물 버리기 ④ 식물을 밖으로 옮기기
⑤ 식물에 영양제 주기

고난도
17 대화를 듣고, 여자가 만들 가구로 가장 적절한 것을 고르시오.

① 테이블 ② 침대 ③ 의자
④ 새장 ⑤ 선반

18 대화를 듣고, 남자의 직업으로 가장 적절한 것을 고르시오.

① 경찰관 ② 택시 기사 ③ 소방관
④ 역사 선생님 ⑤ 환경 미화원

[19-20] 대화를 듣고, 남자의 마지막 말에 이어질 여자의 말로 가장 적절한 것을 고르시오.

19 **Woman:** ______________________

① Class just started.
② I met him today.
③ I'd love to, but I can't.
④ Once a week.
⑤ Open your book.

20 **Woman:** ______________________

① My feet hurt.
② I need some sneakers.
③ I can't believe it.
④ I'll go there by bus.
⑤ No. He just left.

Dictation
음성 바로 듣기 ▶

01회 중학영어듣기 실전 모의고사 Dictation 음성을 들으며 빈칸에 알맞은 단어를 채우시오.

1 | 화제 고르기

다음을 듣고, 'I'가 무엇인지 가장 적절한 것을 고르시오.

① ② ③ ④ ⑤

W I have four long legs and ________ ________ ________. I can ________ ________ on tall trees. I have yellow fur ________ ________. I live in a warm area. What am I?

2 | 알맞은 그림 고르기

대화를 듣고, 여자가 구입할 쿠션으로 가장 적절한 것을 고르시오.

① ② ③ ④ ⑤

W Excuse me. I'm looking for a cushion.

M Do you want a square one or a round one?

W I prefer ________ ________.

M Okay. What about this one with cherries?

W Hmm... Do you have ________ ________?

M Sure. What about this round one ________ ________ ________ ________?

W I love that one. I'll take it.

3 | 날씨 고르기

다음을 듣고, 금요일의 날씨로 가장 적절한 것을 고르시오.

① ② ③ ④ ⑤

M Hello, everyone. This is the weekly weather forecast. We'll have ________ ________ ________ this week with clear skies. However, on Friday, it'll ________ ________. On Saturday night, it'll start raining ________ ________ ________ ________.

4 | 의도 고르기

대화를 듣고, 남자의 마지막 말의 의도로 가장 적절한 것을 고르시오.

① 거절 ② 동의 ③ 후회 ④ 요청 ⑤ 조언

W Did you hear that a new shopping mall ________ ________ ________?

M Oh, really? Does it have many good stores?

W Yes. My favorite ________ ________ is there.

M Great. Let's go together soon.

W Okay! What about tomorrow?

M I ________ ________ ________ because of basketball practice.

5 | 언급하지 않은 내용 고르기

다음을 듣고, 여자가 아빠에 대해 언급하지 않은 것을 고르시오.

① 외모 ② 고향 ③ 직업
④ 나이 ⑤ 취미

적중! Tip Let me introduce A to B.
어떠한 대상에 대해 소개해주고 싶을 때 사용되는 표현으로 'B에게 A를 소개해드리겠습니다'라는 의미이다.
· Let me introduce you to my sister.
제 여동생에게 당신을 소개해드리겠습니다.

W Let me introduce my dad to you. He has short blond hair. He ________ ________ ________ 20 years ago. He ________ ________ ________ in an orchestra. He also teaches violin classes. His hobby is playing chess.

6 | 시간 정보 고르기

대화를 듣고, 클라리넷 수업이 시작되는 시각을 고르시오.

① 1:00 p.m ② 1:30 p.m. ③ 2:00 p.m.
④ 2:30 p.m. ⑤ 3:00 p.m.

적중! Tip I'll
[아일]보다는 [아을]로 들린다. 조동사 will의 축약형은 앞에 나오는 주어와 연결해서 약하게 발음되기 때문이다.
· You'll [유을] · They'll [데을]

M Jihye, what are you doing tomorrow?
W I'll go to ________ ________ ________. It's really fun.
M That sounds cool. I want to join you!
W I'll take you to the lesson then. ________ ________ ________ ________ at 2:00 p.m. tomorrow.
M Great. When does the clarinet lesson begin?
W It ________ ________ 2:30.

7 | 장래 희망 고르기

대화를 듣고, 여자의 장래 희망으로 가장 적절한 것을 고르시오.

① 가수 ② 발레리나 ③ 과학자
④ 아나운서 ⑤ 작가

M Somin, who is this in the picture on your desk?
W She is ________ ________ ________, Janet Rolland.
M Wow. Who is she?
W She is ________ ________ ________. She sang the song *Someday*.
M Do you want to be a singer like her?
W Yes. I want to ________ ________ ________ ________ in the future.
M I'm sure your dream will come true.

8 | 심정 고르기

대화를 듣고, 여자의 심정으로 가장 적절한 것을 고르시오.

① 불안함 ② 행복함 ③ 설렘
④ 미안함 ⑤ 화남

M Ella, what's the problem? You ________ ________ ________.
W I didn't sleep well, Brian.
M Oh, why not?
W I was ________ ________ about today's science test.
M Come on. I know you're ________ ________ ________.
W But I don't think I studied enough. I'm ________ ________.
M Don't worry. You can do it.

9 | 할 일 고르기

대화를 듣고, 여자가 대화 직후에 할 일로 가장 적절한 것을 고르시오.

① 친구 초대하기 ② 약속 시간 정하기
③ 소풍 준비하기 ④ 영화 티켓 구매하기
⑤ 시간표 확인하기

M What's your plan for Sunday, Vicky?
W I'm going to ________ ________ ________ at a theater.
M I wanted to ________ ________ ________ ________.
W The movie starts at 8, so I can have lunch with you.
M Can I join you for the movie too?
W Sure. I'll ________ ________ ________ for your seat now.

10 | 주제 고르기

대화를 듣고, 무엇에 관한 내용인지 가장 적절한 것을 고르시오.

① 이메일 주소 ② 유용한 웹사이트
③ 새 비디오 게임 ④ 드라마 리뷰
⑤ 주말 계획

적중! Tip video
[비디오]보다는 [비리오]로 들린다. [d]가 모음 사이에서 발음될 때는 약화되어 [r]에 가깝게 발음되기 때문이다.
· body [바리] · wedding [웨링]

W Did you ________ ________ ________ ________ yesterday?
M No. What was it about?
W I ________ ________ ________ ________ to a game review.
M Oh, is this for the new video game, *Hark's Castle*?
W Yes. You should read it. The game sounds really exciting.
M I will. I ________ ________ ________ ________ the game when it comes out this weekend.

11 | 교통수단 고르기

대화를 듣고, 두 사람이 함께 이용할 교통수단으로 가장 적절한 것을 고르시오.

① 버스 ② 지하철 ③ 자전거
④ 기차 ⑤ 택시

적중! Tip want to
[원트 투]보다는 [원투]로 들린다. 발음이 같은 자음이 나란히 나오면 앞 단어의 끝 자음이 탈락되기 때문이다.

[Cellphone rings.]
M Hey, Hajung!
W Hi, Jaemin! Do you want to go to the new library?
M Yes. How should we go there?
W We can ________ ________ ________.
M But it will ________ ________ ________ on the bus.
W Hmm... Then, how about ________ ________ ________?
M Okay. Let's meet in front of the station in five minutes.
W Great.

12 | 이유 고르기

대화를 듣고, 남자가 그림을 그린 이유로 가장 적절한 것을 고르시오.

① 판매를 하기 위해서 ② 선물을 하기 위해서
③ 전시를 하기 위해서 ④ 숙제를 하기 위해서
⑤ 상을 받기 위해서

W Ricky, what are you drawing?

M I'm ________ ________ ________ near grandma's house, Mom.

W It's my favorite place. ________ ________ looks really beautiful.

M Thank you. Actually, this is ________ ________ ________ for you.

W Oh, this is the best gift!

13 | 장소 고르기

대화를 듣고, 두 사람이 대화하는 장소로 가장 적절한 곳을 고르시오.

① 호텔 ② 은행 ③ 병원
④ 도서관 ⑤ 식당

W Hi, Mr. Smith. What can I do for you?

M Hello. I think I ________ ________ ________.

W What happened?

M I ________ ________ another player while I was playing soccer.

W Okay. Let's ________ ________ ________ first. Please go to the next room.

M Alright.

14 | 위치 고르기

대화를 듣고, 서점의 위치로 가장 알맞은 곳을 고르시오.

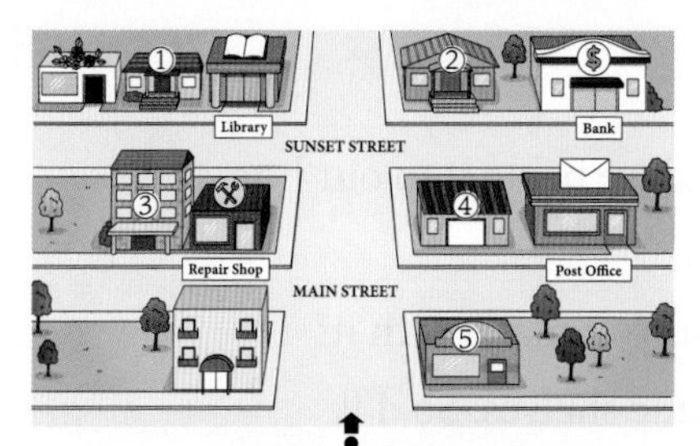

M Excuse me. Is there ________ ________ ________?

W Yes. Smile Bookstore is ________ ________ ________ ________.

M Nice! Could you tell me how I can get there?

W Go straight one block, and ________ ________ on Main Street.

M On Main Street?

W Yes. It'll be on your right. It's ________ ________ the repair shop.

M Thanks.

15 | 부탁·요청한 일 고르기

대화를 듣고, 여자가 남자에게 부탁한 일로 가장 적절한 것을 고르시오.

① 음식 준비하기　② 사촌에게 전화하기
③ 거실 청소하기　④ 식당 리뷰 남기기
⑤ 식당 예약하기

M Honey, your cousin Anna is going to arrive soon.
W Right. What ________ ________ ________ for dinner?
M How about cooking cream pasta?
W But she'll be here in 10 minutes. ________ ________ ________ ________ at the new restaurant?
M Okay. I heard that their food is delicious.
W Can you call and ________ ________ ________?
M Of course!

고난도

16 | 제안한 일 고르기

대화를 듣고, 여자가 남자에게 제안한 것으로 가장 적절한 것을 고르시오.

① 식물에 물 주기　② 노란 잎 제거하기
③ 죽은 식물 버리기　④ 식물을 밖으로 옮기기
⑤ 식물에 영양제 주기

적중! Tip　How about ~?

상대방에게 무언가를 제안하거나 권유할 때 사용되는 표현으로 '~하는 게 어떨까요?, 어때요?'라는 의미이다. 이때 about 다음에는 동명사가 온다.

· How about playing board games?
보드게임을 하는 게 어때요?

W Dad, look at this. The plant ________ ________.
M Oh, no! The leaves are ________ ________!
W Do we have to water it?
M No. I think it ________ ________.
W Then, how about ________ ________ ________?
M Okay. That sounds good.

고난도

17 | 특정 정보 고르기

대화를 듣고, 여자가 만들 가구로 가장 적절한 것을 고르시오.

① 테이블　② 침대　③ 의자
④ 새장　⑤ 선반

W Minhyun, look! Somebody ________ ________ a table.
M It seems clean, Mom. Should we bring it to our home?
W I have an idea. I can make it ________ ________ ________.
M That's a good idea. What can you make with it?
W Hmm... We already have some shelves. So, I'll ________ ________ ________.
M I'm sure it will look great!

18 | 직업 고르기

대화를 듣고, 남자의 직업으로 가장 적절한 것을 고르시오.

① 경찰관 ② 택시 기사 ③ 소방관
④ 역사 선생님 ⑤ 환경 미화원

적중! Tip in a hurry
[인 어 허리]보다는 [이너허리]로 들린다. 앞에 나온 단어의 끝 자음과 뒤에 나온 단어의 첫 모음이 연음되기 때문이다.
· look at [루캣] · sold out [솔다웃]

M Where are you going, miss?
W _______ _______ _______ _______, please. How long will it take?
M About 40 minutes. Are you in a hurry?
W Yes. I'm running _______ _______ _______. My train leaves at 4 p.m.
M Traffic is bad today, but I'll _______ _______ _______ _______ there on time.
W Thank you.

19 | 적절한 응답 고르기

대화를 듣고, 남자의 마지막 말에 이어질 여자의 말로 가장 적절한 것을 고르시오.

Woman: ____________________

① Class just started.
② I met him today.
③ I'd love to, but I can't.
④ Once a week.
⑤ Open your book.

M Where did you go after class?
W I went to my book club.
M I didn't know you _______ _______ _______. Who is in the club?
W A few friends. I really _______ _______ _______.
M That sounds fun.
W Come and join us.
M Maybe. _______ _______ do you meet?

20 | 적절한 응답 고르기

대화를 듣고, 남자의 마지막 말에 이어질 여자의 말로 가장 적절한 것을 고르시오.

Woman: ____________________

① My feet hurt.
② I need some sneakers.
③ I can't believe it.
④ I'll go there by bus.
⑤ No. He just left.

W I love your shoes, Mark. Where did you buy them?
M Thank you. I got them at Shoe World.
W Is the store nice? I _______ _______ _______.
M Yes. It sells so many kinds of shoes.
W Good. I should go there soon.
M _______ _______ _______ _______ do you want?

1 다음을 듣고, 'this'가 가리키는 것으로 가장 적절한 것을 고르시오.

2 대화를 듣고, 남자가 구입할 우비로 가장 적절한 것을 고르시오.

3 다음을 듣고, 내일의 날씨로 가장 적절한 것을 고르시오.

4 대화를 듣고, 여자가 한 마지막 말의 의도로 가장 적절한 것을 고르시오.

① 위로 ② 승낙 ③ 거절 ④ 축하 ⑤ 사과

5 다음을 듣고, 남자가 미술관 관람에 대해 언급하지 않은 것을 고르시오.

① 가이드 이름 ② 시작 시간
③ 관람 순서 ④ 소요 시간
⑤ 기념품 가게 위치

6 대화를 듣고, 두 사람이 만날 시각을 고르시오.

① 2:00 p.m. ② 2:30 p.m. ③ 3:00 p.m.
④ 3:30 p.m. ⑤ 4:00 p.m.

7 대화를 듣고, 남자의 장래 희망으로 가장 적절한 것을 고르시오.

① 극작가 ② 패션 모델 ③ 배우
④ 교사 ⑤ 영화감독

8 대화를 듣고, 남자의 심정으로 가장 적절한 것을 고르시오.

① sad ② angry ③ shy
④ worried ⑤ excited

9 대화를 듣고, 여자가 대화 직후에 할 일로 가장 적절한 것을 고르시오.

① 병원 가기 ② 감기약 먹기
③ 보일러 틀기 ④ 체온 재기
⑤ 편한 자세로 눕기

10 대화를 듣고, 무엇에 관한 내용인지 가장 적절한 것을 고르시오.

① 체육 대회 ② 장기자랑 ③ 수학경시대회
④ 과학 캠프 ⑤ 미술 대회

11 대화를 듣고, 남자가 이용할 교통수단으로 가장 적절한 것을 고르시오.

① 도보 ② 버스 ③ 택시
④ 지하철 ⑤ 자전거

12 대화를 듣고, 남자가 공항에 간 이유로 가장 적절한 것을 고르시오.

① 여행을 가기 위해서
② 친구를 마중하기 위해서
③ 분실물을 찾기 위해서
④ 과제를 하기 위해서
⑤ 자원봉사를 하기 위해서

13 대화를 듣고, 두 사람이 대화하는 장소로 가장 적절한 곳을 고르시오.

① 서점 ② 미용실 ③ 우체국
④ 은행 ⑤ 경찰서

14 대화를 듣고, 여자가 찾고 있는 이어폰의 위치로 가장 적절한 것을 고르시오.

15 대화를 듣고, 남자가 여자에게 부탁한 일로 가장 적절한 것을 고르시오.

① 친구 초대하기 ② 이메일 확인하기
③ 선물 포장하기 ④ 물건 골라주기
⑤ 친구에게 전화하기

16 대화를 듣고, 남자가 여자에게 제안한 것으로 가장 적절한 것을 고르시오.

① 공원에서 뛰기 ② 체육관 가기
③ 외투 입기 ④ 일기예보 확인하기
⑤ 운동기구 구매하기

17 대화를 듣고, 두 사람이 일요일에 할 일로 가장 적절한 것을 고르시오.

① 영화 보러 가기 ② 천문대 가기
③ 소원 빌러 가기 ④ 과학 발명품 만들기
⑤ 캠페인 참여하기

고난도

18 대화를 듣고, 남자의 직업으로 가장 적절한 것을 고르시오.

① 승무원 ② 작곡가 ③ 요리사
④ 작가 ⑤ 기자

[19-20] 대화를 듣고, 여자의 마지막 말에 이어질 남자의 말로 가장 적절한 것을 고르시오.

19 Man: ______________________

① I like studying history.
② I got a bad grade.
③ Let's solve the problem together.
④ Yes, I do.
⑤ Don't be sad.

20 Man: ______________________

① I'll take my car.
② He was right.
③ She is from Gwangju.
④ Please, sit down.
⑤ Platform number 3.

02회 Dictation

Dictation
음성 바로 듣기 ▶

02회 중학영어듣기 실전 모의고사 Dictation 음성을 들으며 빈칸에 알맞은 단어를 채우시오.

1 | 화제 고르기

다음을 듣고, 'this'가 가리키는 것으로 가장 적절한 것을 고르시오.

① ② ③ ④ ⑤

M You can find this ________ ________ ________ ________. It is ________ ________ ________. You can ________ ________ ________ and watch TV or read books. It usually has cushions on it. What is this?

2 | 알맞은 그림 고르기

대화를 듣고, 남자가 구입할 우비로 가장 적절한 것을 고르시오.

① ② ③ ④ ⑤

적중! Tip little

[리틀]보다는 [리를]로 들린다. [t]가 모음과 단어 끝의 -le 사이에 있으면 약화되어 [r]에 가깝게 발음되기 때문이다.

· battle [배를] · settle [새를]

W May I help you, sir?

M Yes, please. I'm ________ ________ ________ ________ for my daughter.

W Sure. Here is one with ________ ________.

M Do you have any others? She's a little old to wear that.

W Okay. We have this one ________ ________ ________.

M It's pretty. She likes stars.

W Then, she's going to love this one.

M Right. ________ ________ ________.

3 | 날씨 고르기

다음을 듣고, 내일의 날씨로 가장 적절한 것을 고르시오.

① ② ③ ④ ⑤

W Good morning. This is the weather report. It was ________ ________ ________ all day yesterday. Today, it'll be ________ ________ ________ in the morning. But the sky will clear in the evening. It'll be ________ ________ ________ ________ ________. Thank you.

4 | 의도 고르기

대화를 듣고, 여자가 한 마지막 말의 의도로 가장 적절한 것을 고르시오.

① 위로 ② 승낙 ③ 거절 ④ 축하 ⑤ 사과

M Kate, do you ________ ________ ________?
W Oh, there's a bakery.
M I can see many kinds of breads and cakes in the bakery.
W I want to buy ________ ________ ________ chocolate cake.
M ________ ________ ________ then.
W Sure. That's a good idea.

5 | 언급하지 않은 내용 고르기

다음을 듣고, 남자가 미술관 관람에 대해 언급하지 않은 것을 고르시오.

① 가이드 이름 ② 시작 시간
③ 관람 순서 ④ 소요 시간
⑤ 기념품 가게 위치

M Hi, everyone. I'm Adam, and I'll be your guide for today's visit to the art museum. You will ________ ________ ________ Hall A first, and then we will go to the second floor. ________ ________ ________ ________ for about two hours. You can visit the ________ ________ on the first floor after the tour.

6 | 시간 정보 고르기

대화를 듣고, 두 사람이 만날 시각을 고르시오.

① 2:00 p.m. ② 2:30 p.m. ③ 3:00 p.m.
④ 3:30 p.m. ⑤ 4:00 p.m.

W James, you didn't forget about ________ ________ ________ at the photo studio, right?
M Of course not. It's at 4 p.m. tomorrow.
W That's right. Let's meet at 3:30.
M I think ________ ________ ________. We should change our clothes there.
W Then, ________ ________ 3?
M Great! I'll see you then.

7 | 장래 희망 고르기

대화를 듣고, 남자의 장래 희망으로 가장 적절한 것을 고르시오.

① 극작가 ② 패션 모델 ③ 배우
④ 교사 ⑤ 영화감독

적중! Tip Are you interested in ~?
상대방의 관심사에 대해 물어볼 때 사용되는 표현으로, in 다음에는 (동)명사가 온다.
· Are you interested in studying space?
우주를 연구하는 데 관심이 있니?

W Brad, what are you doing?
M Hi, Sarah. I'm ________ ________ ________ for the school play.
W Wow! Are you interested in acting?
M Yes. I want ________ ________ ________ ________ in the future.
W I think you have ________ ________.
M Thanks, Sarah.

8 | 심정 고르기

대화를 듣고, 남자의 심정으로 가장 적절한 것을 고르시오.

① sad ② angry ③ shy
④ worried ⑤ excited

적중! Tip Would you like to ~?
상대방에게 제안이나 권유할 때 사용되는 표현으로, '~할래?, ~하고 싶니?'라는 의미이다. 이때 to 다음에는 동사원형이 온다.
· Would you like to drink a cup of tea?
차 한 잔 마실래?

M Jisun, the weather is so nice today.
W Yes, it is. It's perfect weather for a picnic.
M That's right. Would you like to ________ ________ ________ ________ at noon?
W Sure. ________ ________ some sandwiches outside.
M Great idea! We will have a good time.

고난도
9 | 할 일 고르기

대화를 듣고, 여자가 대화 직후에 할 일로 가장 적절한 것을 고르시오.

① 병원 가기 ② 감기약 먹기
③ 보일러 틀기 ④ 체온 재기
⑤ 편한 자세로 눕기

M Emily, you don't look well. Are you feeling sick?
W Yes, Dad. I ________ ________ and so cold.
M I guess you caught a cold. Do you ________ ________ ________?
W I don't know.
M Then, ________ ________ ________.
W Okay, I will.

10 | 주제 고르기

대화를 듣고, 무엇에 관한 내용인지 가장 적절한 것을 고르시오.

① 체육 대회 ② 장기자랑 ③ 수학경시대회
④ 과학 캠프 ⑤ 미술 대회

W Danny, are you ready for ________ ________ ________ ________?
M Yes. Our team practiced for a month.
W What ________ ________ ________ ________ ________?
M We're going to sing the song *Yellow Submarine* by The Beatles.
W Wonderful. Your team will ________ ________.
M Thank you, Ms. Astor.

11 | 교통수단 고르기

대화를 듣고, 남자가 이용할 교통수단으로 가장 적절한 것을 고르시오.

① 도보 ② 버스 ③ 택시
④ 지하철 ⑤ 자전거

M Mom, I'm going to the amusement park on Saturday ________ ________ ________.
W How are you getting there, John?
M We'll ________ ________ ________. It's going to take 30 minutes.
W Why don't you ________ ________ ________? It's always faster.
M Okay. We'll do that.

12 | 이유 고르기

대화를 듣고, 남자가 공항에 간 이유로 가장 적절한 것을 고르시오.

① 여행을 가기 위해서
② 친구를 마중하기 위해서
③ 분실물을 찾기 위해서
④ 과제를 하기 위해서
⑤ 자원봉사를 하기 위해서

W You didn't come to the book club yesterday, did you?
M Actually, I went to ________ ________.
W Why did you go there?
M I went ________ ________ ________ my friend. He is visiting Korea for a vacation.
W Cool! I hope he ________ ________ ________ ________ here.

13 | 장소 고르기

대화를 듣고, 두 사람이 대화하는 장소로 가장 적절한 곳을 고르시오.

① 서점 ② 미용실 ③ 우체국
④ 은행 ⑤ 경찰서

적중! Tip need to
[니드 투]보다는 [니투]로 들린다. [d]와 [t]처럼 발음할 때 혀의 위치가 비슷한 자음이 나란히 나오면 앞 단어의 끝 자음이 탈락되기 때문이다.
· spend time [스펜타임] · front desk [프론데스크]

M Next person, please. *[Pause]* How can I help you?
W I ________ ________ ________.
M How many do you need?
W Five, please. Oh, and I need to ________ ________.
M Alright. What is in the box?
W It is ________ ________ ________ for my sister. She lives in China.
M I see. It will be 15 dollars ________ ________ ________.

14 | 위치 고르기

대화를 듣고, 여자가 찾고 있는 이어폰의 위치로 가장 적절한 것을 고르시오.

W Dad, did you see ________ ________ in the house?
M Hmm... I'm ________ ________.
W I put them on the desk yesterday, but I can't find them.
M Did you ________ ________ ________ ________?
W Sure. But they weren't there.
M Oh! I found your earphones. They are ________ ________ ________.

15 | 부탁·요청한 일 고르기

대화를 듣고, 남자가 여자에게 부탁한 일로 가장 적절한 것을 고르시오.

① 친구 초대하기
② 이메일 확인하기
③ 선물 포장하기
④ 물건 골라주기
⑤ 친구에게 전화하기

적중! Tip Thanks

[땡크스]보다는 [땡쓰]로 들린다. 자음 3개가 연속해서 나오면 중간 자음은 발음되지 않기 때문이다.

· empty [엠티] · months [먼쓰]

[Cellphone rings.]

M Hey, Liz. ________ ________ ________?

W Hi, Peter. What's up?

M *[Clicking sound]* I sent you pictures of some bracelets. Could you ________ ________ ________?

W Sure. What's it for?

M It's ________ ________ ________ for Miranda.

W I like ________ ________ ________ with little birds.

M Thanks!

16 | 제안한 일 고르기

대화를 듣고, 남자가 여자에게 제안한 것으로 가장 적절한 것을 고르시오.

① 공원에서 뛰기
② 체육관 가기
③ 외투 입기
④ 일기예보 확인하기
⑤ 운동기구 구매하기

M Honey, where are you going?

W I'm going to the park to run.

M But it's ________ ________ ________ now.

W Oh, I didn't check the weather forecast today.

M What about ________ ________ ________ ________ instead?

W That sounds like a great idea! I need to exercise.

17 | 할 일 고르기

대화를 듣고, 두 사람이 일요일에 할 일로 가장 적절한 것을 고르시오.

① 영화 보러 가기
② 천문대 가기
③ 소원 빌러 가기
④ 과학 발명품 만들기
⑤ 캠페인 참여하기

W Hi, Daniel. I love watching ________ ________ ________ these days.

M Well, did you watch *Starlights* then?

W Not yet. I heard the movie is very interesting.

M Do you want ________ ________ ________ this Sunday? I have two free tickets.

W Sure. Thank you so much.

M No problem.

고난도

18 | 직업 고르기

대화를 듣고, 남자의 직업으로 가장 적절한 것을 고르시오.

① 승무원 ② 작곡가 ③ 요리사
④ 작가 ⑤ 기자

적중! Tip It's my pleasure.
상대방이 고맙다고 말한 것에 대해 답할 때 사용하는 표현으로 '별말씀을요'라는 의미이다.

W Thank you for coming today, Mr. Smith.
M It's my pleasure.
W Let's begin the interview by talking ________ ________ ________ ________.
M Sure. It took two years to write. I was traveling in Italy ________ ________ ________.
W Do you always travel when you write a book?
M Yes. Traveling helps me a lot because it ________ ________ ________ ________.
W Our readers will find that interesting.

19 | 적절한 응답 고르기

대화를 듣고, 여자의 마지막 말에 이어질 남자의 말로 가장 적절한 것을 고르시오.

Man: ________________

① I like studying history.
② I got a bad grade.
③ Let's solve the problem together.
④ Yes, I do.
⑤ Don't be sad.

W What are you studying, Jiwoo?
M I'm ________ ________ ________ ________.
W Are they difficult for you?
M Yes. Actually, I'm ________ ________ ________ math. It is not my favorite subject.
W Then, ________ ________ ________ ________ ________ most?

20 | 적절한 응답 고르기

대화를 듣고, 여자의 마지막 말에 이어질 남자의 말로 가장 적절한 것을 고르시오.

Man: ________________

① I'll take my car.
② He was right.
③ She is from Gwangju.
④ Please, sit down.
⑤ Platform number 3.

M Hello. Can I help you?
W Yes, please. I'd like to ________ ________ ________ for Gwangju.
M What time do you want to leave?
W I want to leave ________ ________.
M I see. *[Typing sound]* ________ ________ ________ ________. The train leaves at 12:10 p.m.
W Thank you. Where can I ________ ________ ________ ________?

1 다음을 듣고, 'I'가 무엇인지 가장 적절한 것을 고르시오.

2 대화를 듣고, 남자가 구입할 실내화로 가장 적절한 것을 고르시오.

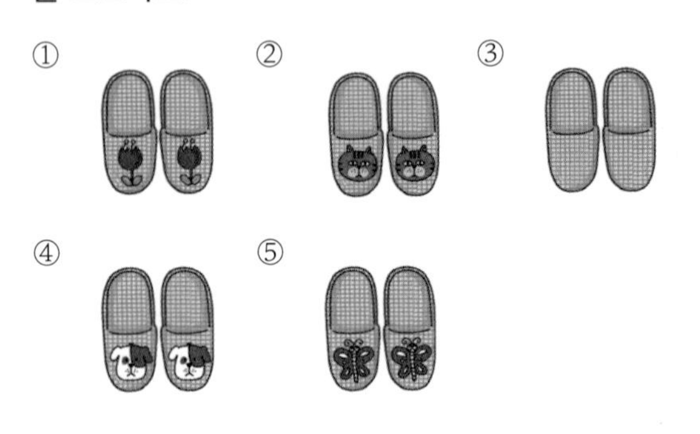

고난도
3 다음을 듣고, 일요일 오후의 날씨로 가장 적절한 것을 고르시오.

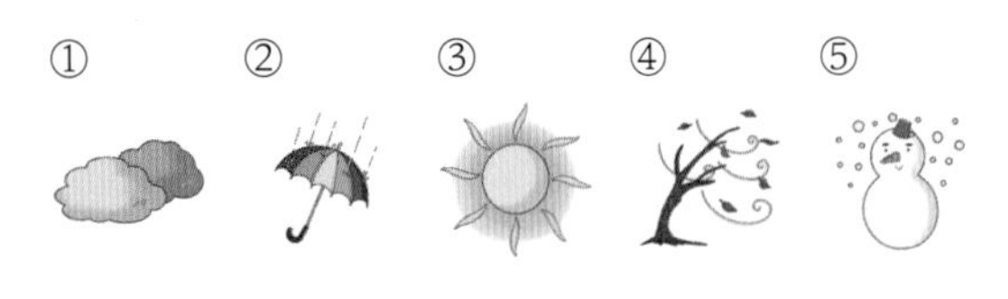

4 대화를 듣고, 여자가 한 마지막 말의 의도로 가장 적절한 것을 고르시오.

① 제안 ② 거절 ③ 칭찬 ④ 감사 ⑤ 충고

5 다음을 듣고, 남자가 현대 무용 축제에 대해 언급하지 않은 것을 고르시오.

① 행사 장소 ② 행사 기간
③ 참여 무용가 ④ 특별 공연
⑤ 입장료

6 대화를 듣고, 남자가 버스를 탄 시각을 고르시오.

① 7:30 a.m. ② 8:00 a.m. ③ 8:30 a.m.
④ 9:00 a.m. ⑤ 9:30 a.m.

고난도
7 대화를 듣고, 남자의 장래 희망으로 가장 적절한 것을 고르시오.

① 역사학자 ② 조각가 ③ 배우
④ 건축가 ⑤ 교사

8 대화를 듣고, 여자의 심정으로 가장 적절한 것을 고르시오.

① 설렘 ② 수줍음 ③ 긴장함
④ 피곤함 ⑤ 지루함

9 대화를 듣고, 여자가 대화 직후에 할 일로 가장 적절한 것을 고르시오.

① 시간 확인하기 ② 옷 수선하기
③ 벼룩시장 가기 ④ 자켓 환불하기
⑤ 가게로 돌아가기

10 대화를 듣고, 무엇에 관한 내용인지 가장 적절한 것을 고르시오.

① 블록 완성하기 ② 자동차 조립하기
③ 만들기 재료 사기 ④ 물건 옮기기
⑤ 미래 도시 그리기

11 대화를 듣고, 두 사람이 함께 이용할 교통수단으로 가장 적절한 것을 고르시오.

① 도보 ② 킥보드 ③ 자전거
④ 버스 ⑤ 택시

12 대화를 듣고, 비행기 일정이 변경된 이유로 가장 적절한 것을 고르시오.

① 공항이 수리 중이어서
② 조종사가 아파서
③ 기상 상황이 악화되어서
④ 비행기에 문제가 생겨서
⑤ 환승이 지연되어서

13 대화를 듣고, 두 사람이 대화하는 장소로 가장 적절한 곳을 고르시오.

① 병원 ② 서점 ③ 공연장
④ 도서관 ⑤ 식당

14 대화를 듣고, 경찰서의 위치로 가장 적절한 것을 고르시오.

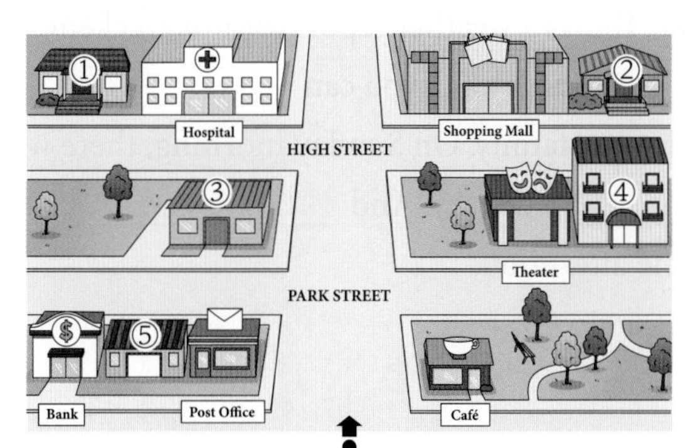

고난도
15 대화를 듣고, 여자가 남자에게 부탁한 일로 가장 적절한 것을 고르시오.

① 안경 가져오기 ② 영화 티켓 사기
③ 팝콘 사기 ④ 포스터 가져오기
⑤ 배우 사인 받기

16 대화를 듣고, 여자가 남자에게 제안한 것으로 가장 적절한 것을 고르시오.

① 선물 사기 ② 리본 묶기
③ 트리 옮기기 ④ 별 장식 달기
⑤ 전구 교체하기

17 대화를 듣고, 남자가 지난 휴일에 한 일로 가장 적절한 것을 고르시오.

① 등산하기 ② 물놀이 하기
③ 동생 돌보기 ④ 배드민턴 치기
⑤ 수족관 가기

고난도
18 대화를 듣고, 남자의 직업으로 가장 적절한 것을 고르시오.

① 수의사 ② 요리사 ③ 상담사
④ 군인 ⑤ 방송 기자

[19-20] 대화를 듣고, 남자의 마지막 말에 이어질 여자의 말로 가장 적절한 것을 고르시오.

19 **Woman:** ____________________

① He went to lunch already.
② My weekend was fun.
③ Thanks for your help.
④ That sounds great.
⑤ Didn't you decide yet?

20 **Woman:** ____________________

① I have good news.
② Sleep well.
③ Thank you so much.
④ Watch out.
⑤ We'll be right back.

03회 Dictation

03회 중학영어듣기 실전 모의고사 Dictation 음성을 들으며 빈칸에 알맞은 단어를 채우시오.

1 | 화제 고르기

다음을 듣고, 'I'가 무엇인지 가장 적절한 것을 고르시오.

① ② ③ ④ ⑤

M I have ________ ________ and a short tail. I am usually raised on a farm. My ________ ________ ________ keeps me warm. Also, it is used to ________ ________. What am I?

2 | 알맞은 그림 고르기

대화를 듣고, 남자가 구입할 실내화로 가장 적절한 것을 고르시오.

① ② ③ ④ ⑤

W Welcome. May I help you?
M I'm looking for ________ ________.
W How about these with a dog?
M Hmm... I ________ ________ because I have a cat at home.
W I see. Well, these ________ ________ ________ ________.
M Oh, those are perfect!

고난도

3 | 날씨 고르기

다음을 듣고, 일요일 오후의 날씨로 가장 적절한 것을 고르시오.

① ② ③ ④ ⑤

W Good evening. This is a weather report for this weekend. It will be sunny on Saturday. So, you can ________ ________ ________ with your family. On Sunday morning, there will be ________ ________ in the sky. And ________ ________ ________ in the afternoon.

4 | 의도 고르기

대화를 듣고, 여자가 한 마지막 말의 의도로 가장 적절한 것을 고르시오.

① 제안 ② 거절 ③ 칭찬 ④ 감사 ⑤ 충고

M Mom, could I ________ ________ ________ ________?
W What is it, Taejun?
M I need to buy some books, but I don't have money.
W You got your pocket money last week, didn't you?
M Yes, I did. But I ________ ________ ________. Sorry.
W Okay. But you should not ________ ________ next time.

5 | 언급하지 않은 내용 고르기

다음을 듣고, 남자가 현대 무용 축제에 대해 언급하지 않은 것을 고르시오.

① 행사 장소 ② 행사 기간
③ 참여 무용가 ④ 특별 공연
⑤ 입장료

적중! Tip modern
[마던]보다는 [마런]으로 들린다. [d]가 모음 사이에서 발음될 때는 약화되어 [r]에 가깝게 발음되기 때문이다.

M Let me tell you about the modern dance festival at the National Theater. It'll start on March 27th and ________ ________ April 6th. World-famous dancers like Sam Cox will take part. ________ ________ ________ is five dollars for adults and two dollars for students.

6 | 시간 정보 고르기

대화를 듣고, 남자가 버스를 탄 시각을 고르시오.

① 7:30 a.m. ② 8:00 a.m. ③ 8:30 a.m.
④ 9:00 a.m. ⑤ 9:30 a.m.

적중! Tip get up
[겟 업]보다는 [게럽]으로 들린다. [t]가 모음 사이에서 발음될 때는 약화되어 [r]에 가깝게 발음되기 때문이다.
· later [레이럴] · pretty [프리리]

[Cellphone rings.]
W Sangmin, where are you?
M Oh, ________ ________. I'm so sorry.
W It's already 9:30 a.m.
M I'm ________ ________. Please wait for me.
W Did you get up late?
M No. I took the bus at 8:30, but there was ________ ________ on the road.
W Okay, hurry up!

고난도

7 | 장래 희망 고르기

대화를 듣고, 남자의 장래 희망으로 가장 적절한 것을 고르시오.

① 역사학자 ② 조각가 ③ 배우
④ 건축가 ⑤ 교사

W Is this your ________ ________ ________, Minsu?
M Yes. It's a miniature of Gyeongbokgung.
W Wow, it looks the same as the palace. You're so talented!
M Thank you. I want to ________ ________ ________ with traditional styles.
W I believe you'll be ________ ________ ________ someday.

8 | 심정 고르기

대화를 듣고, 여자의 심정으로 가장 적절한 것을 고르시오.

① 설렘 ② 수줍음 ③ 긴장함
④ 피곤함 ⑤ 지루함

적중! Tip is she
[이즈 쉬]보다는 [이쉬]로 들린다. 비슷하게 발음되는 자음이 나란히 나오면 앞 단어의 끝자음이 탈락되기 때문이다.

M Amy, your grandmother is coming ________ ________ ________ this weekend.
W Really? ________ ________ is she going to stay with us this time, Dad?
M For a week. Can you clean the guest room ________ ________ ________?
W Of course. I ________ ________ ________ ________ her!

9 | 할 일 고르기

대화를 듣고, 여자가 대화 직후에 할 일로 가장 적절한 것을 고르시오.

① 시간 확인하기 ② 옷 수선하기
③ 벼룩시장 가기 ④ 자켓 환불하기
⑤ 가게로 돌아가기

W Oh, no! There is a hole in ________ ________ ________!
M But you bought it 10 minutes ago.
W I think they sold me a bad one. What should I do?
M You should ________ ________ ________.
W But I really like this jacket.
M Then, ask them to give you a new one.
W Okay. I'll ________ ________ ________ the store now.

10 | 주제 고르기

대화를 듣고, 무엇에 관한 내용인지 가장 적절한 것을 고르시오.

① 블록 완성하기 ② 자동차 조립하기
③ 만들기 재료 사기 ④ 물건 옮기기
⑤ 미래 도시 그리기

W Blake, how's your ________ ________?
M It's going great, Susie!
W Is it a flying car?
M Yes, it is. I'm drawing ________ ________ ________.
W Nice! How about drawing a rocket station?
M That's a cool idea. Maybe people can ________ ________ ________ like an airplane in the future.

11 | 교통수단 고르기

대화를 듣고, 두 사람이 함께 이용할 교통수단으로 가장 적절한 것을 고르시오.

① 도보 ② 킥보드 ③ 자전거
④ 버스 ⑤ 택시

M Anne, I ________ ________ ________ baking soda.
W Let's go to Boram Mart and buy some. The bus stop is ________ ________ ________.
M Hmm... I think it's ________ ________ for the bus.
W Then, why don't we ________ ________ ________? It's a beautiful day.
M Sure. Let's go enjoy the spring weather.

12 | 이유 고르기

대화를 듣고, 비행기 일정이 변경된 이유로 가장 적절한 것을 고르시오.

① 공항이 수리 중이어서
② 조종사가 아파서
③ 기상 상황이 악화되어서
④ 비행기에 문제가 생겨서
⑤ 환승이 지연되어서

M Excuse me, when will the plane from Busan get here? My friend ________ ________ soon.

W Let me check, sir. *[Pause]* Oh, the ________ ________ ________ Busan yet.

M What happened?

W There is a bad storm with strong winds. They ________ ________ ________ ________.

M Oh, okay. Thank you for the help.

13 | 장소 고르기

대화를 듣고, 두 사람이 대화하는 장소로 가장 적절한 곳을 고르시오.

① 병원 ② 서점 ③ 공연장
④ 도서관 ⑤ 식당

> 적중! Tip I'd like to ~.
> 상대방에게 자신이 원하는 바를 밝힐 때 사용되는 표현으로 '~하고 싶어요'라는 의미이다. 이때 would like to(='d like to) 다음에는 동사원형이 온다.
> · I'd like to watch a movie.
> 영화를 한 편 보고 싶어요.

M Hi. Can I help you?

W I'd like to ________ ________ ________.

M What kind of book are you looking for?

W I'm looking for a funny story. I ________ ________ ________ a lot while I read it.

M Okay. How about this one?

W Let me see. *[Pause]* Perfect. I'll ________ ________.

14 | 위치 고르기

대화를 듣고, 경찰서의 위치로 가장 적절한 것을 고르시오.

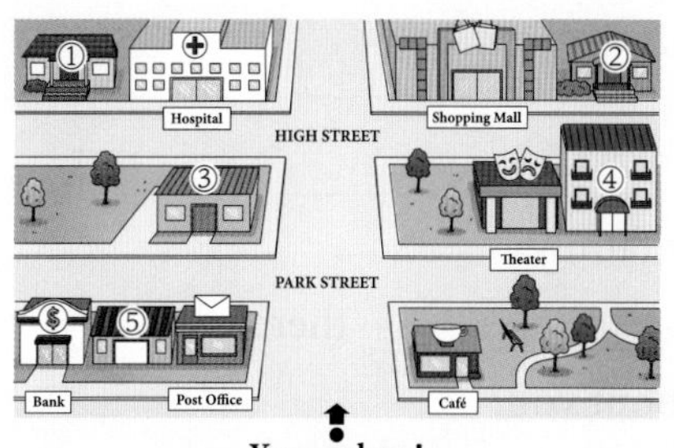

W Hi, Tom. What's up?

M I found a wallet. I should take it to ________ ________ ________. Is there one near here?

W Yes. ________ ________ two blocks, and turn left on High Street.

M Turn left on High Street?

W Yes. It'll ________ ________ ________ ________. It's next to the hospital.

M Thank you.

고난도

15 | 부탁·요청한 일 고르기

대화를 듣고, 여자가 남자에게 부탁한 일로 가장 적절한 것을 고르시오.

① 안경 가져오기 ② 영화 티켓 사기
③ 팝콘 사기 ④ 포스터 가져오기
⑤ 배우 사인 받기

적중! Tip Let's go (and) ~.
상대방에게 무언가를 제안할 때 사용되는 표현으로, '~하러 가자, 가서 ~하자'라는 의미이다. 이때 go 뒤의 and는 생략되는 경우가 많아서 바로 다음에 동사원형이 온다.
· Let's go get some drinks.
음료를 좀 사러 가자.

W Honey, here I am. Let's go watch the movie.
M Okay. Did you ________ ________ ________?
W Yes. I also ________ ________ ________ on the way.
M Thank you. What about buying some popcorn?
W Good idea! Can you get it while I ________ ________ ________ ________?
M Of course.

16 | 제안한 일 고르기

대화를 듣고, 여자가 남자에게 제안한 것으로 가장 적절한 것을 고르시오.

① 선물 사기 ② 리본 묶기
③ 트리 옮기기 ④ 별 장식 달기
⑤ 전구 교체하기

W Taemin, what did you put on the Christmas tree?
M I ________ ________ ________ and lights, Mom.
W It looks beautiful. But I think it needs something more.
M Really? What should I do?
W Why don't you ________ ________ ________ with a star?
M Okay, I will.

17 | 한 일 고르기

대화를 듣고, 남자가 지난 휴일에 한 일로 가장 적절한 것을 고르시오.

① 등산하기 ② 물놀이 하기
③ 동생 돌보기 ④ 배드민턴 치기
⑤ 수족관 가기

M Nayoung, did you ________ ________ ________ ________?
W Yeah. I went to Jeju with my family.
M Oh, ________ ________ ________ ________ there?
W I climbed Hallasan. What about you?
M I ________ ________ in the park everyday.
W Sounds fun! I'd like to join you next time.

고난도

18 | 직업 고르기

대화를 듣고, 남자의 직업으로 가장 적절한 것을 고르시오.

① 수의사 ② 요리사 ③ 상담사
④ 군인 ⑤ 방송 기자

적중! Tip **wrong**
[렁]으로 발음된다. -r 앞에 오면서 단어의 맨 처음에 쓰인 [w]는 묵음이다.
· wrist [리스트] · wrap [랩]

W Hi, Dr. Lee. Can I come in?
M Sure. Have a seat. What's the problem?
W I ________ ________ ________ ________. What's wrong with me?
M Don't worry. Many people have ________ ________.
W Really?
M Yes. Let me tell you how to ________ ________ ________.

19 | 적절한 응답 고르기

대화를 듣고, 남자의 마지막 말에 이어질 여자의 말로 가장 적절한 것을 고르시오.

Woman: ____________________

① He went to lunch already.
② My weekend was fun.
③ Thanks for your help.
④ That sounds great.
⑤ Didn't you decide yet?

[Cellphone rings.]
M Hi, Mia.
W Hello, Robert. What are you doing in the evening?
M I will ________ ________ ________ ________ to see the fireworks.
W Actually, I called you to ask about going there together.
M Great. Can I ________ ________ ________ Anna too?
W Sure. ________ ________ ________.
M Okay. Let's meet at 7 p.m. in the park.

20 | 적절한 응답 고르기

대화를 듣고, 남자의 마지막 말에 이어질 여자의 말로 가장 적절한 것을 고르시오.

Woman: ____________________

① I have good news.
② Sleep well.
③ Thank you so much.
④ Watch out.
⑤ We'll be right back.

M Junmi, did you ________ ________ ________ this morning?
W No, I didn't. Why?
M There will be heavy rain today.
W Oh, no! I ________ ________ ________ ________.
M It's okay. I have a big one. You can ________ ________ ________ ________.

04회 중학영어듣기 실전 모의고사

실전 모의고사 음성 바로 듣기 ▶

1 다음을 듣고, 'this'가 가리키는 것으로 가장 적절한 것을 고르시오.

2 대화를 듣고, 남자가 만든 연으로 가장 적절한 것을 고르시오.

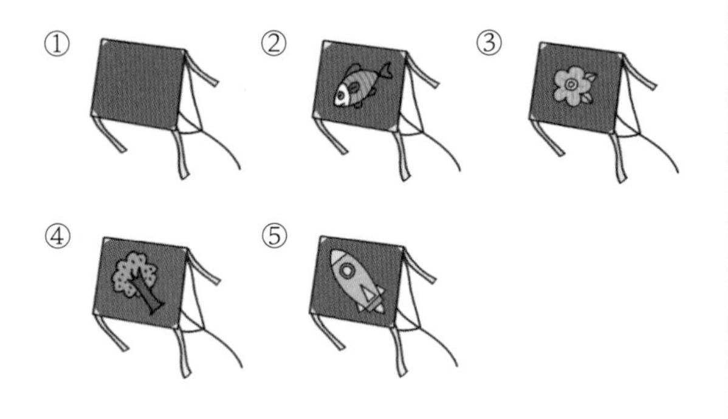

3 다음을 듣고, 수요일 오후의 날씨로 가장 적절한 것을 고르시오.

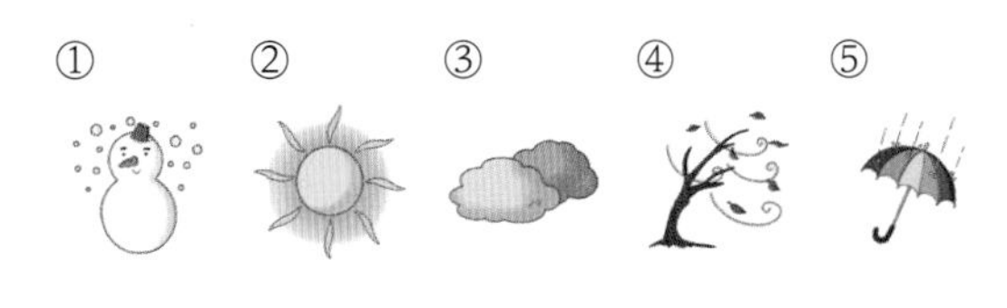

4 대화를 듣고, 여자가 한 마지막 말의 의도로 가장 적절한 것을 고르시오.

① 감사 ② 요청 ③ 동의 ④ 칭찬 ⑤ 의심

5 다음을 듣고, 남자가 노래 대회에 대해 언급하지 않은 것을 고르시오.

① 대회 이름 ② 대회 날짜 ③ 참가자 수
④ 우승 상품 ⑤ 신청 방법

6 대화를 듣고, 현재의 시각을 고르시오.

① 6:15 p.m. ② 6:30 p.m. ③ 6:45 p.m.
④ 7:00 p.m. ⑤ 7:15 p.m.

고난도

7 대화를 듣고, 여자의 장래 희망으로 가장 적절한 것을 고르시오.

① 의사 ② 과학자 ③ 조종사
④ 영어 교사 ⑤ 외교관

8 대화를 듣고, 여자의 심정으로 가장 적절한 것을 고르시오.

① angry ② happy ③ shy
④ proud ⑤ upset

9 대화를 듣고, 남자가 대화 직후에 할 일로 가장 적절한 것을 고르시오.

① 빨래하기 ② 서랍 정리하기
③ 수건 가져오기 ④ 헤어 드라이기 사기
⑤ 마트 방문하기

10 대화를 듣고, 무엇에 관한 내용인지 가장 적절한 것을 고르시오.

① 생일 축하 파티 ② 과학 경시 대회
③ 선생님 결혼식 ④ 학교 축제 전야제
⑤ 명사 초청 강연

고난도

11 대화를 듣고, 남자가 이용할 교통수단으로 가장 적절한 것을 고르시오.

① 도보 ② 자전거 ③ 버스
④ 기차 ⑤ 지하철

12 대화를 듣고, 약속이 변경된 이유로 가장 적절한 것을 고르시오.

① 다른 약속이 있어서 ② 집에 손님이 오셔서
③ 숙제가 많아서 ④ 가족 여행을 가서
⑤ 친구가 배가 아파서

13 대화를 듣고, 두 사람이 대화하는 장소로 가장 적절한 곳을 고르시오.

① 경찰서 ② 마트 ③ 식당
④ 미용실 ⑤ 가구점

14 대화를 듣고, 여자가 찾고 있는 교과서의 위치로 가장 알맞은 것을 고르시오.

15 대화를 듣고, 여자가 남자에게 요청한 일로 가장 적절한 것을 고르시오.

① 물건 판매하기 ② 가격 깎아주기
③ 물건 옮겨주기 ④ 주차 도와주기
⑤ 함께 공원 걷기

16 대화를 듣고, 남자가 여자에게 제안한 것으로 가장 적절한 것을 고르시오.

① 배달 앱 사용하기 ② 식당에 전화하기
③ 지도 앱 다운받기 ④ 친구 초대하기
⑤ 중국 여행하기

17 대화를 듣고, 남자가 방문할 곳으로 가장 적절한 것을 고르시오.

① 학생 식당 ② 미술관 ③ 호텔
④ 도서관 ⑤ 오락실

18 대화를 듣고, 여자의 직업으로 가장 적절한 것을 고르시오.

① 건축가 ② 미화원 ③ 소방관
④ 간호사 ⑤ 경비원

[19-20] 대화를 듣고, 남자의 마지막 말에 이어질 여자의 응답으로 가장 적절한 것을 고르시오.

19 **Woman:** ______________________

① Yes. It's just an hour away.
② I have one brother.
③ No, I'm not good at skiing.
④ Okay, that's a good point.
⑤ It's my favorite hobby.

20 **Woman:** ______________________

① You can't park here.
② Sorry for being late.
③ Yes. I like to swim.
④ When will you be here?
⑤ Don't mention it.

04회 Dictation

Dictation 음성 바로 듣기 ▶

04회 중학영어듣기 실전 모의고사 Dictation 음성을 들으며 빈칸에 알맞은 단어를 채우시오.

1 | 화제 고르기

다음을 듣고, 'this'가 가리키는 것으로 가장 적절한 것을 고르시오.

① ② ③ ④ ⑤

W This is ________ ________ ________. You may find this at home. You can ________ ________ ________ in the wall with this. It is also very useful ________ ________ ________ ________. What is this?

2 | 알맞은 그림 고르기

대화를 듣고, 남자가 만든 연으로 가장 적절한 것을 고르시오.

① ② ③ ④ ⑤

W Dylan, did you buy ________ ________ ________?

M No, Mom. I made it in my art class today.

W Great job! Is ________ ________ ________ in the center?

M Actually, it's ________ ________. I made it for my little brother.

W That is ________ ________ ________ ________.

3 | 날씨 고르기

다음을 듣고, 수요일 오후의 날씨로 가장 적절한 것을 고르시오.

① ② ③ ④ ⑤

W Good morning, everyone. This is the ________ ________ for this week. It will be cloudy on Monday. And on Tuesday, it will rain. On Wednesday, the rain will stop and the sun will shine in the morning, but there will be ________ ________ ________ ________ ________.

4 | 의도 고르기

대화를 듣고, 여자가 한 마지막 말의 의도로 가장 적절한 것을 고르시오.

① 감사 ② 요청 ③ 동의 ④ 칭찬 ⑤ 의심

> 적중! Tip Could you
>
> [쿠드 유]보다는 [쿠쥬]로 들린다. [d]로 끝나는 단어 뒤에 y-로 시작하는 단어가 이어지면 두 소리가 연결되어 [쥬]로 발음되기 때문이다.
>
> · would you [우쥬] · did you [디쥬]

M Could you ________ ________ ________ about Earth Day, Sally?

W Why did you ________ ________ ________? Was it homework?

M No, it wasn't. I joined the school newspaper.

W Congratulations! You always wanted to ________ ________ ________.

M Thanks. Is the article easy to understand?

W I think so. You ________ ________ ________ ________!

5 | 언급하지 않은 내용 고르기

다음을 듣고, 남자가 노래 대회에 대해 언급하지 않은 것을 고르시오.

① 대회 이름 ② 대회 날짜 ③ 참가자 수
④ 우승 상품 ⑤ 신청 방법

적중! Tip winner
[위너]로 발음된다. 발음이 같은 자음이 나란히 나오면 그 중 하나만 발음되기 때문이다.
· summer [써머] · cannot [캐낫]

M Hello, everyone. I'd like to tell you about our school ________ ________, Show Me Your Voice. The contest will be ________ ________. The winner will get a 100-dollar coupon for the nearby market. You can ________ ________ ________ the contest on our website.

6 | 시간 정보 고르기

대화를 듣고, 현재의 시각을 고르시오.

① 6:15 p.m. ② 6:30 p.m. ③ 6:45 p.m.
④ 7:00 p.m. ⑤ 7:15 p.m.

W Hi, Bill. Where are you going?
M I'm ________ ________ ________ ________.
W What movie are you going to watch?
M It's called *The Little Cat*. ________ ________ ________ ________ join me?
W Sure. When does it start?
M It ________ ________ 6:45.
W Oh, that's in 15 minutes. It's already 6:30.
M Don't worry. The theater is ________ ________ ________.

고난도

7 | 장래 희망 고르기

대화를 듣고, 여자의 장래 희망으로 가장 적절한 것을 고르시오.

① 의사 ② 과학자 ③ 조종사
④ 영어 교사 ⑤ 외교관

W Brian, you look sleepy.
M I ________ ________ until 2 a.m. last night.
W Wow. You're studying really hard.
M I ________ ________ ________ ________ because I want to be a pilot.
W I hope your ________ ________ ________.
M How about you?
W I like English, so I want to ________ ________ ________ ________.

8 | 심정 고르기

대화를 듣고, 여자의 심정으로 가장 적절한 것을 고르시오.

① angry ② happy ③ shy
④ proud ⑤ upset

W Ross, I'm ________ ________ ________ ________ now.
M What's going on?
W My mom ________ ________ ________ home this morning.
M You always wanted a puppy. I'm glad for you!
W Yes. I ________ ________ ________ ________ her!

9 | 할 일 고르기

대화를 듣고, 남자가 대화 직후에 할 일로 가장 적절한 것을 고르시오.

① 빨래하기 ② 서랍 정리하기
③ 수건 가져오기 ④ 헤어 드라이기 사기
⑤ 마트 방문하기

W Dad, where are the towels?
M You are so wet!
W It started to rain ________ ________ ________ ________. But I can't find any towels in the drawer.
M Oh, right. I ________ ________ ________.
W Really? I need one to dry my hair.
M I'll go get ________ ________ ________ ________ now.
W Thanks!

10 | 주제 고르기

대화를 듣고, 무엇에 관한 내용인지 가장 적절한 것을 고르시오.

① 생일 축하 파티 ② 과학 경시 대회
③ 선생님 결혼식 ④ 학교 축제 전야제
⑤ 명사 초청 강연

M Hi, Tina. I have ________ ________ ________ you.
W Okay. What is it?
M It's an invitation to ________ ________ ________ ________ next Sunday.
W Are many students going?
M Yes. He ________ ________ ________ ________ in our class.
W Great. I'll be there to celebrate his marriage.

고난도

11 | 교통수단 고르기

대화를 듣고, 남자가 이용할 교통수단으로 가장 적절한 것을 고르시오.

① 도보 ② 자전거 ③ 버스
④ 기차 ⑤ 지하철

> 적중! Tip Why don't you ~?
> 상대방에게 무언가를 제안할 때 사용되는 표현으로 '~하지 않을래?, ~하는 게 어때?'라는 의미이다.
> · Why don't you call her?
> 그녀에게 전화해보는 게 어때?

M How will you ________ ________ ________ ________, Jenny?
W I will take a bus from home.
M Why don't you go with me now?
W I forgot to ________ ________ ________ ________. Don't wait for me.
M Okay. Then I'll take the subway now.
W Good idea. It's ________ ________ ________ ________. See you at the gym.

12 | 이유 고르기

대화를 듣고, 약속이 변경된 이유로 가장 적절한 것을 고르시오.

① 다른 약속이 있어서 ② 집에 손님이 오셔서
③ 숙제가 많아서 ④ 가족 여행을 가서
⑤ 친구가 배가 아파서

> 적중! Tip I'm sorry to hear that.
> 안 좋은 소식을 듣고 유감을 나타낼 때 사용되는 표현으로, '안됐다, 유감이다'라는 의미이다.

W Martin, when will you meet Rebecca today?
M We are going to ________ ________ ________.
W Is there something wrong?
M She has ________ ________ ________, so she has to stay home.
W I'm sorry to hear that. I hope she ________ ________ soon.
M Me too.

13 | 장소 고르기

대화를 듣고, 두 사람이 대화하는 장소로 가장 적절한 곳을 고르시오.

① 경찰서 ② 마트 ③ 식당
④ 미용실 ⑤ 가구점

aisle
[아일]로 발음된다. 여기서 [s]는 묵음이다.

M Mom, look at ________ ________.
W They look delicious!
M ________ ________ ________. Is it okay to touch them?
W No, Gerard, you can't.
M Alright. Can we buy some?
W Yes. Put them ________ ________ ________.
M Okay. And can I buy a new body wash too?
W Of course. ________ ________ ________ from the aisle.

14 | 위치 고르기

대화를 듣고, 여자가 찾고 있는 교과서의 위치로 가장 알맞은 것을 고르시오.

[Cellphone rings.]
M Hello?
W Hi, Ted. Where did you ________ ________ ________ ________?
M I put it on your desk last night.
W Well, it's not there. I looked ________ ________ ________, but I couldn't find it.
M Did you check inside your bag?
W Oh, it's ________ ________ ________. Thanks.

15 | 부탁·요청한 일 고르기

대화를 듣고, 여자가 남자에게 요청한 일로 가장 적절한 것을 고르시오.

① 물건 판매하기 ② 가격 깎아주기
③ 물건 옮겨주기 ④ 주차 도와주기
⑤ 함께 공원 걷기

W Excuse me, are you Ben? ________ ________ ________ to buy your microwave.

M Oh, you are Angela. Here it is.

W Thank you.

M ________ ________. It's quite heavy.

W Then, could you ________ ________ ________ it to my car? I parked near here.

M No problem.

16 | 제안한 일 고르기

대화를 듣고, 남자가 여자에게 제안한 것으로 가장 적절한 것을 고르시오.

① 배달 앱 사용하기 ② 식당에 전화하기
③ 지도 앱 다운받기 ④ 친구 초대하기
⑤ 중국 여행하기

적중! Tip restaurant
[레스토랑]으로 익숙한 외래어이지만 실제로는 [뤠스투롼]으로 발음된다.

M Kate, are you hungry now?

W Yes. I didn't eat dinner today.

M Do you want to ________ ________ ________ ________?

W Sure! I'll call the restaurant now.

M ________ ________ ________ ________ the delivery app? We can see the menu easily.

W That's a great idea!

17 | 특정 정보 고르기

대화를 듣고, 남자가 방문할 곳으로 가장 적절한 것을 고르시오.

① 학생 식당 ② 미술관 ③ 호텔
④ 도서관 ⑤ 오락실

W Troy, did you hear about ________ ________ ________ ________ ________?

M No, I didn't. What are they showing?

W They are ________ ________ ________ from all over the world.

M That's really interesting.

W Yes. You can also learn about the lives of ________ ________.

M I'll go there this afternoon!

18 | 직업 고르기

대화를 듣고, 여자의 직업으로 가장 적절한 것을 고르시오.

① 건축가 ② 미화원 ③ 소방관
④ 간호사 ⑤ 경비원

W Please ________ ________ ________ the building, sir.
M What's going on?
W There was ________ ________ on the third floor.
M Oh, no! Is everyone okay?
W Yes. Everyone ________ ________ ________ the building.
M That's good. Was it a big fire?
W No. We ________ ________ ________ quickly.
M I'm glad you got here so fast.

19 | 적절한 응답 고르기

대화를 듣고, 남자의 마지막 말에 이어질 여자의 응답으로 가장 적절한 것을 고르시오.

Woman: ________________________

① Yes. It's just an hour away.
② I have one brother.
③ No, I'm not good at skiing.
④ Okay, that's a good point.
⑤ It's my favorite hobby.

W Hi, Sam. Did you go skiing yesterday?
M Yes. I ________ ________ with my family.
W I like to ski too. How often do you go?
M Once or twice ________ ________. What about you?
W ________ ________ ________. I always go to the same resort.
M Why? Is it close?

20 | 적절한 응답 고르기

대화를 듣고, 남자의 마지막 말에 이어질 여자의 응답으로 가장 적절한 것을 고르시오.

Woman: ________________________

① You can't park here.
② Sorry for being late.
③ Yes. I like to swim.
④ When will you be here?
⑤ Don't mention it.

M Hi. Do you live ________ ________?
W Yes. My house is just over there.
M Oh, great. ________ ________ ________.
W Where do you want to go?
M I'm ________ ________ the swimming pool.
W You're very close. It's right next to the park.
M Thank you so much ________ ________ ________.

1 다음을 듣고, 'I'가 무엇인지 가장 적절한 것을 고르시오.

2 대화를 듣고, 남자가 구입할 선글라스로 가장 적절한 것을 고르시오.

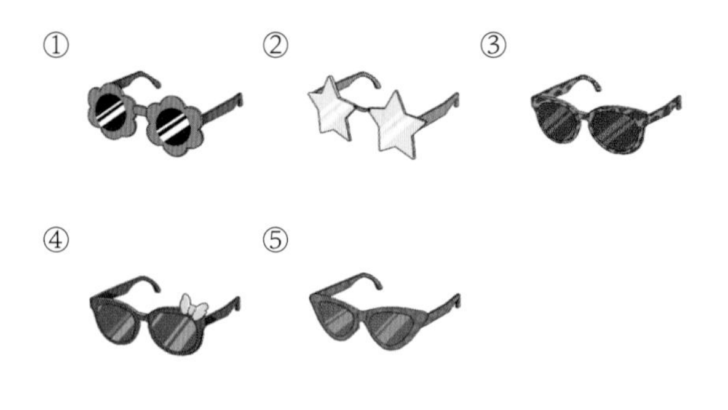

3 다음을 듣고, 일요일의 날씨로 가장 적절한 것을 고르시오.

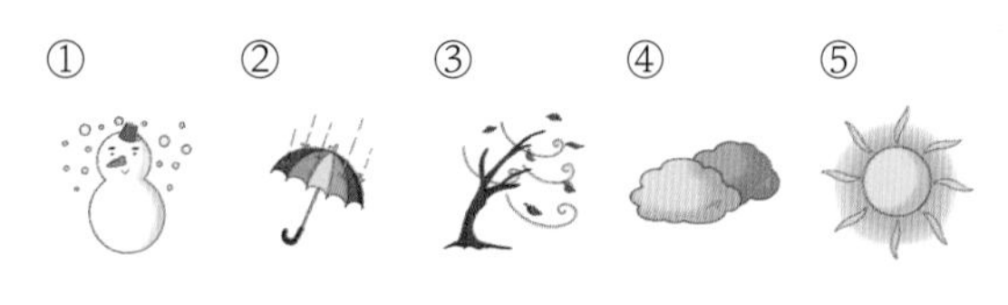

4 대화를 듣고, 남자의 마지막 말의 의도로 가장 적절한 것을 고르시오.

① 동의 ② 사과 ③ 거절 ④ 충고 ⑤ 감사

5 다음을 듣고, 여자가 동생에 대해 언급하지 <u>않은</u> 것을 고르시오.

① 생일 ② 외모 ③ 취미
④ 장래 희망 ⑤ 성격

6 대화를 듣고, 두 사람이 만날 시각을 고르시오.

① 2:30 p.m. ② 3:00 p.m. ③ 3:30 p.m.
④ 4:00 p.m. ⑤ 4:30 p.m.

7 대화를 듣고, 여자의 장래 희망으로 가장 적절한 것을 고르시오.

① 가수 ② 무용수 ③ 프로듀서
④ 건축가 ⑤ 작가

8 대화를 듣고, 남자가 다녀온 여름캠프에 대한 내용으로 일치하지 <u>않는</u> 것을 고르시오.

① 새 친구를 만났다. ② 속초에 갔다.
③ 기차를 타고 갔다. ④ 일출을 봤다.
⑤ 등산을 했다.

9 대화를 듣고, 남자가 대화 직후에 할 일로 가장 적절한 것을 고르시오.

① 도움 요청하기 ② 지도 가져오기
③ 책갈피 고르기 ④ 도서관 카드 찾기
⑤ 독후감 작성하기

고난도

10 대화를 듣고, 무엇에 관한 내용인지 가장 적절한 것을 고르시오.

① 미술 대회 안내 ② 공용 물품 이용 규칙
③ 에너지 절약 방법 ④ 식품 안전 정보
⑤ 공원 이용 예절

11 대화를 듣고, 남자가 베트남에서 이용한 교통수단을 고르시오.

① 버스 ② 택시 ③ 기차
④ 오토바이 ⑤ 자전거

12 대화를 듣고, 남자가 외출할 수 없는 이유로 가장 적절한 것을 고르시오.

① 열이 나서 ② 공부를 해야 해서
③ 비가 많이 와서 ④ 사촌이 방문해서
⑤ 저녁 준비를 해야 해서

13 대화를 듣고, 두 사람이 대화하는 장소로 가장 적절한 곳을 고르시오.

① 수영장 ② 경찰서 ③ 모자 가게
④ 소방서 ⑤ 식당

고난도

14 대화를 듣고, 미용실의 위치로 가장 적절한 것을 고르시오.

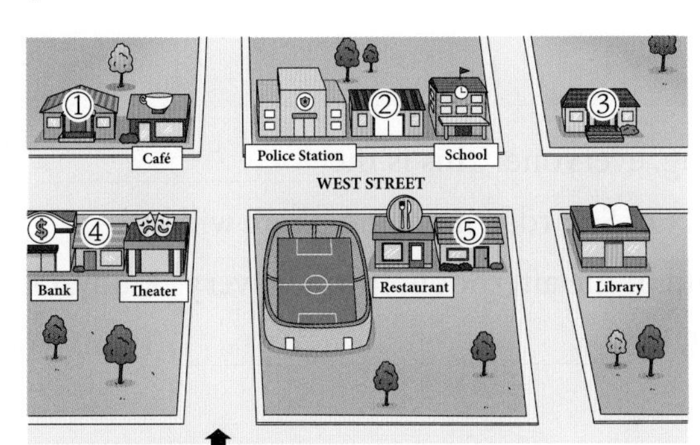

15 대화를 듣고, 남자가 여자에게 부탁한 일로 가장 적절한 것을 고르시오.

① 쿠키 만들기 ② 선물 고르기
③ 음식 가져오기 ④ 음악 목록 만들기
⑤ 축하 편지 쓰기

16 대화를 듣고, 남자가 여자에게 제안한 것으로 가장 적절한 것을 고르시오.

① 블록 조립하기 ② 수업 참가하기
③ 자격증 취득하기 ④ 박물관 관람하기
⑤ 꽃꽂이하기

17 대화를 듣고, 여자가 휴일에 한 일로 가장 적절한 것을 고르시오.

① 부모님 돕기 ② 안경 맞추기
③ 페인트칠하기 ④ 침대 조립하기
⑤ 콘서트 관람하기

18 대화를 듣고, 여자의 직업으로 가장 적절한 것을 고르시오.

① 기자 ② 마술사 ③ 은행원
④ 농구 선수 ⑤ 경호원

[19-20] 대화를 듣고, 남자의 마지막 말에 이어질 여자의 말로 가장 적절한 것을 고르시오.

19 **Woman:** ______________________

① Is it very cold outside?
② I have a stomachache.
③ Please be quiet in class.
④ Okay. I'll contact your teacher.
⑤ Sorry for my mistake.

20 **Woman:** ______________________

① That's a nice hat.
② It's my favorite song.
③ It's my fault.
④ Yes. No problem.
⑤ I'll see you later.

05회 Dictation

Dictation
음성 바로 듣기 ▶

05회 중학영어듣기 실전 모의고사 Dictation 음성을 들으며 빈칸에 알맞은 단어를 채우시오.

1 | 화제 고르기

다음을 듣고, 'I'가 무엇인지 가장 적절한 것을 고르시오.

① ② ③ ④ ⑤

W I have four legs. I can walk and swim. My fur ________ ________. I live in ________ ________ ________, and I like to eat ________ ________ ________. What am I?

2 | 알맞은 그림 고르기

대화를 듣고, 남자가 구입할 선글라스로 가장 적절한 것을 고르시오.

① ② ③ ④ ⑤

W Can I help you?

M Yes. I'd like to buy ________ ________ ________ ________ for my sister.

W Okay. How about these star-shaped ones?

M They're pretty. Do you have any others?

W We have regular sunglasses ________ ________ ________ on them.

M These will ________ ________ ________ my sister. I'll get them.

3 | 날씨 고르기

다음을 듣고, 일요일의 날씨로 가장 적절한 것을 고르시오.

① ② ③ ④ ⑤

W Good morning, everyone! This is the ________ ________ for this weekend. On Saturday morning, there will be ________ ________. And in the afternoon, it will be very cloudy. On Sunday, it will be ________ ________ ________. Thank you.

4 | 의도 고르기

대화를 듣고, 남자의 마지막 말의 의도로 가장 적절한 것을 고르시오.

① 동의 ② 사과 ③ 거절 ④ 충고 ⑤ 감사

M Hello, ________ ________ ________ a computer.

W What are you going to use the computer for?

M I play games, so I need ________ ________ ________.

W Oh, then I recommend this one. Many pro gamers use it.

M It's too expensive. I ________ ________ it.

5 | 언급하지 않은 내용 고르기

다음을 듣고, 여자가 동생에 대해 언급하지 않은 것을 고르시오.

① 생일 ② 외모 ③ 취미
④ 장래 희망 ⑤ 성격

적중! Tip **dream**

[드림]보다는 [쥬림]으로 들린다. dr-로 시작하는 단어에서 [d]는 [쥬]에 가깝게 발음되기 때문이다.

· dress [쥬레스] · dry [쥬라이]

W I'd like to introduce my brother, Sumin, to you. He is 10 years old, and his birthday is July 31st. He has ________ ________ ________. His hobby is playing basketball with his friends. His dream is ________ ________ ________ ________.

6 | 시간 정보 고르기

대화를 듣고, 두 사람이 만날 시각을 고르시오.

① 2:30 p.m. ② 3:00 p.m. ③ 3:30 p.m.
④ 4:00 p.m. ⑤ 4:30 p.m.

[Cellphone rings.]

M Hello?

W Hey, Junho! This is Minji. I'm calling to check what time ________ ________ ________ for the movie tomorrow.

M How about 4:30 p.m.? The movie starts at 5:00.

W I want to ________ ________ before the movie, but I'm okay with that.

M Then, let's meet at the theater at 4.

W Okay. ________ ________ ________.

7 | 장래 희망 고르기

대화를 듣고, 여자의 장래 희망으로 가장 적절한 것을 고르시오.

① 가수 ② 무용수 ③ 프로듀서
④ 건축가 ⑤ 작가

적중! Tip **Make yourself at home.**

손님이 방문했을 때 집에서처럼 편하게 있으라고 말하기 위해 사용되는 표현이다.

W Come in. Make yourself at home.

M Thank you. Oh, you ________ ________ ________ ________.

W Yes. Actually, it's my dance practice video.

M Wow, you look like ________ ________ ________!

W Thanks. I want to be a great dancer someday.

M I believe you will ________ ________ ________.

8 | 일치하지 않는 내용 고르기

대화를 듣고, 남자가 다녀온 여름캠프에 대한 내용으로 일치하지 않는 것을 고르시오.

① 새 친구를 만났다. ② 속초에 갔다.
③ 기차를 타고 갔다. ④ 일출을 봤다.
⑤ 등산을 했다.

W Did you enjoy your summer camp, Sunho?
M It was wonderful! I met ________ ________ ________.
W That's nice. Did you go to Sokcho?
M No. We ________ ________ Gangneung. We took the train there.
W What did you do there?
M We watched the sunrise at the beach in the morning. We also ________ ________ ________ on Seoraksan.

9 | 할 일 고르기

대화를 듣고, 남자가 대화 직후에 할 일로 가장 적절한 것을 고르시오.

① 도움 요청하기 ② 지도 가져오기
③ 책갈피 고르기 ④ 도서관 카드 찾기
⑤ 독후감 작성하기

적중! Tip a lot of
[어 랏 오브]보다는 [어라러브]로 들린다. [t]가 모음 사이에서 발음될 때는 약화되어 [r]에 가깝게 발음되기 때문이다.

W Dad, this library is huge.
M Look! There are a lot of new books on that shelf.
W They look interesting. Can I ________ ________ ________ ________?
M Of course. Let's choose a book.
W I want ________ ________ ________, but I can't find one.
M Okay. Let's ________ ________ ________ ________ ________. She can recommend a book.

고난도

10 | 주제 고르기

대화를 듣고, 무엇에 관한 내용인지 가장 적절한 것을 고르시오.

① 미술 대회 안내 ② 공용 물품 이용 규칙
③ 에너지 절약 방법 ④ 식품 안전 정보
⑤ 공원 이용 예절

W Jeremy, what are you looking at?
M I'm looking at a poster ________ ________ ________. We should unplug electronic devices when ________ ________ ________ ________.
W I didn't know that.
M It also says we should ________ ________ ________ ________ when we leave the room.
W I already do that.
M That's good.

11 | 교통수단 고르기

대화를 듣고, 남자가 베트남에서 이용한 교통수단을 고르시오.

① 버스 ② 택시 ③ 기차
④ 오토바이 ⑤ 자전거

W How was your ________ ________ ________, Jaewon?
M It was fun! The food was really delicious.
W I hear a lot of people ________ ________ there.
M Right. But my brother and I are too young to ride them.
W Then, how did you ________ ________ ________ ________?
M We ________ ________.

12 | 이유 고르기

대화를 듣고, 남자가 외출할 수 없는 이유로 가장 적절한 것을 고르시오.

① 열이 나서 ② 공부를 해야 해서
③ 비가 많이 와서 ④ 사촌이 방문해서
⑤ 저녁 준비를 해야 해서

적중! Tip I'm afraid ~.
어떤 요청을 거절해야 하거나 기대에 못 미치는 소식을 전해야 하는 상황에서 정중하게 의사를 전달할 때 사용되는 표현이다.
· I'm afraid I can't join you.
미안하지만 너와 함께 못 갈 것 같아.

M Mom, can I ________ ________? My friend, Sam, wants to have dinner with me.
W I'm afraid you can't.
M Why not?
W Did you forget? ________ ________ ________ ________ to visit. You should stay home.
M Oh, is that tonight?
W Yes. ________ ________ ________ Sam you can't go out.
M Okay. I'll call him back.

13 | 장소 고르기

대화를 듣고, 두 사람이 대화하는 장소로 가장 적절한 곳을 고르시오.

① 수영장 ② 경찰서 ③ 모자 가게
④ 소방서 ⑤ 식당

M Excuse me, do you work here?
W Yes. Can I help you?
M Do I need to ________ ________ ________ ________ in the pool?
W Yes. Is this your first time here?
M Yeah. I ________ ________ yesterday. I didn't bring my swimming cap today.
W You can rent one at the counter ________ ________ ________ ________.
M Thank you!

고난도
14 | 위치 고르기

대화를 듣고, 미용실의 위치로 가장 적절한 것을 고르시오.

M Hi, Taylor. Do you know ________ ________ ________ ________?
W Sure. Benny's Salon is near here.
M Good. How can I get there?
W ________ ________ ________ ________, and turn left on West Street.
M Turn left on West Street?
W Yes. It'll be ________ ________ ________. It's between the bank and the theater.
M Okay. Thanks.

15 | 부탁·요청한 일 고르기

대화를 듣고, 남자가 여자에게 부탁한 일로 가장 적절한 것을 고르시오.

① 쿠키 만들기 ② 선물 고르기
③ 음식 가져오기 ④ 음악 목록 만들기
⑤ 축하 편지 쓰기

적중! Tip Would you
[우드 유]보다는 [우쥬]로 들린다. [d]로 끝나는 단어 뒤에 y-로 시작하는 단어가 이어지면 두 소리가 연결되어 [쥬]로 발음되기 때문이다.

M Sena, are you ________ ________ ________?
W No, I'm not. Why?
M Would you like to come to ________ ________ ________?
W Yes, I would love to go!
M Great. Can you make ________ ________ ________ for my party? You know a lot of good music.
W Sure. I'll make it for your party.

16 | 제안한 일 고르기

대화를 듣고, 남자가 여자에게 제안한 것으로 가장 적절한 것을 고르시오.

① 블록 조립하기 ② 수업 참가하기
③ 자격증 취득하기 ④ 박물관 관람하기
⑤ 꽃꽂이하기

W Eric, did you buy this plate?
M No. I made it.
W It's beautiful. Was it ________ ________ ________?
M Not really. I can make various plates, pots, and vases.
W I want to try it too.
M ________ ________ ________ our clay art lesson tomorrow?
W Okay. I will!

17 | 한 일 고르기

대화를 듣고, 여자가 휴일에 한 일로 가장 적절한 것을 고르시오.

① 부모님 돕기 ② 안경 맞추기
③ 페인트칠하기 ④ 침대 조립하기
⑤ 콘서트 관람하기

W How did ________ ________ ________, Nick?
M I went to watch a symphony orchestra perform with my parents. What about you?
W I ________ ________ ________ ________.
M That's really interesting! What color did you choose?
W I chose blue. It's ________ ________ ________.

18 | 직업 고르기

대화를 듣고, 여자의 직업으로 가장 적절한 것을 고르시오.

① 기자　② 마술사　③ 은행원
④ 농구 선수　⑤ 경호원

적중! Tip　I bet ~.
어떤 상황에 대한 확신을 나타낼 때 사용되는 표현으로 '분명 ~이다, 틀림없이 ~이다'라는 의미이다.
· I bet you'll like it.
　틀림없이 넌 그걸 좋아할 거야.

M Alice, how was ________ ________?
W It went well. The kids loved it.
M I bet they did. Did you ________ ________ ________ out of the hat?
W Yes. That was their favorite trick.
M Well, I'm ________ ________ ________ your coin magic!
W Thank you. I'll practice more tricks.

19 | 적절한 응답 고르기

대화를 듣고, 남자의 마지막 말에 이어질 여자의 말로 가장 적절한 것을 고르시오.

Woman: ____________________

① Is it very cold outside?
② I have a stomachache.
③ Please be quiet in class.
④ Okay. I'll contact your teacher.
⑤ Sorry for my mistake.

didn't
[디든트]보다는 [디른]으로 들린다. [d]가 모음 사이에서 발음될 때는 약화되어 [r]에 가깝게 발음되며, -nt로 끝나는 단어에서 마지막 [t] 발음은 약화되어 거의 들리지 않기 때문이다.

W You look ________ ________ ________ today, Steve. Are you feeling alright?
M No. I think I have a cold, Mom.
W Maybe you should ________ ________ ________.
M I already took some. But it didn't work.
W Oh, it must be a very bad cold.
M Yeah. Can I be ________ ________ ________ today?

20 | 적절한 응답 고르기

대화를 듣고, 남자의 마지막 말에 이어질 여자의 말로 가장 적절한 것을 고르시오.

Woman: ____________________

① That's a nice hat.
② It's my favorite song.
③ It's my fault.
④ Yes. No problem.
⑤ I'll see you later.

[Cellphone rings.]
M Hello?
W Hi, Peter. It's Helen. Are you ________ ________?
M Yeah. I don't have any plans.
W Would you like to go to ________ ________ ________ with me then?
M I'd love to.
W Great. It's going to be sunny, so wear a big hat.
M I don't have one. Can you ________ ________ ________ ________?

06 회

중학영어듣기 실전 모의고사

실전 모의고사 음성 바로 듣기 ▶

1 다음을 듣고, 'this'가 가리키는 것으로 가장 적절한 것을 고르시오.

2 대화를 듣고, 남자가 구입한 잠옷으로 가장 적절한 것을 고르시오.

3 다음을 듣고, 일요일의 날씨로 가장 적절한 것을 고르시오.

4 대화를 듣고, 여자의 마지막 말의 의도로 가장 적절한 것을 고르시오.

① 허락 ② 위로 ③ 축하 ④ 부탁 ⑤ 거절

고난도

5 다음을 듣고, 여자가 축제에 대해 언급하지 않은 것을 고르시오.

① 이름 ② 시작 연도 ③ 참가비
④ 기간 ⑤ 활동

6 대화를 듣고, 두 사람이 만날 시각을 고르시오.

① 3:00 p.m. ② 3:30 p.m. ③ 4:00 p.m.
④ 4:30 p.m. ⑤ 5:00 p.m.

7 대화를 듣고, 남자의 장래 희망으로 가장 적절한 것을 고르시오.

① 교사 ② 무용수 ③ 요리사
④ 작곡가 ⑤ 미용사

고난도

8 대화를 듣고, 여자의 노트북에 대한 내용으로 일치하지 않는 것을 고르시오.

① 크리스마스 선물이다. ② 어머니가 주셨다.
③ 보라색이다. ④ 무게가 무겁다.
⑤ 게임을 설치했다.

9 대화를 듣고, 여자가 대화 직후에 할 일로 가장 적절한 것을 고르시오.

① 입장을 위해 줄서기 ② 문의 전화하기
③ 공연장 검색하기 ④ 티켓 구매하기
⑤ 집으로 돌아가기

10 대화를 듣고, 무엇에 관한 내용인지 가장 적절한 것을 고르시오.

① 지진 대피 요령 ② 안전 벨트 착용 방법
③ 운전 안전 수칙 ④ 새로운 자동차 소개
⑤ 렌터카 이용 안내

11 대화를 듣고, 남자가 이용할 교통수단으로 가장 적절한 것을 고르시오.

① 기차 ② 택시 ③ 버스
④ 비행기 ⑤ 배

12 대화를 듣고, 남자가 밤을 샌 이유로 가장 적절한 것을 고르시오.

① 영화를 봤기 때문에
② 웹툰을 그렸기 때문에
③ 독후감을 썼기 때문에
④ 만화책을 읽었기 때문에
⑤ 과학 숙제를 했기 때문에

13 대화를 듣고, 두 사람의 관계로 가장 적절한 것을 고르시오.

① 호텔 직원 — 고객
② 배우 — 연출가
③ 건물 관리인 — 주민
④ 버스 운전기사 — 손님
⑤ 공원 캠핑장 관리인 — 이용객

14 대화를 듣고, 여자가 찾는 지갑의 위치로 가장 알맞은 곳을 고르시오.

15 대화를 듣고, 여자가 남자에게 부탁한 일로 가장 적절한 것을 고르시오.

① 집에 일찍 오기 ② 형과 저녁 먹기
③ 어머니와 운동하기 ④ 거실 청소하기
⑤ 형에게 메시지 전하기

16 대화를 듣고, 남자가 여자에게 제안한 것으로 가장 적절한 것을 고르시오.

① TV 드라마 보기 ② 집에 놀러 오기
③ 테니스 함께 치기 ④ 시험 공부하기
⑤ 경기 관람하기

17 대화를 듣고, 남자가 휴일에 한 일로 가장 적절한 것을 고르시오.

① 동생 돌보기 ② 텃밭 만들기 ③ 채소가게 가기
④ 창문 닦기 ⑤ 가족사진 찍기

18 대화를 듣고, 여자의 직업으로 가장 적절한 것을 고르시오.

① 가수 ② 피아니스트 ③ 방송 진행자
④ 경찰관 ⑤ 골프 선수

[19-20] 대화를 듣고, 여자의 마지막 말에 이어질 남자의 말로 가장 적절한 것을 고르시오.

19 **Man:** ______________________

① That's a good choice.
② I'm afraid of it.
③ I didn't watch it yet.
④ Sure. It's your choice.
⑤ Let's watch it next time.

고난도
20 **Man:** ______________________

① What about hot chocolate?
② I already drank a cup of coffee.
③ It's on the top of the machine.
④ The water is boiling.
⑤ The coffee tasted bad.

06회 Dictation

Dictation 음성 바로 듣기 ▶

06회 중학영어듣기 실전 모의고사 Dictation 음성을 들으며 빈칸에 알맞은 단어를 채우시오.

1 | 화제 고르기

다음을 듣고, 'this'가 가리키는 것으로 가장 적절한 것을 고르시오.

① ② ③ ④ ⑤

M This ________ ________ many sizes and shapes. You can wear it ________ ________ ________. Usually, it has three hands. Also, you need this to ________ ________ ________. What is this?

2 | 알맞은 그림 고르기

대화를 듣고, 남자가 구입한 잠옷으로 가장 적절한 것을 고르시오.

① ② ③ ④ ⑤

W Tom, what are you doing ________ ________ ________?

M I'm looking for pajamas for my brother.

W Let me help you. How about the ones ________ ________ ________ ________?

M They look nice. I'll order them.

W I think ________ ________ ________ them.

3 | 날씨 고르기

다음을 듣고, 일요일의 날씨로 가장 적절한 것을 고르시오.

① ② ③ ④ ⑤

M Good morning! Here is the weekend weather report. It'll be ________ ________ ________ with warm winds on Saturday. On Sunday, however, ________ ________ ________ across the whole country. ________ ________ your umbrella.

4 | 의도 고르기

대화를 듣고, 여자의 마지막 말의 의도로 가장 적절한 것을 고르시오.

① 허락 ② 위로 ③ 축하 ④ 부탁 ⑤ 거절

> 적중! Tip **heard that**
> [헐드 댓]보다는 [헐댓]으로 들린다. 비슷하게 발음되는 자음이 나란히 나오면 앞 단어의 끝 자음이 탈락되기 때문이다.

M Kelly, I heard that ________ ________ ________ to Jeonju soon.

W Yes. Actually, this is my last day of school.

M I see. Are you going to ________ ________ ________?

W Yeah. I have a pile of textbooks.

M Do you need help?

W Please. Can you ________ ________ ________ ________?

고난도

5 | 언급하지 않은 내용 고르기

다음을 듣고, 여자가 축제에 대해 언급하지 않은 것을 고르시오.

① 이름 ② 시작 연도 ③ 참가비
④ 기간 ⑤ 활동

W Let me introduce ________ ________ ________ in our town. The name of this event is the Golden Apple Festival. It started in 1970. We celebrate it ________ ________ ________. You can try different kinds of apples. It has interesting activities like ________ ________ ________ ________.

6 | 시간 정보 고르기

대화를 듣고, 두 사람이 만날 시각을 고르시오.

① 3:00 p.m. ② 3:30 p.m. ③ 4:00 p.m.
④ 4:30 p.m. ⑤ 5:00 p.m.

W George, did you ________ ________ ________ for the history project?

M No. How about you?

W Not yet. Why don't we go to the library together?

M Sure. Let's meet ________ ________ ________ today. How about 4?

W The library closes at 5 on Saturdays. ________ ________ ________ at 3?

M Okay. See you later.

7 | 장래 희망 고르기

대화를 듣고, 남자의 장래 희망으로 가장 적절한 것을 고르시오.

① 교사 ② 무용수 ③ 요리사
④ 작곡가 ⑤ 미용사

적중! Tip I'm sure ~.

어떤 상황에 대한 확신을 나타낼 때 사용되는 표현으로 '분명히, 꼭 ~라고 생각하다'라는 의미이다.

· I'm sure you can do it.
네가 꼭 해낼 거라고 생각해.

W You look cheerful, Mark.

M I am. I just ________ ________ ________ cooking class.

W Do you like cooking?

M Yeah. I sometimes ________ ________ ________ ________.

W Oh, I didn't know that.

M Actually, I hope to ________ ________ ________ ________ like Jamie Oliver.

W I'm sure you'll be a great chef.

고난도

8 | 일치하지 않는 내용 고르기

대화를 듣고, 여자의 노트북에 대한 내용으로 일치하지 않는 것을 고르시오.

① 크리스마스 선물이다. ② 어머니가 주셨다.
③ 보라색이다. ④ 무게가 무겁다.
⑤ 게임을 설치했다.

M Jennifer, your new laptop looks nice.
W Thank you. This was ________ ________ ________ from my mom.
M That's cool! I like the purple color.
W Yes, I like it too. And it's ________ ________ ________ ________.
M Did you download any games?
W Of course. Do you want to ________ ________ ________ ________?
M Sure. I'm so excited.

9 | 할 일 고르기

대화를 듣고, 여자가 대화 직후에 할 일로 가장 적절한 것을 고르시오.

① 입장을 위해 줄서기 ② 문의 전화하기
③ 공연장 검색하기 ④ 티켓 구매하기
⑤ 집으로 돌아가기

M May I help you?
W I'd like to ________ ________ ________ ________ the musical *Lion King*.
M Sorry, but they are sold out.
W But you ________ ________ ________ ________ yesterday.
M Yes. This show is ________ ________ these days.
W I'll buy a ticket for *Dracula* then.

10 | 주제 고르기

대화를 듣고, 무엇에 관한 내용인지 가장 적절한 것을 고르시오.

① 지진 대피 요령 ② 안전 벨트 착용 방법
③ 운전 안전 수칙 ④ 새로운 자동차 소개
⑤ 렌터카 이용 안내

적중! Tip I'm glad to hear that.
좋은 소식을 듣고 안도감을 나타낼 때 사용되는 표현으로, '다행이다, 잘됐다'라는 의미이다.

W Luke, did you know Mr. Smith had ________ ________ ________?
M No, I didn't. Is he okay?
W He didn't get hurt because he ________ ________ ________ tightly.
M I'm glad to hear that. It's an important rule.
W Yes. Another one is never to use a smartphone ________ ________ ________.
M I think that is the most important rule.

11 | 교통수단 고르기

대화를 듣고, 남자가 이용할 교통수단으로 가장 적절한 것을 고르시오.

① 기차 ② 택시 ③ 버스
④ 비행기 ⑤ 배

M Hello. When does the train to Seoul leave?
W It ________ ________ 4 p.m.
M Oh, no. I have to wait 50 minutes. I'm in a hurry.
W How about taking a bus at the bus stop? ________ ________ ________ 15 minutes.
M That's perfect. I'll ________ ________ ________. Thanks a lot!

12 이유 고르기

대화를 듣고, 남자가 밤을 샌 이유로 가장 적절한 것을 고르시오.

① 영화를 봤기 때문에
② 웹툰을 그렸기 때문에
③ 독후감을 썼기 때문에
④ 만화책을 읽었기 때문에
⑤ 과학 숙제를 했기 때문에

적중! Tip last night
[래스트 나잇]보다는 [래스나잇]으로 들린다. 자음 3개가 연속해서 나오면 중간 자음은 발음되지 않기 때문이다.

W Minho, you look so sleepy. What did you do last night?
M I ________ ________ ________ ________ to read comic books.
W Wow. I didn't know you like comic books.
M I didn't like them before, but Jerry ________ ________ some interesting ones about superheroes.
W Who is ________ ________ ________?
M I like Iron Man the best.

13 관계 고르기

대화를 듣고, 두 사람의 관계로 가장 적절한 것을 고르시오.

① 호텔 직원 — 고객
② 배우 — 연출가
③ 건물 관리인 — 주민
④ 버스 운전기사 — 손님
⑤ 공원 캠핑장 관리인 — 이용객

W Good afternoon. How may I help you?
M I ________ ________ ________ ________. I'm Tim Smith, and I booked a room for two days.
W Yes, Mr. Smith. *[Pause]* Here is your key to Room 507. It has ________ ________ ________.
M Thanks.
W Have ________ ________ ________.

14 위치 고르기

대화를 듣고, 여자가 찾는 지갑의 위치로 가장 알맞은 곳을 고르시오.

W Seho, can you ________ ________ ________ in the bedroom?
M Okay. Where did you put it?
W Look on the bed.
M There's ________ ________ ________ ________.
W Then, how about checking on the desk?
M Let me see. Oh, I got it. It's ________ ________ ________!

15 | 부탁·요청한 일 고르기

대화를 듣고, 여자가 남자에게 부탁한 일로 가장 적절한 것을 고르시오.

① 집에 일찍 오기　② 형과 저녁 먹기
③ 어머니와 운동하기　④ 거실 청소하기
⑤ 형에게 메시지 전하기

[Cellphone rings.]

M Hello, Mom.

W Hello, Matt. Where are you?

M I'm ________ ________ ________ ________. Why?

W I called your older brother, but he won't answer.

M I saw him at the cafeteria a few minutes ago.

W ________ ________ ________ ________ to come home early? He promised to clean his room today.

M Sure. No problem.

16 | 제안한 일 고르기

대화를 듣고, 남자가 여자에게 제안한 것으로 가장 적절한 것을 고르시오.

① TV 드라마 보기　② 집에 놀러 오기
③ 테니스 함께 치기　④ 시험 공부하기
⑤ 경기 관람하기

W What are you ________ ________ ________ on Saturday, Chris?

M I'm going to stay home and watch TV.

W Would you like to ________ ________ ________ ________?

M Can you play tennis well?

W No. But I want to learn. I heard you are a good player.

M I'm not, actually. Why don't we ________ ________?

W That's a great idea!

17 | 한 일 고르기

대화를 듣고, 남자가 휴일에 한 일로 가장 적절한 것을 고르시오.

① 동생 돌보기　② 텃밭 만들기　③ 채소가게 가기
④ 창문 닦기　⑤ 가족사진 찍기

적중! Tip lettuce
[레터스]로 익숙한 외래어이지만 실제로는 [레리스]로 발음된다.

W Hansu, did you ________ ________ ________ ________?

M Yes. I had a great time.

W What did you do?

M Our family ________ ________ ________ ________. We planted lettuce, tomatoes, and carrots.

W That sounds interesting.

M Yeah. It is our first family garden. I hope ________ ________ ________.

18 | 직업 고르기

대화를 듣고, 여자의 직업으로 가장 적절한 것을 고르시오.

① 가수 ② 피아니스트 ③ 방송 진행자
④ 경찰관 ⑤ 골프 선수

M Hello, *People Show* viewers. Let's meet our guest, Anna Miller.
W Hi, Bill. It's ________ ________ ________ here.
M Anna, you ________ ________ ________ ________ in the Women's Golf Championship. Congratulations!
W Thank you.
M How did you prepare for it?
W I ________ ________ every day. I tried hard to make a smooth swing.

19 | 적절한 응답 고르기

대화를 듣고, 여자의 마지막 말에 이어질 남자의 말로 가장 적절한 것을 고르시오.

Man: ________________________

① That's a good choice.
② I'm afraid of it.
③ I didn't watch it yet.
④ Sure. It's your choice.
⑤ Let's watch it next time.

M What do you ________ ________ ________, Sarah?
W I'm not sure. What type of movie do you like?
M What about ________ ________ ________?
W I don't want to see a scary one.
M Okay. Then, how about a comedy?
W Sure! Can I ________ ________?

고난도

20 | 적절한 응답 고르기

대화를 듣고, 여자의 마지막 말에 이어질 남자의 말로 가장 적절한 것을 고르시오.

Man: ________________________

① What about hot chocolate?
② I already drank a cup of coffee.
③ It's on the top of the machine.
④ The water is boiling.
⑤ The coffee tasted bad.

적중! Tip button

[버튼]보다는 [벋은]으로 들린다. [n] 앞에 오는 [t] 발음은 약화되어 거의 들리지 않기 때문이다.

· eaten [잇은] · badminton [배드민은]

W Sam, can you make ________ ________ ________ ________ for me?
M Sure. I can make you one. Let's use the new coffee machine.
W Do you know ________ ________ ________ ________?
M Yes. Turn it on, and put some water in the container.
W Okay. What's next?
M Put a capsule in, and ________ ________ ________ ________.
W Where is the button?

07회 중학영어듣기 실전 모의고사

실전 모의고사 음성 바로 듣기 ▶

1 다음을 듣고, 'I'가 무엇인지 가장 적절한 것을 고르시오.

고난도

2 대화를 듣고, 여자가 구입한 쟁반으로 가장 적절한 것을 고르시오.

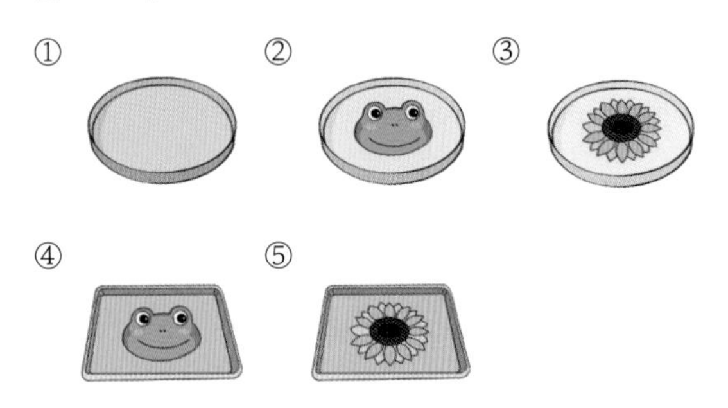

3 다음을 듣고, 제주의 오늘 날씨로 가장 적절한 것을 고르시오.

4 대화를 듣고, 여자가 한 마지막 말의 의도로 가장 적절한 것을 고르시오.

① 위로 ② 부탁 ③ 거절 ④ 칭찬 ⑤ 감사

5 다음을 듣고, 남자가 경기에 대해 언급하지 <u>않은</u> 것을 고르시오.

① 상대 학교 ② 종목 ③ 요일
④ 장소 ⑤ 티켓 가격

6 대화를 듣고, 두 사람이 출발할 시각을 고르시오.

① 7:00 a.m. ② 8:00 a.m. ③ 9:00 a.m.
④ 11:00 a.m. ⑤ 12:00 p.m.

7 대화를 듣고, 여자의 장래 희망으로 가장 적절한 것을 고르시오.

① 디자이너 ② 바리스타 ③ 요리사
④ 영화 제작자 ⑤ 크리에이터

고난도

8 대화를 듣고, 여자의 심정으로 가장 적절한 것을 고르시오.

① 무서움 ② 지루함 ③ 설렘
④ 부러움 ⑤ 자랑스러움

9 대화를 듣고, 남자가 대화 직후에 할 일로 가장 적절한 것을 고르시오.

① 병원 가기 ② 점심 먹기
③ 경찰서에 신고하기 ④ 병문안 가기
⑤ 부모님께 전화하기

10 대화를 듣고, 무엇에 관한 내용인지 가장 적절한 것을 고르시오.

① TV 시청 ② 동물원 방문 ③ 봉사 활동
④ 날씨 확인 ⑤ 환경 보호

11 대화를 듣고, 두 사람이 함께 이용할 교통수단으로 가장 적절한 것을 고르시오.

① 도보 ② 자전거 ③ 택시
④ 버스 ⑤ 지하철

12 대화를 듣고, 남자가 지금 갈 수 없는 이유로 가장 적절한 것을 고르시오.

① 눈이 오기 때문에
② 다리를 다쳤기 때문에
③ 버스표를 못 샀기 때문에
④ 교통체증이 심하기 때문에
⑤ 차가 고장 났기 때문에

13 대화를 듣고, 두 사람이 대화하는 장소로 가장 적절한 곳을 고르시오.

① 식당 ② 치과 ③ 학교
④ 미용실 ⑤ 박물관

14 대화를 듣고, 은행의 위치로 가장 알맞은 곳을 고르시오.

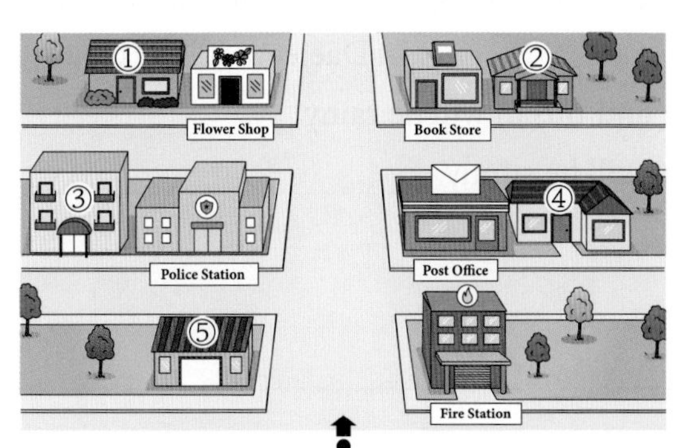

15 대화를 듣고, 남자가 여자에게 부탁한 일로 가장 적절한 것을 고르시오.

① 휴대폰 충전하기 ② 커피 주문하기
③ 수학책 가져오기 ④ 숙제 도와주기
⑤ 카페 위치 확인하기

16 대화를 듣고, 여자가 남자에게 제안한 것으로 가장 적절한 것을 고르시오.

① 제과점 가기 ② 선물 사기
③ 편지 쓰기 ④ 케이크 굽기
⑤ 깜짝 파티 열기

17 대화를 듣고, 여자가 지난 일요일에 한 일을 고르시오.

① 스키 타기 ② 등산하기 ③ 대청소 하기
④ 눈 치우기 ⑤ 자전거 타기

18 대화를 듣고, 여자가 언급한 아빠의 직업으로 가장 적절한 것을 고르시오.

① 한의사 ② 방송 작가 ③ 쇼호스트
④ 국회 의원 ⑤ 아나운서

[19-20] 대화를 듣고, 남자의 마지막 말에 이어질 여자의 응답으로 가장 적절한 것을 고르시오.

19 Woman: ______________________

① Please come inside.
② That's where I left it.
③ She said to meet her here.
④ Well, I hope you find them.
⑤ You're welcome anytime.

20 Woman: ______________________

① Thank you for saying so.
② I'd like to do that one day.
③ It was a long and tiring day.
④ I'll show you some pictures.
⑤ It's getting very late.

07회 Dictation

Dictation 음성 바로 듣기 ▶

07회 중학영어듣기 실전 모의고사 Dictation 음성을 들으며 빈칸에 알맞은 단어를 채우시오.

1 | 화제 고르기

다음을 듣고, 'I'가 무엇인지 가장 적절한 것을 고르시오.

① ② ③ ④ ⑤

W I have ________ ________ ________ and a short tail. I also have a shell ________ ________ ________. I can hide in it. I can live both in the water and ________ ________ ________. What am I?

고난도

2 | 알맞은 그림 고르기

대화를 듣고, 여자가 구입한 쟁반으로 가장 적절한 것을 고르시오.

① ② ③ ④ ⑤

M Can I help you?

W Yes, please. I'm looking for a tray for my kitchen.

M What about ________ ________ ________?

W It looks fine, but I don't like frogs.

M Then, what about this square one ________ ________ ________ on it?

W It's beautiful! I'll ________ ________ ________.

3 | 날씨 고르기

다음을 듣고, 제주의 오늘 날씨로 가장 적절한 것을 고르시오.

① ② ③ ④ ⑤

M Good morning! Here is today's weather forecast. Seoul will be ________ ________ ________. In Daejeon, it'll be cloudy and windy. Daegu and Busan will be rainy ________ ________ ________. Jeju will be sunny ________ ________ ________ ________.

4 | 의도 고르기

대화를 듣고, 여자가 한 마지막 말의 의도로 가장 적절한 것을 고르시오.

① 위로 ② 부탁 ③ 거절 ④ 칭찬 ⑤ 감사

M Excuse me. May I ________ ________ ________ ________?

W Sure. Do you need anything else?

M Hmm... Do you have ________ ________ ________ ________?

W Let me see. What size do you wear?

M Large, please.

W Here you go. Please ________ ________ ________ ________ in the dressing room.

5 언급하지 않은 내용 고르기

다음을 듣고, 남자가 경기에 대해 언급하지 않은 것을 고르시오.

① 상대 학교 ② 종목 ③ 요일
④ 장소 ⑤ 티켓 가격

M Good morning, students. This is an announcement about our school team's ________ ________. There's going to be a semifinal game ________ ________. The game will be in ________ ________ ________. The tickets are free. Everyone is welcome, so please come and ________ ________ ________. Thank you.

6 시간 정보 고르기

대화를 듣고, 두 사람이 출발할 시각을 고르시오.

① 7:00 a.m. ② 8:00 a.m. ③ 9:00 a.m.
④ 11:00 a.m. ⑤ 12:00 p.m.

적중! Tip should
[슈드]로 발음된다. -d 앞에 오는 [l]은 묵음이다.
· could [쿠드] · would [우드]

M Sujin, when should we ________ ________ ________ ________ tomorrow?
W How about 7 a.m.? We need to arrive at the airport before 9.
M The flight leaves at 12 p.m., so we ________ ________ ________ ________.
W Okay. Let's leave at 8.
M Good. See you in the morning!

7 장래 희망 고르기

대화를 듣고, 여자의 장래 희망으로 가장 적절한 것을 고르시오.

① 디자이너 ② 바리스타 ③ 요리사
④ 영화 제작자 ⑤ 크리에이터

적중! Tip barista
[바리스타]로 익숙한 외래어이지만 실제로는 [버리스타]로 발음된다.

M Soyoon, what ________ ________ ________?
W It's a video about latte art.
M That looks so beautiful! Do you ________ ________ ________ latte art?
W Yes. I want to ________ ________ ________ for people.
M I think you will be an amazing barista!
W Thank you. It's ________ ________.

고난도

8 | 심정 고르기

대화를 듣고, 여자의 심정으로 가장 적절한 것을 고르시오.

① 무서움 ② 지루함 ③ 설렘
④ 부러움 ⑤ 자랑스러움

M Who is that ________ ________ ________, Sujin?
W This is my cousin, Jinho. My aunt just sent it to me.
M What is he wearing ________ ________ ________?
W It's his pet snake.
M Really? He must really like snakes.
W Yes. I want to have ________ ________ ________ like him.

9 | 할 일 고르기

대화를 듣고, 남자가 대화 직후에 할 일로 가장 적절한 것을 고르시오.

① 병원 가기 ② 점심 먹기
③ 경찰서에 신고하기 ④ 병문안 가기
⑤ 부모님께 전화하기

W Jason, ________ ________ ________ together.
M Sure. *[Bump sound]* Ouch!
W What's wrong?
M I think I ________ ________ ________.
W Are you sure?
M I think so. It ________ ________ ________.
W Oh, no! Should I call 911?
M No. It's okay. I'll take a ________ ________ ________ ________.

10 | 주제 고르기

대화를 듣고, 무엇에 관한 내용인지 가장 적절한 것을 고르시오.

① TV 시청 ② 동물원 방문 ③ 봉사 활동
④ 날씨 확인 ⑤ 환경 보호

W What are you doing, Peter?
M I'm reading an article about ________ ________ ________.
W What is happening to the environment?
M ________ ________ ________ ________, many plants and animals are dying.
W Oh... That's so sad. What can we do?
M We should ________ ________ ________.

11 | 교통수단 고르기

대화를 듣고, 두 사람이 함께 이용할 교통수단으로 가장 적절한 것을 고르시오.

① 도보 ② 자전거 ③ 택시
④ 버스 ⑤ 지하철

적중! Tip Calm down.
흥분해 있거나 화가 나 있는 상대방을 달래줄 때 사용되는 표현으로, '진정해'라는 의미이다.

W Mark, when does ________ ________ ________?
M It begins at 6:20.
W 6:20? We're going to be late!
M Calm down. It's not even 5:30 yet. We can walk there.
W But it's ________ ________.
M Oh, then why don't we take the subway?
W I think that's the ________ ________. Let's do that.

12 | 이유 고르기

대화를 듣고, 남자가 지금 갈 수 없는 이유로 가장 적절한 것을 고르시오.

① 눈이 오기 때문에
② 다리를 다쳤기 때문에
③ 버스표를 못 샀기 때문에
④ 교통체증이 심하기 때문에
⑤ 차가 고장 났기 때문에

적중! Tip stopped
[스탑트]보다는 [스땁트]로 들린다. [s] 뒤에 [t] 발음이 오면 된소리로 발음되기 때문이다.
· story [스또리] · stick [스띡]

[Cellphone rings.]

W Hello, Daniel. Where are you?

M Hi, Molly. I'm ________ ________ ________.

W Are you still coming to my house tonight? It's ________ ________ ________.

M I have a little problem. My car stopped on the road. I'm ________ ________ ________.

W I'm so sorry. Are you okay?

M Yes. I'm fine. But it will ________ ________ ________.

13 | 장소 고르기

대화를 듣고, 두 사람이 대화하는 장소로 가장 적절한 곳을 고르시오.

① 식당 ② 치과 ③ 학교
④ 미용실 ⑤ 박물관

M Can I ________ ________ ________?

W No. I'm not ready yet.

M Okay. Take your time.

W What are ________ ________ here?

M Cream pasta and cheese pizza are very popular.

W Well, I'll try cream pasta then.

M Do you need ________ ________ ________?

W I'll have an orange juice.

14 | 위치 고르기

대화를 듣고, 은행의 위치로 가장 알맞은 곳을 고르시오.

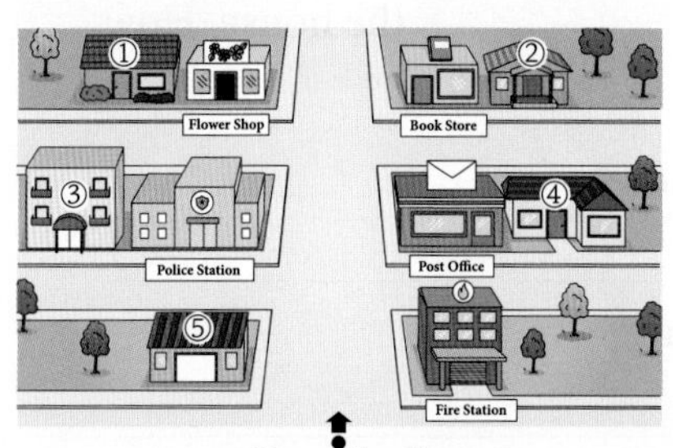

M Hanna, is there ________ ________ ________ ________?

W Hmm... there's one downtown.

M Okay. How can I ________ ________ ________ ________?

W Go straight one block, and turn left.

M Okay.

W A police station will be on your right. The bank is ________ ________ ________.

M Thank you!

15 | 부탁·요청한 일 고르기

대화를 듣고, 남자가 여자에게 부탁한 일로 가장 적절한 것을 고르시오.

① 휴대폰 충전하기 ② 커피 주문하기
③ 수학책 가져오기 ④ 숙제 도와주기
⑤ 카페 위치 확인하기

적중! Tip I forgot to ~.

무언가 할 일을 잊고 하지 못했을 때 사용되는 표현으로, '~하는 걸 잊어버렸다'라는 의미이다. 이때 to 다음에는 동사원형이 온다.

· I forgot to bring an umbrella.
난 우산 가져오는 걸 잊어버렸어.

[Cellphone rings.]

M Hi, Katy. It's Shawn.

W Hey. ________ ________?

M I'm going to the café to meet you. Did you ________ ________ ________?

W Not yet. Why?

M Great! Can you ________ ________ ________ ________ then? I forgot to pack mine in my bag.

W No problem. I'll ________ ________.

16 | 제안한 일 고르기

대화를 듣고, 여자가 남자에게 제안한 것으로 가장 적절한 것을 고르시오.

① 제과점 가기 ② 선물 사기
③ 편지 쓰기 ④ 케이크 굽기
⑤ 깜짝 파티 열기

M Tomorrow is my mother's birthday. What should I get her?

W I ________ ________ ________ for my mom last year. Why don't you try that?

M That's ________ ________ ________. But I don't know how to bake a cake.

W ________ ________ ________ ________ today, and I can help you.

M Great! Thanks.

17 | 한 일 고르기

대화를 듣고, 여자가 지난 일요일에 한 일을 고르시오.

① 스키 타기 ② 등산하기 ③ 대청소 하기
④ 눈 치우기 ⑤ 자전거 타기

W What did you do last Sunday, Josh?

M I ________ ________ ________ ________ the house. How about you?

W I went skiing with my brother.

M Wasn't it cold? It was really ________ ________ ________.

W Yes. But I still had a lot of fun.

M That's cool! I want to ________ ________ ________ ________ later.

18 | 직업 고르기

대화를 듣고, 여자가 언급한 아빠의 직업으로 가장 적절한 것을 고르시오.

① 한의사 ② 방송 작가 ③ 쇼호스트
④ 국회 의원 ⑤ 아나운서

M Ginny, is that your dad ________ ________?
W Yes, it is.
M Wow! What is he doing?
W He ________ ________ on the show.
M What kind of product does he sell?
W He sells everything ________ ________ ________ ________ ________.
M That's a cool job.

19 | 적절한 응답 고르기

대화를 듣고, 남자의 마지막 말에 이어질 여자의 응답으로 가장 적절한 것을 고르시오.

Woman: ____________________

① Please come inside.
② That's where I left it.
③ She said to meet her here.
④ Well, I hope you find them.
⑤ You're welcome anytime.

waiting
[웨이팅]보다는 [웨이링]으로 들린다. [t]가 모음 사이에서 발음될 때는 약화되어 [r]에 가깝게 발음되기 때문이다.

W Hey, Alex. What are you doing outside your house?
M I'm ________ ________ ________ ________ to come home.
W Why are you waiting outside?
M I ________ ________ ________.
W Oh. Where did you lose them?
M I think ________ ________ ________ at school.

20 | 적절한 응답 고르기

대화를 듣고, 남자의 마지막 말에 이어질 여자의 응답으로 가장 적절한 것을 고르시오.

Woman: ____________________

① Thank you for saying so.
② I'd like to do that one day.
③ It was a long and tiring day.
④ I'll show you some pictures.
⑤ It's getting very late.

W What's ________ ________ ________ from your childhood?
M Let's see... I think it was hiking with my grandfather.
W ________ ________ ________ ________?
M We went to Jirisan.
W Why was it special to you?
M I saw wonderful views on the mountain. You ________ ________ ________.

08회 중학영어듣기 실전 모의고사

고난도

1 다음을 듣고, 'this'가 가리키는 것으로 가장 적절한 것을 고르시오.

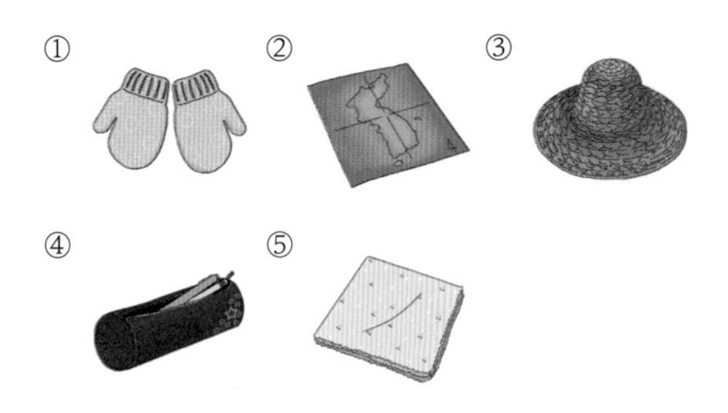

2 대화를 듣고, 남자가 구입할 티셔츠로 가장 적절한 것을 고르시오.

3 다음을 듣고, 일요일 오전의 날씨로 가장 적절한 것을 고르시오.

4 대화를 듣고, 여자의 마지막 말의 의도로 가장 적절한 것을 고르시오.

① 허락 ② 제안 ③ 위로 ④ 축하 ⑤ 감사

5 다음을 듣고, 남자가 방과 후 수업에 대해 언급하지 않은 것을 고르시오.

① 등산하기 ② 식물 그리기
③ 식물 사진 찍기 ④ 인터넷 조사하기
⑤ 발표하기

고난도

6 대화를 듣고, 여자가 집에 도착한 시각을 고르시오.

① 6:00 p.m. ② 7:00 p.m. ③ 8:00 p.m.
④ 9:00 p.m. ⑤ 10:00 p.m.

7 대화를 듣고, 남자의 장래 희망으로 가장 적절한 것을 고르시오.

① 농부 ② 화가 ③ 정원사
④ 연예인 ⑤ 소설가

8 대화를 듣고, 남자의 심정으로 가장 적절한 것을 고르시오.

① shy ② bored ③ relaxed
④ excited ⑤ angry

9 대화를 듣고, 여자가 대화 직후에 할 일로 가장 적절한 것을 고르시오.

① 카메라 수리하기 ② 여권 신청하기
③ 증명 사진 찍기 ④ 사진관에 전화하기
⑤ 친구와 약속 잡기

10 대화를 듣고, 무엇에 관한 내용인지 가장 적절한 것을 고르시오.

① 교실 환경 미화 ② 기차 모형 구입
③ 철도 박물관 견학 ④ 봄소풍 계획 수립
⑤ 기차표 예매

11 대화를 듣고, 두 사람이 함께 이용할 교통수단으로 가장 적절한 것을 고르시오.

① 버스 ② 오토바이 ③ 지하철
④ 택시 ⑤ 도보

12 대화를 듣고, 남자가 꽃을 구입한 이유로 가장 적절한 것을 고르시오.

① 정원에 심기 위해서
② 현관을 장식하기 위해서
③ 아내에게 선물하기 위해서
④ 결혼식에 가져가기 위해서
⑤ 딸의 졸업식 선물로 주기 위해서

13 대화를 듣고, 두 사람이 대화하는 장소로 가장 적절한 곳을 고르시오.

① 카페 ② 약국 ③ 은행
④ 서점 ⑤ 미용실

14 대화를 듣고, 두 사람이 찾고 있는 마스크의 위치로 가장 적절한 것을 고르시오.

15 대화를 듣고, 남자가 여자에게 부탁한 일로 가장 적절한 것을 고르시오.

① 영화 추천하기 ② 식당 예약하기
③ 여행 같이 가기 ④ 영화 티켓 사기
⑤ 우정 반지 맞추기

16 대화를 듣고, 여자가 남자에게 제안한 것으로 가장 적절한 것을 고르시오.

① 연극 보기 ② 게임하기
③ 동아리 가입하기 ④ 대사 연습하기
⑤ 선생님과 상담하기

17 대화를 듣고, 두 사람이 오늘 오후에 할 일로 가장 적절한 것을 고르시오.

① 설거지하기 ② 수영하기 ③ 과학 공부하기
④ 산책하기 ⑤ TV 시청하기

18 대화를 듣고, 여자의 직업으로 가장 적절한 것을 고르시오.

① 성우 ② 기자 ③ 요리사
④ 소방관 ⑤ 경찰관

[19-20] 대화를 듣고, 여자의 마지막 말에 이어질 남자의 응답으로 가장 적절한 것을 고르시오.

19 **Man:** ______________________

① I'll bring some for you.
② Yeah. We bake those too.
③ I'm sorry, we are closing.
④ No. It smelled bad.
⑤ Yes. I'd like to meet her.

20 **Man:** ______________________

① They will meet for coffee tomorrow.
② He'll call you in a minute.
③ I'd like to see him at 10 a.m.
④ I will wait outside.
⑤ There is no other option.

Dictation
음성 바로 듣기 ▶

08회 중학영어듣기 실전 모의고사 Dictation 음성을 들으며 빈칸에 알맞은 단어를 채우시오.

고난도

1 | 화제 고르기

다음을 듣고, 'this'가 가리키는 것으로 가장 적절한 것을 고르시오.

① ② ③ ④ ⑤

M This has ________ ________ ________ and comes in many different colors and patterns. This is made of ________ ________. You can fold this and carry it in your pocket. You can ________ ________ sweat or tears with this. What is this?

2 | 알맞은 그림 고르기

대화를 듣고, 남자가 구입할 티셔츠로 가장 적절한 것을 고르시오.

① ② ③ ④ ⑤

M Excuse me. I'd like to buy a T-shirt ________ ________ ________ ________.

W Let me see. How do you like this T-shirt with stripes?

M It ________ ________ ________.

W Does he like smiley faces? We ________ ________ ________ a smiley face on it.

M I like the one with lots of smiley faces. I'll take that one.

적중! Tip How do you like ~?

어떤 대상에 대한 만족이나 불만족을 물을 때 사용되는 표현으로, '~은 어떤가요?, 어때?'라는 의미이다.

· How do you like your new house?
너의 새 집은 어때?

3 | 날씨 고르기

다음을 듣고, 일요일 오전의 날씨로 가장 적절한 것을 고르시오.

① ② ③ ④ ⑤

W Good evening. This is the weekend weather report. Sunny days ________ ________ ________ Saturday morning. But there will be ________ ________ from Saturday afternoon. On Sunday morning, there will be ________ ________ ________. But it'll stop in the afternoon.

4 | 의도 고르기

대화를 듣고, 여자의 마지막 말의 의도로 가장 적절한 것을 고르시오.

① 허락 ② 제안 ③ 위로 ④ 축하 ⑤ 감사

W Jiho, you are ________ ________ ________ today. What happened?

M Do you remember that I sent my essay to the writing contest?

W Yes. Did they ________ ________ ________?

M Yes. I got second prize.

W Oh, congratulations! I knew ________ ________ ________ ________!

5 | 언급하지 않은 내용 고르기

다음을 듣고, 남자가 방과 후 수업에 대해 언급하지 않은 것을 고르시오.

① 등산하기 ② 식물 그리기
③ 식물 사진 찍기 ④ 인터넷 조사하기
⑤ 발표하기

M Let me introduce our after-school program to you. We hike up a hill ________ ________ ________, and we study the plants around us. We ________ ________ of the plants and then ________ ________ about them on the Internet. We also ________ ________ about the plants.

고난도

6 | 시간 정보 고르기

대화를 듣고, 여자가 집에 도착한 시각을 고르시오.

① 6:00 p.m. ② 7:00 p.m. ③ 8:00 p.m.
④ 9:00 p.m. ⑤ 10:00 p.m.

적중! Tip did you

[디드 유]보다는 [디쥬]로 들린다. [d]로 끝나는 단어 뒤에 y-로 시작하는 단어가 이어지면 두 소리가 연결되어 [쥬]로 발음되기 때문이다.

M Jane, did you get home alright yesterday?

W Yes. But my parents ________ ________ because I was late.

M You left early.

W Yeah, I left at 7 p.m. But I ________ ________ ________ ________ and stayed until 9.

M So, when did you get home?

W I ________ ________ at 10 o'clock.

7 | 장래 희망 고르기

대화를 듣고, 남자의 장래 희망으로 가장 적절한 것을 고르시오.

① 농부 ② 화가 ③ 정원사
④ 연예인 ⑤ 소설가

W Look at ________ ________ ________ on the wall.

M Do you like it, Jenny?

W I love it!

M Actually, I ________ ________ ________.

W Really? I think you're an amazing artist.

M Thank you. I want to be ________ ________ ________ someday.

W I'm sure you will be great like Picasso!

8 | 심정 고르기

대화를 듣고, 남자의 심정으로 가장 적절한 것을 고르시오.

① shy ② bored ③ relaxed
④ excited ⑤ angry

W Harry, what's wrong?

M I ________ ________ ________ with my best friend, Tommy.

W Oh, no. Why?

M He told ________ ________ ________ to other people!

W Sorry to hear that. You must feel upset.

M Totally. He said sorry, but I ________ ________ ________ now.

9 | 할 일 고르기

대화를 듣고, 여자가 대화 직후에 할 일로 가장 적절한 것을 고르시오.

① 카메라 수리하기 ② 여권 신청하기
③ 증명 사진 찍기 ④ 사진관에 전화하기
⑤ 친구와 약속 잡기

M What are you going to do this holiday, Amy?

W I'm going to Hong Kong ________ ________ ________.

M That sounds fun.

W Yes. I'm so excited! I need to take a picture ________ ________ ________ today.

M You can use the picture you used for your student ID card.

W Oh, right. I'll ________ ________ ________ and cancel the appointment.

10 | 주제 고르기

대화를 듣고, 무엇에 관한 내용인지 가장 적절한 것을 고르시오.

① 교실 환경 미화 ② 기차 모형 구입
③ 철도 박물관 견학 ④ 봄소풍 계획 수립
⑤ 기차표 예매

적중! Tip old trains
[올드 트레인즈]보다는 [오울트레인즈]로 들린다. [d]와 [t]처럼 발음할 때 혀의 위치가 비슷한 자음이 나란히 나오면 앞 단어의 끝 자음이 탈락되기 때문이다.

W Hajun, ________ ________ ________ this postcard?

M Oh, it's from the railroad museum.

W Yes. We ________ ________ for a class trip.

M Yeah. I really enjoyed seeing the old trains.

W I had fun too. I learned about ________ ________ ________.

11 | 교통수단 고르기

대화를 듣고, 두 사람이 함께 이용할 교통수단으로 가장 적절한 것을 고르시오.

① 버스 ② 오토바이 ③ 지하철
④ 택시 ⑤ 도보

M Yura, how do we get to the baseball stadium?

W Well, how about ________ ________ ________? There are express trains to the stadium.

M But they're always crowded, ________ ________?

W Then, why don't we take a taxi instead?

M Okay. I'll call one.

12 | 이유 고르기

대화를 듣고, 남자가 꽃을 구입한 이유로 가장 적절한 것을 고르시오.

① 정원에 심기 위해서
② 현관을 장식하기 위해서
③ 아내에게 선물하기 위해서
④ 결혼식에 가져가기 위해서
⑤ 딸의 졸업식 선물로 주기 위해서

적중! Tip beautiful
[뷰티풀]보다는 [뷰리풀]로 들린다. [t]가 모음 사이에서 발음될 때는 약화되어 [r]에 가깝게 발음되기 때문이다.

W Hi, Dad. What's in the bag? Did you buy something?
M I ________ ________, Cathy.
W Why did you buy them?
M I bought them for your mother. It's our 20th ________ ________.
W Can I see?
M Sure. Here, ________ ________ ________.
W They're beautiful. Mom will love them.

13 | 장소 고르기

대화를 듣고, 두 사람이 대화하는 장소로 가장 적절한 곳을 고르시오.

① 카페 ② 약국 ③ 은행
④ 서점 ⑤ 미용실

M Do you have cough medicine?
W Yes, we do. Do you also ________ ________ ________?
M No, I don't have a fever. But I started to cough yesterday. It's ________ ________.
W I see. Here's the cough syrup. You should take this ________ ________ ________.
M Thank you.

14 | 위치 고르기

대화를 듣고, 두 사람이 찾고 있는 마스크의 위치로 가장 적절한 것을 고르시오.

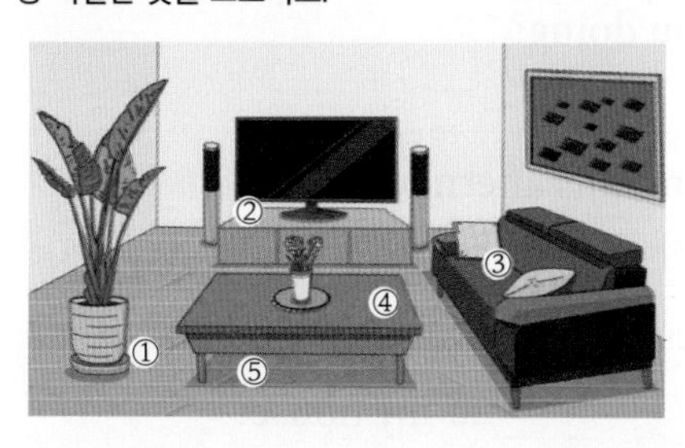

W Are you going out today, Danny?
M Yes, Mom. But I ________ ________ ________ ________.
W I saw it on the table this morning.
M It's not there now. Did you ________ ________ ________ the TV?
W No, I didn't. Hmm... *[Pause]* Oh, did you ________ ________ ________ ________?
M It's here! Thank you. I'll get home before dinner.

15 | 부탁·요청한 일 고르기

대화를 듣고, 남자가 여자에게 부탁한 일로 가장 적절한 것을 고르시오.

① 영화 추천하기 ② 식당 예약하기
③ 여행 같이 가기 ④ 영화 티켓 사기
⑤ 우정 반지 맞추기

W Kevin, what are you doing today?

M I ________ ________ ________.

W I'm watching a movie with Linda. Do you ________ ________ ________ ________ ________?

M What are you watching?

W The one ________ ________ ________ between a boy and a dragon.

M That sounds great. Can you ________ ________ ________ ________?

W No problem.

16 | 제안한 일 고르기

대화를 듣고, 여자가 남자에게 제안한 것으로 가장 적절한 것을 고르시오.

① 연극 보기 ② 게임하기
③ 동아리 가입하기 ④ 대사 연습하기
⑤ 선생님과 상담하기

M You were great in the school play, Karen.

W Thanks! I ________ ________ ________ really hard.

M Do you think I can be in the next play?

W Of course! It's ________ ________ ________ ________.

M Well, I'm not sure.

W ________ ________ ________ ________. Join the drama club.

M Maybe I will.

17 | 할 일 고르기

대화를 듣고, 두 사람이 오늘 오후에 할 일로 가장 적절한 것을 고르시오.

① 설거지하기 ② 수영하기 ③ 과학 공부하기
④ 산책하기 ⑤ TV 시청하기

[Cellphone rings.]

W Hello, Thomas. What are you doing?

M I just ________ ________ ________ ________.

W Do you want to go swimming this afternoon?

M It's a great idea, but I ________ ________ ________ today.

W I forgot about the science test. I guess we can swim later.

M Then, what about ________ ________ at my house?

W Okay. I will be there in 10 minutes.

18 | 직업 고르기

대화를 듣고, 여자의 직업으로 가장 적절한 것을 고르시오.

① 성우 ② 기자 ③ 요리사
④ 소방관 ⑤ 경찰관

적중! Tip I'm here to ~.

방문 목적을 밝힐 때 사용되는 표현으로, '~하러 왔어요'라는 의미이다. 이때 to 다음에는 동사원형이 온다.

· I'm here to see Dr. Kim.
저는 김 박사님을 뵈러 왔어요.

M Excuse me. I'm here to ________ ________ ________.

W Okay. What happened?

M Someone ________ ________ ________ at a train station.

W What did the person look like?

M I'm not sure. I ________ ________.

W Alright. We will ________ ________ ________ ________ then.

19 | 적절한 응답 고르기

대화를 듣고, 여자의 마지막 말에 이어질 남자의 응답으로 가장 적절한 것을 고르시오.

Man: ________________________

① I'll bring some for you.
② Yeah. We bake those too.
③ I'm sorry, we are closing.
④ No. It smelled bad.
⑤ Yes. I'd like to meet her.

 적중! Tip I'**d**

[아이드]보다는 [아읻]으로 들린다. 조동사 would의 축약형은 앞에 나오는 주어와 연결해서 약하게 발음되기 때문이다.

M Jia, what are you going to do tomorrow?

W I'm just ________ ________ ________ ________. How about you?

M I'm spending the day at my parents' bakery.

W What do you do there?

M I usually help them ________ ________. I can make different kinds of cookies.

W Oh, really? I'd love ________ ________ ________.

20 | 적절한 응답 고르기

대화를 듣고, 여자의 마지막 말에 이어질 남자의 응답으로 가장 적절한 것을 고르시오.

Man: ________________________

① They will meet for coffee tomorrow.
② He'll call you in a minute.
③ I'd like to see him at 10 a.m.
④ I will wait outside.
⑤ There is no other option.

M Hi, can I see Dr. Kim?

W He is ________ ________ ________ right now.

M Okay. Do I have to wait long?

W ________ ________ ________. He is very busy today.

M Then, I will come tomorrow.

W Sure. ________ ________ will you come?

09회 중학영어듣기 실전 모의고사

실전 모의고사 음성 바로 듣기 ▶

1 다음을 듣고, 'I'가 무엇인지 가장 적절한 것을 고르시오.

2 대화를 듣고, 남자가 만든 케이크로 가장 적절한 것을 고르시오.

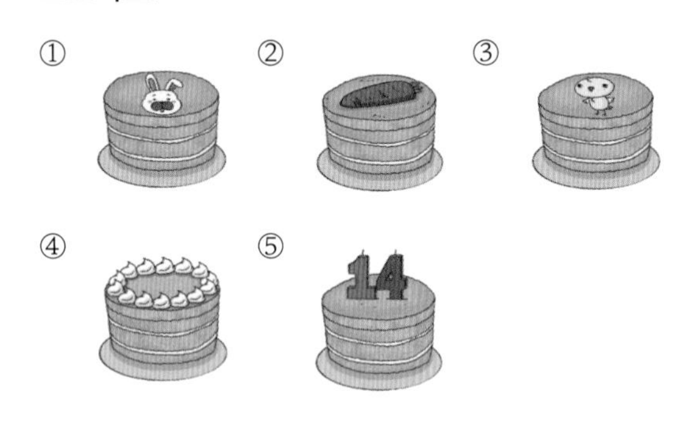

3 다음을 듣고, 내일의 날씨로 가장 적절한 것을 고르시오.

4 대화를 듣고, 여자가 한 마지막 말의 의도로 가장 적절한 것을 고르시오.

① 후회 ② 축하 ③ 감사 ④ 조언 ⑤ 거절

5 다음을 듣고, 남자가 농구 동아리 활동에 대해 언급하지 않은 것을 고르시오.

① 모임 시간 ② 시작일 ③ 회원 수
④ 준비물 ⑤ 등록 방법

6 대화를 듣고, 두 사람이 만날 시각을 고르시오.

① 5:00 p.m. ② 5:30 p.m. ③ 6:00 p.m.
④ 6:30 p.m. ⑤ 7:00 p.m.

7 대화를 듣고, 여자의 장래 희망으로 가장 적절한 것을 고르시오.

① 성악가 ② 사회복지사
③ 작곡가 ④ 바이올리니스트
⑤ 공연 기획자

고난도

8 대화를 듣고, 남자의 심정으로 가장 적절한 것을 고르시오.

① 행복함 ② 지루함 ③ 부러움
④ 걱정스러움 ⑤ 자랑스러움

9 대화를 듣고, 여자가 대화 직후에 할 일로 가장 적절한 것을 고르시오.

① 공원 산책하기 ② 모자 가져오기
③ 생수 얼려두기 ④ 선글라스 챙기기
⑤ 자외선 차단제 바르기

10 대화를 듣고, 무엇에 관한 내용인지 가장 적절한 것을 고르시오.

① 반려동물 입양 ② 버스표 구매
③ 병원 진료 예약 ④ 동물원 방문
⑤ 봉사 활동 참여

11 대화를 듣고, 여자가 이용할 교통수단으로 가장 적절한 것을 고르시오.

① 자전거 ② 지하철 ③ 기차
④ 비행기 ⑤ 셔틀 버스

고난도
12 대화를 듣고, 여자가 남자를 찾아 간 이유로 가장 적절한 것을 고르시오.

① 분실물을 찾기 위해서
② 도서를 반납하기 위해서
③ 학생증을 신청하기 위해서
④ 독서 감상문을 제출하기 위해서
⑤ 도서 대출증을 재발급 받기 위해서

13 대화를 듣고, 두 사람의 관계로 가장 적절한 것을 고르시오.

① 소방관 — 시민 ② 디자이너 — 견습생
③ 연극 배우 — 관객 ④ 옷가게 점원 — 손님
⑤ 자동차 정비사 — 손님

고난도
14 대화를 듣고, Julie's Café의 위치로 가장 알맞은 것을 고르시오.

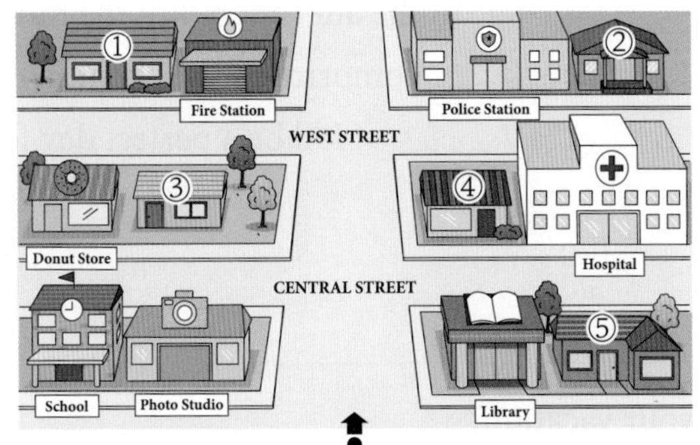

15 대화를 듣고, 남자가 여자에게 부탁한 일로 가장 적절한 것을 고르시오.

① 마시멜로 꺼내기 ② 채소 씻기
③ 나뭇가지 모으기 ④ 텐트 설치하기
⑤ 동생 찾으러 가기

16 대화를 듣고, 남자가 여자에게 제안한 것으로 가장 적절한 것을 고르시오.

① 방학 계획 세우기 ② 시험 공부하기
③ 댄스 수업 듣기 ④ 가수 사인회 가기
⑤ 오디션 참가하기

고난도
17 대화를 듣고, 남자가 새로 산 물건을 고르시오.

① 우산 ② 장화 ③ 가방
④ 코트 ⑤ 목도리

18 대화를 듣고, 남자의 직업으로 가장 적절한 것을 고르시오.

① 변호사 ② 과학 교사 ③ 운동선수
④ 요리사 ⑤ 안과 의사

[19-20] 대화를 듣고, 남자의 마지막 말에 이어질 여자의 응답으로 가장 적절한 것을 고르시오.

19 **Woman:** ______________________

① The sea is calm.
② She's my friend.
③ I'm on vacation.
④ Let's take a bus.
⑤ She's coming on Saturday.

20 **Woman:** ______________________

① Don't run in school.
② It's outside the door.
③ Their trip was last week.
④ I'd like to see a horse.
⑤ I can't stay long.

09회 Dictation

09회 중학영어듣기 실전 모의고사 Dictation 음성을 들으며 빈칸에 알맞은 단어를 채우시오.

1 | 화제 고르기

다음을 듣고, 'I'가 무엇인지 가장 적절한 것을 고르시오.

① ② ③ ④ ⑤

M I am ________ ________ ________. I can fly high in the sky, and I can see far away. I have ________ ________ on my head and brown ones on my body. I can ________ ________ ________. You can find me on a one-dollar bill. What am I?

2 | 알맞은 그림 고르기

대화를 듣고, 남자가 만든 케이크로 가장 적절한 것을 고르시오.

① ② ③ ④ ⑤

W Minsu, ________ ________?

M It's a carrot cake. I made it for you.

W How sweet! ________ ________ ________ ________ is so cute.

M Really? Actually, I chose a bird at first. But I changed my mind.

W Oh, that's good. I ________ ________ ________.

3 | 날씨 고르기

다음을 듣고, 내일의 날씨로 가장 적절한 것을 고르시오.

① ② ③ ④ ⑤

W Good morning. Here's the weather report. The sky's cloudy, and it'll ________ ________ in the afternoon. But the rain will ________ ________ ________. Tomorrow, it'll be a sunny day with ________ ________ ________. It'll be a perfect day for a picnic.

4 | 의도 고르기

대화를 듣고, 여자가 한 마지막 말의 의도로 가장 적절한 것을 고르시오.

① 후회 ② 축하 ③ 감사 ④ 조언 ⑤ 거절

M Ivy, how was your vacation?

W It was good, Conan. I went to Namhae. How was ________ ________ ________ Paris?

M It was great! I ________ ________ ________ for you.

W Wow, that's so nice of you! What is it?

M It's a small Eiffel Tower statue.

W Thank you ________ ________ ________.

5 | 언급하지 않은 내용 고르기

다음을 듣고, 남자가 농구 동아리 활동에 대해 언급하지 않은 것을 고르시오.

① 모임 시간　② 시작일　③ 회원 수
④ 준비물　⑤ 등록 방법

적중! Tip　meeting
[미팅]보다는 [미링]으로 들린다. [t]가 모음 사이에서 발음될 때는 약화되어 [r]에 가깝게 발음되기 때문이다.

M　Hello, students. I'd like to tell you about the new basketball club. We meet from 2 to 4 p.m. ________ ________ ________ ________. Our first meeting will be on Monday next week. You should ________ ________ ________ to the practices. Please ________ ________ ________ on the bulletin board to become a member.

6 | 시간 정보 고르기

대화를 듣고, 두 사람이 만날 시각을 고르시오.

① 5:00 p.m.　② 5:30 p.m.　③ 6:00 p.m.
④ 6:30 p.m.　⑤ 7:00 p.m.

[Cellphone rings.]

M　Hello, Mina! ________ ________ ________?

W　Hi, Jihoon. When should we meet this afternoon?

M　The birthday party begins at 6, so ________ ________ ________ ________ at 5?

W　That sounds great! I don't want to be late.

M　Okay. Let's meet at 5 ________ ________ ________ ________.

W　Great. I'll see you later.

7 | 장래 희망 고르기

대화를 듣고, 여자의 장래 희망으로 가장 적절한 것을 고르시오.

① 성악가　② 사회복지사
③ 작곡가　④ 바이올리니스트
⑤ 공연 기획자

calm
[캄]으로 발음된다. -m 앞에 오는 l은 주로 묵음이다.
· palm [팜]　· salmon [새먼]

M　Lucy, what are you listening to?

W　I'm ________ ________ ________ ________ now.

M　Classical music makes me very calm.

W　________ ________. That's why I like classical music.

M　Can you ________ ________ ________?

W　Yes. Actually, my dream is to ________ ________ ________ ________.

M　That's impressive. I hope you achieve your goal.

고난도

8 | 심정 고르기

대화를 듣고, 남자의 심정으로 가장 적절한 것을 고르시오.

① 행복함 ② 지루함 ③ 부러움
④ 걱정스러움 ⑤ 자랑스러움

W What's the matter, Henry?

M My little sister was ________ ________ ________ when I left my house.

W And?

M She just called me and said that she ________ ________ ________.

W Oh, no! Is she okay?

M She was crying. I think I ________ ________ ________ ________ now.

9 | 할 일 고르기

대화를 듣고, 여자가 대화 직후에 할 일로 가장 적절한 것을 고르시오.

① 공원 산책하기 ② 모자 가져오기
③ 생수 얼려두기 ④ 선글라스 챙기기
⑤ 자외선 차단제 바르기

W Dad, let's ________ ________. You promised to exercise with me.

M Okay. I'll get ready.

W Today, I'd like to ________ ________ the park's paths.

M Sure. Is it ________ ________?

W Yes. The sun is very strong.

M Then, could you ________ ________ ________?

W Alright. I'll get it.

10 | 주제 고르기

대화를 듣고, 무엇에 관한 내용인지 가장 적절한 것을 고르시오.

① 반려동물 입양 ② 버스표 구매
③ 병원 진료 예약 ④ 동물원 방문
⑤ 봉사 활동 참여

W How often do you volunteer ________ ________ ________ ________?

M I go there every Saturday.

W I want to ________ ________ ________ too.

M Why don't you volunteer with me? How about this Saturday?

W ________ ________ ________.

M What about meeting at the train station at 9 in the morning?

W Good. See you there.

11 | 교통수단 고르기

대화를 듣고, 여자가 이용할 교통수단으로 가장 적절한 것을 고르시오.

① 자전거 ② 지하철 ③ 기차
④ 비행기 ⑤ 셔틀 버스

M Janet, how will you get to the science museum tomorrow?

W Well, my sister will ________ ________ ________ ________. What about you?

M I think I will take the free shuttle bus with Lisa.

W Oh, I didn't know about the shuttle. Can I ________ ________ ________ ________?

M Of course. Let's meet ________ ________ ________ ________ in front of our school at 8.

W Alright. I'll see you then.

고난도

12 | 이유 고르기

대화를 듣고, 여자가 남자를 찾아 간 이유로 가장 적절한 것을 고르시오.

① 분실물을 찾기 위해서
② 도서를 반납하기 위해서
③ 학생증을 신청하기 위해서
④ 독서 감상문을 제출하기 위해서
⑤ 도서 대출증을 재발급 받기 위해서

적중! Tip **it is**
[잇 이즈]보다는 [이리즈]로 들린다. [t]가 모음 사이에서 발음될 때는 약화되어 [r]에 가깝게 발음되기 때문이다.

W Excuse me, Mr. Brown. Can I talk to you ________ ________ ________?
M Sure. What is it?
W I lost ________ ________ ________ ________ a few days ago. So, I'd like to get a new one.
M Okay. Show me your student card, and ________ ________ ________ ________.
W Here it is. Thanks.

13 | 관계 고르기

대화를 듣고, 두 사람의 관계로 가장 적절한 것을 고르시오.

① 소방관 — 시민 ② 디자이너 — 견습생
③ 연극 배우 — 관객 ④ 옷가게 점원 — 손님
⑤ 자동차 정비사 — 손님

적중! Tip **receipt**
[리시트]로 발음된다. 단어 중간에 쓰인 [p]는 묵음인 경우가 있다.
· raspberry [래즈베리] · cupboard [커벋드]

M Good afternoon. Can I help you?
W Yes. I ________ ________ ________ here last week, but they are too big for me.
M Would you like to ________ ________ ________ ________ or get a refund?
W I ________ ________ ________, please.
M Sure. Can I see your receipt?

고난도

14 | 위치 고르기

대화를 듣고, Julie's Café의 위치로 가장 알맞은 것을 고르시오.

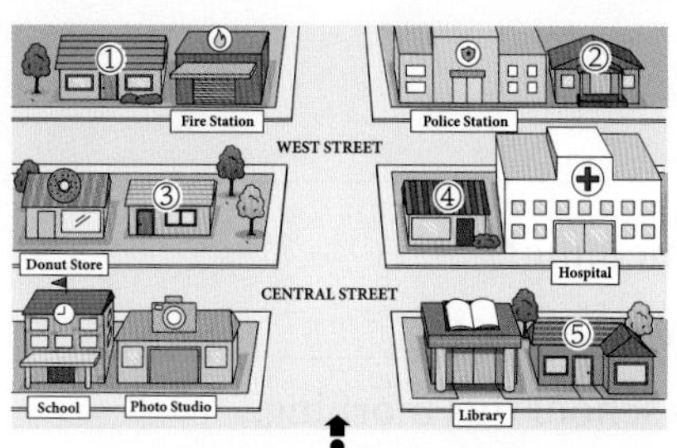

W Julie's Café is closed now. I'm very sad about it.
M Oh, ________ ________ ________. It moved to another place.
W How can I get there then?
M ________ ________ ________ ________, and turn left at Central Street.
W Turn left at Central Street?
M Yes. It's ________ ________ ________. It's next to the donut store.
W Thank you.

15 | 부탁·요청한 일 고르기

대화를 듣고, 남자가 여자에게 부탁한 일로 가장 적절한 것을 고르시오.

① 마시멜로 꺼내기　② 채소 씻기
③ 나뭇가지 모으기　④ 텐트 설치하기
⑤ 동생 찾으러 가기

M Maggie, ________ ________ ________?
W She went to get the tent, Dad.
M Alright. ________ ________ ________. Let's start a campfire.
W That will be great! I'll gather some branches.
M I already got firewood. Can you ________ ________ the marshmallows?
W Sure. I'll do that now.

16 | 제안한 일 고르기

대화를 듣고, 남자가 여자에게 제안한 것으로 가장 적절한 것을 고르시오.

① 방학 계획 세우기　② 시험 공부하기
③ 댄스 수업 듣기　④ 가수 사인회 가기
⑤ 오디션 참가하기

적중! Tip　I'm thinking of ~.
무언가를 할 의도가 있음을 나타낼 때 사용되는 표현으로, '~하는 걸 생각 중이다, ~할까 생각 중이다'라는 의미이다. 이때 of 다음에는 동명사가 온다.
· I'm thinking of buying a new hat.
새 모자를 살까 생각 중이야.

W Do you ________ ________ ________ for the summer, Greg?
M Not really. How about you, Tina?
W I'm thinking of ________ ________ ________.
M That sounds like a lot of fun. Why don't we join a dance class together?
W Good idea. Let's ________ ________ ________.

고난도
17 | 특정 정보 고르기

대화를 듣고, 남자가 새로 산 물건을 고르시오.

① 우산　② 장화　③ 가방
④ 코트　⑤ 목도리

W Jake, are you looking for something?
M It's raining outside, but I can't ________ ________ ________.
W Maybe you didn't bring it to school this morning.
M No. I bought it ________ ________ ________ to school today.
W Then, let me help you find it.

18 | 직업 고르기

대화를 듣고, 남자의 직업으로 가장 적절한 것을 고르시오.

① 변호사 ② 과학 교사 ③ 운동선수
④ 요리사 ⑤ 안과 의사

M I have the results of ________ ________ ________.
W How are they?
M I think ________ ________ ________ ________ now.
W Is my eye sight that bad?
M It's not serious, but you will ________ ________ ________ with a pair of glasses.
W Can I use contact lenses?
M Sure.

19 | 적절한 응답 고르기

대화를 듣고, 남자의 마지막 말에 이어질 여자의 응답으로 가장 적절한 것을 고르시오.

Woman: ____________________

① The sea is calm.
② She's my friend.
③ I'm on vacation.
④ Let's take a bus.
⑤ She's coming on Saturday.

M Hey, Jisu. What do you want to do this weekend?
W ________ ________ ________ go to the beach?
M Sure. Can my friend Nari come too?
W Of course! She is ________ ________ ________ us.
M Great. How will we ________ ________ ________ ________?

20 | 적절한 응답 고르기

대화를 듣고, 남자의 마지막 말에 이어질 여자의 응답으로 가장 적절한 것을 고르시오.

Woman: ____________________

① Don't run in school.
② It's outside the door.
③ Their trip was last week.
④ I'd like to see a horse.
⑤ I can't stay long.

 적중! Tip I can't wait to ~.

어떤 일을 몹시 기대하고 있음을 나타낼 때 사용되는 표현으로, to 다음에는 동사원형이 온다.

· I can't wait to go to the play.
빨리 연극을 보러 가고 싶어.

W We are going ________ ________ ________ ________ tomorrow.
M Yeah. I can't wait to visit the farm. It will be ________ ________ ________ ________.
W What will we do there?
M We will ________ ________ at the farm.
W I hope there are animals too.
M What animal do you ________ ________ ________?

10회

중학영어듣기 실전 모의고사

실전 모의고사 음성 바로 듣기 ▶

1 다음을 듣고, 'this'가 가리키는 것으로 가장 적절한 것을 고르시오.

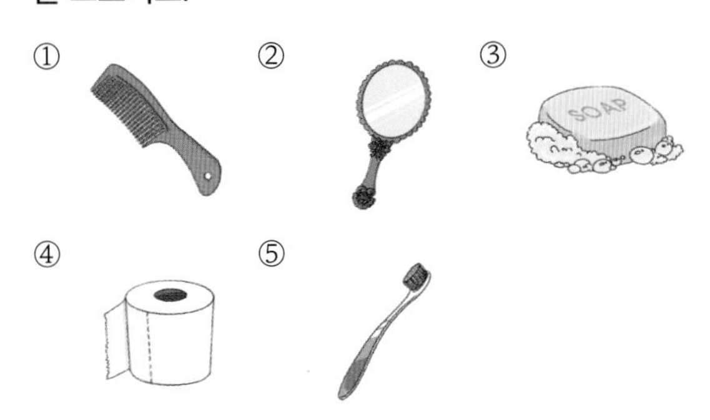

2 대화를 듣고, 여자가 설명하는 헤드폰으로 가장 적절한 것을 고르시오.

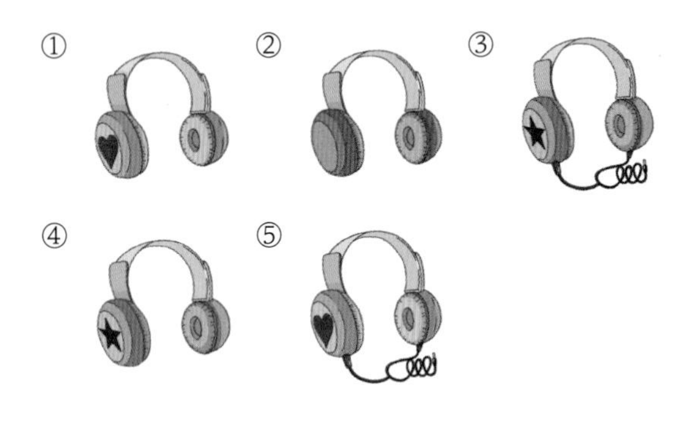

3 다음을 듣고, 일요일의 날씨로 가장 적절한 것을 고르시오.

4 대화를 듣고, 여자의 마지막 말의 의도로 가장 적절한 것을 고르시오.

① 요청 ② 사과 ③ 허락 ④ 감사 ⑤ 불평

5 다음을 듣고, 여자가 내년 목표에 대해 언급하지 않은 것을 고르시오.

① 조깅하기 ② 독서하기
③ 프랑스어 배우기 ④ 저축하기
⑤ 봉사 활동하기

고난도

6 대화를 듣고, 두 사람이 만날 시각을 고르시오.

① 7:00 a.m. ② 7:30 a.m. ③ 8:00 a.m.
④ 8:30 a.m. ⑤ 9:00 a.m.

7 대화를 듣고, 여자의 장래 희망으로 가장 적절한 것을 고르시오.

① 우주 과학자 ② 로봇 과학자
③ 전시회 기획가 ④ 드론 조종사
⑤ 인공지능 전문가

8 대화를 듣고, 남자의 심정으로 가장 적절한 것을 고르시오.

① angry ② worried ③ excited
④ nervous ⑤ shy

9 대화를 듣고, 여자가 대화 직후에 할 일로 가장 적절한 것을 고르시오.

① 기념품 가게 가기 ② 롤러코스터 타기
③ 햄버거 사먹기 ④ 퍼레이드 구경하기
⑤ 이용권 환불받기

10 대화를 듣고, 무엇에 관한 내용인지 가장 적절한 것을 고르시오.

① 가족 사진 촬영 ② 어버이날 선물
③ 생일 파티 준비 ④ 건강 검진 결과
⑤ 케이크 레시피

11 대화를 듣고, 두 사람이 함께 이용할 교통수단으로 가장 적절한 것을 고르시오.

① 버스 ② 지하철 ③ 택시
④ 도보 ⑤ 자전거

12 대화를 듣고, 여자가 스키 캠프에 가지 못하는 이유로 가장 적절한 것을 고르시오.

① 다리를 다쳐서 ② 폭설 경보가 내려서
③ 감기에 걸려서 ④ 친척을 방문해야 해서
⑤ 언니 생일이라서

13 대화를 듣고, 두 사람이 대화하는 장소로 가장 적절한 곳을 고르시오.

① 도서관 ② 체육관 ③ 급식실
④ 교무실 ⑤ 매점

14 대화를 듣고, 남자가 찾고 있는 핸드크림의 위치로 가장 적절한 것을 고르시오.

15 대화를 듣고, 여자가 남자에게 부탁한 일로 가장 적절한 것을 고르시오.

① 노트북 사용하기 ② 책 대출 하기
③ 에세이 작성하기 ④ 메일 확인하기
⑤ 프로그램 설치하기

고난도

16 대화를 듣고, 여자가 남자에게 제안한 것으로 가장 적절한 것을 고르시오.

① 꽃 장식 만들기 ② 딸기 수확하기
③ 딸기 케이크 사기 ④ 케이크 굽기
⑤ 과일 시장 가기

17 대화를 듣고, 여자가 지난 주말에 한 일을 고르시오.

① 곤충 관찰하기 ② 공놀이 하기
③ 동생 돌보기 ④ 캠핑 가기
⑤ 등산하기

18 대화를 듣고, 여자의 직업으로 가장 적절한 것을 고르시오.

① 기자 ② 작가 ③ 가수 ④ 배우 ⑤ 화가

[19-20] 대화를 듣고, 여자의 마지막 말에 이어질 남자의 응답으로 가장 적절한 것을 고르시오.

19 **Man:** ______________________

① The weather is terrible.
② We found the dog.
③ It's in the living room.
④ I left home early.
⑤ The coat is too big.

고난도

20 **Man:** ______________________

① I am the oldest one here.
② I didn't see her.
③ The cake was delicious.
④ I got there at 6 p.m.
⑤ I had to finish my homework.

10회 Dictation

Dictation 음성 바로 듣기 ▶

10회 중학영어듣기 실전 모의고사 Dictation 음성을 들으며 빈칸에 알맞은 단어를 채우시오.

1 | 화제 고르기

다음을 듣고, 'this'가 가리키는 것으로 가장 적절한 것을 고르시오.

① ② ③ ④ ⑤

W This is usually near a bathroom sink. You use this when you ________ ________ ________ or body. This makes bubbles when it gets wet. This ________ ________ when you use it. What is this?

2 | 알맞은 그림 고르기

대화를 듣고, 여자가 설명하는 헤드폰으로 가장 적절한 것을 고르시오.

① ② ③ ④ ⑤

M Hello. Are you looking for something?

W Yes. I ________ ________ ________ around here.

M Oh, I see. What does it look like?

W It has ________ ________ ________ on it.

M Is it this one here?

W No. That one isn't mine. Mine ________ ________ ________ ________.

M Then, what about this headset?

W That's it! Thank you for finding it.

적중! Tip what about

[왓 어바웃]보다는 [와러바웃]으로 들린다. [t]가 모음 사이에서 발음될 때는 약화되어 [r]에 가깝게 발음되기 때문이다.

3 | 날씨 고르기

다음을 듣고, 일요일의 날씨로 가장 적절한 것을 고르시오.

① ② ③ ④ ⑤

W Good evening! Here's the weather report for this weekend. It will be sunny ________ ________ ________. But the sky will be cloudy in the afternoon. On Sunday, there will be ________ ________ all day. Don't forget to ________ ________ ________.

4 | 의도 고르기

대화를 듣고, 여자의 마지막 말의 의도로 가장 적절한 것을 고르시오.

① 요청 ② 사과 ③ 허락 ④ 감사 ⑤ 불평

M Did you ________ ________ ________, Wendy?
W Yes, Dad. Is it broken?
M No. But there's ________ ________ ________.
W Oh, it was an accident.
M Don't worry, but be careful next time.
W I will. I'm ________ ________ ________.

5 | 언급하지 않은 내용 고르기

다음을 듣고, 여자가 내년 목표에 대해 언급하지 않은 것을 고르시오.

① 조깅하기 ② 독서하기
③ 프랑스어 배우기 ④ 저축하기
⑤ 봉사 활동하기

W I'd like to tell you ________ ________ ________ for next year. I will ________ ________ every morning. Also, I plan to read two books a month and ________ ________. Lastly, I'm going to ________ ________ ________ at hospitals.

고난도

6 | 시간 정보 고르기

대화를 듣고, 두 사람이 만날 시각을 고르시오.

① 7:00 a.m. ② 7:30 a.m. ③ 8:00 a.m.
④ 8:30 a.m. ⑤ 9:00 a.m.

M Somin, do you ________ ________ ________ ________ tomorrow?
W Sure! What time should we leave, Derek?
M How about 7:30 in the morning?
W I don't think ________ ________ ________ ________ by then.
M But the bus leaves at 8 o'clock.
W Can we take the next bus?
M ________ ________ ________ ________ at 9, so how about 8:30?
W Great!

7 | 장래 희망 고르기

대화를 듣고, 여자의 장래 희망으로 가장 적절한 것을 고르시오.

① 우주 과학자 ② 로봇 과학자
③ 전시회 기획가 ④ 드론 조종사
⑤ 인공지능 전문가

적중! Tip **ex**hibition
[엑서비션]으로 발음된다. [ex]는 [엑스], [이그즈], [익스] 중 하나로 발음된다.
· **ex**am [이그잼] · **ex**treme [익스트림]

W Hi, Leo. ________ ________ ________ ________ robot science?
M Yes. Why do you ask?
W I ________ ________ ________ for the robot exhibition in Changwon. But my parents can't go with me.
M ________ ________ ________. But I'd love to come with you.
W Cool. I didn't want to go alone.
M Do you like robots too?
W Yes. I want to be ________ ________ ________ one day!

8 | 심정 고르기

대화를 듣고, 남자의 심정으로 가장 적절한 것을 고르시오.

① angry ② worried ③ excited
④ nervous ⑤ shy

W Mike, you ________ ________ ________ ________ today.
M I know, Mom. I couldn't sleep well.
W Is it because you are ________ ________ ________ ________?
M Yes. I can't wait!
W Really? I thought ________ ________ ________ nervous.
M Not at all. I'm really ________ ________ ________ meeting new friends.

9 | 할 일 고르기

대화를 듣고, 여자가 대화 직후에 할 일로 가장 적절한 것을 고르시오.

① 기념품 가게 가기 ② 롤러코스터 타기
③ 햄버거 사먹기 ④ 퍼레이드 구경하기
⑤ 이용권 환불받기

적중! Tip Same here.
상대방의 말에 동의할 때 사용되는 표현으로, '나도 마찬가지야'라는 의미이다.

M We ________ ________ ________ for three hours to ride the roller coaster.
W Whoa, the line is too long. I don't think I can wait.
M Same here. Shall we ________ ________ ________?
W I'd like to buy some gifts for my sister.
M Then, what about going to ________ ________ ________?
W Sounds good!

10 | 주제 고르기

대화를 듣고, 무엇에 관한 내용인지 가장 적절한 것을 고르시오.

① 가족 사진 촬영 ② 어버이날 선물
③ 생일 파티 준비 ④ 건강 검진 결과
⑤ 케이크 레시피

적중! Tip present
present는 명사나 형용사로 쓰일 때는 [프레즌트]로, 동사로 쓰일 때는 [프리젠트]로 발음된다.

M Amy, ________ ________ ________ Parents' Day is this Friday?
W Sure. I knew that.
M Did you prepare a present for our parents?
W Not yet. Do you want ________ ________ ________ together?
M That would be great.
W How about ________ ________ for them?
M I like the idea! Let's ________ ________ ________ too.
W Okay. And I'll buy a cake.

11 | 교통수단 고르기

대화를 듣고, 두 사람이 함께 이용할 교통수단으로 가장 적절한 것을 고르시오.

① 버스 ② 지하철 ③ 택시
④ 도보 ⑤ 자전거

[Cellphone rings.]

M Hey, Selena.

W Hi, Chuck. Would you like to ________ ________ ________ ________ ________ of the palace?

M Yes. When does it begin?

W The tour begins at 7 p.m.

M Great! Do you want to ________ ________ ________ to the palace?

W Not really. I don't like riding bikes.

M Oh, then how about ________ ________ ________?

W Sure. That works for me.

12 | 이유 고르기

대화를 듣고, 여자가 스키 캠프에 가지 못하는 이유로 가장 적절한 것을 고르시오.

① 다리를 다쳐서 ② 폭설 경보가 내려서
③ 감기에 걸려서 ④ 친척을 방문해야 해서
⑤ 언니 생일이라서

적중! Tip I'm looking forward to ~.
어떤 일을 몹시 기대하고 있음을 나타낼 때 사용되는 표현으로, to 다음에는 (동)명사가 온다.
· I'm looking forward to the movie.
그 영화 너무 기대하고 있어.

M Bokyung, are you ________ ________ ________ ________?

W I wanted to join the camp, but I can't.

M Why not?

W My family will ________ ________ ________ and cousins in Daegu.

M That sounds like fun!

W Yes. I'm looking forward to it. I hope you ________ ________ ________ ________.

M Thank you! You too.

13 | 장소 고르기

대화를 듣고, 두 사람이 대화하는 장소로 가장 적절한 곳을 고르시오.

① 도서관 ② 체육관 ③ 급식실
④ 교무실 ⑤ 매점

M Hello, ma'am. Where is Ms. Simpson's desk?

W It is ________ ________ ________ the window.

M Oh, but she isn't here now. I'll come back later.

W ________ ________ ________ looking for her?

M I'd like to ask her about ________ ________ ________.

14 | 위치 고르기

대화를 듣고, 남자가 찾고 있는 핸드크림의 위치로 가장 적절한 것을 고르시오.

M My hands ________ ________ ________.

W Why don't you put on some hand cream?

M Okay. *[Pause]* Hmm... I can't find it.

W ________ ________ ________ ________ on the piano?

M No, I didn't. Can you check next to ________ ________ ________?

W Sure. Oh, here it is!

15 | 부탁·요청한 일 고르기

대화를 듣고, 여자가 남자에게 부탁한 일로 가장 적절한 것을 고르시오.

① 노트북 사용하기　② 책 대출 하기
③ 에세이 작성하기　④ 메일 확인하기
⑤ 프로그램 설치하기

W Adrian, is this your laptop?

M No, it's not. I ________ ________ ________ the library information desk.

W I need to check my essay file. How do you borrow one?

M ________ ________ ________ ________ to the librarian.

W I didn't bring it. Can I use this laptop instead?

M Alright. ________ ________ 10 minutes then.

W Okay. Thank you.

고난도

16 | 제안한 일 고르기

대화를 듣고, 여자가 남자에게 제안한 것으로 가장 적절한 것을 고르시오.

① 꽃 장식 만들기　② 딸기 수확하기
③ 딸기 케이크 사기　④ 케이크 굽기
⑤ 과일 시장 가기

> 적중! Tip　Can I help you
>
> [캔 아이 헬프 유]보다는 [캐나이 헬퓨]로 들린다. 앞에 나온 단어의 끝 자음과 뒤에 나온 단어의 첫 모음이 연음되기 때문이다.
>
> · have a [해버]　· one of [워너브]

W Hello. Can I help you?

M Yes. I'm looking for some strawberries.

W I'm sorry, but we are ________ ________ ________ today.

M Oh, no! I really need them to decorate my cake.

W You should try the fruit market ________ ________ ________. They always have strawberries.

M Okay. Thank you.

17 | 한 일 고르기

대화를 듣고, 여자가 지난 주말에 한 일을 고르시오.

① 곤충 관찰하기　② 공놀이 하기
③ 동생 돌보기　④ 캠핑 가기
⑤ 등산하기

W Charlie, ________ ________ ________ ________ last weekend?

M I played with my little brother. How about you?

W I ________ ________ with my parents.

M Wow, that's cool! Was it exciting?

W Yes. We ________ ________ ________ at night.

M I want to go camping too. It sounds like fun.

18 | 직업 고르기

대화를 듣고, 여자의 직업으로 가장 적절한 것을 고르시오.

① 기자 ② 작가 ③ 가수 ④ 배우 ⑤ 화가

M Welcome, Naomi.

W Thank you for ________ ________ to *Friday Night Live*.

M Thank you for being here. How was your concert?

W Wonderful. I enjoyed ________ ________ ________ ________ in front of my fans.

M Can you introduce your new album?

W It has five songs, and I wrote them by myself.

M You must be ________ ________ ________ ________.

19 | 적절한 응답 고르기

대화를 듣고, 여자의 마지막 말에 이어질 남자의 응답으로 가장 적절한 것을 고르시오.

Man: ______________________

① The weather is terrible.
② We found the dog.
③ It's in the living room.
④ I left home early.
⑤ The coat is too big.

W Honey, how's the weather today?

M It's ________ ________.

W Oh, that's bad news for me.

M Why?

W I ________ ________ ________ in the office yesterday.

M Don't worry. You can take mine.

W Thank you. ________ ________ ________?

고난도

20 | 적절한 응답 고르기

대화를 듣고, 여자의 마지막 말에 이어질 남자의 응답으로 가장 적절한 것을 고르시오.

Man: ______________________

① I am the oldest one here.
② I didn't see her.
③ The cake was delicious.
④ I got there at 6 p.m.
⑤ I had to finish my homework.

적중! Tip I can't believe ~.

어떤 상황에 대한 놀람 또는 믿기지 않음을 나타낼 때 사용되는 표현이다.

· I can't believe our graduation is next week.
우리 졸업이 다음 주라는 게 믿기지 않아.

[Telephone rings.]

W Hey, Seho.

M Hi, Doyun. Did you ________ ________ at the festival last night?

W Yes. I can't believe so many people came.

M ________ ________. What was your favorite part?

W I really enjoyed ________ ________ ________.

M Oh, maybe I left before that.

W Did you ________ ________ ________ ________? Why?

11회 중학영어듣기 실전 모의고사

실전 모의고사 음성 바로 듣기 ▶

1 다음을 듣고, 'I'가 무엇인지 가장 적절한 것을 고르시오.

2 대화를 듣고, 여자가 구입할 모자로 가장 적절한 것을 고르시오.

3 다음을 듣고, 내일의 날씨로 가장 적절한 것을 고르시오.

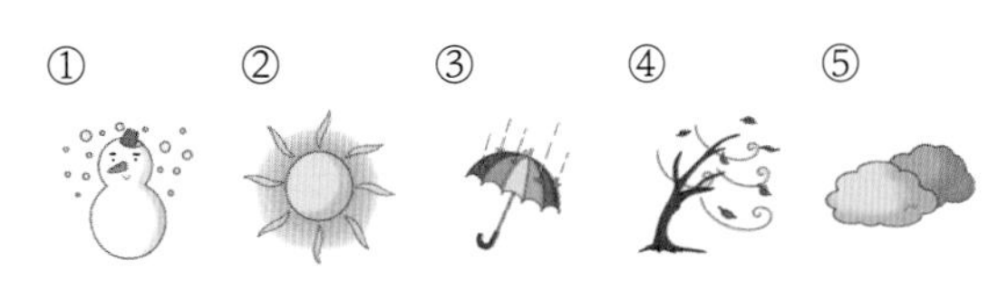

4 대화를 듣고, 남자가 한 마지막 말의 의도로 가장 적절한 것을 고르시오.

① 권유 ② 동의 ③ 거절 ④ 사과 ⑤ 감사

5 다음을 듣고, 남자가 호텔에 대해 언급하지 않은 것을 고르시오.

① 이름 ② 건축 연도 ③ 객실 개수
④ 편의 시설 ⑤ 객실 사용료

고난도
6 대화를 듣고, 두 사람이 이야기를 나누는 현재 시각을 고르시오.

① 4:00 p.m. ② 4:30 p.m. ③ 5:00 p.m.
④ 5:30 p.m. ⑤ 6:00 p.m.

7 대화를 듣고, 남자의 장래 희망으로 가장 적절한 것을 고르시오.

① 영화감독 ② 경비원 ③ 간호사
④ 디자이너 ⑤ 미용사

8 대화를 듣고, 여자의 심정으로 가장 적절한 것을 고르시오.

① 고마움 ② 자랑스러움 ③ 실망스러움
④ 지루함 ⑤ 슬픔

9 대화를 듣고, 남자가 대화 직후에 할 일로 가장 적절한 것을 고르시오.

① 회 먹기 ② 낚시 하기
③ 버스표 예매하기 ④ 식당 찾기
⑤ 인터넷 연결하기

10 대화를 듣고, 무엇에 관한 내용인지 가장 적절한 것을 고르시오.

① 포스터 그리기 대회 ② 해양 동물원 개장
③ 체험 학습 안내 ④ 체육관 회원 등록
⑤ 자원봉사 참여

11 대화를 듣고, 두 사람이 함께 이용할 교통수단으로 가장 적절한 것을 고르시오.

① 기차 ② 자전거 ③ 비행기
④ 버스 ⑤ 배

12 대화를 듣고, 여자에게 신문지가 필요한 이유로 가장 적절한 것을 고르시오.

① 기사를 읽기 위해서 ② 숙제를 하기 위해서
③ 바닥에 깔기 위해서 ④ 포장을 하기 위해서
⑤ 기사 수집을 위해서

13 대화를 듣고, 두 사람이 대화하는 장소로 가장 적절한 곳을 고르시오.

① 카페 ② 옷가게 ③ 농구장
④ 악기 상점 ⑤ 노래방

14 대화를 듣고, 제과점의 위치로 가장 알맞은 곳을 고르시오.

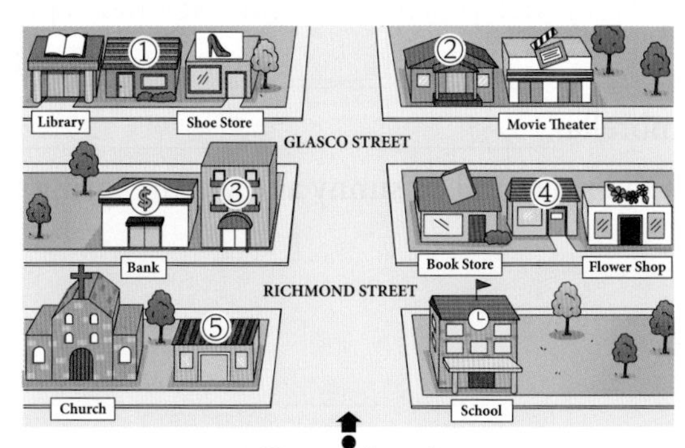

15 대화를 듣고, 여자가 남자에게 부탁한 일로 가장 적절한 것을 고르시오.

① 선물 구입하기 ② 트리 사 오기
③ 그림 그려주기 ④ 음식 준비하기
⑤ 종이 비행기 접기

16 대화를 듣고, 여자가 남자에게 제안한 것으로 가장 적절한 것을 고르시오.

① 문제 많이 풀기 ② 선생님께 질문하기
③ 문제집 주문하기 ④ 샘플 강의 들어보기
⑤ 수학 동아리 가입하기

17 대화를 듣고, 두 사람이 오늘 점심 전에 할 일로 가장 적절한 것을 고르시오.

① 눈싸움하기 ② 음악 듣기 ③ 게임 하기
④ 눈 치우기 ⑤ 산책 가기

18 대화를 듣고, 남자의 직업으로 가장 적절한 것을 고르시오.

① 은행원 ② 버스 기사 ③ 경찰관
④ 기관사 ⑤ 집배원

[19-20] 대화를 듣고, 남자의 마지막 말에 이어질 여자의 말로 가장 적절한 것을 고르시오.

19 **Woman:** ________________

① I missed you too.
② Please bring them here.
③ We also need glue.
④ Be careful with those.
⑤ I didn't read that yet.

20 **Woman:** ________________

① You're getting closer.
② I like classical music.
③ Let's sing together.
④ The concert is tomorrow.
⑤ She plays guitar.

11회 Dictation

Dictation
음성 바로 듣기 ▶

11회 중학영어듣기 실전 모의고사 Dictation 음성을 들으며 빈칸에 알맞은 단어를 채우시오.

1 | 화제 고르기

다음을 듣고, 'I'가 무엇인지 가장 적절한 것을 고르시오.

① ② ③ ④ ⑤

W I have ________ ________. I have ________ ________ ________ and a long nose. I can use my nose like a hand and ________ ________ ________ with it. What am I?

2 | 알맞은 그림 고르기

대화를 듣고, 여자가 구입할 모자로 가장 적절한 것을 고르시오.

① ② ③ ④ ⑤

M May I help you?

W Yes. I'm looking for ________ ________ for my brother.

M How about this one ________ ________ ________ ________ on it?

W I like it, but the car is too big.

M Then, I ________ ________. It has many small cars on it.

W This is perfect! He'll love it.

3 | 날씨 고르기

다음을 듣고, 내일의 날씨로 가장 적절한 것을 고르시오.

① ② ③ ④ ⑤

M Good evening, everyone! This is the weekly weather report. It's going to ________ ________ ________ ________. So, don't forget your umbrella. ________ ________ ________ on Thursday. On Friday, it'll be sunny and warm. Spring's ________ ________.

4 | 의도 고르기

대화를 듣고, 남자가 한 마지막 말의 의도로 가장 적절한 것을 고르시오.

① 권유 ② 동의 ③ 거절 ④ 사과 ⑤ 감사

적중! Tip What do you think?
상대방의 의견을 물을 때 사용되는 표현으로, '넌 어떻게 생각해?'라는 의미이다.

W We should write our ________ ________, John.

M What are we going to write about?

W What about European history?

M I don't like that topic. Do you ________ ________ ________?

W Well, we can write about American history instead. What do you think?

M I like the idea. ________ ________ ________ that.

5 | 언급하지 않은 내용 고르기

다음을 듣고, 남자가 호텔에 대해 언급하지 않은 것을 고르시오.

① 이름 ② 건축 연도 ③ 객실 개수
④ 편의 시설 ⑤ 객실 사용료

M ________ ________ ________ a landmark of our town. Its name is Plato Hotel. The main building of the hotel was built in 1905. It has more than 400 rooms ________ ________ ________. There is a gym and a swimming pool on the 15th floor. Guests can use them ________ ________.

고난도

6 | 시간 정보 고르기

대화를 듣고, 두 사람이 이야기를 나누는 현재 시각을 고르시오.

① 4:00 p.m. ② 4:30 p.m. ③ 5:00 p.m.
④ 5:30 p.m. ⑤ 6:00 p.m.

M Honey, ________ ________ ________ roasted chicken tonight?
W Yes, I am. I invited Mr. and Mrs. Jones for dinner.
M Oh, I forgot.
W They will be here at 5:30 p.m.
M When are you going to ________ ________ then?
W In 30 minutes. It only takes an hour to cook.
M You mean it's 4:00 p.m. now? I need to ________ ________ ________ ________ at 4:30 from school.

7 | 장래 희망 고르기

대화를 듣고, 남자의 장래 희망으로 가장 적절한 것을 고르시오.

① 영화감독 ② 경비원 ③ 간호사
④ 디자이너 ⑤ 미용사

적중! Tip help people
[헬프 피플]보다는 [헬피플]로 들린다. 발음이 같은 자음이 나란히 나오면 앞 단어의 끝 자음이 탈락되기 때문이다.
· bus station [버스태이션] · had dinner [해디너]

W Michael, what did you do last night?
M I watched ________ ________ ________.
W How was it?
M After I watched it, I wanted to be ________ ________. It's a very interesting job.
W Sounds great! I know you like to help people.
M Yes. I want to ________ ________ ________ sick people in the future.

8 | 심정 고르기

대화를 듣고, 여자의 심정으로 가장 적절한 것을 고르시오.

① 고마움 ② 자랑스러움 ③ 실망스러움
④ 지루함 ⑤ 슬픔

적중! Tip neighbors
[네이벌스]로 발음된다. 단어 가운데 글자에 쓰인 [gh]는 묵음이다.
· flight [플라잇] · night [나잇]

M What are you writing, Sophie?
W I'm writing ________ ________ ________ ________ my friend.
M For what?
W She ________ ________ ________ for good citizenship yesterday. She helped her neighbors escape from a fire.
M Wow, how brave she is!
W Yeah. I'm ________ ________ ________ ________.

9 | 할 일 고르기

대화를 듣고, 남자가 대화 직후에 할 일로 가장 적절한 것을 고르시오.

① 회 먹기 ② 낚시 하기
③ 버스표 예매하기 ④ 식당 찾기
⑤ 인터넷 연결하기

W Charles, are you excited for our ________ ________ ________ Busan?
M Of course, Mom. I can't wait!
W ________ ________ ________ eat some raw fish?
M That's my favorite food! How will we get to Busan?
W ________ ________ ________ would be best. Can you book three tickets on the Internet?
M Yes. I'll ________ ________ right away.

10 | 주제 고르기

대화를 듣고, 무엇에 관한 내용인지 가장 적절한 것을 고르시오.

① 포스터 그리기 대회 ② 해양 동물원 개장
③ 체험 학습 안내 ④ 체육관 회원 등록
⑤ 자원봉사 참여

W Did you ________ ________ ________ on Main Street?
M The one about the new gym?
W No. The one about ________ ________ ________.
M Yes, I saw it. The environmental group is looking for volunteers.
W I want to join it to help the animals.
M Call and ________ ________ ________ ________.

11 | 교통수단 고르기

대화를 듣고, 두 사람이 함께 이용할 교통수단으로 가장 적절한 것을 고르시오.

① 기차 ② 자전거 ③ 비행기
④ 버스 ⑤ 배

M Emma, how will we go to Paris from London?
W Why don't we take a plane?
M Well, that will be too expensive. What about ________ ________ ________?
W Good idea! ________ ________ ________ 30 euros.
M Great. Let's take a train then.

12 | 이유 고르기

대화를 듣고, 여자에게 신문지가 필요한 이유로 가장 적절한 것을 고르시오.

① 기사를 읽기 위해서 ② 숙제를 하기 위해서
③ 바닥에 깔기 위해서 ④ 포장을 하기 위해서
⑤ 기사 수집을 위해서

M Nahyun, what are you looking for?
W I'm looking for ________ ________, Dad.
M Why do you need them?
W I want to paint my plastic bottles, and I need them ________ ________ ________ ________.
M Right. You can ________ ________ ________.
W Thank you, Dad!

13 | 장소 고르기

대화를 듣고, 두 사람이 대화하는 장소로 가장 적절한 곳을 고르시오.

① 카페 ② 옷가게 ③ 농구장
④ 악기 상점 ⑤ 노래방

적중! Tip drinks
[드링크스]보다는 [드링쓰]로 들린다. 자음 3개가 연속해서 나오면 중간 자음은 발음되지 않기 때문이다.
· months [먼쓰] · grandma [그랜마]

M What are you ________ ________ ________?
W I can't decide. There are so many options.
M Yes. Their drinks ________ ________ ________.
W Hmm... I'll order an orange juice.
M Okay. I'm going to get a hot chocolate.
W Alright. I'll order the drinks, so please ________ ________ ________.
M Okay. Here's some money.

14 | 위치 고르기

대화를 듣고, 제과점의 위치로 가장 알맞은 곳을 고르시오.

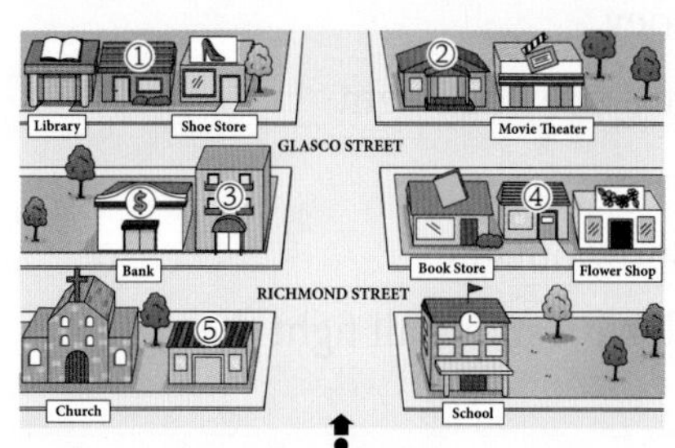

M Mia, is there a bakery nearby? It's my mom's birthday today.
W Yes. ________ ________ ________ ________ close to here.
M Good! How do I get there?
W Go straight ________ ________, and turn right on Richmond Street.
M On Richmond Street?
W Yes. It'll ________ ________ ________ ________. It's between the bookstore and the flower shop.
M Thanks.

15 | 부탁·요청한 일 고르기

대화를 듣고, 여자가 남자에게 부탁한 일로 가장 적절한 것을 고르시오.

① 선물 구입하기 ② 트리 사 오기
③ 그림 그려주기 ④ 음식 준비하기
⑤ 종이 비행기 접기

M Honey, it's Christmas next week.
W Right. We should buy ________ ________ ________ ________.
M What about a toy airplane? Kevin's ________ ________ these days.
W Sounds great. How about a sketchbook for Chloe?
M That's perfect. She loves drawing. Should we also ________ ________ ________ ________ this year?
W Yes. Will you get one tomorrow?
M Sure!

16 | 제안한 일 고르기

대화를 듣고, 여자가 남자에게 제안한 것으로 가장 적절한 것을 고르시오.

① 문제 많이 풀기 ② 선생님께 질문하기
③ 문제집 주문하기 ④ 샘플 강의 들어보기
⑤ 수학 동아리 가입하기

적중! Tip send you
[센드 유]보다는 [센쥬]로 들린다. [d]로 끝나는 단어 뒤에 y-로 시작하는 단어가 이어지면 두 소리가 연결되어 [쥬]로 발음되기 때문이다.

M Kelly, how did you get so good at math?
W I took ________ ________ ________ ________ after school.
M I want to take the course too.
W How about ________ ________ ________ class first? I will send you the link.
M Thanks! That will be very helpful.

17 | 할 일 고르기

대화를 듣고, 두 사람이 오늘 점심 전에 할 일로 가장 적절한 것을 고르시오.

① 눈싸움하기 ② 음악 듣기 ③ 게임 하기
④ 눈 치우기 ⑤ 산책 가기

[Cellphone rings.]
M Hello, Rachel. What's up?
W I'm just listening to music, Joey.
M Then, would you like to have a snowball fight ________ ________?
W Sure! But there's not much snow outside.
M Oh, I can see that. We can't have a snowball fight then.
W Hmm... Why don't we ________ ________ ________ ________ at the park?
M Sounds great!

18 | 직업 고르기

대화를 듣고, 남자의 직업으로 가장 적절한 것을 고르시오.

① 은행원 ② 버스 기사 ③ 경찰관
④ 기관사 ⑤ 집배원

W Does this bus go to Cleveland?
M Yes, it does.
W ________ ________ ________ ________ ________, please?
M It's 15 dollars from here to Cleveland.
W How long will it take?
M We'll take the bus lane, so it will take about ________ ________ ________ ________ ________.
W Okay, thanks.

19 | 적절한 응답 고르기

대화를 듣고, 남자의 마지막 말에 이어질 여자의 말로 가장 적절한 것을 고르시오.

Woman: ____________________

① I missed you too.
② Please bring them here.
③ We also need glue.
④ Be careful with those.
⑤ I didn't read that yet.

 적중! Tip Are you ready to ~?
상대방에게 무언가를 할 준비가 되었는지 확인할 때 사용되는 표현으로, to 다음에는 동사원형이 온다.
· Are you ready to go out?
너는 외출할 준비가 되었니?

M Are you ready to start on our art project?
W I think so. Let's ________ ________ ________ ________.
M What do they say?
W We need scissors and ________ ________.
M I have some old magazines here.
W I brought ________ ________ ________ scissors.
M Are we ________ ________?

20 | 적절한 응답 고르기

대화를 듣고, 남자의 마지막 말에 이어질 여자의 말로 가장 적절한 것을 고르시오.

Woman: ____________________

① You're getting closer.
② I like classical music.
③ Let's sing together.
④ The concert is tomorrow.
⑤ She plays guitar.

W I really ________ ________ ________. What is it?
M It's called *Falling*. A rock band sings it.
W I thought you didn't like rock music.
M I don't usually listen to rock songs. I ________ ________ ________.
W I see.
M What about you? What is ________ ________ ________?

1 다음을 듣고, 'this'가 가리키는 것으로 가장 적절한 것을 고르시오.

2 대화를 듣고, 여자가 구입할 장갑으로 가장 적절한 것을 고르시오.

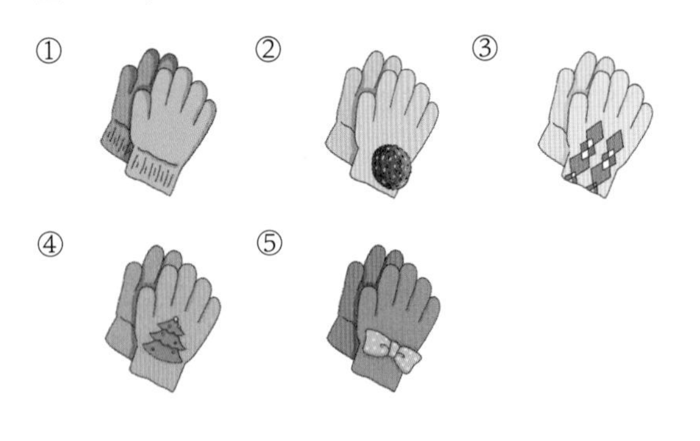

3 다음을 듣고, 내일 오후의 날씨로 가장 적절한 것을 고르시오.

4 대화를 듣고, 남자가 한 마지막 말의 의도로 가장 적절한 것을 고르시오.

① 걱정 ② 승낙 ③ 거절 ④ 제안 ⑤ 감사

5 다음을 듣고, 여자가 음료수에 대해 언급하지 않은 것을 고르시오.

① 제조 회사 ② 이름 ③ 맛
④ 가격 ⑤ 용기

고난도
6 대화를 듣고, 두 사람이 만날 시각을 고르시오.

① 6:00 p.m. ② 6:30 p.m. ③ 7:00 p.m.
④ 7:30 p.m. ⑤ 8:00 p.m.

7 대화를 듣고, 남자의 장래 희망으로 가장 적절한 것을 고르시오.

① 사진작가 ② 배우 ③ 영화감독
④ 아나운서 ⑤ 프로그래머

8 대화를 듣고, 남자의 심정으로 가장 적절한 것을 고르시오.

① angry ② nervous ③ relaxed
④ excited ⑤ thankful

고난도
9 대화를 듣고, 남자가 대화 직후에 할 일로 가장 적절한 것을 고르시오.

① 지도 앱 확인하기 ② 도시 여행하기
③ 약국 방문하기 ④ 지도 제작하기
⑤ 병문안 가기

10 대화를 듣고, 할머니의 무엇에 관한 내용인지 가장 적절한 것을 고르시오.

① 옷 ② 고향 ③ 생신 선물
④ 정원 ⑤ 반려동물

11 대화를 듣고, 두 사람이 함께 이용할 교통수단으로 가장 적절한 것을 고르시오.

① 자전거 ② 버스 ③ 비행기
④ 택시 ⑤ 지하철

12 대화를 듣고, 여자가 길을 이용할 수 없는 이유로 가장 적절한 것을 고르시오.

① 퍼레이드가 있어서 ② 대통령이 방문해서
③ 영화 촬영이 있어서 ④ 공사 중이어서
⑤ 교통 사고가 나서

13 대화를 듣고, 두 사람이 대화하는 장소로 가장 적절한 곳을 고르시오.

① 카페 ② 도서관 ③ 옷가게
④ 우체국 ⑤ 공연장

14 대화를 듣고, 남자가 찾는 반지의 위치로 가장 알맞은 곳을 고르시오.

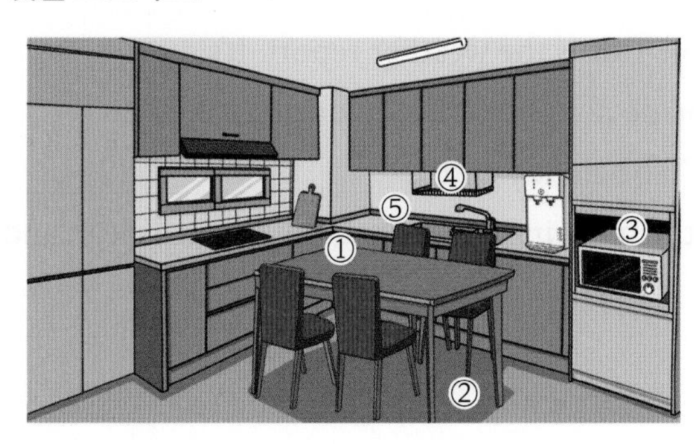

15 대화를 듣고, 여자가 남자에게 요청한 일로 가장 적절한 것을 고르시오.

① 채소 썰기 ② 병원 가기
③ 설거지 하기 ④ 치킨 주문하기
⑤ 물 가져다 주기

16 대화를 듣고, 여자가 남자에게 제안한 것으로 가장 적절한 것을 고르시오.

① 약 먹기 ② 샤워하기
③ 도시락 싸기 ④ 방 청소하기
⑤ 목 찜질하기

17 대화를 듣고, 남자가 여름방학에 한 일로 가장 적절한 것을 고르시오.

① 이모 방문하기 ② 하와이 여행하기
③ 아르바이트 하기 ④ 바느질 배우기
⑤ 맛집 탐방하기

고난도

18 대화를 듣고, 여자의 직업으로 가장 적절한 것을 고르시오.

① 변호사 ② 교사 ③ 의사
④ 과학자 ⑤ 기자

[19-20] 대화를 듣고, 여자의 마지막 말에 이어질 남자의 말로 가장 적절한 것을 고르시오.

19 **Man:** ______________________

① Do you have room?
② It's the one on the left.
③ Take a seat.
④ It's very soft.
⑤ I'm going to bed.

20 **Man:** ______________________

① I can't speak French.
② I would love that.
③ Did you finish your homework?
④ You should study hard.
⑤ That's too bad.

12회 Dictation

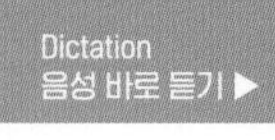

12회 중학영어듣기 실전 모의고사 Dictation 음성을 들으며 빈칸에 알맞은 단어를 채우시오.

1 | 화제 고르기

다음을 듣고, 'this'가 가리키는 것으로 가장 적절한 것을 고르시오.

① ② ③ ④ ⑤

M You can take this anywhere. You can use it to ________ ________ with your friends and family. You can also ________ ________ ________ right away with this. What is this?

2 | 알맞은 그림 고르기

대화를 듣고, 여자가 구입할 장갑으로 가장 적절한 것을 고르시오.

① ② ③ ④ ⑤

W Sumin, help me choose ________ ________ ________ ________ for winter. Which should I get?

M What about the ones with a little ribbon?

W I already have ________ ________ ________ ________.

M You'll like these with fur balls then.

W Oh, they are pretty. ________ ________ ________.

3 | 날씨 고르기

다음을 듣고, 내일 오후의 날씨로 가장 적절한 것을 고르시오.

① ② ③ ④ ⑤

M Good evening! This is the weather report. It's ________ ________ outside now, but it'll stop during the night. Tomorrow, it'll be cloudy and ________ ________ ________ ________ in the morning. After that, the sky will clear, and it'll be ________ ________ ________.

4 | 의도 고르기

대화를 듣고, 남자가 한 마지막 말의 의도로 가장 적절한 것을 고르시오.

① 걱정 ② 승낙 ③ 거절 ④ 제안 ⑤ 감사

W Matt, I ________ ________ ________.

M What can I do for you, Sora?

W I need a book ________ ________ ________, but I am too short. Can you get it for me?

M Okay. Which ________ ________ ________?

5 | 언급하지 않은 내용 고르기

다음을 듣고, 여자가 음료수에 대해 언급하지 않은 것을 고르시오.

① 제조 회사 ② 이름 ③ 맛
④ 가격 ⑤ 용기

적중! Tip cup again
[컵 어겐]보다는 [커퍼겐]으로 들린다. 앞에 나온 단어의 끝 자음과 뒤에 나온 단어의 첫 모음이 연음되기 때문이다.

W Hi, everyone. Today, I'd like to introduce you to our new drink, Lemonella. It tastes ________ ________ ________. And you can get it for only one dollar. It's in ________ ________ ________, so you can use the cup again after drinking it. Please ________ ________ ________ ________!

고난도

6 | 시간 정보 고르기

대화를 듣고, 두 사람이 만날 시각을 고르시오.

① 6:00 p.m. ② 6:30 p.m. ③ 7:00 p.m.
④ 7:30 p.m. ⑤ 8:00 p.m.

[Cellphone rings.]
M Hi, Erica.
W Hey, Jordan! Are you ________ ________ ________ ________ the restaurant?
M Yes. I left home at 6:30.
W I'm still waiting for a bus, but ________ ________ ________.
M Don't worry. It's only 7 o'clock.
W It takes 20 minutes to get there by bus, so let's ________ ________ ________ ________ at 7:30.
M Okay.

7 | 장래 희망 고르기

대화를 듣고, 남자의 장래 희망으로 가장 적절한 것을 고르시오.

① 사진작가 ② 배우 ③ 영화감독
④ 아나운서 ⑤ 프로그래머

적중! Tip film
[필름]으로 익숙한 외래어이지만 실제로는 [피음]으로 발음된다.

W James, what are you doing?
M I'm watching my ________ ________ ________ ________, Emily.
W It looks really interesting! Did you make the film?
M Yes. I want to ________ ________ ________ ________ in the future.
W I think you have ________ ________.
M Thanks, Emily.

8 심정 고르기

대화를 듣고, 남자의 심정으로 가장 적절한 것을 고르시오.

① angry ② nervous ③ relaxed
④ excited ⑤ thankful

적중! Tip It's my first time to ~.
어떤 일이 처음 하는 경험임을 나타낼 때 사용되는 표현으로 '~하는 것은 처음이다, 처음으로 ~하다'라는 의미이다. 이때 to 다음에는 동사원형이 온다.
· It's my first time to eat turkey.
칠면조를 먹는 건 처음이야.

W Dongho, I heard your ________ ________ is today.
M Yes. But I'm worried. It's my first time to play the piano in front of many people.
W ________ ________ ________ on the music.
M Yeah. But I think I'm going to ________ ________ ________.
W You practiced a lot. You can do it.
M I always ________ ________ when I imagine myself on a stage.

고난도

9 할 일 고르기

대화를 듣고, 남자가 대화 직후에 할 일로 가장 적절한 것을 고르시오.

① 지도 앱 확인하기 ② 도시 여행하기
③ 약국 방문하기 ④ 지도 제작하기
⑤ 병문안 가기

W Can I ________ ________ ________?
M Sure. What is it?
W Do you know the way to the hospital?
M I'm sorry, but ________ ________ ________ too.
W Oh, okay. I didn't bring my smartphone, so I don't have a map.
M Well, I'll ________ ________ ________ on my smartphone app then.
W Thanks a lot!

10 주제 고르기

대화를 듣고, 할머니의 무엇에 관한 내용인지 가장 적절한 것을 고르시오.

① 옷 ② 고향 ③ 생신 선물
④ 정원 ⑤ 반려동물

M Did you know that grandma's 90th birthday is this Friday?
W Yeah. I was thinking ________ ________ ________ ________.
M She likes flowers. What about gardening tools?
W I don't know. She ________ ________ ________ these days.
M Hmm... How about a knitting kit?
W That sounds good. She likes ________ ________.
M I hope she likes it.
W Why don't we also ________ ________ ________?

11 | 교통수단 고르기

대화를 듣고, 두 사람이 함께 이용할 교통수단으로 가장 적절한 것을 고르시오.

① 자전거 ② 버스 ③ 비행기
④ 택시 ⑤ 지하철

W Jaehwan, what time is the ________ ________?
M It's at 5:30.
W Oh, we ________ ________!
M Yes. I thought we had more time.
W The ________ ________ ________ ________ now. But we can't be late.
M Well, today is Saturday, so it will be fine. How about taking a taxi?
W Yes. It's ________ ________. Let's take a taxi then.

12 | 이유 고르기

대화를 듣고, 여자가 길을 이용할 수 없는 이유로 가장 적절한 것을 고르시오.

① 퍼레이드가 있어서 ② 대통령이 방문해서
③ 영화 촬영이 있어서 ④ 공사 중이어서
⑤ 교통 사고가 나서

적중! Tip That's why ~.
어떤 일에 대한 이유를 나타낼 때 사용되는 표현으로 '그래서 ~하다, 그것이 ~한 이유이다'라는 의미이다.
· That's why he went to the doctor.
그래서 그가 진찰을 받았던 거예요.

W Excuse me. Why is Main Street blocked?
M Oh, ________ ________ ________ about the parade?
W What parade?
M There's a ________ ________ ________ ________ Main Street.
W That's why there are so many people here! Thank you.
M ________ ________. Have a good day!

13 | 장소 고르기

대화를 듣고, 두 사람이 대화하는 장소로 가장 적절한 곳을 고르시오.

① 카페 ② 도서관 ③ 옷가게
④ 우체국 ⑤ 공연장

W Good afternoon. Do you need any help?
M Hi. I'm ________ ________ ________ ________.
W What's it called?
M I'm not sure, but ________ ________ ________ ________ Mary Robinson.
W Let me see. *[Pause]* Do you mean *The Light on the Road*?
M Yes. I think that's it.
W Look in ________ ________ ________. It's on the second floor.

14 | 위치 고르기

대화를 듣고, 남자가 찾는 반지의 위치로 가장 알맞은 곳을 고르시오.

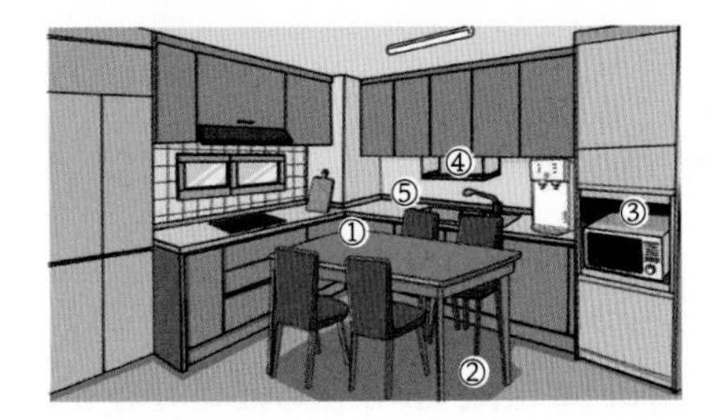

M Darling, could you ________ ________ ________ in the kitchen?

W Sure. Where did you put it?

M I guess it is on the table.

W No. I ________ ________ ________ ________.

M Hmm... Look on the microwave.

W Oh, I found it! It's ________ ________ ________.

15 | 부탁·요청한 일 고르기

대화를 듣고, 여자가 남자에게 요청한 일로 가장 적절한 것을 고르시오.

① 채소 썰기 ② 병원 가기
③ 설거지 하기 ④ 치킨 주문하기
⑤ 물 가져다 주기

W Hey, Aaron. Is chicken okay for dinner?

M Sure, Mom. But are you all right? Your ________ ________ ________.

W Oh, no. I better get a bandage. Could you help me?

M What can I do?

W Can you ________ ________ ________ for me?

M I'll do it. Please ________ ________ ________, Mom.

16 | 제안한 일 고르기

대화를 듣고, 여자가 남자에게 제안한 것으로 가장 적절한 것을 고르시오.

① 약 먹기 ② 샤워하기
③ 도시락 싸기 ④ 방 청소하기
⑤ 목 찜질하기

W Hi, Kevin. What's the problem?

M Hello, Dr. Kim. I have a bad headache.

W Do you have a fever or ________ ________?

M I have a runny nose.

W I think you ________ ________ ________.

M What should I do?

W You should ________ ________ ________ today. You will get better.

M Thank you.

17 | 한 일 고르기

대화를 듣고, 남자가 여름방학에 한 일로 가장 적절한 것을 고르시오.

① 이모 방문하기 ② 하와이 여행하기
③ 아르바이트 하기 ④ 바느질 배우기
⑤ 맛집 탐방하기

적중! Tip **sewing**
[쏘잉]으로 발음된다. sew는 [슈]가 아닌 [쏘우]로 발음되기 때문이다.

M Jimin, how was ________ ________ ________?

W It was the best ever! We took a trip to Hawaii and ________ ________ ________ there. What about you?

M I learned sewing in summer school.

W Awesome! ________ ________ ________ something?

M Yes. I made a tablecloth.

고난도

18 | 직업 고르기

대화를 듣고, 여자의 직업으로 가장 적절한 것을 고르시오.

① 변호사 ② 교사 ③ 의사
④ 과학자 ⑤ 기자

M How ________ ________ ________ ________ yesterday?
W It was fine. I got the answers to all of my questions.
M That's good. Will you ________ ________ ________ about it?
W I actually finished it last night.
M When is it going to be ________ ________ ________?
W You can see my article tomorrow.

19 | 적절한 응답 고르기

대화를 듣고, 여자의 마지막 말에 이어질 남자의 말로 가장 적절한 것을 고르시오.

Man: ________________________

① Do you have room?
② It's the one on the left.
③ Take a seat.
④ It's very soft.
⑤ I'm going to bed.

적중! Tip looks so
[룩스 쏘]보다는 [룩쏘]로 들린다. 발음이 같은 자음이 나란히 나오면 앞 단어의 끝 자음이 탈락되기 때문이다.

[Doorbell rings.]
M Welcome to my new house. ________ ________. Here is the living room.
W Wow, congratulations! It's so nice.
M Really? Do you like it?
W Yes. ________ ________ looks so comfortable.
M It is. I often fall asleep on it.
W I'm not surprised. Which ________ ________ ________ ________?

20 | 적절한 응답 고르기

대화를 듣고, 여자의 마지막 말에 이어질 남자의 말로 가장 적절한 것을 고르시오.

Man: ________________________

① I can't speak French.
② I would love that.
③ Did you finish your homework?
④ You should study hard.
⑤ That's too bad.

M Can you ________ ________ ________ ________, Olivia?
W Yes. I can speak Spanish.
M That's amazing. Was it ________ ________ ________?
W Yes. I had to study a lot. Why?
M I also want to learn Spanish.
W That's great. Why don't you ________ ________ ________?

1 다음을 듣고, 'I'가 무엇인지 가장 적절한 것을 고르시오.

고난도
2 대화를 듣고, 여자가 만든 피자로 가장 적절한 것을 고르시오.

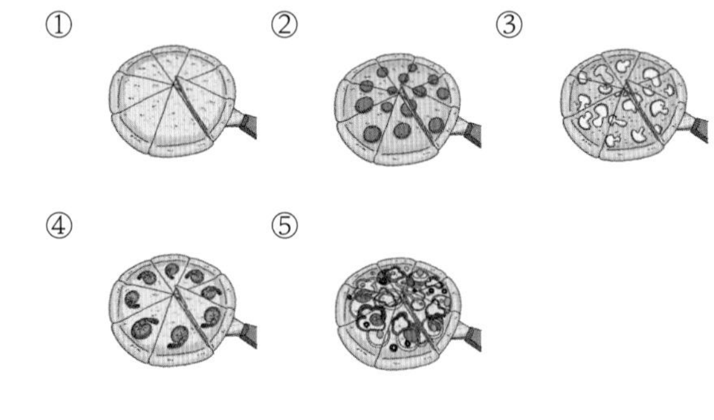

3 다음을 듣고, 금요일의 날씨로 가장 적절한 것을 고르시오.

4 대화를 듣고, 남자가 한 마지막 말의 의도로 가장 적절한 것을 고르시오.

① 거절 ② 충고 ③ 비난 ④ 축하 ⑤ 승낙

5 다음을 듣고, 남자가 시계에 대해 언급하지 않은 것을 고르시오.

① 이름 ② 제작 이유 ③ 기능
④ 가격 ⑤ 구매처

6 대화를 듣고, 여자가 피아노 학원을 나설 시각을 고르시오.

① 4:00 p.m. ② 4:30 p.m. ③ 5:00 p.m.
④ 5:30 p.m. ⑤ 6:00 p.m.

7 대화를 듣고, 여자의 장래 희망으로 가장 적절한 것을 고르시오.

① 공연 기획자 ② 발레리나
③ 잡지 편집자 ④ 의상 디자이너
⑤ 스케이트 선수

8 대화를 듣고, 여자의 심정으로 가장 적절한 것을 고르시오.

① 부러움 ② 지루함 ③ 긴장함
④ 신남 ⑤ 수줍음

9 대화를 듣고, 여자가 대화 직후에 할 일로 가장 적절한 것을 고르시오.

① 파이 굽기 ② 체리 가져오기
③ 설탕 구입하기 ④ 간식 먹기
⑤ 계산대에 줄 서기

10 대화를 듣고, 무엇에 관한 내용인지 가장 적절한 것을 고르시오.

① 운동기구 사용법 ② 학교 생활 예절
③ 체육관 이용 수칙 ④ 일 잘하는 방법
⑤ 운동화 세탁 요령

11 대화를 듣고, 두 사람이 함께 이용할 교통수단으로 가장 적절한 것을 고르시오.

① 지하철 ② 오토바이 ③ 택시
④ 버스 ⑤ 자동차

고난도
12 대화를 듣고, 남자가 등산을 가지 못하는 이유로 가장 적절한 것을 고르시오.

① 감기에 걸려서 ② 동생을 돌봐야 해서
③ 병문안을 가야 해서 ④ 숙제를 해야 해서
⑤ 과일을 사러 가야 해서

13 대화를 듣고, 두 사람이 대화하는 장소로 가장 적절한 곳을 고르시오.

① 영화관 ② 옷가게 ③ 도서관
④ 우체국 ⑤ 공연장

14 대화를 듣고, 시청의 위치로 가장 알맞은 것을 고르시오.

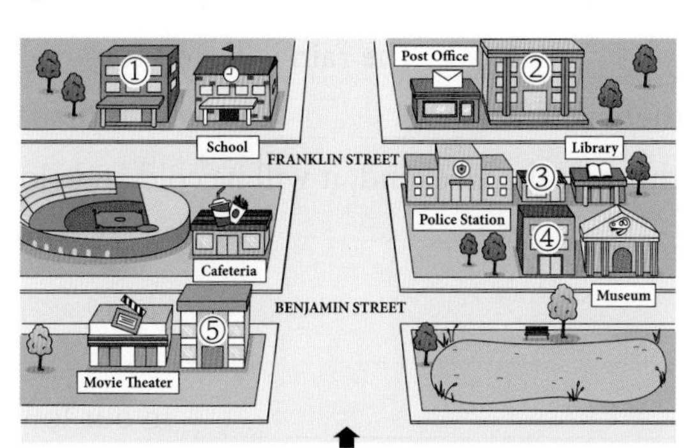

15 대화를 듣고, 남자가 여자에게 부탁한 일로 가장 적절한 것을 고르시오.

① 생일 선물 사기 ② 친구 초대하기
③ 음료수 사오기 ④ 음식 준비하기
⑤ 축하 노래 부르기

16 대화를 듣고, 남자가 여자에게 제안한 것으로 가장 적절한 것을 고르시오.

① 웹사이트 만들기 ② 가족 여행 가기
③ 컴퓨터 구입하기 ④ 코딩 동아리 가입하기
⑤ 온라인 강의 듣기

17 대화를 듣고, 여자가 설날에 한 일로 가장 적절한 것을 고르시오.

① 떡국 만들기 ② 해돋이 보러 가기
③ 차례 지내기 ④ 윷놀이 하기
⑤ 연날리기

18 대화를 듣고, 남자의 직업으로 가장 적절한 것을 고르시오.

① 회사원 ② 경찰관 ③ 농업인
④ 승무원 ⑤ 조종사

[19-20] 대화를 듣고, 남자의 마지막 말에 이어질 여자의 말로 가장 적절한 것을 고르시오.

19 **Woman:** ______________________

① You look nice.
② Hayoung is my closest friend.
③ It's great to see you.
④ I want to make friends with you.
⑤ That joke was funny.

20 **Woman:** ______________________

① I will go next Saturday.
② Come by later.
③ That's a shame.
④ I love action movies.
⑤ It's too expensive.

Dictation

Dictation
음성 바로 듣기 ▶

13회 중학영어듣기 실전 모의고사 Dictation 음성을 들으며 빈칸에 알맞은 단어를 채우시오.

1 | 화제 고르기

다음을 듣고, 'I'가 무엇인지 가장 적절한 것을 고르시오.

① ② ③ ④ ⑤

W I have ________ ________ and large ears. I can climb up trees with ________ ________ ________. I like to sleep and ________ ________ on a tree. I am known as a mascot of Australia. What am I?

고난도

2 | 알맞은 그림 고르기

대화를 듣고, 여자가 만든 피자로 가장 적절한 것을 고르시오.

① ② ③ ④ ⑤

W Jake, try this pizza.

M It's delicious. Did ________ ________ ________?

W Yes. I was making a cheese pizza. But I also had some pepperoni, so ________ ________ ________.

M That's why it is so delicious.

W Next time, I'm going to add mushrooms too.

M Will you also ________ ________ ________ for me?

W Why not?

3 | 날씨 고르기

다음을 듣고, 금요일의 날씨로 가장 적절한 것을 고르시오.

① ② ③ ④ ⑤

W Good morning, everyone. This is the weather forecast. It's still ________ ________ ________. The rain will stop tomorrow evening, but there will be ________ ________ on Thursday. From Friday through the weekend, it will be cold and cloudy, so ________ ________.

4 | 의도 고르기

대화를 듣고, 남자가 한 마지막 말의 의도로 가장 적절한 것을 고르시오.

① 거절 ② 충고 ③ 비난 ④ 축하 ⑤ 승낙

W Chris, ________ ________ ________ ________ in our town is open now.

M Oh, that's cool! I didn't know that.

W Do you want to ________ ________ ________ ________ tomorrow?

M I'm afraid I can't. I already have plans.

W Hmm... How about ________ ________?

M Sounds great! I'm free next weekend.

5 | 언급하지 않은 내용 고르기

다음을 듣고, 남자가 시계에 대해 언급하지 않은 것을 고르시오.

① 이름 ② 제작 이유 ③ 기능
④ 가격 ⑤ 구매처

M Hi, I'm Mark Stone. I'd like to introduce you to ________ ________ ________ ________, FitWatch. I made it for patients with heart problems. When there is a problem with your heart, it will ________ ________ ________ to your doctor. You can buy this watch from our stores ________ ________ ________ now.

6 | 시간 정보 고르기

대화를 듣고, 여자가 피아노 학원을 나설 시각을 고르시오.

① 4:00 p.m. ② 4:30 p.m. ③ 5:00 p.m.
④ 5:30 p.m. ⑤ 6:00 p.m.

적중! Tip piano
[피아노]로 익숙한 외래어이지만 실제로는 [피애노우]로 발음된다.

[Cellphone rings.]

M Hello, Sujin. When will ________ ________ ________ ________?

W It'll end at 4 p.m.

M How about ________ ________ ________ after the lesson?

W I'd love to.

M Then, I'll be at your piano school by 4.

W Oh, I have to pack my things after the lesson. So, ________ ________ ________ 4:30.

M Alright. I'll see you then.

7 | 장래 희망 고르기

대화를 듣고, 여자의 장래 희망으로 가장 적절한 것을 고르시오.

① 공연 기획자 ② 발레리나
③ 잡지 편집자 ④ 의상 디자이너
⑤ 스케이트 선수

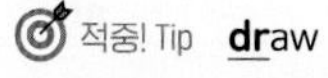
적중! Tip draw
[드로우]보다 [쥬러]로 들린다. dr-로 시작하는 단어에서 [d]는 [쥬]에 가깝게 발음되기 때문이다.

M Beth, did you draw these dresses?

W Yes. I ________ ________ ________! I'm always sketching new dresses.

M Wow! That sounds so interesting.

W My dream is to become ________ ________ ________ ________.

M I hope your dream comes true.

8 | 심정 고르기

대화를 듣고, 여자의 심정으로 가장 적절한 것을 고르시오.

① 부러움 ② 지루함 ③ 긴장함
④ 신남 ⑤ 수줍음

적중! Tip exciting
[익사이팅]보다는 [익사이링]으로 들린다. [t]가 모음 사이에서 발음될 때는 약화되어 [r]에 가깝게 발음되기 때문이다.

M Hyuna, what's going on?
W My family is ________ ________ ________ ________ next week.
M Cool! Where are you going?
W We are going to visit Jeonju. I really ________ ________ ________ a hanbok.
M It sounds exciting. When are you leaving?
W Friday. I ________ ________ ________ ________!

9 | 할 일 고르기

대화를 듣고, 여자가 대화 직후에 할 일로 가장 적절한 것을 고르시오.

① 파이 굽기 ② 체리 가져오기
③ 설탕 구입하기 ④ 간식 먹기
⑤ 계산대에 줄 서기

W What do we need to buy next?
M Let's get some apples. I'll ________ ________ ________ ________ for you.
W Can you make a cherry pie instead?
M Sure. Why don't you ________ ________? I'll get the flour and sugar.
W Okay. I'll meet you in front of the cashier.

10 | 주제 고르기

대화를 듣고, 무엇에 관한 내용인지 가장 적절한 것을 고르시오.

① 운동기구 사용법 ② 학교 생활 예절
③ 체육관 이용 수칙 ④ 일 잘하는 방법
⑤ 운동화 세탁 요령

W This is our school gym, Yongjun.
M Are there any rules ________ ________ ________?
W First, no food or drink is allowed. Also, you should ________ ________ ________ and clean sneakers.
M Okay. What else?
W When you ________ ________ here, don't be too noisy.
M No problem. I'll ________ ________ ________.

11 | 교통수단 고르기

대화를 듣고, 두 사람이 함께 이용할 교통수단으로 가장 적절한 것을 고르시오.

① 지하철 ② 오토바이 ③ 택시
④ 버스 ⑤ 자동차

M How will you get ________ ________ ________ ________?
W I'm thinking of going by subway.
M Well, my mom is going to take me by car. I think we can ________ ________ ________ ________.
W Really? Can I come with you?
M No problem. We ________ ________ ________ ________ at 3:30.
W Thanks a lot.

고난도

12 | 이유 고르기

대화를 듣고, 남자가 등산을 가지 못하는 이유로 가장 적절한 것을 고르시오.

① 감기에 걸려서 ② 동생을 돌봐야 해서
③ 병문안을 가야 해서 ④ 숙제를 해야 해서
⑤ 과일을 사러 가야 해서

W Jongwon, why are you still at your desk? You said you would go hiking with your friends.

M Oh, ________ ________ ________, Mom.

W Why?

M Our science teacher ________ ________ ________ ________. So, I should do it.

W I see. Then, I'll ________ ________ ________ ________.

M Thank you.

13 | 장소 고르기

대화를 듣고, 두 사람이 대화하는 장소로 가장 적절한 곳을 고르시오.

① 영화관 ② 옷가게 ③ 도서관
④ 우체국 ⑤ 공연장

적중! Tip Here you go.
상대방에게 무언가를 건네줄 때 사용되는 표현으로 '여기 있어요'라는 의미이다.

W Can I ________ ________ ________, please?

M Sure. Here you go.

W Please enter through Gate 2. You're in Section C, ________ ________ ________. Enjoy the concert, sir.

M Thanks. Is the concert going to start on time?

W Yes. You'd better ________ ________ ________ ________ now.

M Okay, I will.

14 | 위치 고르기

대화를 듣고, 시청의 위치로 가장 알맞은 것을 고르시오.

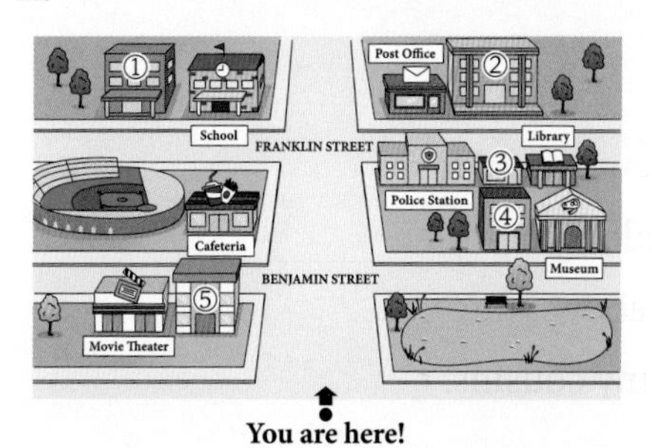

M Excuse me. Can you tell me ________ ________ ________ ________ city hall?

W Sure. Go straight two blocks, and turn right on Franklin Street. It'll be ________ ________ ________ ________, next to the post office.

M How long do I have to walk?

W Around 10 minutes. It's ________ ________ ________ ________.

M Thanks.

15 | 부탁·요청한 일 고르기

대화를 듣고, 남자가 여자에게 부탁한 일로 가장 적절한 것을 고르시오.

① 생일 선물 사기 ② 친구 초대하기
③ 음료수 사오기 ④ 음식 준비하기
⑤ 축하 노래 부르기

M Amy, are you coming to the barbecue party tomorrow?

W Oh, no! I ________ ________.

M Can you still make it?

W Yes. But ________ ________ ________ ________?

M Just buy ________ ________ of soda. Everyone else is bringing food.

W Okay. See you tomorrow.

16 | 제안한 일 고르기

대화를 듣고, 남자가 여자에게 제안한 것으로 가장 적절한 것을 고르시오.

① 웹사이트 만들기 ② 가족 여행 가기
③ 컴퓨터 구입하기 ④ 코딩 동아리 가입하기
⑤ 온라인 강의 듣기

적중! Tip I'm trying to ~.

어떤 일을 노력해서 하고 있거나 집중해서 하고 있음을 나타낼 때 사용되는 표현으로, to 다음에는 동사원형이 온다.

· I'm trying to study English.
난 영어를 공부하려 노력 중이야.

M Kate, what are you doing?

W I'm trying to ________ ________ ________, but it's not easy.

M Are you interested in computer programming?

W Yes. But I'm not familiar with writing code.

M Why don't you ________ ________ ________ ________ then? You can learn a lot about coding.

W Yeah. That'll ________ ________ ________.

17 | 한 일 고르기

대화를 듣고, 여자가 설날에 한 일로 가장 적절한 것을 고르시오.

① 떡국 만들기 ② 해돋이 보러 가기
③ 차례 지내기 ④ 윷놀이 하기
⑤ 연날리기

W Sangwoo, how was your New Year's Day?

M It was nice. I went to Jeongdongjin ________ ________ ________ ________. What about you?

W I ________ ________ with my cousins.

M That sounds fun! Did you ________ ________ ________?

W Yes. I made a bangpae kite.

18 | 직업 고르기

대화를 듣고, 남자의 직업으로 가장 적절한 것을 고르시오.

① 회사원 ② 경찰관 ③ 농업인
④ 승무원 ⑤ 조종사

적중! Tip have a
[해브 어]보다는 [해버]로 들린다. 앞에 나온 단어의 끝 자음과 뒤에 나온 단어의 첫 모음이 연음되기 때문이다.

W Excuse me. Will our flight arrive at Gimpo airport ________ ________? I have a meeting at 2 p.m.
M We will land at 12 p.m.
W Oh, good.
M Would you like ________ ________?
W I'd love to have one. Thank you.
M I'll ________ ________ ________ ________.

19 | 적절한 응답 고르기

대화를 듣고, 남자의 마지막 말에 이어질 여자의 말로 가장 적절한 것을 고르시오.

Woman: ________________

① You look nice.
② Hayoung is my closest friend.
③ It's great to see you.
④ I want to make friends with you.
⑤ That joke was funny.

W Who were you talking to ________ ________ ________?
M Oh, that was my best friend. His name is Tom.
W You were laughing a lot.
M Yes. He's very funny. We always ________ ________ ________ ________ together.
W That's nice.
M Yeah. Who is ________ ________ ________?

20 | 적절한 응답 고르기

대화를 듣고, 남자의 마지막 말에 이어질 여자의 말로 가장 적절한 것을 고르시오.

Woman: ________________

① I will go next Saturday.
② Come by later.
③ That's a shame.
④ I love action movies.
⑤ It's too expensive.

W Did you ________ ________ ________ *Family Holiday*, Olly?
M Yes. It was really good.
W I can't wait to see it.
M It's a popular movie, so you should ________ ________ ________ ________.
W Okay. Then, I'll get it online before.
M When do you ________ ________ ________ it?

중학영어듣기 실전 모의고사

실전 모의고사 음성 바로 듣기 ▶

1 다음을 듣고, 'this'가 가리키는 것으로 가장 적절한 것을 고르시오.

① 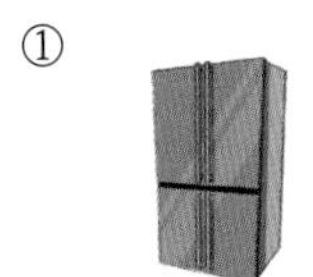 ②  ③ 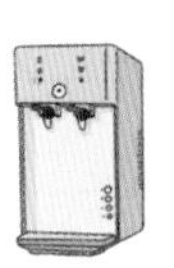

④   ⑤ 

2 대화를 듣고, 여자가 설명하는 일기장으로 가장 적절한 것을 고르시오.

① 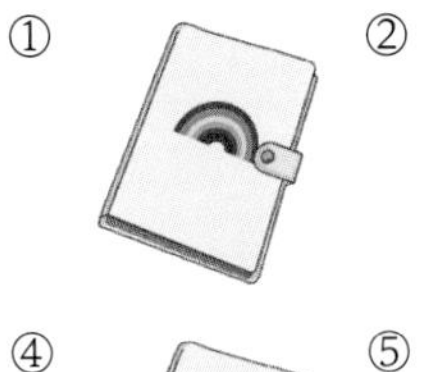

② 

③ 

④ 

⑤ 

3 다음을 듣고, 일요일 오전의 날씨로 가장 적절한 것을 고르시오.

① 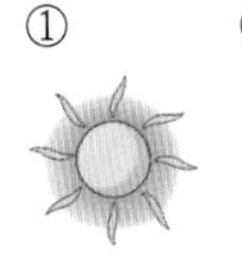 ②  ③  ④  ⑤ 

4 대화를 듣고, 남자가 한 마지막 말의 의도로 가장 적절한 것을 고르시오.

① 제안 ② 허락 ③ 거절 ④ 감사 ⑤ 격려

5 다음을 듣고, 쇼핑몰에 대해 언급하지 <u>않은</u> 것을 고르시오.

① 이름 ② 위치 ③ 크기
④ 영업시간 ⑤ 식당가 위치

6 대화를 듣고, 현재의 시각을 고르시오.

① 2:30 p.m. ② 3:00 p.m. ③ 3:30 p.m.
④ 4:00 p.m. ⑤ 4:30 p.m.

고난도

7 대화를 듣고, 남자의 장래 희망으로 가장 적절한 것을 고르시오.

① 사진작가 ② 영화감독 ③ 큐레이터
④ 스포츠 기자 ⑤ 수의사

고난도

8 대화를 듣고, 남자의 심정으로 가장 적절한 것을 고르시오.

① sorry ② angry ③ bored
④ sad ⑤ thankful

9 대화를 듣고, 남자가 대화 직후에 할 일로 가장 적절한 것을 고르시오.

① 영상 촬영하기 ② 댓글 작성하기
③ 휴대폰 충전하기 ④ 채널 구독하기
⑤ 새 영상 시청하기

10 대화를 듣고, 무엇에 관한 내용인지 가장 적절한 것을 고르시오.

① 집 짓기 ② 조깅하기 ③ TV 보기
④ 수영하기 ⑤ 늦잠 자기

11 대화를 듣고, 여자가 이용할 교통수단으로 가장 적절한 것을 고르시오.

① 배 ② 비행기 ③ 버스
④ 기차 ⑤ 케이블카

12 대화를 듣고, 남자가 은행을 방문한 이유로 가장 적절한 것을 고르시오.

① 저금 하기 위해서
② 잔돈을 바꾸기 위해서
③ 적금 통장을 만들기 위해서
④ 화장실을 사용하기 위해서
⑤ 카드를 해외에서 사용하기 위해서

13 대화를 듣고, 두 사람의 관계로 가장 적절한 것을 고르시오.

① 가수 — 팬 ② 판매원 — 손님
③ 변호사 — 의뢰인 ④ 기자 — 배우
⑤ 음악 교사 — 학생

14 대화를 듣고, 두 사람이 찾고 있는 태블릿 PC의 위치로 가장 적절한 것을 고르시오.

15 대화를 듣고, 남자가 여자에게 부탁한 일로 가장 적절한 것을 고르시오.

① 설거지하기 ② 창문 닫기
③ 상 차리기 ④ 파스타 요리하기
⑤ 오빠 부르기

16 대화를 듣고, 여자가 남자에게 제안한 것으로 가장 적절한 것을 고르시오.

① 학원 등록하기 ② 추천 영화 보기
③ 공책 빌려주기 ④ 앱 사용하기
⑤ 온라인 강의 듣기

17 대화를 듣고, 두 사람이 구입할 가구를 고르시오.

① 소파 ② 식탁 ③ 옷장 ④ 침대 ⑤ 의자

18 대화를 듣고, 여자의 직업으로 가장 적절한 것을 고르시오.

① 생물학자 ② 기타리스트 ③ 파티 플래너
④ 사회자 ⑤ 방송 작가

[19-20] 대화를 듣고, 남자의 마지막 말에 이어질 여자의 응답으로 가장 적절한 것을 고르시오.

19 **Woman:** ____________________

① Just one piece of the cake, please.
② I'll open it now.
③ He's 16 years old.
④ I'll see you later.
⑤ The party starts at 6 p.m.

20 **Woman:** ____________________

① I'll be with my family.
② I'd like to watch TV.
③ I had a long day.
④ Fall is the best season.
⑤ Good luck.

14회 Dictation

Dictation
음성 바로 듣기 ▶

14회 중학영어듣기 실전 모의고사 Dictation 음성을 들으며 빈칸에 알맞은 단어를 채우시오.

1 | 화제 고르기

다음을 듣고, 'this'가 가리키는 것으로 가장 적절한 것을 고르시오.

① ② ③ ④ ⑤

M Many people use this at schools, offices, and homes these days. It ________ ________ ________. You can also ________ ________ ________ from this, so you can drink ________ ________ ________. What is this?

2 | 알맞은 그림 고르기

대화를 듣고, 여자가 설명하는 일기장으로 가장 적절한 것을 고르시오.

① ② ③ ④ ⑤

W Nick, did you ________ ________ ________?

M Do you mean this one with a rainbow on it, Eve?

W No. I ________ ________ ________ on its cover.

M Is there anything else?

W I also ________ ________ ________ under the cat.

M Oh, I think I saw it on the kitchen table!

적중! Tip Do you mean ~?

상대방의 말을 확인할 때 사용되는 표현으로, '~을 말하는 거니?'라는 의미이다.

· Do you mean that green bike?
저 초록색 자전거를 말하는 거니?

3 | 날씨 고르기

다음을 듣고, 일요일 오전의 날씨로 가장 적절한 것을 고르시오.

① ② ③ ④ ⑤

W Good afternoon. This is the weather report for this weekend. The rain ________ ________ ________ ________ Saturday morning. The sky will be cloudy on Saturday afternoon. But on Sunday morning, there ________ ________ ________ ________, and it will be sunny.

4 | 의도 고르기

대화를 듣고, 남자가 한 마지막 말의 의도로 가장 적절한 것을 고르시오.

① 제안 ② 허락 ③ 거절 ④ 감사 ⑤ 격려

W I'm so hungry, Ted.
M Yeah, me too. Let's have dinner.
W How about ________ ________?
M We use the food delivery service too often.
W Then, ________ ________ ________.
M Why don't we make kimchi fried rice? That's ________ ________ ________.

5 | 언급하지 않은 내용 고르기

다음을 듣고, 쇼핑몰에 대해 언급하지 않은 것을 고르시오.

① 이름 ② 위치 ③ 크기
④ 영업시간 ⑤ 식당가 위치

M Let me tell you about the shopping mall in ________ ________. The shopping mall's name is Beach Mall. ________ ________ ________ ________ Santa Monica beach. It opens at 10 a.m. and closes at 8 p.m. There are various restaurants ________ ________ ________ ________.

6 | 시간 정보 고르기

대화를 듣고, 현재의 시각을 고르시오.

① 2:30 p.m. ② 3:00 p.m. ③ 3:30 p.m.
④ 4:00 p.m. ⑤ 4:30 p.m.

W Namsoo, did you call the taxi?
M Yes, Mom. I'm ________ ________ ________!
W What time does our ________ ________?
M The train to Tongyeong leaves at 4 p.m.
W Oh, we ________ ________. It's 3 o'clock now.
M That's okay. We can ________ ________ ________ ________ in 30 minutes.

고난도

7 | 장래 희망 고르기

대화를 듣고, 남자의 장래 희망으로 가장 적절한 것을 고르시오.

① 사진작가 ② 영화감독 ③ 큐레이터
④ 스포츠 기자 ⑤ 수의사

적중! Tip **Absolutely**
[앱설루틀리]보다는 [앱설룻올리]로 들린다. [t]와 [l]처럼 발음할 때 혀의 위치가 비슷한 자음이 나란히 나오면 앞 발음이 탈락되기 때문이다.
· lately [레잇을리] · shortly [숄올리]

M Haley, did you go to Alex Prager's ________ ________?
W No, I didn't. Did you?
M Yes. It was amazing. The pictures were ________ ________.
W You love photography very much, don't you?
M Absolutely. I want to ________ ________ ________ like her one day.
W You have the talent to do it.

고난도

8 | 심정 고르기

대화를 듣고, 남자의 심정으로 가장 적절한 것을 고르시오.

① sorry ② angry ③ bored
④ sad ⑤ thankful

W I'm so excited about art class today.
M Is there ________ ________ about today's class?
W We are going to ________ ________ with Korean traditional brushes.
M Oh, no! I forgot to bring my brush.
W I have two. You can ________ ________!
M Wow, thank you. I promise I will ________ ________ ________.

9 | 할 일 고르기

대화를 듣고, 남자가 대화 직후에 할 일로 가장 적절한 것을 고르시오.

① 영상 촬영하기 ② 댓글 작성하기
③ 휴대폰 충전하기 ④ 채널 구독하기
⑤ 새 영상 시청하기

W Jake, did you watch ________ ________ ________ on my channel?
M Yes, I did!
W Oh, thank you. How was it?
M I really liked it. ________ ________ ________ isn't easy, is it?
W You're right, but I enjoy it. Did you ________ ________ ________ ________?
M Not yet. I'll do it right away.

10 | 주제 고르기

대화를 듣고, 무엇에 관한 내용인지 가장 적절한 것을 고르시오.

① 집 짓기 ② 조깅하기 ③ TV 보기
④ 수영하기 ⑤ 늦잠 자기

> 적중! Tip city
> [시티]보다는 [시리]로 들린다. [t]가 모음 사이에서 발음될 때는 약화되어 [r]에 가깝게 발음되기 때문이다.

M When do you usually ________ ________, Hanbit?
W Around 6 a.m.
M Oh, why do you wake up so early?
W I ________ ________ ________ in the morning.
M Me too! I go to the park next to the city hall.
W Really? That's close to my house.
M Do you want ________ ________ ________ together tomorrow?
W Sure. I'll meet you at 6:30.

11 | 교통수단 고르기

대화를 듣고, 여자가 이용할 교통수단으로 가장 적절한 것을 고르시오.

① 배 ② 비행기 ③ 버스
④ 기차 ⑤ 케이블카

W Connor, are you going to ________ ________ ________ in Busan?
M Yes. How will you get there?
W I'll go to the show by train. What about you?
M I'll ________ ________ ________ to Busan.
W That will be faster. Can I join you?
M Of course. You'd better ________ ________ ________ soon.

12 | 이유 고르기

대화를 듣고, 남자가 은행을 방문한 이유로 가장 적절한 것을 고르시오.

① 저금 하기 위해서
② 잔돈을 바꾸기 위해서
③ 적금 통장을 만들기 위해서
④ 화장실을 사용하기 위해서
⑤ 카드를 해외에서 사용하기 위해서

적중! Tip Thank you for ~.

상대방에게 감사함을 나타낼 때 사용되는 표현으로, '~해 줘서 감사합니다, 고맙습니다'라는 의미이다. 이때 for 다음에는 동명사가 온다.

· Thank you for coming.
 와주셔서 감사합니다.

W Thank you for visiting Nuri Bank today. How can I help you?
M Hello. I ________ ________ ________, and I need to use my card abroad.
W I see. You will need ________ ________ ________ then. Where are you going?
M I'm visiting Thailand and Vietnam.
W Okay. I will make the card for you. ________ ________ ________.
M Thanks!

13 | 관계 고르기

대화를 듣고, 두 사람의 관계로 가장 적절한 것을 고르시오.

① 가수 — 팬　　② 판매원 — 손님
③ 변호사 — 의뢰인　　④ 기자 — 배우
⑤ 음악 교사 — 학생

M Oh, I ________ ________ ________ meeting you, Zoe! Could you sign this CD for me?
W Of course. What's your name?
M I'm Mike. Every song ________ ________ ________ ________ is perfect!
W I'm so happy you like them. Which one is your favorite, Mike?
M It's ________ ________ ________ ________, but my favorite is *Skater Girl*.

14 | 위치 고르기

대화를 듣고, 두 사람이 찾고 있는 태블릿 PC의 위치로 가장 적절한 것을 고르시오.

W Brad, do you see my tablet PC?
M No, Mom. I don't see it.
W I ________ ________ ________ the desk yesterday.
M Well, it's not there. Did you ________ ________ ________ ________?
W Yeah. It isn't on the chair. Can you ________ ________ ________ ________?
M Oh, yes. Here it is!

15 | 부탁·요청한 일 고르기

대화를 듣고, 남자가 여자에게 부탁한 일로 가장 적절한 것을 고르시오.

① 설거지하기 ② 창문 닫기
③ 상 차리기 ④ 파스타 요리하기
⑤ 오빠 부르기

M ________ ________ ________, Jane.
W Okay, Dad. What's the main dish?
M I made pasta salad.
W That ________ ________! I'll set the table.
M Your brother already did it. But it's raining outside. Can you ________ ________ ________ instead?
W Okay. I'll do it right now.

16 | 제안한 일 고르기

대화를 듣고, 여자가 남자에게 제안한 것으로 가장 적절한 것을 고르시오.

① 학원 등록하기 ② 추천 영화 보기
③ 공책 빌려주기 ④ 앱 사용하기
⑤ 온라인 강의 듣기

M Yuri, did you ________ ________ ________, *French Notebook*?
W No. How was it?
M After I watched it, I ________ ________ ________ ________.
W Will you go to a language academy?
M No. I couldn't find a French academy near my house.
W What about ________ ________?
M That's a great idea.

17 | 특정 정보 고르기

대화를 듣고, 두 사람이 구입할 가구를 고르시오.

① 소파 ② 식탁 ③ 옷장 ④ 침대 ⑤ 의자

적중! Tip look around
[룩 어라운드]보다는 [루커라운드]로 들린다. 앞에 나온 단어의 끝 자음과 뒤에 나온 단어의 첫 모음이 연음되기 때문이다.

M Honey, they are ________ ________ ________.
W Why don't we look around?
M Sure. This sofa ________ ________.
W Yeah. But we bought our sofa three month ago.
M What about this small chair? We need one ________ ________ ________.
W Oh, it looks perfect. Let's get it.

18 | 직업 고르기

대화를 듣고, 여자의 직업으로 가장 적절한 것을 고르시오.

① 생물학자 ② 기타리스트 ③ 파티 플래너
④ 사회자 ⑤ 방송 작가

적중! Tip drummer
[드러머]로 발음된다. 발음이 같은 자음이 나란히 나오면 그중 하나만 발음되기 때문이다.
· swimming [스위밍] · dinner [디너]

M Welcome to White Wedding Hall. Can I help you?
W I'm playing ________ ________ ________ today.
M Oh, of course. Are you alone?
W The singer and drummer ________ ________ ________ ________.
M Alright. What instrument do you play?
W I ________ ________ ________.
M Great. I'll show you the stage now then.
W Thanks for your help.

19 | 적절한 응답 고르기

대화를 듣고, 남자의 마지막 말에 이어질 여자의 응답으로 가장 적절한 것을 고르시오.

Woman: ____________________

① Just one piece of the cake, please.
② I'll open it now.
③ He's 16 years old.
④ I'll see you later.
⑤ The party starts at 6 p.m.

M Happy birthday, Hanna!
W Wow, thank you! I'm ________ ________!
M We ________ ________ ________, and here's a gift for you!
W The cake looks amazing. I love chocolate.
M Good. Do you want to ________ ________ ________ now or later?

20 | 적절한 응답 고르기

대화를 듣고, 남자의 마지막 말에 이어질 여자의 응답으로 가장 적절한 것을 고르시오.

Woman: ____________________

① I'll be with my family.
② I'd like to watch TV.
③ I had a long day.
④ Fall is the best season.
⑤ Good luck.

W What do you plan to do this summer, John?
M It's going to be hot, so I ________ ________ ________ at home.
W Oh, you really don't like the heat.
M Not at all. It ________ ________ ________ ________. Do you have any plans?
W I love swimming, so I'll take a trip to the beach.
M Who ________ ________ ________ ________?

중학영어듣기 실전 모의고사

고난도

1 다음을 듣고, 'I'가 무엇인지 가장 적절한 것을 고르시오.

2 대화를 듣고, 남자가 구입한 넥타이로 가장 적절한 것을 고르시오.

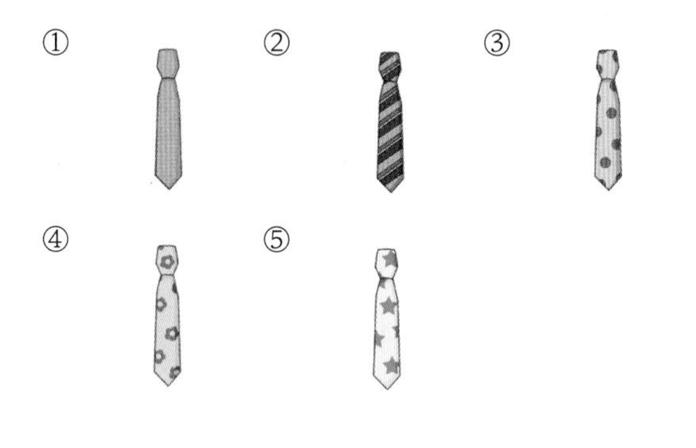

3 다음을 듣고, 내일의 날씨로 가장 적절한 것을 고르시오.

4 대화를 듣고, 여자의 마지막 말의 의도로 가장 적절한 것을 고르시오.

① 거절 ② 비난 ③ 용서 ④ 제안 ⑤ 사과

5 다음을 듣고, 남자가 Top Rangers에 대해 언급하지 <u>않은</u> 것을 고르시오.

① 종목 ② 감독 ③ 선수 수
④ 대표 선수 ⑤ 팀 색상

6 대화를 듣고, 두 사람이 이야기를 나누는 현재 시각을 고르시오.

① 6:00 p.m. ② 6:30 p.m. ③ 7:00 p.m.
④ 7:30 p.m. ⑤ 8:00 p.m.

고난도

7 대화를 듣고, 여자의 장래 희망으로 가장 적절한 것을 고르시오.

① 화가 ② 천문학자 ③ 연예인
④ 사진 작가 ⑤ 잡지 편집자

8 대화를 듣고, 남자가 가장 좋아하는 영화에 대한 내용으로 일치하지 <u>않는</u> 것을 고르시오.

① 제목은 <The Trophy>이다.
② 액션 영화이다.
③ 한국 영화이다.
④ 2022년에 만들어졌다.
⑤ 미국에서 3개의 상을 받았다.

9 대화를 듣고, 두 사람이 대화 직후에 할 일로 가장 적절한 것을 고르시오.

① 수영장 가기 ② 침대 정리하기
③ 날씨 확인하기 ④ 수영복 빌리기
⑤ 백화점 가기

10 대화를 듣고, 무엇에 관한 내용인지 가장 적절한 것을 고르시오.

① 여행 계획하기 ② 미용실 가기
③ 식당 찾아보기 ④ 숙소 예약하기
⑤ 블로그 쓰기

맞은 개수 : / 20개

11 대화를 듣고, 여자가 이용할 교통수단으로 가장 적절한 것을 고르시오.

① 도보 ② 자전거 ③ 택시
④ 버스 ⑤ 지하철

12 대화를 듣고, 여자가 배달을 할 수 없는 이유로 가장 적절한 것을 고르시오.

① 주문이 너무 많아서 ② 눈이 많이 와서
③ 영업시간이 끝나서 ④ 재료가 소진되어서
⑤ 오토바이가 고장나서

13 대화를 듣고, 두 사람이 대화하는 장소로 가장 적절한 곳을 고르시오.

① 우체국 ② 수족관 ③ 마트
④ 도서관 ⑤ 약국

14 대화를 듣고, 신발 가게의 위치로 가장 알맞은 곳을 고르시오.

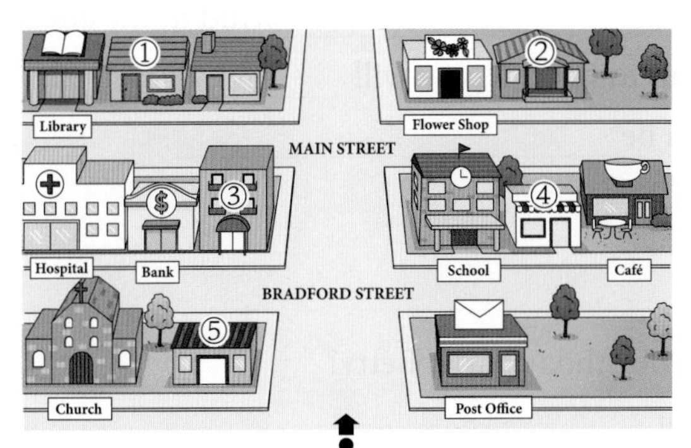

15 대화를 듣고, 여자가 남자에게 부탁한 일로 가장 적절한 것을 고르시오.

① 바닥 닦기 ② 설거지하기 ③ 커튼 세탁하기
④ 창틀 닦기 ⑤ 가구 옮기기

16 대화를 듣고, 여자가 남자에게 제안한 것으로 가장 적절한 것을 고르시오.

① 운동 하기 ② 보고서 제출하기
③ 커피 마시기 ④ 함께 점심 먹기
⑤ 샤워하기

17 대화를 듣고, 여자가 지난 주말에 한 일로 가장 적절한 것을 고르시오.

① 게임하기 ② 스튜디오 가기
③ 영화관 가기 ④ 농장 방문하기
⑤ 자전거 타기

18 대화를 듣고, 여자의 직업으로 가장 적절한 것을 고르시오.

① 청소부 ② 약사 ③ 수의사
④ 교사 ⑤ 요리사

[19-20] 대화를 듣고, 남자의 마지막 말에 이어질 여자의 말로 가장 적절한 것을 고르시오.

19 **Woman:** ______________________

① Okay. See you there.
② He went on Monday.
③ Do you want a coffee?
④ She missed her practice.
⑤ The house has three bedrooms.

20 **Woman:** ______________________

① I hate apples.
② The food is delicious.
③ How much is it?
④ For here or to go?
⑤ I'll take five, please.

15회 Dictation

Dictation
음성 바로 듣기 ▶

15회 중학영어듣기 실전 모의고사 Dictation 음성을 들으며 빈칸에 알맞은 단어를 채우시오.

고난도

1 화제 고르기

다음을 듣고, 'I'가 무엇인지 가장 적절한 것을 고르시오.

① ② ③ ④ ⑤

M I live ________ ________ ________. I have four long legs. There are ________ ________ ________ on my back. I store fat in them. I can ________ ________ ________ ________ for three days. What am I?

2 알맞은 그림 고르기

대화를 듣고, 남자가 구입한 넥타이로 가장 적절한 것을 고르시오.

① ② ③ ④ ⑤

M Mom, look at this.
W What's this, Minsu?
M I bought this tie ________ ________ ________.
W Why did you choose a striped one? He likes ones with dots.
M Because he already has ________ ________ ________ ________. But he doesn't have one with stripes.
W Oh, you're right.

3 날씨 고르기

다음을 듣고, 내일의 날씨로 가장 적절한 것을 고르시오.

① ② ③ ④ ⑤

M Good morning! Here is the weather report. This morning, ________ ________ ________ ________. And in the afternoon, it will rain. But tomorrow, you will ________ ________ ________. It'll be ________ ________ ________.

4 의도 고르기

대화를 듣고, 여자의 마지막 말의 의도로 가장 적절한 것을 고르시오.

① 거절 ② 비난 ③ 용서 ④ 제안 ⑤ 사과

적중! Tip was your
[워즈 유얼]보다는 [워쥬얼]로 들린다. [z]로 끝나는 단어 뒤에 y-로 시작하는 단어가 이어지면 두 소리가 연결되어 [쥬]로 발음되기 때문이다.

M How was your birthday party, Betty?
W It was fine, but ________ ________ ________.
M I ________ ________ ________ my grandparents in Daegu. I'm so sorry.
W No problem, but why didn't you call me?
M I couldn't call you because I lost my phone. It was ________ ________.
W Oh, it's okay. ________ ________.

5 | 언급하지 않은 내용 고르기

다음을 듣고, 남자가 Top Rangers에 대해 언급하지 않은 것을 고르시오.

① 종목 ② 감독 ③ 선수 수
④ 대표 선수 ⑤ 팀 색상

M Today, I'd like to tell you about a ________ ________, the Top Rangers. ________ ________ ________ is Aaron Choi. He was a famous player in the 1990s. There are 30 players on the team. Its color is purple. So, the team's fans ________ ________ ________ to their games.

6 | 시간 정보 고르기

대화를 듣고, 두 사람이 이야기를 나누는 현재 시각을 고르시오.

① 6:00 p.m. ② 6:30 p.m. ③ 7:00 p.m.
④ 7:30 p.m. ⑤ 8:00 p.m.

적중! Tip watch it

[와치 잇]보다는 [와칫]로 들린다. 앞에 나온 단어의 끝 자음과 뒤에 나온 단어의 첫 모음이 연음되기 때문이다.

M Jenny, do you know the TV program *Monster Hunt*?
W Yes. It was ________ ________ ________ ________ last spring.
M I am so excited to watch next season's episodes.
W ________ ________ ________ Sunday, right?
M No. It begins tonight at 8.
W Really? It starts ________ ________ ________!
M It's only 7, so you ________ ________ ________. Let's eat some pizza before we watch it.

고난도

7 | 장래 희망 고르기

대화를 듣고, 여자의 장래 희망으로 가장 적절한 것을 고르시오.

① 화가 ② 천문학자 ③ 연예인
④ 사진 작가 ⑤ 잡지 편집자

M Monica, did you take these pictures?
W Yes. I like to ________ ________ ________ ________ and take photos of them.
M Are you interested in space?
W Yeah. I want to be ________ ________.
M Oh, I can ________ ________ ________ ________ about space exploration.
W That would be great. Thanks!

8 | 일치하지 않는 내용 고르기

대화를 듣고, 남자가 가장 좋아하는 영화에 대한 내용으로 일치하지 않는 것을 고르시오.

① 제목은 <The Trophy>이다.
② 액션 영화이다.
③ 한국 영화이다.
④ 2022년에 만들어졌다.
⑤ 미국에서 3개의 상을 받았다.

W Bill, ________ ________ do you like the most?
M It's *The Trophy*.
W Is it an action movie?
M Yes! It's ________ ________ ________ ________.
W When was the movie made?
M It was made in 2012. And it also won three awards in America.
W ________ ________. I should watch the movie!

9 | 할 일 고르기

대화를 듣고, 두 사람이 대화 직후에 할 일로 가장 적절한 것을 고르시오.

① 수영장 가기 ② 침대 정리하기
③ 날씨 확인하기 ④ 수영복 빌리기
⑤ 백화점 가기

W Honey, I can see the hotel swimming pool from our room window!
M Oh, it looks so nice. Let's ________ ________ ________ ________!
W Yes! I'm so excited.
M But I don't have a swimsuit. How about you?
W I ________ ________ ________, ________. What should we do?
M Well, how about going to the department store?
W Okay. Let's ________ ________ ________ ________!

10 | 주제 고르기

대화를 듣고, 무엇에 관한 내용인지 가장 적절한 것을 고르시오.

① 여행 계획하기 ② 미용실 가기
③ 식당 찾아보기 ④ 숙소 예약하기
⑤ 블로그 쓰기

적중! Tip read about it
[레드 어바웃 잇]보다는 [레더바우릿]으로 들린다. 앞에 나온 단어의 끝 자음과 뒤에 나온 단어의 첫 모음이 연음되고, [t]가 모음 사이에서 발음될 때는 약화되어 [r]에 가깝게 발음되기 때문이다.

W Hey, Joshua. How's it going?
M Great! I'm ________ ________ ________ to Seoul.
W When are you going to visit?
M Next month.
W ________ ________ ________. You should go to Gwanghwamun.
M Oh, I read about it on a travel blog.
W It's one of the ________ ________ ________ in the city.

11 | 교통수단 고르기

대화를 듣고, 여자가 이용할 교통수단으로 가장 적절한 것을 고르시오.

① 도보 ② 자전거 ③ 택시
④ 버스 ⑤ 지하철

W Alex, ________ ________ ________ ________ to the ice rink?
M I'll take a bus. Would you like to join me?
W Hmm... No. I want to ________ ________ ________.
M But it's so far from here.
W I need to exercise. So, ________ ________ ________.

12 | 이유 고르기

대화를 듣고, 여자가 배달을 할 수 없는 이유로 가장 적절한 것을 고르시오.

① 주문이 너무 많아서 ② 눈이 많이 와서
③ 영업시간이 끝나서 ④ 재료가 소진되어서
⑤ 오토바이가 고장나서

[Telephone rings.]

W Hello, this is Barbecue Chicken. How may I help you?

M Hi, can I order two fried chickens ________ ________?

W I'm sorry, but we can't make deliveries.

M Oh, why not?

W Because there's ________ ________ ________. We don't deliver when the roads are dangerous.

M Then, can I ________ ________ ________ ________ at your restaurant?

W Sure. That works.

13 | 장소 고르기

대화를 듣고, 두 사람이 대화하는 장소로 가장 적절한 곳을 고르시오.

① 우체국 ② 수족관 ③ 마트
④ 도서관 ⑤ 약국

적중! Tip It's so

[잇츠 쏘]보다는 [잇쏘]로 들린다. 비슷하게 발음되는 자음이 나란히 나오면 앞 단어의 끝 자음이 탈락되기 때문이다.

M Bella, look! That fish is so cute!

W Yes. It's so ________ ________ ________.

M I can't wait to see the seahorses. They're so interesting.

W I think the seahorse tank ________ ________.

M Let's look at the sign.

W Oh, yes. It's ________ ________ ________ ________.

M Good! Let's go!

14 | 위치 고르기

대화를 듣고, 신발 가게의 위치로 가장 알맞은 곳을 고르시오.

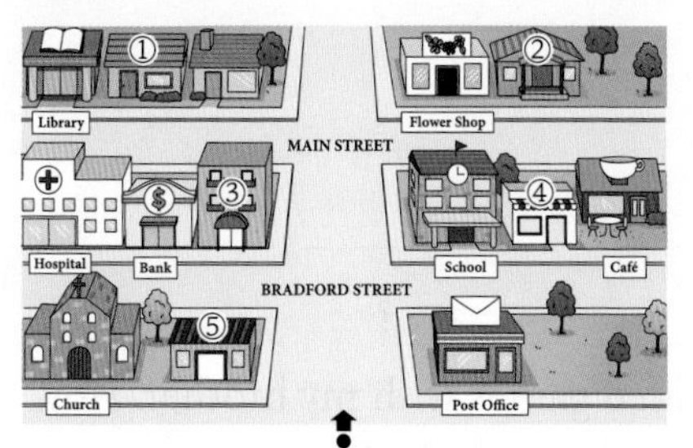

W Hi, Ben. Why are you looking at the map?

M I'm looking for a shoe store. I need ________ ________ ________ ________ shoes.

W I know a nice shop.

M How do I get there?

W ________ ________ ________ ________, and turn right on Bradford Street.

M Go straight one block, and turn right.

W It'll be ________ ________ ________ between the school and the café.

M Thank you!

15 | 부탁·요청한 일 고르기

대화를 듣고, 여자가 남자에게 부탁한 일로 가장 적절한 것을 고르시오.

① 바닥 닦기 ② 설거지하기 ③ 커튼 세탁하기
④ 창틀 닦기 ⑤ 가구 옮기기

적중! Tip Good job.
상대방을 칭찬할 때 사용되는 표현으로, '잘했다'라는 의미이다.

M Mom, I ________ ________ ________ ________.

W Good job, Andrew.

M Now, I guess we should clean the living room.

W You're right. I'm going to ________ ________ ________.

M Then, what should I do?

W Can you ________ ________ ________?

M Of course. I'll do that.

16 | 제안한 일 고르기

대화를 듣고, 여자가 남자에게 제안한 것으로 가장 적절한 것을 고르시오.

① 운동 하기 ② 보고서 제출하기
③ 커피 마시기 ④ 함께 점심 먹기
⑤ 샤워하기

W Matthew, you ________ ________ ________.

M I didn't sleep last night.

W But you looked fine in the morning.

M I ________ ________ ________. I began to feel sleepy after lunch.

W Did you take a nap?

M No. I have to finish this report today.

W Why don't you ________ ________ ________ ________? It'll help you to wake up.

M Okay. Thanks for the advice.

17 | 한 일 고르기

대화를 듣고, 여자가 지난 주말에 한 일로 가장 적절한 것을 고르시오.

① 게임하기 ② 스튜디오 가기
③ 영화관 가기 ④ 농장 방문하기
⑤ 자전거 타기

W Luke, what did you do ________ ________?

M I stayed home and played video games with my brother. How about you?

W I went ________ ________ ________ ________ with my sister.

M Did you go ________ ________ ________?

W Yes, we did. We rode for two hours.

18 | 직업 고르기

대화를 듣고, 여자의 직업으로 가장 적절한 것을 고르시오.

① 청소부 ② 약사 ③ 수의사
④ 교사 ⑤ 요리사

M What is wrong with Milo, Dr. Wilson?
W I think he ________ ________ ________ ________.
M Our trash can was open last night. Maybe he ate something bad.
W A lot of dogs ________ ________ ________ ________ for the same reason. But he'll be fine.
M Thank you. We will ________ ________ ________ in the future.

19 | 적절한 응답 고르기

대화를 듣고, 남자의 마지막 말에 이어질 여자의 말로 가장 적절한 것을 고르시오.

Woman: ______________________

① Okay. See you there.
② He went on Monday.
③ Do you want a coffee?
④ She missed her practice.
⑤ The house has three bedrooms.

[Telephone rings.]
M Hi, Janet.
W Hello, Tim. Do you want to ________ ________ ________ for the school concert soon?
M Yeah. When do you want to get together?
W I think ________ ________ ________ ________. How about Monday?
M Sure. I am free on Monday.
W Where can we practice?
M Let's ________ ________ ________ ________. It's near the school.

20 | 적절한 응답 고르기

대화를 듣고, 남자의 마지막 말에 이어질 여자의 말로 가장 적절한 것을 고르시오.

Woman: ______________________

① I hate apples.
② The food is delicious.
③ How much is it?
④ For here or to go?
⑤ I'll take five, please.

M Welcome to Nick's Grocery Store. Can I help you?
W I'm looking for some ________ ________ ________ ________.
M We have ________ ________ today. What about buying some?
W I'll ________ ________ ________.
M ________ ________ do you want?

적중! Tip What about ~?
어떤 일을 제안하거나 권유할 때 사용되는 표현으로 '~하는 게 어때요?'라는 의미이다. 이때 about 다음에는 동명사가 온다.
· What about taking the bus?
버스를 타는 게 어때요?

1 다음을 듣고, 'this'가 가리키는 것으로 가장 적절한 것을 고르시오.

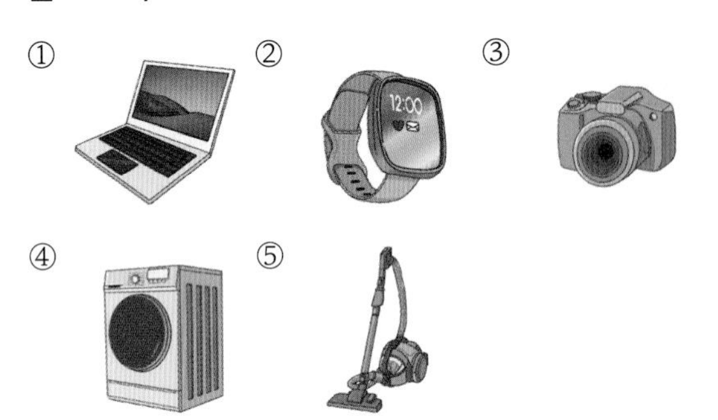

2 대화를 듣고, 여자가 구입할 배낭으로 가장 적절한 것을 고르시오.

3 다음을 듣고, 내일 오후의 날씨로 가장 적절한 것을 고르시오.

4 대화를 듣고, 남자가 한 마지막 말의 의도로 가장 적절한 것을 고르시오.

① 부탁 ② 승낙 ③ 위로 ④ 감사 ⑤ 제안

5 다음을 듣고, 여자가 역사 탐방 여행에 대해 언급하지 <u>않은</u> 것을 고르시오.

① 여행지 ② 집합 장소 ③ 도착 시간
④ 인솔 교사 ⑤ 준비물

6 대화를 듣고, 두 사람이 만날 시각을 고르시오.

① 1:00 p.m. ② 1:30 p.m. ③ 2:00 p.m.
④ 2:30 p.m. ⑤ 3:00 p.m.

7 대화를 듣고, 여자의 장래 희망으로 가장 적절한 것을 고르시오.

① 비행사 ② 번역가 ③ 요리사
④ 조각가 ⑤ 건축가

고난도

8 대화를 듣고, 남자가 다녀온 여행에 대한 내용으로 일치하지 <u>않는</u> 것을 고르시오.

① 설악산에 갔다. ② 등산을 했다.
③ 가족과 함께 갔다. ④ 케이블카를 탔다.
⑤ 파전을 먹었다.

고난도

9 대화를 듣고, 남자가 대화 직후에 할 일로 가장 적절한 것을 고르시오.

① 길 물어보기 ② 버스 번호 검색하기
③ 횡단보도 건너기 ④ 매표소 가기
⑤ 앱 다운로드 하기

10 대화를 듣고, 무엇에 관한 내용인지 가장 적절한 것을 고르시오.

① 공연 예약 공지 ② 진로 캠프 신청
③ 요리 수업 등록 ④ 체험 학습 안내
⑤ 주방기구 사용 방법

11 대화를 듣고, 여자가 양평에서 이용한 교통수단을 고르시오.

① 자전거 ② 버스 ③ 기차
④ 오토바이 ⑤ 택시

12 대화를 듣고, 남자가 일찍 일어난 이유로 가장 적절한 것을 고르시오.

① 아침을 먹기 위해서
② 수산 시장에 가기 위해서
③ 할머니를 돕기 위해서
④ 아빠를 배웅하기 위해서
⑤ 낚시를 가기 위해서

13 대화를 듣고, 두 사람의 관계로 가장 적절한 것을 고르시오.

① 경찰 — 범인 ② 요리사 — 기자
③ 종업원 — 손님 ④ 지휘자 — 연주자
⑤ 농부 — 상인

14 대화를 듣고, 여자가 찾고 있는 열쇠의 위치로 가장 알맞은 것을 고르시오.

15 대화를 듣고, 남자가 여자에게 부탁한 일로 가장 적절한 것을 고르시오.

① 빌린 책 반납하기 ② 책 찾아주기
③ 도서관 안내하기 ④ 캠핑 함께 가기
⑤ 영어 교재 추천하기

16 대화를 듣고, 남자가 여자에게 제안한 것으로 가장 적절한 것을 고르시오.

① 인터뷰 미루기 ② 가게에서 일하기
③ 장난감 사기 ④ 질문 목록 읽기
⑤ 신문 구독하기

17 대화를 듣고, 남자가 휴일에 한 일로 가장 적절한 것을 고르시오.

① 소싱하기 ② 쓰레기 줍기
③ 소풍 가기 ④ 집 청소하기
⑤ 가족사진 찍기

18 대화를 듣고, 여자의 직업으로 가장 적절한 것을 고르시오.

① 배우 ② 기자 ③ 무용수
④ 통역사 ⑤ 영화감독

[19-20] 대화를 듣고, 여자의 마지막 말에 이어질 남자의 말로 가장 적절한 것을 고르시오.

19 **Man:** ______________________

① I'm in a meeting.
② It's at the top of the screen.
③ Put your phone away.
④ He's new here.
⑤ The repair shop is at the corner.

20 **Man:** ______________________

① No. It is free for all visitors.
② I'll show you the exit.
③ You need to practice more.
④ Let's go in the morning.
⑤ He's a singer.

16회 Dictation

Dictation
음성 바로 듣기 ▶

16회 중학영어듣기 실전 모의고사 Dictation 음성을 들으며 빈칸에 알맞은 단어를 채우시오.

1 | 화제 고르기

다음을 듣고, 'this'가 가리키는 것으로 가장 적절한 것을 고르시오.

① ② ③ ④ ⑤

M Many people use this. This ________ ________ ________ and your messages. This can also play music, ________ ________, and check your health. It can count heartbeats ________ ________ ________, so it is useful for the elderly.

2 | 알맞은 그림 고르기

대화를 듣고, 여자가 구입할 배낭으로 가장 적절한 것을 고르시오.

① ② ③ ④ ⑤

M How can I help you?

W I'm looking for ________ ________.

M How about this one with a small tree on it? It's ________ ________ students like you.

W I like it, but I think it's ________ ________.

M Then, what about this one? It has ________ ________ ________ on it.

W It's so pretty! I'll take it.

3 | 날씨 고르기

다음을 듣고, 내일 오후의 날씨로 가장 적절한 것을 고르시오.

① ② ③ ④ ⑤

M Welcome to today's weather report. There's ________ ________ today, and it will be cloudy tomorrow morning. Tomorrow afternoon, there will be ________ ________. It's ________ ________ ________ and rain boots!

4 | 의도 고르기

대화를 듣고, 남자가 한 마지막 말의 의도로 가장 적절한 것을 고르시오.

① 부탁 ② 승낙 ③ 위로 ④ 감사 ⑤ 제안

W Jacob, what are you going to do in the afternoon?

M I'm going to go to the supermarket and ________ ________ ________ for dinner.

W Oh, what are you cooking?

M I'm going to make hamburgers with French fries.

W Really? That's a good idea. Can I ________ ________?

M Sure. Let's go ________ ________ ________ ________.

5 | 언급하지 않은 내용 고르기

다음을 듣고, 여자가 역사 탐방 여행에 대해 언급하지 않은 것을 고르시오.

① 여행지 ② 집합 장소 ③ 도착 시간
④ 인솔 교사 ⑤ 준비물

적중! Tip **trip**
[트립]보다는 [츄립]으로 들린다. tr-로 시작하는 단어에서 [t]는 [츄]에 가깝게 발음되기 때문이다.
· **tr**ouble [츄러블] · **tr**ain [츄레인]

W I'd like to tell you about ________ ________ ________ to Gyeongju. You should come to ________ ________ by 9 o'clock. We'll ________ ________ ________ ________ from there and leave at 9:30. The homeroom teachers and ________ ________ will come on the trip. Don't forget to ________ ________ ________.

6 | 시간 정보 고르기

대화를 듣고, 두 사람이 만날 시각을 고르시오.

① 1:00 p.m. ② 1:30 p.m. ③ 2:00 p.m.
④ 2:30 p.m. ⑤ 3:00 p.m.

M Sujin, are you going to the ________ ________ ________ tomorrow?
W Yes, I am. How about you?
M I'm going to the match too. Can I come with you?
W Great! ________ ________ ________ at 2?
M That's ________ ________. What about 1:30?
W Alright. See you tomorrow.

7 | 장래 희망 고르기

대화를 듣고, 여자의 장래 희망으로 가장 적절한 것을 고르시오.

① 비행사 ② 번역가 ③ 요리사
④ 조각가 ⑤ 건축가

적중! Tip Good luck.
상대방에게 행운을 빌어줄 때 사용되는 표현이다.

W What did you ________ ________ ________ in art class, Jiseong?
M I made a shark. What about you, Seongmin?
W I made an airplane.
M Wow, it looks like a real one. This is amazing.
W I want to ________ ________ ________ in the future.
M I'm sure ________ ________ ________ ________ beautiful! Good luck.

고난도

8 | 일치하지 않는 내용 고르기

대화를 듣고, 남자가 다녀온 여행에 대한 내용으로 일치하지 않는 것을 고르시오.

① 설악산에 갔다. ② 등산을 했다. ③ 가족과 함께 갔다. ④ 케이블카를 탔다. ⑤ 파전을 먹었다.

W Minsoo, I heard you went to Seoraksan.
M Yes. It was wonderful!
W That's great. Did you ________ ________ ________?
M No. Our family went up the mountain by cable car.
W How was it?
M It was scary, but ________ ________ ________ ________.
W What else did you do?
M ________ ________ ________ pajeon and bibimbap.

고난도

9 | 할 일 고르기

대화를 듣고, 남자가 대화 직후에 할 일로 가장 적절한 것을 고르시오.

① 길 물어보기 ② 버스 번호 검색하기 ③ 횡단보도 건너기 ④ 매표소 가기 ⑤ 앱 다운로드 하기

적중! Tip Can you tell me how to ~?
상대방에게 뭔가를 하는 방법을 알려줄 수 있을지 물을 때 사용되는 표현으로, to 다음에는 동사원형이 온다.
· Can you tell me how to solve the problem?
이 문제 어떻게 푸는지 알려줄래?

M Excuse me. Can you tell me how to ________ ________ ________ ________?
W Sure. Cross the street, and take bus number 6000.
M Okay. Where do I ________ ________ ________?
W You can buy it on the app.
M Thanks. I'll ________ ________ ________ now.

10 | 주제 고르기

대화를 듣고, 무엇에 관한 내용인지 가장 적절한 것을 고르시오.

① 공연 예약 공지 ② 진로 캠프 신청 ③ 요리 수업 등록 ④ 체험 학습 안내 ⑤ 주방기구 사용 방법

M Mom, I want to ________ ________ ________ this cooking class.
W Let me see the brochure. Oh, this beginner class ________ ________.
M Yes. Can I take the class?
W Sure. ________ ________ ________ ________ for the class?
M I have to pay 25 dollars on the first day.

11 | 교통수단 고르기

대화를 듣고, 여자가 양평에서 이용한 교통수단을 고르시오.

① 자전거 ② 버스 ③ 기차 ④ 오토바이 ⑤ 택시

M Jimin, how was your trip to Yangpyeong?
W I ________ ________ ________ to go there and read a great book on the way.
M Sounds like you enjoyed the train.
W Yes. I also ________ ________ ________ in Yangpyeong to look around.
M Did you take yours?
W No. I rented one. The weather was ________ ________ ________ ________ too.

12 | 이유 고르기

대화를 듣고, 남자가 일찍 일어난 이유로 가장 적절한 것을 고르시오.

① 아침을 먹기 위해서
② 수산 시장에 가기 위해서
③ 할머니를 돕기 위해서
④ 아빠를 배웅하기 위해서
⑤ 낚시를 가기 위해서

W Good morning, Greg. Why did you get up so early?
M Good morning, Grandma. Dad is ________ ________ ________ because he is not going to work today.
W Oh, really?
M Yes. Can I have a bowl of cereal ________ ________ ________?
W Sure. Here you go.
M Thank you, Grandma. ________ ________ ________!

13 | 관계 고르기

대화를 듣고, 두 사람의 관계로 가장 적절한 것을 고르시오.

① 경찰 — 범인 ② 요리사 — 기자
③ 종업원 — 손님 ④ 지휘자 — 연주자
⑤ 농부 — 상인

W Are you ________ ________ ________, sir?
M Yes. Can I get the steak and salad, please?
W I'm so sorry, but we are ________ ________ ________ the steak.
M Oh, no. Then, what dish ________ ________ ________?
W The fried rice with shrimp is also very delicious.

14 | 위치 고르기

대화를 듣고, 여자가 찾고 있는 열쇠의 위치로 가장 알맞은 것을 고르시오.

적중! Tip next to
[넥스트 투]보다는 [넥스투]로 들린다. 발음이 같은 자음이 나란히 나오면 앞 단어의 끝 자음이 탈락되기 때문이다.

[Cellphone rings.]
M Hello?
W Hello, Nate. Where did you put ________ ________ ________?
M I think I ________ ________ ________ the shelf in the kitchen.
W It's not here.
M What about next to the vase?
W Oh, I see it ________ ________ ________. Thanks.

15 부탁·요청한 일 고르기

대화를 듣고, 남자가 여자에게 부탁한 일로 가장 적절한 것을 고르시오.

① 빌린 책 반납하기 ② 책 찾아주기
③ 도서관 안내하기 ④ 캠핑 함께 가기
⑤ 영어 교재 추천하기

W What's going on, Junho?
M I need to ________ ________ ________ by tomorrow, but the library is closed today.
W Why don't you return them tomorrow?
M My family is going camping tonight, so I ________ ________ ________.
W I can ________ ________ ________ ________ for you tomorrow.
M Really? Will you do that for me?
W Of course. ________ ________.

16 제안한 일 고르기

대화를 듣고, 남자가 여자에게 제안한 것으로 가장 적절한 것을 고르시오.

① 인터뷰 미루기 ② 가게에서 일하기
③ 장난감 사기 ④ 질문 목록 읽기
⑤ 신문 구독하기

M Hello. Are you Ms. Graham?
W Yes, I am. What can I help you with?
M I'm a reporter. And I ________ ________ ________ ________ about your new toy store.
W Oh, this is my first interview. I don't know ________ ________ ________.
M How about ________ ________ ________ list beforehand? Here it is.
W Thank you so much.

17 한 일 고르기

대화를 듣고, 남자가 휴일에 한 일로 가장 적절한 것을 고르시오.

① 조깅하기 ② 쓰레기 줍기
③ 소풍 가기 ④ 집 청소하기
⑤ 가족사진 찍기

적중! Tip weekend
[위크엔드]보다는 [위켄드]로 들린다. 강세가 없는 [k]는 된소리로 발음되기 때문이다.

W Hajoon, how was your weekend?
M Hi, Sojung. It ________ ________.
W What did you do?
M My family went to Hangang, and we ________ ________ ________.
W Wow. Was there a lot of trash?
M Yes. But we ________ ________ ________ ________. The park looked clean after that.

18 | 직업 고르기

대화를 듣고, 여자의 직업으로 가장 적절한 것을 고르시오.

① 배우 ② 기자 ③ 무용수
④ 통역사 ⑤ 영화감독

적중! Tip **Is it okay if ~?**
상대방에게 어떤 일을 해도 되는지 허가 여부를 물을 때 사용되는 표현이다.
· Is it okay if I open the window?
제가 창문을 열어도 괜찮을까요?

M Excuse me. Are you Ann Bain ________ ________ ________ *Dance*?
W That's right.
M Wow! I loved that movie.
W Thank you. ________ ________ ________.
M Is it okay if I take a picture with you? I want to ________ ________ ________.
W Sure. But just one, please.
M Thank you so much!

19 | 적절한 응답 고르기

대화를 듣고, 여자의 마지막 말에 이어질 남자의 말로 가장 적절한 것을 고르시오.

Man: ________________

① I'm in a meeting.
② It's at the top of the screen.
③ Put your phone away.
④ He's new here.
⑤ The repair shop is at the corner.

M Did you get a new phone, Mom?
W Yeah. But I don't know ________ ________ ________ it. It's very complicated.
M What do you want to do?
W I want to ________ ________ ________ ________.
M That's easy. Press the record button.
W Where is ________ ________ ________?

20 | 적절한 응답 고르기

대화를 듣고, 여자의 마지막 말에 이어질 남자의 말로 가장 적절한 것을 고르시오.

Man: ________________

① No. It is free for all visitors.
② I'll show you the exit.
③ You need to practice more.
④ Let's go in the morning.
⑤ He's a singer.

W Excuse me. When is ________ ________ ________?
M It starts this afternoon at 4.
W Okay. And ________ ________ does it last?
M It takes about an hour.
W That's perfect. Do I ________ ________ ________ ________ for it?

중학영어듣기 실전 모의고사

1 다음을 듣고, 'I'가 무엇인지 가장 적절한 것을 고르시오.

2 대화를 듣고, 여자가 구입할 도장으로 가장 적절한 것을 고르시오.

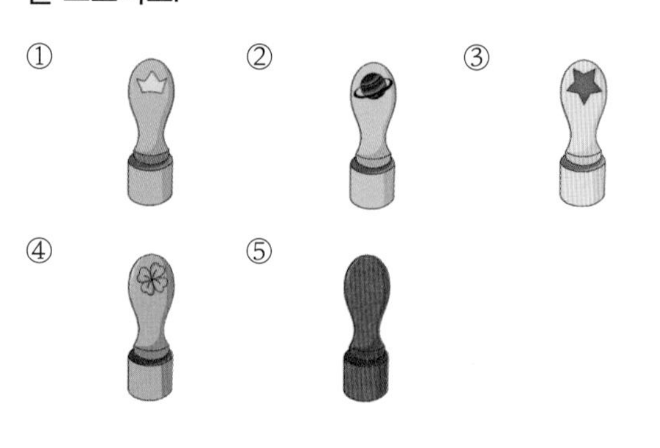

3 다음을 듣고, 런던의 오늘 날씨로 가장 적절한 것을 고르시오.

4 대화를 듣고, 여자가 한 마지막 말의 의도로 가장 적절한 것을 고르시오.

① 동의 ② 불허 ③ 격려 ④ 사과 ⑤ 용서

5 다음을 듣고, 여자가 가수에 대해 언급하지 않은 것을 고르시오.

① 이름 ② 출신 국가 ③ 데뷔 연도
④ 연주 악기 ⑤ 대표곡

6 대화를 듣고, 여자가 기차역에 도착한 시각을 고르시오.

① 12:30 p.m. ② 1:00 p.m. ③ 1:30 p.m.
④ 2:00 p.m. ⑤ 2:30 p.m.

고난도
7 대화를 듣고, 여자의 장래 희망으로 가장 적절한 것을 고르시오.

① 형사 ② 마술사 ③ 드라마 작가
④ 변호사 ⑤ 운동 선수

8 대화를 듣고, 남자의 심정으로 가장 적절한 것을 고르시오.

① 부러움 ② 고마움 ③ 지루함
④ 자랑스러움 ⑤ 긴장함

9 대화를 듣고, 남자가 대화 직후에 할 일로 가장 적절한 것을 고르시오.

① 코트 환불하기 ② 물병 꺼내기
③ 일행 기다리기 ④ 스웨터 입어 보기
⑤ 주스 사러 가기

10 대화를 듣고, 무엇에 관한 내용인지 가장 적절한 것을 고르시오.

① 자동차 수리 ② 뉴스 인터뷰 ③ 병원 진료
④ 지역 행사 ⑤ 교통사고

11 대화를 듣고, 두 사람이 이용할 교통수단으로 가장 적절한 것을 고르시오.

① 자전거 ② 기차 ③ 택시
④ 지하철 ⑤ 고속 버스

12 대화를 듣고, 여자가 슈퍼마켓에 갈 수 없는 이유로 가장 적절한 것을 고르시오.

① 공부를 해야 하기 때문에
② 친구를 만나야 하기 때문에
③ 동생과 운동해야 하기 때문에
④ 배구를 연습해야 하기 때문에
⑤ 슈퍼마켓이 문을 닫았기 때문에

13 대화를 듣고, 두 사람의 관계로 가장 적절한 것을 고르시오.

① 서점 직원 — 손님 ② 은행 직원 — 고객
③ 경찰 — 시민 ④ 도서관 사서 — 학생
⑤ 기자 — 과학자

14 대화를 듣고, 우체국의 위치로 가장 알맞은 것을 고르시오.

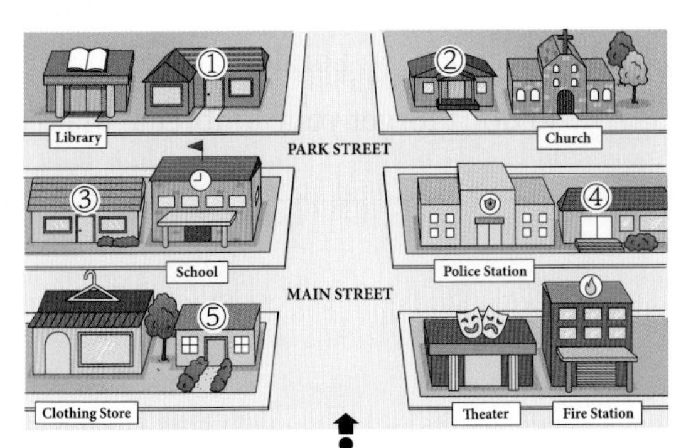

15 대화를 듣고, 남자가 여자에게 부탁한 일로 가장 적절한 것을 고르시오.

① 수학 숙제 도와주기 ② 보고서 출력하기
③ 공부 계획 검토하기 ④ 역사 책 빌려주기
⑤ 학교에 데려다 주기

16 대화를 듣고, 여자가 남자에게 제안한 것으로 가장 적절한 것을 고르시오.

① 대회 참가하기 ② 축하 카드 쓰기
③ 새로운 친구 만나기 ④ 동아리 가입하기
⑤ 보충 수업하기

17 대화를 듣고, 여자가 주말에 할 운동을 고르시오.

① 조깅 ② 복싱 하기
③ 자전거 타기 ④ 농구
⑤ 스케이트보드 타기

18 대화를 듣고, 여자가 언급한 아빠의 직업으로 가장 적절한 것을 고르시오.

① 교사 ② 한의사 ③ 요리사
④ 영양사 ⑤ 가수

[19-20] 대화를 듣고, 남자의 마지막 말에 이어질 여자의 응답으로 가장 적절한 것을 고르시오.

19 **Woman:** ______________________

① It's on the round table.
② I like blue.
③ Do you see it?
④ I'll get you a glass of water.
⑤ It's too small.

20 **Woman:** ______________________

① I'm going home.
② Our flight is late.
③ That's my mom.
④ I'll see the pyramids.
⑤ He likes Iceland more.

17회 Dictation

Dictation 음성 바로 듣기 ▶

17회 중학영어듣기 실전 모의고사 Dictation 음성을 들으며 빈칸에 알맞은 단어를 채우시오.

1 | 화제 고르기

다음을 듣고, 'I'가 무엇인지 가장 적절한 것을 고르시오.

① ② ③ ④ ⑤

W I have a big head _______ _______ _______. I also have black and white fur. I look cute because I _______ _______ _______ around my eyes. I like _______ _______. What am I?

2 | 알맞은 그림 고르기

대화를 듣고, 여자가 구입할 도장으로 가장 적절한 것을 고르시오.

① ② ③ ④ ⑤

M Hello. How can I help you?

W I'm looking for _______ _______ _______ my dad.

M How about this one with a crown?

W Hmm... I don't think _______ _______ _______ _______.

M What about that one with a star?

W That _______ _______. I'll take it.

3 | 날씨 고르기

다음을 듣고, 런던의 오늘 날씨로 가장 적절한 것을 고르시오.

① ② ③ ④ ⑤

적중! Tip cloudy

[클라우디]보다는 [클라우리]로 들린다. [d]가 모음 사이에서 발음될 때는 약화되어 [r]에 가깝게 발음되기 때문이다.

M Good morning, everyone. Here is _______ _______ _______ _______ for today. In Berlin, it's sunny now, but it will be cloudy in the afternoon. In London, there _______ _______ _______, so don't forget your umbrella. Madrid will be _______ _______ _______ _______.

4 | 의도 고르기

대화를 듣고, 여자가 한 마지막 말의 의도로 가장 적절한 것을 고르시오.

① 동의 ② 불허 ③ 격려 ④ 사과 ⑤ 용서

M Mom, look! There are _______ _______ _______ _______.

W Wow! They're really cute.

M Can I _______ _______ _______?

W You ate all the carrots at lunchtime.

M Can I _______ _______ _______ _______ then?

W You can't do that, my boy. They may get sick.

5 | 언급하지 않은 내용 고르기

다음을 듣고, 여자가 가수에 대해 언급하지 않은 것을 고르시오.

① 이름 ② 출신 국가 ③ 데뷔 연도
④ 연주 악기 ⑤ 대표곡

W Hi, everyone. I'd like to introduce ________ ________ ________, Anthony Smith to you. He is from England. He started singing when he was ________ ________ ________. He can also play ________ ________ ________ ________. He wrote many popular songs like *Happy Christmas*.

6 | 시간 정보 고르기

대화를 듣고, 여자가 기차역에 도착한 시각을 고르시오.

① 12:30 p.m. ② 1:00 p.m. ③ 1:30 p.m.
④ 2:00 p.m. ⑤ 2:30 p.m.

> 적중! Tip had to
> [해드 투]보다는 [해투]로 들린다. [d]와 [t]처럼 발음할 때 혀의 위치가 비슷한 자음이 나란히 나오면 앞 단어의 끝 자음이 탈락되기 때문이다.

M Emily, how was your trip to Daegu?
W I really liked it, but I ________ ________ ________ at the beginning of the trip.
M Oh, what happened?
W I booked the 1 p.m. train, but I ________ ________ ________.
M When did you ________ ________ ________ ________?
W I got there at 1:30. So I had to take the next train.

고난도

7 | 장래 희망 고르기

대화를 듣고, 여자의 장래 희망으로 가장 적절한 것을 고르시오.

① 형사 ② 마술사 ③ 드라마 작가
④ 변호사 ⑤ 운동 선수

M What are you doing, Yoonji?
W I'm watching a drama. The main character is ________ ________ ________ now.
M It sounds interesting!
W I want to ________ ________ ________ like that character.
M I believe you'll become ________ ________ ________.
W Thanks. I hope so.

8 | 심정 고르기

대화를 듣고, 남자의 심정으로 가장 적절한 것을 고르시오.

① 부러움 ② 고마움 ③ 지루함
④ 자랑스러움 ⑤ 긴장함

적중! Tip Congratulations.
상대방을 축하해줄 때 사용되는 표현으로, '축하한다, 축하해'라는 의미이다.

M Jenny, what's this trophy?
W Hi, Uncle Jack. Our girls' soccer team ________ ________ ________ ________ last week.
M Wow! Congratulations. I know that you ________ ________ ________ for a year.
W Thank you. ________ ________ ________ so much.
M I'm so proud of you!

9 | 할 일 고르기

대화를 듣고, 남자가 대화 직후에 할 일로 가장 적절한 것을 고르시오.

① 코트 환불하기 ② 물병 꺼내기
③ 일행 기다리기 ④ 스웨터 입어 보기
⑤ 주스 사러 가기

W Phil, I'm glad you found a nice coat.
M Thank you. I really ________ ________ ________.
W Let's go to another store and buy sweaters.
M Sounds great! But I'm ________ ________ ________ now.
W Well, there's a juice shop right there.
M Oh, wait here. I'll go and ________ ________ ________.

10 | 주제 고르기

대화를 듣고, 무엇에 관한 내용인지 가장 적절한 것을 고르시오.

① 자동차 수리 ② 뉴스 인터뷰 ③ 병원 진료
④ 지역 행사 ⑤ 교통사고

적중! Tip I hope ~.
희망이나 기대감을 나타낼 때 사용되는 표현으로 '~하면 좋겠다, ~하기를 바란다'라는 의미이다.
· I hope you can join us.
네가 우리와 함께 하면 좋겠어.

W Jeremy, what are you watching?
M I'm watching a news report ________ ________ ________.
W Oh, no! Was it serious?
M A car crashed into a house ________ ________ ________ ________. Some people are badly hurt.
W That's terrible. I'm so ________ ________ ________ ________.
M Yeah. I hope they get well soon.

11 | 교통수단 고르기

대화를 듣고, 두 사람이 이용할 교통수단으로 가장 적절한 것을 고르시오.

① 자전거 ② 기차 ③ 택시
④ 지하철 ⑤ 고속 버스

M How will ________ ________ ________ the express bus terminal?
W I was going to ride the subway.
M But it's ________ ________. And I need to carry many bags.
W Then, why don't we take a taxi?
M That will ________ ________ ________.

12 | 이유 고르기

대화를 듣고, 여자가 슈퍼마켓에 갈 수 없는 이유로 가장 적절한 것을 고르시오.

① 공부를 해야 하기 때문에
② 친구를 만나야 하기 때문에
③ 동생과 운동해야 하기 때문에
④ 배구를 연습해야 하기 때문에
⑤ 슈퍼마켓이 문을 닫았기 때문에

M Sarah, can you ________ ________ ________ ________?
W What is it, Dad?
M Could you ________ ________ ________ ________ and buy some butter for me?
W I'm sorry, but I can't. I'm meeting my friend in 10 minutes.
M Oh, are you going somewhere?
W I promised we would ________ ________ ________ ________ together tonight.
M Okay. I'll ________ ________ ________ then.

13 | 관계 고르기

대화를 듣고, 두 사람의 관계로 가장 적절한 것을 고르시오.

① 서점 직원 — 손님 ② 은행 직원 — 고객
③ 경찰 — 시민 ④ 도서관 사서 — 학생
⑤ 기자 — 과학자

M I'd like to ________ ________ ________, please.
W Alright. Do you have ________ ________ ________?
M Yes. Here you go.
W Okay. You can borrow this book for a week.
M ________ ________. I will finish it by then.
W Do you know ________ ________ ________ it?
M Yes. Thank you for your help!

14 | 위치 고르기

대화를 듣고, 우체국의 위치로 가장 알맞은 것을 고르시오.

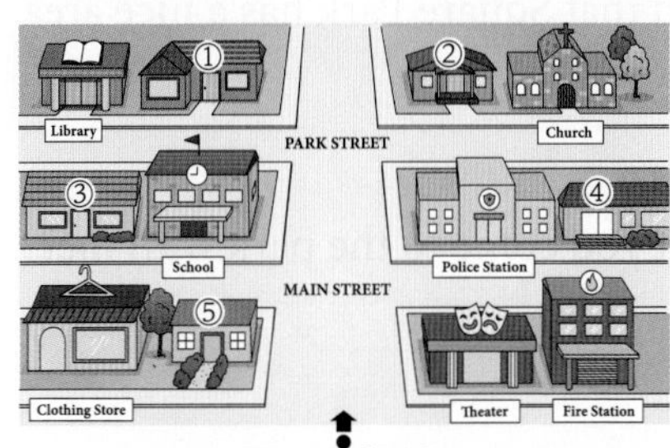

W Excuse me. Is there ________ ________ ________ near here?
M Yes. It's a few blocks away.
W Okay. How can I get there?
M ________ ________ for two blocks, and turn right at Park Street.
W Turn right at Park Street?
M Yes. It will be ________ ________ ________. It's next to the church.
W Thank you.

15 | 부탁·요청한 일 고르기

대화를 듣고, 남자가 여자에게 부탁한 일로 가장 적절한 것을 고르시오.

① 수학 숙제 도와주기 ② 보고서 출력하기
③ 공부 계획 검토하기 ④ 역사 책 빌려주기
⑤ 학교에 데려다 주기

W Dan, did you finish your math homework?
M I'm ________ ________, Mom.
W Great. That was fast.
M I also have to finish a history essay this week, so I ________ ________ ________.
W Do you need any help?
M Can you help me ________ ________ ________? I'm not sure how to solve it.
W Let me see.

16 | 제안한 일 고르기

대화를 듣고, 여자가 남자에게 제안한 것으로 가장 적절한 것을 고르시오.

① 대회 참가하기 ② 축하 카드 쓰기
③ 새로운 친구 만나기 ④ 동아리 가입하기
⑤ 보충 수업하기

M I heard you won ________ ________ ________, Mina.
W I did! I beat 11 other players.
M That's impressive.
W Are you ________ ________ ________? You should join our after-school club.
M Okay. Maybe I will.
W Let's meet this afternoon. I can ________ ________ ________ ________.

17 | 특정 정보 고르기

대화를 듣고, 여자가 주말에 할 운동을 고르시오.

① 조깅 ② 복싱 하기
③ 자전거 타기 ④ 농구
⑤ 스케이트보드 타기

M Erica, my brother mentioned that Square Park has a nice area for skateboarding.
W Oh, ________ ________ ________?
M Yes. It's my hobby. Why don't you come to the park with me?
W But I don't know ________ ________ ________.
M Well, I can teach you.
W Skateboarding ________ ________ ________ for me. I'll come, but I'll ride my bike instead.

18 | 직업 고르기

대화를 듣고, 여자가 언급한 아빠의 직업으로 가장 적절한 것을 고르시오.

① 교사 ② 한의사 ③ 요리사
④ 영양사 ⑤ 가수

적중! Tip often
미국식으로는 [오픈]으로 발음되고, 영국식으로는 [오프튼]으로 발음된다.

M Yeri, your lunch ________ ________.
W Thanks! My dad made it.
M Does he cook often?
W He actually ________ ________ ________ ________.
M Oh, that is very cool!
W Do you want to ________ ________?
M Yes, please!

19 | 적절한 응답 고르기

대화를 듣고, 남자의 마지막 말에 이어질 여자의 응답으로 가장 적절한 것을 고르시오.

Woman: ____________________

① It's on the round table.
② I like blue.
③ Do you see it?
④ I'll get you a glass of water.
⑤ It's too small.

M Hi. Do you need any help?
W Yes. I'm looking for new glasses. My old ones ________ ________ ________.
M Okay. Do you prefer round or square glasses?
W I ________ ________ ________.
M We have these black and blue frames. ________ ________ do you like?

20 | 적절한 응답 고르기

대화를 듣고, 남자의 마지막 말에 이어질 여자의 응답으로 가장 적절한 것을 고르시오.

Woman: ____________________

① I'm going home.
② Our flight is late.
③ That's my mom.
④ I'll see the pyramids.
⑤ He likes Iceland more.

적중! Tip I'm planning to ~.
가까운 미래의 계획을 나타낼 때 쓰는 표현으로, to 다음에는 동사원형이 온다.
· I'm planning to study French.
난 프랑스어 공부를 계획 중이야.

W Do you like to travel, Mike?
M Yes, I do. I ________ ________ ________ ________ often.
W Really? Then, are you going to travel this vacation?
M Yes. I'll ________ ________ ________ ________. What about you?
W I'm planning to go to Egypt.
M Wow, that's cool. ________ ________ ________ ________ there?

18회 중학영어듣기 실전 모의고사

실전 모의고사 음성 바로 듣기 ▶

1 다음을 듣고, 'this'가 가리키는 것으로 가장 적절한 것을 고르시오.

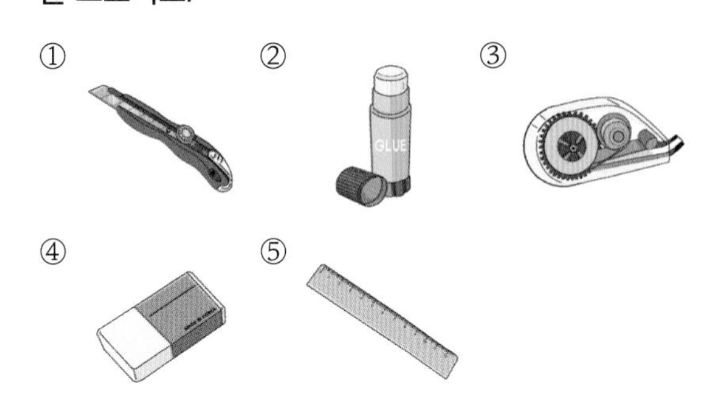

2 대화를 듣고, 남자가 고른 노트로 가장 적절한 것을 고르시오.

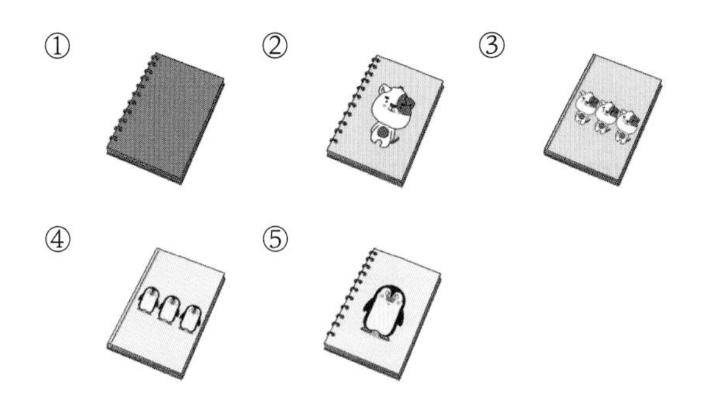

3 다음을 듣고, 일요일 오전의 날씨로 가장 적절한 것을 고르시오.

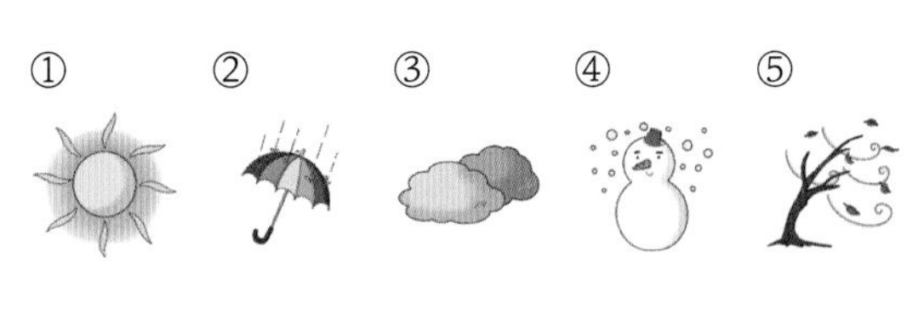

4 대화를 듣고, 여자가 한 마지막 말의 의도로 가장 적절한 것을 고르시오.

① 수락 ② 당부 ③ 거절 ④ 칭찬 ⑤ 허락

5 다음을 듣고, 남자가 버킷 리스트에 대해 언급하지 <u>않은</u> 것을 고르시오.

① 세계 여행하기 ② 우표 100개 모으기
③ 스페인어 배우기 ④ TV 출연하기
⑤ 책 500권 읽기

6 대화를 듣고, 영화가 시작되는 시각을 고르시오.

① 3:30 p.m. ② 4:00 p.m. ③ 4:30 p.m.
④ 5:00 p.m. ⑤ 5:30 p.m.

7 대화를 듣고, 여자의 장래 희망으로 가장 적절한 것을 고르시오.

① 가수 ② 군인 ③ 공연 기획자
④ 기타리스트 ⑤ 통역사

8 대화를 듣고, 여자의 심정으로 가장 적절한 것을 고르시오.

① shy ② sad ③ happy
④ peaceful ⑤ excited

9 대화를 듣고, 남자가 대화 직후 할 일로 가장 적절한 것을 고르시오.

① 병문안 가기 ② 자전거 수리하기
③ 건강 검진하기 ④ 바다 수영하기
⑤ 안부 전화하기

10 대화를 듣고, 무엇에 관한 내용인지 가장 적절한 것을 고르시오.

① 전자 기기 수리 ② 스마트폰 신제품
③ 고층 건물 견학 ④ 카메라 렌즈 구매
⑤ 온라인 영상 제작

고난도

11 대화를 듣고, 두 사람이 함께 이용할 교통수단으로 가장 적절한 것을 고르시오.

① 버스 ② 기차 ③ 자동차
④ 비행기 ⑤ 지하철

12 대화를 듣고, 여자에게 매트가 필요한 이유로 가장 적절한 것을 고르시오.

① 선물하기 위해서
② 세탁하기 위해서
③ 화분을 놓기 위해서
④ 신발을 올려두기 위해서
⑤ 동생 방을 꾸미기 위해서

13 대화를 듣고, 두 사람이 대화하는 장소로 가장 적절한 곳을 고르시오.

① 미용실 ② 병원 ③ 미술관
④ 영화관 ⑤ 호텔

14 대화를 듣고, 여자가 찾고 있는 리모컨의 위치로 가장 적절한 것을 고르시오.

15 대화를 듣고, 남자가 여자에게 부탁한 일로 가장 적절한 것을 고르시오.

① 영어 발표하기 ② 노트 필기하기
③ 컴퓨터 수리하기 ④ 숙제 출력하기
⑤ 프린터 잉크 사 오기

16 대화를 듣고, 여자가 남자에게 제안한 것으로 가장 적절한 것을 고르시오.

① 책 대출하기 ② 치과 방문하기
③ 다큐멘터리 보기 ④ 인터넷 검색하기
⑤ 도서관 봉사하기

17 대화를 듣고, 여자가 지난 겨울 방학에 한 일로 가장 적절한 것을 고르시오.

① 일본어 배우기 ② 얼음낚시 하기
③ 블로그 꾸미기 ④ 공원에서 달리기
⑤ 농장에서 일하기

고난도

18 대화를 듣고, 남자의 직업으로 가장 적절한 것을 고르시오.

① 약사 ② 기자 ③ 헬스 트레이너
④ 운동선수 ⑤ 사진 작가

[19-20] 대화를 듣고, 여자의 마지막 말에 이어질 남자의 응답으로 가장 적절한 것을 고르시오.

19 **Man:** ______________________

① I have a small family.
② Smile at the camera.
③ No, that's okay.
④ The flowers smell good.
⑤ It's not fair.

20 **Man:** ______________________

① I got up early.
② I was in an accident.
③ Long time no see.
④ That's a good idea.
⑤ Always drive carefully.

18회 Dictation

Dictation
음성 바로 듣기 ▶

18회 중학영어듣기 실전 모의고사 Dictation 음성을 들으며 빈칸에 알맞은 단어를 채우시오.

1 | 화제 고르기

다음을 듣고, 'this'가 가리키는 것으로 가장 적절한 것을 고르시오.

① ② ③ ④ ⑤

M This is usually ________ ________ ________. You can ________ ________ ________ on your paper with this. This is usually small, so you can put it in ________ ________ ________. What is this?

2 | 알맞은 그림 고르기

대화를 듣고, 남자가 고른 노트로 가장 적절한 것을 고르시오.

① ② ③ ④ ⑤

M Hi, I'd like to buy a notebook.

W You ________ ________ ________ from here. This one has some cute dogs on it.

M But I want a notebook ________ ________ on the side.

W What about this one ________ ________ ________ ________ then?

M Oh, that's perfect.

3 | 날씨 고르기

다음을 듣고, 일요일 오전의 날씨로 가장 적절한 것을 고르시오.

① ② ③ ④ ⑤

W Good morning. Here is the ________ ________ ________ from ABC radio. On Saturday, the sky will be ________ ________ ________. On Sunday morning, ________ ________ ________ ________. But on Sunday afternoon, it will be sunny. Thank you.

4 | 의도 고르기

대화를 듣고, 여자가 한 마지막 말의 의도로 가장 적절한 것을 고르시오.

① 수락 ② 당부 ③ 거절 ④ 칭찬 ⑤ 허락

> 적중! Tip I see.
> 상대방의 말을 듣고 이해했음을 나타낼 때 사용되는 표현이다.

M Mom, can I ________ ________ ________ after school?

W Yes. Why do you need it?

M Sam and I are going to the comic book store to check ________ ________ ________ ________.

W I see. When will you come home?

M We'll come home before dinner.

W Okay. ________ ________ ________ ________ your helmet.

5 | 언급하지 않은 내용 고르기

다음을 듣고, 남자가 버킷 리스트에 대해 언급하지 않은 것을 고르시오.

① 세계 여행하기 ② 우표 100개 모으기
③ 스페인어 배우기 ④ TV 출연하기
⑤ 책 500권 읽기

적중! Tip stamps
[스탬프스]보다는 [스탬쓰]로 들린다. 자음 3개가 연속해서 나오면 중간 자음은 발음되지 않기 때문이다.

M Let me tell you about my bucket list. I want to ________ ________ ________ ________. While I'm traveling, I'd ________ ________ ________ 100 stamps from different countries. Also, I hope to ________ ________ because so many people speak it. Lastly, I want to read 500 books.

6 | 시간 정보 고르기

대화를 듣고, 영화가 시작되는 시각을 고르시오.

① 3:30 p.m. ② 4:00 p.m. ③ 4:30 p.m.
④ 5:00 p.m. ⑤ 5:30 p.m.

M Emily, did you watch *Octopus Man 2*?
W Not yet. I'm ________ ________ ________ it today.
M Oh, ________ ________ ________ you?
W Sure. Let's meet at the movie theater at 5 p.m.
M Okay. When does the movie begin?
W ________ ________ ________ 5:30 p.m.

7 | 장래 희망 고르기

대화를 듣고, 여자의 장래 희망으로 가장 적절한 것을 고르시오.

① 가수 ② 군인 ③ 공연 기획자
④ 기타리스트 ⑤ 통역사

[Telephone rings.]
M Hello?
W Alex, this is Jiyoon. I'd like to invite you to my band's concert.
M Oh, ________ ________ ________ that band with your friends?
W Yeah. I can give you a free ticket.
M Thanks! ________ ________ ________, do you sing in the band?
W No. I play the guitar. It's my dream to ________ ________ ________ ________ like Jimmy Hendrix.
M That's so cool!

8 | 심정 고르기

대화를 듣고, 여자의 심정으로 가장 적절한 것을 고르시오.

① shy ② sad ③ happy
④ peaceful ⑤ excited

M Mia, ________ ________ ________ the book, *Sylvie in Paris*?
W Yes. I just finished it.
M What do you think about the main character, Sylvie?
W I ________ ________ ________ her. She had a really hard life.
M Oh, right. I was sorry for Sylvie too.
W I'm going to cry again ________ ________ ________ ________ her.

9 | 할 일 고르기

대화를 듣고, 남자가 대화 직후 할 일로 가장 적절한 것을 고르시오.

① 병문안 가기 ② 자전거 수리하기
③ 건강 검진하기 ④ 바다 수영하기
⑤ 안부 전화하기

W Hi, Noah. How was your weekend?
M I ________ ________ ________ ________ with my family. What about you?
W I visited Lisa in the hospital.
M Oh, what happened?
W She ________ ________ ________ ________ on Saturday.
M I didn't know that. I will ________ ________ in the hospital right now.

10 | 주제 고르기

대화를 듣고, 무엇에 관한 내용인지 가장 적절한 것을 고르시오.

① 전자 기기 수리 ② 스마트폰 신제품
③ 고층 건물 견학 ④ 카메라 렌즈 구매
⑤ 온라인 영상 제작

적중! Tip far away
[팔 어웨이]보다는 [파러웨이]로 들린다. 앞에 나온 단어의 끝 자음과 뒤에 나온 단어의 첫 모음이 연음되기 때문이다.

W Nick, ________ ________ ________ ________ the new smartphone?
M Yes. But I don't know the details.
W I ________ ________ ________ ________ about the smartphone.
M Does it have a nice camera?
W Yes. It can ________ ________ ________ objects far away.
M Wow, I want to buy it!

고난도

11 | 교통수단 고르기

대화를 듣고, 두 사람이 함께 이용할 교통수단으로 가장 적절한 것을 고르시오.

① 버스 ② 기차 ③ 자동차
④ 비행기 ⑤ 지하철

W Inho, how can we get to Gwangju?
M Let's check ________ ________ ________. *[Pause]* A train or a bus can take us there.
W What would you like to take?
M The train is ________ ________, so I want to take the bus.
W Good point. Oh, wait. I usually feel sick on the bus.
M Okay. ________ ________ ________ ________ then.
W Thank you for understanding.

12 | 이유 고르기

대화를 듣고, 여자에게 매트가 필요한 이유로 가장 적절한 것을 고르시오.

① 선물하기 위해서
② 세탁하기 위해서
③ 화분을 놓기 위해서
④ 신발을 올려두기 위해서
⑤ 동생 방을 꾸미기 위해서

M Do you need to keep anything from this box, Minju?
W Can I ________ ________ ________ ________?
M Are you sure? It's so dirty.
W I need something to ________ ________ ________ ________, and it looks perfect.
M Okay. ________ ________ and take it.
W Thanks!

13 | 장소 고르기

대화를 듣고, 두 사람이 대화하는 장소로 가장 적절한 곳을 고르시오.

① 미용실 ② 병원 ③ 미술관
④ 영화관 ⑤ 호텔

적중! Tip I agree.
상대방의 의견에 동의할 때 사용되는 표현으로, '동감이야, 동의해'라는 의미이다.

W ________ ________ is interesting.
M Yes. The girl in it ________ ________ ________.
W Yeah. The colors are also dark.
M I agree. Let's go to the next exhibition hall.
W ________ ________ ________ ________ is there?
M There is a collection of Greek sculptures.

14 | 위치 고르기

대화를 듣고, 여자가 찾고 있는 리모컨의 위치로 가장 적절한 것을 고르시오.

M ________ ________ ________ ________, Sujin. You're not watching it.
W Alright, Dad. Where did I put the remote control?
M Hmm... Isn't it ________ ________ ________?
W No. I already checked the table, but it's not there.
M How about looking on the sofa?
W Umm... *[Pause]* Oh, I found it. It was ________ ________ ________.

15 | 부탁·요청한 일 고르기

대화를 듣고, 남자가 여자에게 부탁한 일로 가장 적절한 것을 고르시오.

① 영어 발표하기 ② 노트 필기하기
③ 컴퓨터 수리하기 ④ 숙제 출력하기
⑤ 프린터 잉크 사 오기

M Sarah, do you remember the homework for English class?
W You mean the ________ ________ ________ ________?
M Yes. I wrote about Sam. But my ________ ________ ________.
W What can I do to help you?
M Can you ________ ________ ________ for me?
W Sure. No problem.

16 | 제안한 일 고르기

대화를 듣고, 여자가 남자에게 제안한 것으로 가장 적절한 것을 고르시오.

① 책 대출하기 ② 치과 방문하기
③ 다큐멘터리 보기 ④ 인터넷 검색하기
⑤ 도서관 봉사하기

W Did you know a giraffe can ________ ________ ________ with its tongue?
M No. How do you know that?
W I read ________ ________ ________ ________ yesterday.
M I want to read that book too.
W How about ________ ________ ________ at the library?
M Yes. I'll go there later.

17 | 한 일 고르기

대화를 듣고, 여자가 지난 겨울 방학에 한 일로 가장 적절한 것을 고르시오.

① 일본어 배우기 ② 얼음낚시 하기
③ 블로그 꾸미기 ④ 공원에서 달리기
⑤ 농장에서 일하기

W Junho, how was your ________ ________?
M Great! I visited Hwacheon with my family.
W Oh, what ________ ________ ________ ________?
M I went ice fishing. How was your vacation?
W I ________ ________ on my grandmother's farm. It's in Jeju.
M That sounds like fun.

고난도

18 | 직업 고르기

대화를 듣고, 남자의 직업으로 가장 적절한 것을 고르시오.

① 약사 ② 기자 ③ 헬스 트레이너
④ 운동선수 ⑤ 사진 작가

적중! Tip Sports
[스폴츠]보다는 [스뽈츠]로 들린다. [s] 뒤에 [p] 발음이 오면 된소리로 발음되기 때문이다.
· spell [스뻴] · speak [스삐크]

W I'm Rita from *Sports Today*. Today, we have Fred Powell here ________ ________ ________.
M Good afternoon.
W So, how was the game today?
M Well, we didn't win. It was ________ ________ ________.
W I'm sure you will do better on the next game.
M We'll ________ ________.
W Anything to say to your team ________ ________ ________?
M Yeah. You did a good job today. Let's win the next game!

19 | 적절한 응답 고르기

대화를 듣고, 여자의 마지막 말에 이어질 남자의 응답으로 가장 적절한 것을 고르시오.

Man: ______________________

① I have a small family.
② Smile at the camera.
③ No, that's okay.
④ The flowers smell good.
⑤ It's not fair.

적중! Tip picture of you
[픽철 오브 유]보다는 [픽쳐러뷰]로 들린다. 앞에 나온 단어의 끝 자음과 뒤에 나온 단어의 첫 모음이 연음되기 때문이다.

W Can you ________ ________ ________ of me, Honey?
M Sure. Where do you want to take it?
W ________ ________ ________ ________ with the flowers.
M Okay. I will also take a picture of you in front of the lake.
W That will look nice. Do you want to ________ ________ ________?

20 | 적절한 응답 고르기

대화를 듣고, 여자의 마지막 말에 이어질 남자의 응답으로 가장 적절한 것을 고르시오.

Man: ______________________

① I got up early.
② I was in an accident.
③ Long time no see.
④ That's a good idea.
⑤ Always drive carefully.

M Hey, Rachel. Why are you late today?
W The traffic was bad, so I was ________ ________ ________ ________ for an hour.
M Oh, no. Why was it so bad?
W ________ ________ ________ were broken.
M You must be upset.
W Yes. I will ________ ________ ________ tomorrow.

1 다음을 듣고, 'I'가 무엇인지 가장 적절한 것을 고르시오.

2 대화를 듣고, 여자가 만든 가방으로 가장 적절한 것을 고르시오.

3 다음을 듣고, 일요일의 날씨로 가장 적절한 것을 고르시오.

4 대화를 듣고, 여자의 마지막 말의 의도로 가장 적절한 것을 고르시오.

① 사과 ② 거절 ③ 부탁 ④ 충고 ⑤ 격려

5 다음을 듣고, 남자가 텃밭에 대해 언급하지 않은 것을 고르시오.

① 텃밭 이름
② 키우는 채소 종류
③ 물 주는 때
④ 텃밭 위치
⑤ 채소 활용 방법

고난도

6 대화를 듣고, 수영 수업이 시작되는 시각을 고르시오.

① 3:00 p.m. ② 3:30 p.m. ③ 4:00 p.m. ④ 4:30 p.m. ⑤ 5:00 p.m.

7 대화를 듣고, 남자의 장래 희망으로 가장 적절한 것을 고르시오.

① 배우 ② 작가 ③ 공연 감독 ④ 드러머 ⑤ 프로게이머

8 대화를 듣고, 남자의 심정으로 가장 적절한 것을 고르시오.

① 놀라움 ② 수줍음 ③ 화남 ④ 신남 ⑤ 걱정스러움

9 대화를 듣고, 남자가 대화 직후 할 일로 가장 적절한 것을 고르시오.

① 하이킹 하기
② 점심 먹기
③ 날씨 확인하기
④ TV 시청하기
⑤ 축제 검색 하기

10 대화를 듣고, 무엇에 관한 내용인지 가장 적절한 것을 고르시오.

① 노래 부르기
② 콘서트 가기
③ 마라톤 참여하기
④ 시상식 참여하기
⑤ 운동회 준비하기

맞은 개수 : / 20개

11 대화를 듣고, 두 사람이 함께 이용할 교통수단으로 가장 적절한 것을 고르시오.

① 비행기 ② 지하철 ③ 택시
④ 버스 ⑤ 자전거

12 대화를 듣고, 남자가 구내식당을 이용할 수 없는 이유로 가장 적절한 것을 고르시오.

① 이사 중이어서
② 주말에는 문을 닫아서
③ 음식이 준비되지 않아서
④ 건물 전체가 정전돼서
⑤ 페인트칠 중이어서

13 대화를 듣고, 두 사람이 대화하는 장소로 가장 적절한 곳을 고르시오.

① 가구점 ② 미용실 ③ 옷가게
④ 문구점 ⑤ 우체국

14 대화를 듣고, 꽃집의 위치로 가장 알맞은 곳을 고르시오.

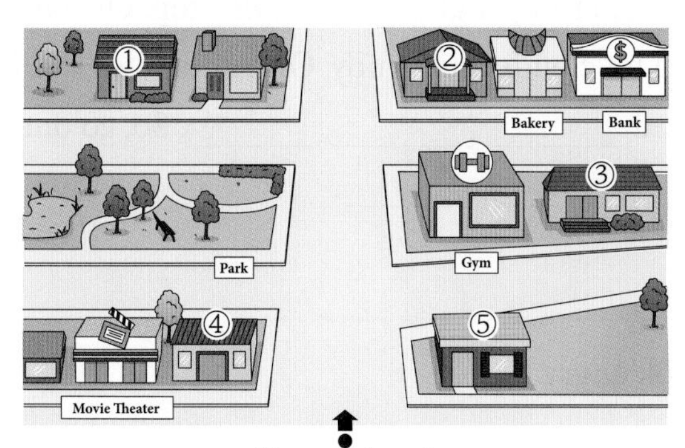

15 대화를 듣고, 남자가 여자에게 부탁한 일로 가장 적절한 것을 고르시오.

① 음량 줄이기 ② 영화 추천하기
③ 방 청소하기 ④ 이어폰 고르기
⑤ 영화 표 예매하기

16 대화를 듣고, 여자가 남자에게 제안한 것으로 가장 적절한 것을 고르시오.

① 리조트 예약하기 ② 사이즈 검색하기
③ 대여소 방문하기 ④ 다른 친구에게 빌리기
⑤ 새 스키 구매하기

고난도

17 대화를 듣고, 두 사람이 금요일에 할 일로 가장 적절한 것을 고르시오.

① 케이크 굽기 ② 동생 사진 찍기
③ 레시피 찾기 ④ 슈퍼마켓 가기
⑤ 케이크 주문하기

18 대화를 듣고, 남자의 직업으로 가장 적절한 것을 고르시오.

① 패션 디자이너 ② 음악 교사
③ 애견 미용사 ④ 치과 의사
⑤ 국회의원

[19-20] 대화를 듣고, 남자의 마지막 말에 이어질 여자의 응답으로 가장 적절한 것을 고르시오.

19 **Woman:** ______________________

① I want to paint people.
② It was a nice day.
③ That's his dream job.
④ I finished my drawing.
⑤ She likes purple.

20 **Woman:** ______________________

① Turn off the TV.
② It's on at 7 p.m.
③ I like your watch.
④ She already showed it to me.
⑤ You're just in time.

Dictation
음성 바로 듣기 ▶

19회 중학영어듣기 실전 모의고사 Dictation 음성을 들으며 빈칸에 알맞은 단어를 채우시오.

1 | 화제 고르기

다음을 듣고, 'I'가 무엇인지 가장 적절한 것을 고르시오.

① ② ③ ④ ⑤

M You can ________ ________ ________ ________. My fur is brown. I have a large tail and strong legs. I can ________ ________ with two feet. I have a pocket in front of my belly. My ________ ________ ________ ________. What am I?

2 | 알맞은 그림 고르기

대화를 듣고, 여자가 만든 가방으로 가장 적절한 것을 고르시오.

① ② ③ ④ ⑤

COOL

M You're carrying a nice bag, Mina. Where did you ________ ________?

W Actually, I made it.

M That's cool. The cat on it ________ ________ ________.

W Thank you. I like it too.

M But you have a parrot, don't you?

W Yes. But ________ ________ ________ is easier.

3 | 날씨 고르기

다음을 듣고, 일요일의 날씨로 가장 적절한 것을 고르시오.

① ② ③ ④ ⑤

W Here is the weather forecast. It will rain ________ ________ ________. But on Friday night, the rain will stop. On Saturday, it will still be a bit cloudy and windy. On Sunday, we will have sunny skies and ________ ________ ________. So, go out and enjoy ________ ________ ________.

4 | 의도 고르기

대화를 듣고, 여자의 마지막 말의 의도로 가장 적절한 것을 고르시오.

① 사과 ② 거절 ③ 부탁 ④ 충고 ⑤ 격려

M Jenna, you look angry.

W I am so ________ ________ ________ ________.

M Why?

W He broke my laptop, and ________ ________ ________ ________.

M Did you go to a repair center?

W Not yet. Can you please ________ ________ ________ ________ ________ on the Internet?

5 | 언급하지 않은 내용 고르기

다음을 듣고, 남자가 텃밭에 대해 언급하지 않은 것을 고르시오.

① 텃밭 이름 ② 키우는 채소 종류
③ 물 주는 때 ④ 텃밭 위치
⑤ 채소 활용 방법

적중! Tip tomatoes
미국식으로는 [터메이러스]로 발음되고, 영국식으로는 [터마터스]로 발음된다.

M Let me tell you about our family garden. My sisters and I ________ ________ Happy Garden. We grow many kinds of vegetables like lettuce, carrots, and tomatoes there. We water our garden every morning. On Sundays, we ________ ________ ________, and my parents cook breakfast with them. We also share the vegetables ________ ________ ________.

고난도

6 | 시간 정보 고르기

대화를 듣고, 수영 수업이 시작되는 시각을 고르시오.

① 3:00 p.m. ② 3:30 p.m. ③ 4:00 p.m.
④ 4:30 p.m. ⑤ 5:00 p.m.

M Can I help you?
W I'd like to ________ ________ ________ a swimming class.
M There are ________ ________ ________ on Monday, Tuesday, and Thursday.
W School ends at 3 o'clock, so I can't take any classes before 3:30.
M ________ ________ ________ start at 4.
W Great! I'll take a Tuesday class then.

7 | 장래 희망 고르기

대화를 듣고, 남자의 장래 희망으로 가장 적절한 것을 고르시오.

① 배우 ② 작가 ③ 공연 감독
④ 드러머 ⑤ 프로게이머

적중! Tip wrote it
[뤄우트 잇]보다는 [뤄우릿]으로 들린다. [t]가 모음 사이에서 발음될 때는 약화되어 [r]에 가깝게 발음되기 때문이다.

M Hey, Jess. ________ ________ ________ this Saturday?
W Yes, I'm free.
M Will you come watch ________ ________ ________? I wrote it.
W I didn't know you liked writing.
M I want to be ________ ________ ________.
W Then, I'll go watch the play to support you.
M Great. Come and enjoy!
W Alright. ________ ________ ________ Saturday.

8 | 심정 고르기

대화를 듣고, 남자의 심정으로 가장 적절한 것을 고르시오.

① 놀라움 ② 수줍음 ③ 화남
④ 신남 ⑤ 걱정스러움

W Eric, what's wrong?

M I just came from ________ ________ ________.

W Oh, no! Is your dog sick?

M No. It's my hamster, Tori. ________ ________ ________ last night. I'm so worried.

W I'm so ________ ________ ________ ________. I'm sure she'll get better soon.

9 | 할 일 고르기

대화를 듣고, 남자가 대화 직후 할 일로 가장 적절한 것을 고르시오.

① 하이킹 하기 ② 점심 먹기
③ 날씨 확인하기 ④ TV 시청하기
⑤ 축제 검색 하기

적중! Tip I'm going to ~.
가까운 미래의 계획을 나타낼 때 쓰는 표현으로, to 다음에는 동사원형이 온다.
· I'm going to visit Korea soon.
난 곧 한국을 방문할 거야.

[Telephone rings.]

W Hi, Ben. What are you doing?

M ________ ________ ________. What's up?

W I'm going to go hiking in the afternoon. Do you want to join me?

M I think it's going to ________ ________ ________ ________.

W Oh, really?

M Yeah. ________ ________ ________ the weather forecast again first.

10 | 주제 고르기

대화를 듣고, 무엇에 관한 내용인지 가장 적절한 것을 고르시오.

① 노래 부르기 ② 콘서트 가기
③ 마라톤 참여하기 ④ 시상식 참여하기
⑤ 운동회 준비하기

W Junho, will you go to Blue Play's concert tomorrow?

M Yes, I will. I love their songs.

W ________ ________. I also like to watch their live performances.

M What about ________ ________ ________ ________ together?

W That would be nice. Do you want to get there an hour early?

M Sounds great. Shall we meet ________ ________ ________ the subway station?

W Sure. See you tomorrow.

11 | 교통수단 고르기

대화를 듣고, 두 사람이 함께 이용할 교통수단으로 가장 적절한 것을 고르시오.

① 비행기 ② 지하철 ③ 택시
④ 버스 ⑤ 자전거

W Justin, I think we ________ ________ ________ now.

M Oh, sure. I really liked the pasta at this restaurant.

W Me too. By the way, how will you go home?

M I'm going to take a subway. What about you?

W I'll take a bus. I like to look ________ ________ ________.

M Can I join you?

W Of course. Let's ________ ________ ________ ________.

12 | 이유 고르기

대화를 듣고, 남자가 구내식당을 이용할 수 없는 이유로 가장 적절한 것을 고르시오.

① 이사 중이어서
② 주말에는 문을 닫아서
③ 음식이 준비되지 않아서
④ 건물 전체가 정전돼서
⑤ 페인트칠 중이어서

W Excuse me. The cafeteria ________ ________ ________.
M Really? Why not?
W We are ________ ________ ________ now.
M Oh, okay. That's why it smells so bad.
W Yes. But we will ________ ________ ________.
M No problem. I will just eat somewhere else.

13 | 장소 고르기

대화를 듣고, 두 사람이 대화하는 장소로 가장 적절한 곳을 고르시오.

① 가구점　② 미용실　③ 옷가게
④ 문구점　⑤ 우체국

적중! Tip dye
'죽다'라는 의미의 동사 die의 발음도 [다이]로 비슷하다. 이러한 동음이의어는 문맥 속에서 뜻을 파악하는 것이 중요하다.

W Please ________ ________ ________ in this chair.
M Thank you.
W ________ ________ ________ ________ for you today?
M I'd like to have a haircut and dye my hair brown.
W Okay. Please wait while I ________ ________ ________.

14 | 위치 고르기

대화를 듣고, 꽃집의 위치로 가장 알맞은 곳을 고르시오.

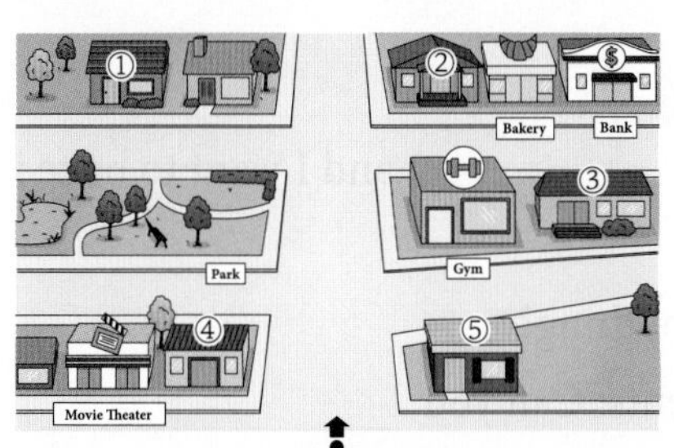

You are here!

W Hi, Brian. What are you searching for on the Internet?
M I'm looking for ________ ________ ________. It's my Mom's birthday.
W Really? I know a place.
M Great! How can I get there?
W ________ ________ ________ ________, and turn right.
M Okay.
W It'll be on your left. It's ________ ________ ________ ________.
M Thanks. I'll go there now.

15 | 부탁·요청한 일 고르기

대화를 듣고, 남자가 여자에게 부탁한 일로 가장 적절한 것을 고르시오.

① 음량 줄이기　② 영화 추천하기
③ 방 청소하기　④ 이어폰 고르기
⑤ 영화 표 예매하기

M Lina, are you ________ ________ in your room?
W No, Dad. I wasn't listening to music.
M Then, ________ ________ ________ ________ in your room?
W Oh, I was watching a movie. Was it loud?
M Yes. Can you ________ ________ ________ ________?
W Oops. I'm sorry. I will do it right away.
M Thank you.

16 | 제안한 일 고르기

대화를 듣고, 여자가 남자에게 제안한 것으로 가장 적절한 것을 고르시오.

① 리조트 예약하기　② 사이즈 검색하기
③ 대여소 방문하기　④ 다른 친구에게 빌리기
⑤ 새 스키 구매하기

[Telephone rings.]
M Hello, Tina. This is Sam.
W Hi, Sam. What's going on?
M Could you ________ ________ ________ ________ ________?
I'm going skiing this weekend.
W I'd love to, but I'm afraid my ski boots will be ________ ________ ________ ________.
M Hmm... What should I do?
W ________ ________ ________ the rental center in the resort?
They'll have your size.
M That's a good idea.

고난도

17 | 할 일 고르기

대화를 듣고, 두 사람이 금요일에 할 일로 가장 적절한 것을 고르시오.

① 케이크 굽기　② 동생 사진 찍기
③ 레시피 찾기　④ 슈퍼마켓 가기
⑤ 케이크 주문하기

적중! Tip　bake it
[베이크 잇]보다는 [베이킷]으로 들린다. 앞에 나온 단어의 끝 자음과 뒤에 나온 단어의 첫 모음이 연음되기 때문이다.

M Mom, did you ________ ________ ________ for Dad's birthday?
W Not yet. Why?
M I ________ ________ ________ ________, and I want to bake it for him.
W That's great. Do you need anything?
M I need to buy some ingredients. Can you ________ ________ ________ ________ with me on Friday?
W Yes. Then, we can bake the cake on Saturday.

18 | 직업 고르기

대화를 듣고, 남자의 직업으로 가장 적절한 것을 고르시오.

① 패션 디자이너 ② 음악 교사
③ 애견 미용사 ④ 치과 의사
⑤ 국회의원

적중! Tip It's nice to see you again.
상대방을 오랜만에 만났을 때 사용되는 표현으로 '다시 만나서 반가워'라는 의미이다.

M Hi, Sumin. It's nice to see you again.
W Good morning, Dr. Kim.
M Do you ________ ________ ________ ________?
W Yes. I brush them three times a day.
M That's good. Are you ________ ________ ________ now?
W Yes, I am.
M Okay. Please ________ ________ wide.

19 | 적절한 응답 고르기

대화를 듣고, 남자의 마지막 말에 이어질 여자의 응답으로 가장 적절한 것을 고르시오.

Woman: ____________________

① I want to paint people.
② It was a nice day.
③ That's his dream job.
④ I finished my drawing.
⑤ She likes purple.

W I really ________ ________ ________.
M Yeah. Me too. It looks beautiful.
W Do you like art?
M I love it, but I ________ ________ ________. What about you?
W I want to be a painter one day.
M Wow, what do you ________ ________ ________?

20 | 적절한 응답 고르기

대화를 듣고, 남자의 마지막 말에 이어질 여자의 응답으로 가장 적절한 것을 고르시오.

Woman: ____________________

① Turn off the TV.
② It's on at 7 p.m.
③ I like your watch.
④ She already showed it to me.
⑤ You're just in time.

M Hi, Jiyoon. What did you do last night?
W I ________ ________ ________ ________ on TV.
M Really? What did you watch?
W ________ ________ ________ the show is *Our Planet*. I loved it.
M I need to watch it next time. When does ________ ________ ________?

실전 모의고사 음성 바로 듣기 ▶

고난도

1 다음을 듣고, 'these'가 가리키는 것으로 가장 적절한 것을 고르시오.

① ② ③

④ ⑤

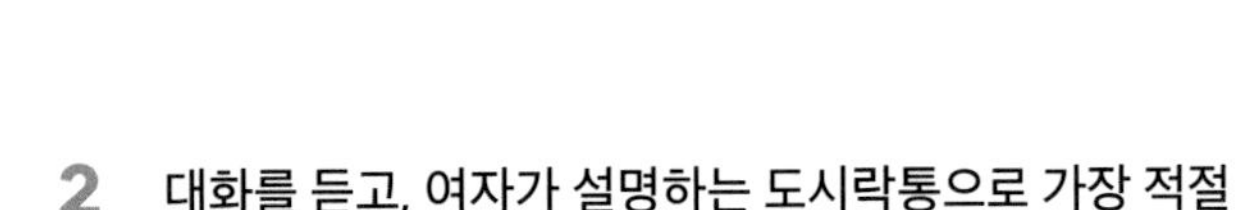

2 대화를 듣고, 여자가 설명하는 도시락통으로 가장 적절한 것 고르시오.

① ② ③

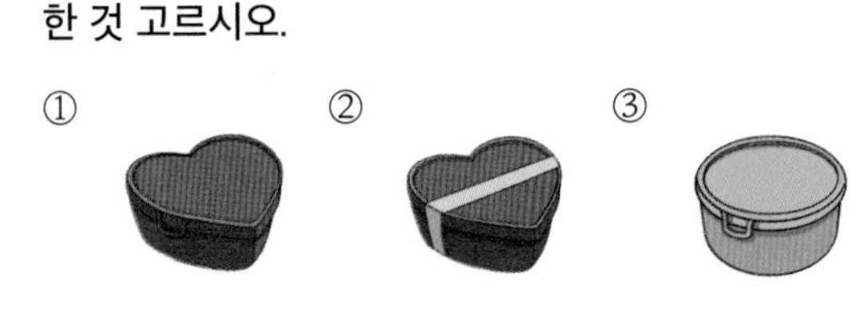

④ ⑤

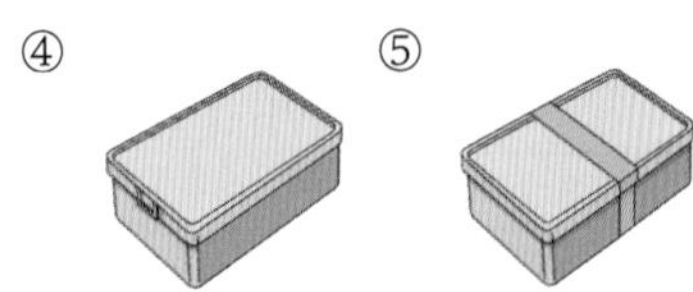

3 다음을 듣고, 토요일 오전의 날씨로 가장 적절한 것을 고르시오.

① ② ③ ④ ⑤

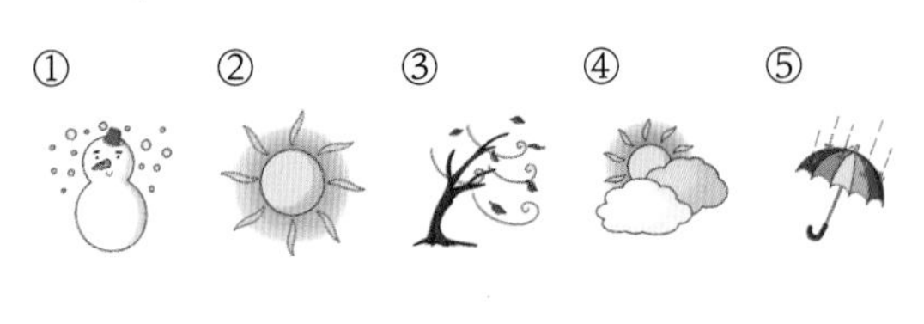

4 대화를 듣고, 남자의 마지막 말의 의도로 가장 적절한 것을 고르시오.

① 거절 ② 사과 ③ 제안 ④ 승낙 ⑤ 허가

5 다음을 듣고, 남자가 여름 캠프에 대해 언급하지 <u>않은</u> 것을 고르시오.

① 테니스 치기 ② 보드게임 하기
③ 수영하기 ④ 우정 팔찌 만들기
⑤ 티셔츠 염색하기

6 대화를 듣고, 두 사람이 만날 시각을 고르시오.

① 10:00 a.m. ② 10:30 a.m. ③ 11:00 a.m.
④ 11:30 a.m. ⑤ 12:00 p.m.

고난도

7 대화를 듣고, 여자의 장래 희망으로 가장 적절한 것을 고르시오.

① 제빵사 ② 배우 ③ 가구 제작자
④ 번역가 ⑤ 음악감독

8 대화를 듣고, 남자의 심정으로 가장 적절한 것을 고르시오.

① bored ② angry ③ sad
④ excited ⑤ nervous

9 대화를 듣고, 남자가 대화 직후 할 일로 가장 적절한 것을 고르시오.

① 기차표 예매하기 ② 객실 예약하기
③ 자동차 렌트하기 ④ 정동진 가기
⑤ 책 빌려주기

10 대화를 듣고, 식당의 무엇에 관한 내용인지 가장 적절한 것을 고르시오.

① 종업원 ② 신메뉴 ③ 메뉴 가격
④ 인테리어 ⑤ 위치

정답 및 해설 p.97

맞은 개수 : / 20개

11 대화를 듣고, 남자가 이용할 교통수단으로 가장 적절한 것을 고르시오.

① 지하철 ② 버스 ③ 기차
④ 택시 ⑤ 자전거

12 대화를 듣고, 여자가 수업을 들을 수 없는 이유로 가장 적절한 것을 고르시오.

① 경시대회에 참가해서 ② 늦잠을 자서
③ 태풍 경보가 내려서 ④ 배가 아파서
⑤ 체험 학습을 떠나서

13 대화를 듣고, 두 사람이 대화하는 장소로 가장 적절한 곳을 고르시오.

① 공연장 ② 카페 ③ 악기 상점
④ 식당 ⑤ 서점

14 대화를 듣고, 남자가 찾고 있는 손목시계의 위치로 가장 적절한 것을 고르시오.

15 대화를 듣고, 남자가 여자에게 부탁한 일로 가장 적절한 것을 고르시오.

① 고양이 털 빗기 ② 빗자루 가져오기
③ 관광지 추천하기 ④ 유리잔 닦기
⑤ 선반 조립하기

16 대화를 듣고, 여자가 남자에게 제안한 것으로 가장 적절한 것을 고르시오.

① 식탁에 꽃 놓기 ② 케이크 굽기
③ 음식 주문하기 ④ 손님 초대하기
⑤ 쓰레기통 비우기

17 대화를 듣고, 두 사람이 일요일에 할 일로 가장 적절한 것을 고르시오.

① 축구 경기 보기 ② 친척 집 방문하기
③ 봉사 활동 하기 ④ 새해 계획 세우기
⑤ 연하장 쓰기

고난도

18 대화를 듣고, 여자의 직업으로 가장 적절한 것을 고르시오.

① 변호사 ② 직업 상담사
③ 인테리어 디자이너 ④ 라디오 진행자
⑤ 공인중개사

[19-20] 대화를 듣고, 여자의 마지막 말에 이어질 남자의 응답으로 가장 적절한 것을 고르시오.

19 Man: ______________________

① Never mind.
② I like that idea.
③ What's your name?
④ Better late than never.
⑤ You should work out.

20 Man: ______________________

① I promise I will.
② I already did it.
③ He's good at games.
④ You have nice handwriting.
⑤ Is this your computer?

20회 Dictation

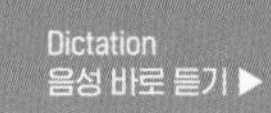

20회 중학영어듣기 실전 모의고사 Dictation 음성을 들으며 빈칸에 알맞은 단어를 채우시오.

고난도

1 | 화제 고르기

다음을 듣고, 'these'가 가리키는 것으로 가장 적절한 것을 고르시오.

① ② ③ ④ ⑤

M Most people use these ________ ________ ________ ________.
Some people use these ________ ________ ________ a car.
Their dark lenses can ________ ________ ________ from the sun. What are these?

2 | 알맞은 그림 고르기

대화를 듣고, 여자가 설명하는 도시락통으로 가장 적절한 것 고르시오.

① ② ③ ④ ⑤

W Dad, did you see my lunchbox? I ________ ________ ________ ________.

M What does it look like, Ashley?

W It's ________ ________ ________ ________ a heart.

M Does it have ________ ________ ________ around it?

W Yes, it does. The rubber band is mint.

M Oh, I think I saw it ________ ________ ________.

3 | 날씨 고르기

다음을 듣고, 토요일 오전의 날씨로 가장 적절한 것을 고르시오.

① ② ③ ④ ⑤

W Here is the weather report for the weekend. It will keep raining ________ ________ ________. However, it will stop in the afternoon. The air ________ ________ ________ after the rain. On Sunday, it will be ________ ________ ________. Have a wonderful weekend.

4 | 의도 고르기

대화를 듣고, 남자의 마지막 말의 의도로 가장 적절한 것을 고르시오.

① 거절 ② 사과 ③ 제안 ④ 승낙 ⑤ 허가

M Honey, who was on the phone?

W It was my friend. She ________ ________ ________, so she's looking for it.

M Oh, no! Where did she lose it?

W At Regent park. They were ________ ________ ________ there.

M She must be so sad. Why don't we go out and ________ ________ ________ ________?

5 | 언급하지 않은 내용 고르기

다음을 듣고, 남자가 여름 캠프에 대해 언급하지 않은 것을 고르시오.

① 테니스 치기 ② 보드게임 하기
③ 수영하기 ④ 우정 팔찌 만들기
⑤ 티셔츠 염색하기

적중! Tip activities
[액티비티즈]보다는 [액티비리즈]로 들린다. [t]가 모음 사이에서 발음될 때는 약화되어 [r]에 가깝게 발음되기 때문이다.

M I'd like to tell you about summer camp this year. You can experience outdoor activities like ________ ________ ________ ________. There are artistic activities too. You can ________ ________ ________ with string. Also, you can ________ ________ in various colors.

6 | 시간 정보 고르기

대화를 듣고, 두 사람이 만날 시각을 고르시오.

① 10:00 a.m. ② 10:30 a.m. ③ 11:00 a.m.
④ 11:30 a.m. ⑤ 12:00 p.m.

W Tony, will you go to ________ ________ ________ with me tomorrow?
M Why? Do you need something?
W I didn't ________ ________ ________ Jerry's birthday yet.
M Oh, right! Let's meet at 10 in the morning then.
W ________ ________ ________ at 11:30? I come home from the gym at 11.
M Sure, ________ ________. See you there tomorrow.

고난도

7 | 장래 희망 고르기

대화를 듣고, 여자의 장래 희망으로 가장 적절한 것을 고르시오.

① 제빵사 ② 배우 ③ 가구 제작자
④ 번역가 ⑤ 음악감독

적중! Tip director
[디렉터] 또는 [다이렉터] 두 가지로 모두 발음된다.

M Hey, Minji. What are these?
W They are my favorite movie posters.
M Are you ________ ________ ________ ________ ________ here?
W No. Actually, my favorite music director ________ ________ ________ for these movies.
M Oh, do you want to make music for movies?
W Yes. I really want to be ________ ________ ________ ________ someday.
M That sounds great!

8 | 심정 고르기

대화를 듣고, 남자의 심정으로 가장 적절한 것을 고르시오.

① bored ② angry ③ sad
④ excited ⑤ nervous

W Michael, what are you doing?
M I'm packing my bag, Janet.
W ________ ________ ________ ________ at Sangho's house tonight?
M Yes. We are going to play ________ ________ ________ ________ all night.
W Do you mean *Dragon Fire*? That one has interesting stories and characters.
M Yeah. I ________ ________ ________ ________ it.

9 | 할 일 고르기

대화를 듣고, 남자가 대화 직후 할 일로 가장 적절한 것을 고르시오.

① 기차표 예매하기 ② 객실 예약하기
③ 자동차 렌트하기 ④ 정동진 가기
⑤ 책 빌려주기

적중! Tip coupon
[쿠폰]으로 익숙한 외래어이지만 실제로는 [쿠판] 또는 [큐판]으로 발음된다.

W Daniel, I heard you ________ ________ ________ Gangneung.
M Yes. I'm going there next weekend.
W I ________ ________ ________ for a hotel in Gangneung. I can give it to you.
M A one-night free coupon? Wow, thank you!
W You can ________ ________ ________ ________.
M Okay. I'll do it right away.

10 | 주제 고르기

대화를 듣고, 식당의 무엇에 관한 내용인지 가장 적절한 것을 고르시오.

① 종업원 ② 신메뉴 ③ 메뉴 가격
④ 인테리어 ⑤ 위치

W Alex, what do you want to eat?
M Let's see. *[Pause]* Oh, there's ________ ________ ________ ________!
W It's a burrito, but what is that?
M It's a wrap. It ________ ________ ________ ________ in it.
W Did you eat this before?
M Yes. I ate it when I was in Mexico. It's delicious.
W Oh, I ________ ________ ________ it.
M Okay. Let's order two burritos.

11 | 교통수단 고르기

대화를 듣고, 남자가 이용할 교통수단으로 가장 적절한 것을 고르시오.

① 지하철 ② 버스 ③ 기차
④ 택시 ⑤ 자전거

적중! Tip Good point.
상대방의 말에 일리가 있음을 나타낼 때 쓰는 표현으로, '좋은 지적이야'라는 의미이다.

W How will you get ________ ________ ________ ________ tomorrow morning?
M Let me check the map. *[Pause]* Hmm... I can take a subway or a bus.
W Which one are you going to take?
M I think ________ ________ ________ ________.
W But the traffic is always heavy in the morning.
M Good point. I'll ________ ________ ________ then.
W Okay. See you there!

12 | 이유 고르기

대화를 듣고, 여자가 수업을 들을 수 없는 이유로 가장 적절한 것을 고르시오.

① 경시대회에 참가해서 ② 늦잠을 자서
③ 태풍 경보가 내려서 ④ 배가 아파서
⑤ 체험 학습을 떠나서

W Hello, Mr. Kim.
M What's the matter, Amy?
W I have a stomachache. Can I ________ ________ ________ today?
M Oh, no. Of course, you can.
W Thank you. Can I ________ ________ ________ for tomorrow then?
M I will email it to you. Just go home now and ________ ________ ________.
W Okay.

13 | 장소 고르기

대화를 듣고, 두 사람이 대화하는 장소로 가장 적절한 곳을 고르시오.

① 공연장 ② 카페 ③ 악기 상점
④ 식당 ⑤ 서점

M Hello. How can I help you?
W I'd like ________ ________ ________ ________.
M Which one do you want, an acoustic guitar or an electric guitar?
W I'm looking for ________ ________ ________.
M You should look in this section then. You can also ________ ________ ________.

14 | 위치 고르기

대화를 듣고, 남자가 찾고 있는 손목시계의 위치로 가장 적절한 것을 고르시오.

W Karl, why are you still home?

M Mom, I ________ ________ ________ for my test. But I can't find it.

W Did you ________ ________ ________ ________?

M Yes. But it's not there.

W Why don't you ________ ________ ________ ________?

M Oh, there it is! Thank you, Mom.

15 | 부탁·요청한 일 고르기

대화를 듣고, 남자가 여자에게 부탁한 일로 가장 적절한 것을 고르시오.

① 고양이 털 빗기 ② 빗자루 가져오기
③ 관광지 추천하기 ④ 유리잔 닦기
⑤ 선반 조립하기

M What's ________ ________ ________ here?

W Our cat suddenly jumped up on the shelf and broke a glass.

M Oh, I thought he couldn't ________ ________ ________.

W Yeah. It's so strange. I'm so sorry for the mess.

M It's okay. Could you ________ ________ ________ ________?

W Sure. I'll bring it.

16 | 제안한 일 고르기

대화를 듣고, 여자가 남자에게 제안한 것으로 가장 적절한 것을 고르시오.

① 식탁에 꽃 놓기 ② 케이크 굽기
③ 음식 주문하기 ④ 손님 초대하기
⑤ 쓰레기통 비우기

W Honey, did you order food for today's party?

M Yes. I also ________ ________ ________.

W That sounds wonderful. I chose some jazz music.

M Great! But does the dinner table ________ ________?

W Hmm... A little bit. Why don't we ________ ________ ________ on it?

M That would look nice.

W Okay. I'll put some flowers ________ ________ ________.

17 | 할 일 고르기

대화를 듣고, 두 사람이 일요일에 할 일로 가장 적절한 것을 고르시오.

① 축구 경기 보기 ② 친척 집 방문하기
③ 봉사 활동 하기 ④ 새해 계획 세우기
⑤ 연하장 쓰기

적중! Tip That works for me.
약속 시간, 제안 사항 등이 나에게 괜찮다고 말할 때 사용되는 표현으로, 특히 약속을 잡을 때 많이 사용된다.

M Happy New Year, Cindy!

W Happy New Year! Do you ________ ________ ________ for this year?

M Not yet. Why don't we set some together?

W That'll be great! Can we meet this Sunday?

M That works for me. Let's go to a café and make ________ ________ ________ ________.

W Okay. I'm ________ ________ ________ the new year!

고난도

18 | 직업 고르기

대화를 듣고, 여자의 직업으로 가장 적절한 것을 고르시오.

① 변호사 ② 직업 상담사
③ 인테리어 디자이너 ④ 라디오 진행자
⑤ 공인중개사

M Hello, everyone. You're watching *The Morning Show*. And ________ ________ ________ is Luna Smith.

W Hello. Thank you for having me.

M Of course. Luna, you decorate many celebrities' homes ________ ________ ________.

W Yes. That's right.

M Are you working on anything now?

W I'm ________ ________ ________ ________ in Los Angeles at the moment.

19 | 적절한 응답 고르기

대화를 듣고, 여자의 마지막 말에 이어질 남자의 응답으로 가장 적절한 것을 고르시오.

Man: ________________________

① Never mind.
② I like that idea.
③ What's your name?
④ Better late than never.
⑤ You should work out.

M Hey, Cathy. Did you start ________ ________ ________?

W No. I can't ________ ________ ________.

M You still have some time to decide.

W Yeah. But I want to finish it early.

M Me too. I ________ ________ ________ this week.

W Why don't we ________ ________ ________ ________ after we finish it?

20 | 적절한 응답 고르기

대화를 듣고, 여자의 마지막 말에 이어질 남자의 응답으로 가장 적절한 것을 고르시오.

Man: ________________________

① I promise I will.
② I already did it.
③ He's good at games.
④ You have nice handwriting.
⑤ Is this your computer?

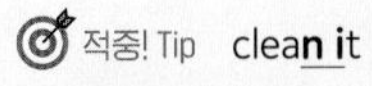

clean it

[클린 잇]보다는 [클리닛]으로 들린다. 앞에 나온 단어의 끝 자음과 뒤에 나온 단어의 첫 모음이 연음되고, 문장 중간에 쓰인 대명사의 첫소리는 약하게 발음되기 때문이다.

M Mom, can I visit Tom? He wants to ________ ________ ________ ________.

W Did you clean your room?

M No, I didn't. But I can clean it later.

W I ________ ________ ________ ________ it this afternoon.

M I know, but I was busy. I had too much homework.

W Fine. You can go, but please ________ ________ ________ ________ later.

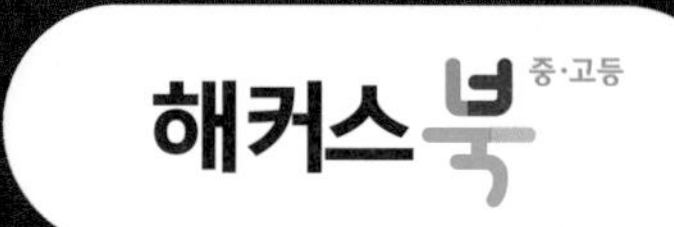
해커스북
중·고등

고난도 모의고사

21~24회 고난도 모의고사

21회 중학영어듣기 고난도 모의고사

고난도 모의고사 음성 바로 듣기 ▶

1 다음을 듣고, 'I'가 무엇인지 가장 적절한 것을 고르시오.

2 대화를 듣고, 남자가 구입한 필통으로 가장 적절한 것을 고르시오.

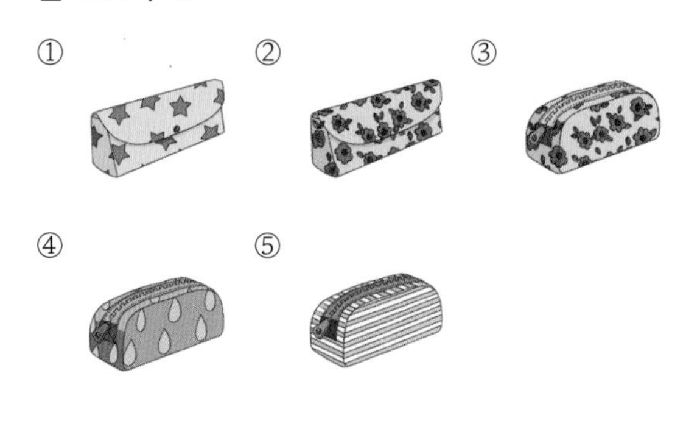

3 다음을 듣고, 부산의 내일 날씨로 가장 적절한 것을 고르시오.

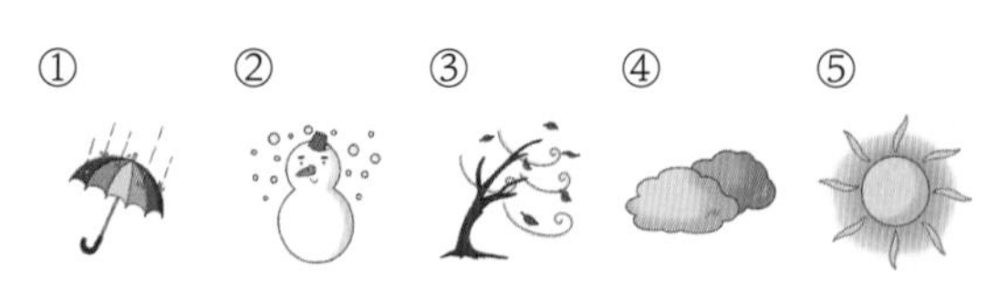

4 대화를 듣고, 여자가 한 마지막 말의 의도로 가장 적절한 것을 고르시오.

① 격려 ② 축하 ③ 허락 ④ 사과 ⑤ 동의

5 다음을 듣고, 남자가 마라톤 대회에 대해 언급하지 않은 것을 고르시오.

① 대회 개최일 ② 참가 부문 ③ 참가비
④ 기념품 ⑤ 참가 자격

6 대화를 듣고, 두 사람이 이야기를 나누는 현재 시각을 고르시오.

① 3:00 p.m. ② 3:30 p.m. ③ 4:00 p.m.
④ 4:30 p.m. ⑤ 5:00 p.m.

7 대화를 듣고, 남자의 장래 희망으로 가장 적절한 것을 고르시오.

① 성직자 ② 소설가 ③ 시인
④ 공무원 ⑤ 작곡가

8 대화를 듣고, 여자가 그린 그림에 대한 내용으로 일치하지 않는 것을 고르시오.

① 친구의 초상화이다.
② 어제 완성했다.
③ 배경에 해바라기를 그렸다.
④ 색연필로 색을 칠했다.
⑤ 친구에게 선물할 예정이다.

9 대화를 듣고, 여자가 대화 직후에 할 일로 가장 적절한 것을 고르시오.

① 나비 관찰하기 ② 입장권 예매하기
③ 휴대폰 끄기 ④ 중요한 통화하기
⑤ 휴대폰 무음 설정하기

10 대화를 듣고, 무엇에 관한 내용인지 가장 적절한 것을 고르시오.

① 학교 숙제 ② 방학 계획 ③ 중국어 공부
④ 새해 목표 ⑤ 한자 자격증

11 대화를 듣고, 남자가 이용할 교통수단으로 가장 적절한 것을 고르시오.

① 자전거 ② 버스 ③ 지하철
④ 택시 ⑤ 자동차

12 대화를 듣고, 남자가 음식을 남긴 이유로 가장 적절한 것을 고르시오.

① 배가 불러서 ② 편식을 해서
③ 다이어트 중이어서 ④ 맛이 없어서
⑤ 알레르기가 있어서

13 대화를 듣고, 두 사람의 관계로 가장 적절한 것을 고르시오.

① 도서관 사서 — 학생 ② 축구 선수 — 감독
③ 요리사 — 손님 ④ 승무원 — 승객
⑤ 여행 가이드 — 관광객

14 대화를 듣고, Jim's Restaurant의 위치로 가장 알맞은 것을 고르시오.

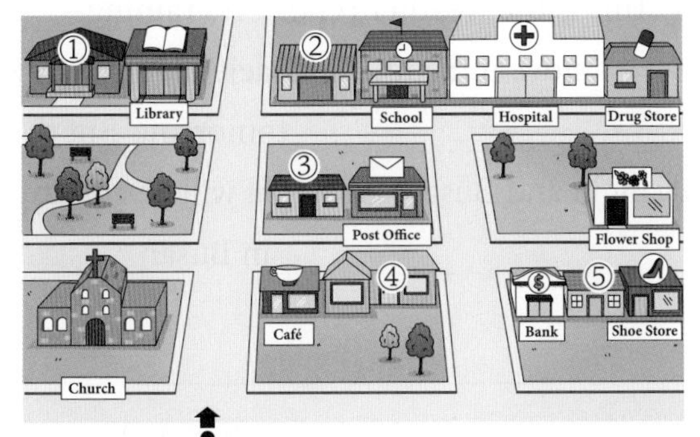

15 대화를 듣고, 여자가 남자에게 요청한 일로 가장 적절한 것을 고르시오.

① 숙제 도와주기 ② 차에 태워주기
③ 버스 카드 충전하기 ④ 간식 준비하기
⑤ 정류장에 마중 나가기

16 대화를 듣고, 남자가 여자에게 제안한 것으로 가장 적절한 것을 고르시오.

① 체온 측정하기 ② 악수하기
③ 병원 진료 받기 ④ 목도리 두르기
⑤ 감기약 먹기

17 대화를 듣고, 여자가 지난 주말에 한 일로 가장 적절한 것을 고르시오.

① 영화 보기 ② 가족 여행 가기
③ 춘천 관광하기 ④ 눈사람 만들기
⑤ 스키 타기

18 대화를 듣고, 남자의 직업으로 가장 적절한 것을 고르시오.

① 화가 ② 뮤지컬 배우 ③ 패션 모델
④ 음악감독 ⑤ 드라마 작가

[19-20] 대화를 듣고, 남자의 마지막 말에 이어질 여자의 말로 가장 적절한 것을 고르시오.

19 Woman: ______________________

① Let's move from here.
② At the start of the month.
③ I'll miss you so much.
④ My cousins live there.
⑤ Daegu is the hottest city in Korea.

20 Woman: ______________________

① I have a lot to do.
② The meal is at 7 p.m.
③ He had eggs for breakfast.
④ I woke up at 8 a.m.
⑤ We need to hurry.

21회 Dictation

21회 중학영어듣기 고난도 모의고사 Dictation 음성을 들으며 빈칸에 알맞은 단어를 채우시오.

1 | 화제 고르기

다음을 듣고, 'I'가 무엇인지 가장 적절한 것을 고르시오.

① ② ③ ④ ⑤

W I live ________ ________ ________ or sand near the ocean. If you ________ ________ on the beach, you may find me. I have a hard shell ________ ________ my soft body. I can ________ ________ ________ inside my body. What am I?

2 | 알맞은 그림 고르기

대화를 듣고, 남자가 구입한 필통으로 가장 적절한 것을 고르시오.

① ② ③ ④ ⑤

M Hello, I'd like to ________ ________ ________ ________.

W Do you want a different pattern? You can choose from stripes, dots, and stars.

M I don't want to change the pattern. I like this flower pattern. But ________ ________ ________ ________.

W Oh, I see. I'll replace it with a new one. Please ________ ________ ________.

M Okay. Thanks.

3 | 날씨 고르기

다음을 듣고, 부산의 내일 날씨로 가장 적절한 것을 고르시오.

① ② ③ ④ ⑤

M Good evening. This is the weather report. It's raining ________ ________ ________ now. In Seoul and Daejeon, the rain will be heavy ________ ________ ________ tomorrow. But the rain will stop in Gwangju and Busan. Gwangju will be cloudy, but there'll be ________ ________ ________ in Busan.

4 | 의도 고르기

대화를 듣고, 여자가 한 마지막 말의 의도로 가장 적절한 것을 고르시오.

① 격려 ② 축하 ③ 허락 ④ 사과 ⑤ 동의

W Dongjin, ________ ________ ________. What's bothering you?

M My music teacher recommended that I ________ ________ ________ a piano competition.

W Good for you. You want to be a pianist.

M But the contest is too big. I don't want to disappoint everyone. I ________ ________ ________ ________.

W Just go for it. I believe you can do it!

5 | 언급하지 않은 내용 고르기

다음을 듣고, 남자가 마라톤 대회에 대해 언급하지 않은 것을 고르시오.

① 대회 개최일 ② 참가 부문 ③ 참가비
④ 기념품 ⑤ 참가 자격

적중! Tip running
[러닝]으로 발음된다. 발음이 같은 자음이 나란히 나오면 그중 하나만 발음되기 때문이다.

M I'd like to ________ ________ ________ the Junior Marathon Challenge this Sunday. Anyone under 18 can ________ ________ ________. Participants can choose between running 5 or 10 kilometers for the race. Please visit our website ________ ________ ________.

6 | 시간 정보 고르기

대화를 듣고, 두 사람이 이야기를 나누는 현재 시각을 고르시오.

① 3:00 p.m. ② 3:30 p.m. ③ 4:00 p.m.
④ 4:30 p.m. ⑤ 5:00 p.m.

적중! Tip No way.
어떠한 상황이 믿기지 않음을 나타낼 때 사용되는 표현으로 '그럴 리가, 말도 안 된다'라는 의미이다.
· No way. It's impossible.
그럴 리가. 그건 불가능해.

M Hey, Janet! What ________ ________ ________?

W Hi, Tom. I have a dentist's appointment at 4:30 in this building.

M Why did you ________ ________ ________? It's just 3:30.

W What? No way. It's 4 o'clock now. *[Pause]* Oh, I ________ ________ ________ ________.

M Then, how about having coffee with me?

7 | 장래 희망 고르기

대화를 듣고, 남자의 장래 희망으로 가장 적절한 것을 고르시오.

① 성직자 ② 소설가 ③ 시인
④ 공무원 ⑤ 작곡가

W Minho, why don't you join a book club? You said you want to ________ ________ ________.

M I changed my dream, Mom.

W Then, what do you want to do in the future?

M I want ________ ________ ________.

W That's good. You have the talent to be a good composer.

M Thanks for always ________ ________ ________.

8 | 일치하지 않는 내용 고르기

대화를 듣고, 여자가 그린 그림에 대한 내용으로 일치하지 않는 것을 고르시오.

① 친구의 초상화이다.
② 어제 완성했다.
③ 배경에 해바라기를 그렸다.
④ 색연필로 색을 칠했다.
⑤ 친구에게 선물할 예정이다.

M Soyoung, is this your painting?
W Yes. ________ ________ ________ this yesterday.
M Wow, the colors look so vivid.
W Yeah. I used poster paint.
M And ________ ________ ________ ________ in the picture?
W She is my best friend.
M Why did you draw ________ ________ ________ ________?
W It's her favorite flower. I'll give this to her as a birthday present.
M She'll love it!

9 | 할 일 고르기

대화를 듣고, 여자가 대화 직후에 할 일로 가장 적절한 것을 고르시오.

① 나비 관찰하기　② 입장권 예매하기
③ 휴대폰 끄기　④ 중요한 통화하기
⑤ 휴대폰 무음 설정하기

적중! Tip　important
[임폴턴트]보다는 [임폴은]으로 들린다. 자음 사이에 오는 [t] 발음은 약화되어 거의 들리지 않고, -nt로 끝나는 단어에서 마지막 [t] 발음은 약화되어 거의 들리지 않기 때문이다.

M Welcome to the Butterfly Museum. Would you ________ ________ ________ ________?
W Yes. Here it is.
M And please ________ ________ your phone. It can disturb others.
W Sorry, but I can't. I'm ________ ________ an important phone call.
M Then, could you ________ ________ ________?
W Okay. I will.

10 | 주제 고르기

대화를 듣고, 무엇에 관한 내용인지 가장 적절한 것을 고르시오.

① 학교 숙제　② 방학 계획　③ 중국어 공부
④ 새해 목표　⑤ 한자 자격증

M Hanna, you just made your ________ ________ ________. Can I look at it?
W Of course.
M Oh, you plan to study Chinese for ________ ________ ________ ________.
W Yeah. I started last summer vacation.
M Wow, then how good is your Chinese?
W Now I can ________ ________ ________ ________.
M That's cool!

11 | 교통수단 고르기

대화를 듣고, 남자가 이용할 교통수단으로 가장 적절한 것을 고르시오.

① 자전거 ② 버스 ③ 지하철
④ 택시 ⑤ 자동차

적중! Tip **ex**ercised
[엑설사이즈드]로 발음된다. [ex]는 [엑스], [이그즈], [익스] 중 하나로 발음된다.

W How will you go back to your home, Junsang?
M I ________ ________ ________ ________, so I'll go home that way.
W But you exercised a lot today.
M Yes. You're right. I'm a bit tired now.
W Then, ________ ________ ________ will be better.
M What about my bicycle?
W You can leave it ________ ________ ________ ________.
M Alright.

12 | 이유 고르기

대화를 듣고, 남자가 음식을 남긴 이유로 가장 적절한 것을 고르시오.

① 배가 불러서 ② 편식을 해서
③ 다이어트 중이어서 ④ 맛이 없어서
⑤ 알레르기가 있어서

W Kevin, ________ ________ ________. Don't you like bibimbap?
M Yes. I love it. It's really delicious.
W Then, ________ ________ ________ ________? I'm worried.
M Hmm... Actually, there's one reason.
W What is it?
M I'm on a diet for my health. So, I'm ________ ________ ________ ________ than usual.
W Oh, I see.

13 | 관계 고르기

대화를 듣고, 두 사람의 관계로 가장 적절한 것을 고르시오.

① 도서관 사서 — 학생 ② 축구 선수 — 감독
③ 요리사 — 손님 ④ 승무원 — 승객
⑤ 여행 가이드 — 관광객

M Welcome to the city of London. We have a lot to see today.
W What will be ________ ________ ________ on the tour?
M ________ ________ ________ to Buckingham Palace first. That will take about two hours.
W Then, will we go to Tower Bridge?
M Yes. We'll ________ ________ around 11 a.m. Then, you'll have fish and chips for lunch.
W I ________ ________!

14 | 위치 고르기

대화를 듣고, Jim's Restaurant의 위치로 가장 알맞은 것을 고르시오.

You are here!

M I'm not sure how to get to Jim's Restaurant. Can you ________ ________ ________ on your phone?
W Sure, let me see. *[Pause]* Oh, we should turn right ________ ________ ________ ________.
M Okay, and then?
W ________ ________ for a while, and we'll see it on our right. It's between a bank and a shoe store.
M Alright. Let's go.

15 | 부탁·요청한 일 고르기

대화를 듣고, 여자가 남자에게 요청한 일로 가장 적절한 것을 고르시오.

① 숙제 도와주기 ② 차에 태워주기
③ 버스 카드 충전하기 ④ 간식 준비하기
⑤ 정류장에 마중 나가기

적중! Tip Do you want me to ~?
상대방에게 무언가를 제안하며 의향을 물을 때 사용되는 표현으로 '내가 ~할까?, 제가 ~할까요?'라는 의미이다. 이 때 to 다음에는 동사원형이 온다.
· Do you want me to turn on the TV?
내가 TV 켤까?

[Cellphone rings.]

W Hello, Dad.

M What's up, Clara?

W I'll ________ ________ ________ today. I have to do homework in the library.

M Do you want me to take you home by car?

W No. Just ________ ________ ________ at the bus stop, please.

M When will you arrive there?

W Around 9.

M Okay. I'll be there ________ ________ ________.

16 | 제안한 일 고르기

대화를 듣고, 남자가 여자에게 제안한 것으로 가장 적절한 것을 고르시오.

① 체온 측정하기 ② 악수하기
③ 병원 진료 받기 ④ 목도리 두르기
⑤ 감기약 먹기

W Do you think I ________ ________ ________? My cheeks are so red.

M Well, I don't think so.

W Then, hold my hands. They're really hot.

M Oh, you're right. ________ ________ ________ ________ anywhere else?

W I have a headache.

M You may have a cold. What about ________ ________ ________?

W That'll help. I'll do that.

17 | 한 일 고르기

대화를 듣고, 여자가 지난 주말에 한 일로 가장 적절한 것을 고르시오.

① 영화 보기 ② 가족 여행 가기
③ 춘천 관광하기 ④ 눈사람 만들기
⑤ 스키 타기

W Steve, ________ ________ ________ ________ last weekend?

M As you know, we had much snow. So, I built snowmen with my sister.

W Wow, that sounds fun! I ________ ________.

M How about you? You were going to take a family trip to Chuncheon.

W It was canceled ________ ________ ________.

M Oh, I'm sorry.

W So, I just ________ ________ ________ at home.

M That's not bad.

18 | 직업 고르기

대화를 듣고, 남자의 직업으로 가장 적절한 것을 고르시오.

① 화가 ② 뮤지컬 배우 ③ 패션 모델
④ 음악감독 ⑤ 드라마 작가

적중! Tip Got it.
상대방의 말을 듣고 이해했음을 나타낼 때 사용되는 표현이다.

W Jonathan, we will ________ ________ ________ again in 10 minutes.
M Okay. How was the last scene?
W You did very well, but you should ________ ________ ________ ________ in the scene.
M Alright, I'll keep that in mind.
W Your character is ________ ________ ________ ________, so he should always be smiling.
M Got it.

19 | 적절한 응답 고르기

대화를 듣고, 남자의 마지막 말에 이어질 여자의 말로 가장 적절한 것을 고르시오.

Woman: ______________________

① Let's move from here.
② At the start of the month.
③ I'll miss you so much.
④ My cousins live there.
⑤ Daegu is the hottest city in Korea.

M I ________ ________ ________, Sena.
W What's wrong?
M I'm ________ ________ ________ to Daegu. It's too far from here.
W Don't worry. I go there every year, so ________ ________ ________ in Daegu.
M Oh, really? Why?

20 | 적절한 응답 고르기

대화를 듣고, 남자의 마지막 말에 이어질 여자의 말로 가장 적절한 것을 고르시오.

Woman: ______________________

① I have a lot to do.
② The meal is at 7 p.m.
③ He had eggs for breakfast.
④ I woke up at 8 a.m.
⑤ We need to hurry.

W Hi, Scott. You ________ ________. What's going on?
M I ________ ________ in the morning.
W What did you do?
M I went jogging. Also, I made breakfast and ________ ________ ________.
W Wow. What time did you ________ ________?
M Around 6. What about you?

22회 중학영어듣기 고난도 모의고사

고난도 모의고사
음성 바로 듣기 ▶

1 다음을 듣고, 'this'가 가리키는 것으로 가장 적절한 것을 고르시오.

2 대화를 듣고, 여자가 구입할 머그컵으로 가장 적절한 것을 고르시오.

3 다음을 듣고, 내일의 날씨로 가장 적절한 것을 고르시오.

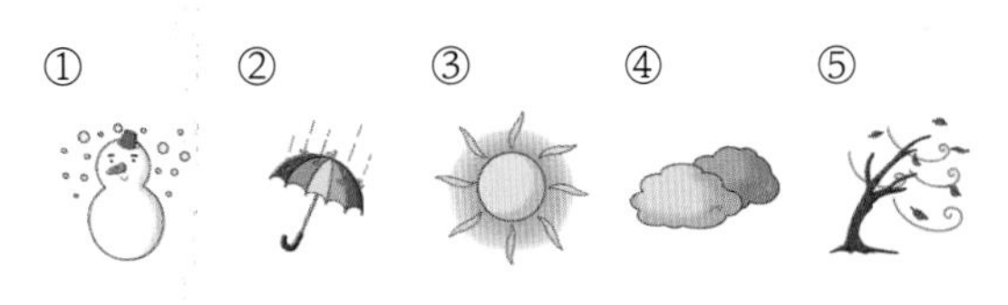

4 대화를 듣고, 남자가 한 마지막 말의 의도로 가장 적절한 것을 고르시오.

① 충고 ② 동의 ③ 거절 ④ 위로 ⑤ 감사

5 다음을 듣고, 여자가 책에 대해 언급하지 않은 것을 고르시오.

① 도서명 ② 작가 이름 ③ 장르
④ 출간 연도 ⑤ 줄거리

6 대화를 듣고, 두 사람이 만날 시각을 고르시오.

① 5:30 p.m. ② 6:00 p.m. ③ 6:30 p.m.
④ 7:00 p.m. ⑤ 7:30 p.m.

7 대화를 듣고, 여자의 장래 희망으로 가장 적절한 것을 고르시오.

① 패션모델 ② 패션 디자이너
③ 보석 디자이너 ④ 메이크업 아티스트
⑤ 재단사

8 대화를 듣고, 남자의 심정으로 가장 적절한 것을 고르시오.

① upset ② disappointed
③ bored ④ nervous
⑤ thankful

9 대화를 듣고, 여자가 대화 직후에 할 일로 가장 적절한 것을 고르시오.

① 쿠키 굽기 ② 소금 건네주기
③ 요리 수업 듣기 ④ 쿠키 포장하기
⑤ 오븐 온도 확인하기

10 대화를 듣고, 무엇에 관한 내용인지 가장 적절한 것을 고르시오.

① 학교 신문 발간 ② 음악 수행평가
③ 기말고사 일정 ④ 노래 경연 대회
⑤ 지역 축제 계획

11 대화를 듣고, 두 사람이 함께 이용할 교통수단으로 가장 적절한 것을 고르시오.

① 자전거 ② 지하철 ③ 기차
④ 자동차 ⑤ 버스

12 대화를 듣고, 남자가 노트북을 빌려줄 수 없는 이유로 가장 적절한 것을 고르시오.

① 고장 났기 때문에
② 잃어버렸기 때문에
③ 지금 써야 하기 때문에
④ 집에 두고 왔기 때문에
⑤ 다른 사람에게 빌려줬기 때문에

13 대화를 듣고, 두 사람이 대화하는 장소로 가장 적절한 곳을 고르시오.

① 운동장 ② 미술실 ③ 음악실
④ 도서관 ⑤ 화장실

14 대화를 듣고, 여자가 찾는 목걸이의 위치로 가장 알맞은 곳을 고르시오.

15 대화를 듣고, 남자가 여자에게 부탁한 일로 가장 적절한 것을 고르시오.

① 함께 등산하기 ② 그림 그려주기
③ 사진 찍어주기 ④ 포즈 연습하기
⑤ 암벽 오르기

16 대화를 듣고, 여자가 남자에게 제안한 것으로 가장 적절한 것을 고르시오.

① 휴일 계획 세우기 ② 낚시하러 가기
③ 꽃 축제 놀러 가기 ④ 야외 운동하기
⑤ 영화 보러 가기

17 대화를 듣고, 두 사람이 내일 오전에 할 일로 가장 적절한 것을 고르시오.

① 경기 결과 보기 ② 토스트 만들기
③ 제과점 가기 ④ 식료품 사러 가기
⑤ 야구표 예매하기

18 대화를 듣고, 여자의 직업으로 가장 적절한 것을 고르시오.

① 의사 ② 피아니스트 ③ 동물 훈련사
④ 아나운서 ⑤ 미용사

[19-20] 대화를 듣고, 여자의 마지막 말에 이어질 남자의 말로 가장 적절한 것을 고르시오.

19 Man: ______________________

① They won the game.
② Wait here, I'll go get them.
③ Don't give up.
④ He played outside.
⑤ I'll do my best.

20 Man: ______________________

① I saw lots of insects there.
② Face your fears.
③ Watch out for the bee.
④ Don't you agree?
⑤ I'm scared of high places.

22회 Dictation

Dictation
음성 바로 듣기 ▶

22회 중학영어듣기 고난도 모의고사 Dictation 음성을 들으며 빈칸에 알맞은 단어를 채우시오.

1 | 화제 고르기

다음을 듣고, 'this'가 가리키는 것으로 가장 적절한 것을 고르시오.

① ② ③ ④ ⑤

W You can see this in a kitchen. It has ________ ________ ________ inside. You can make juice with this. The rotating blade will ________ ________ and mix them. It is ________ ________ ________. So, you need to use this very carefully. What is this?

2 | 알맞은 그림 고르기

대화를 듣고, 여자가 구입할 머그컵으로 가장 적절한 것을 고르시오.

① ② ③ ④ ⑤

W Hello, I'm ________ ________ ________ ________.

M We have this one with a pig on it. It's our ________ ________.

W That's not bad, but I like monkeys better.

M Then, you can choose from these.

W I'd like the one with a banana ________ ________ ________.

M Good choice. I'll ________ ________ ________ for you.

3 | 날씨 고르기

다음을 듣고, 내일의 날씨로 가장 적절한 것을 고르시오.

① ② ③ ④ ⑤

W Good morning. Here is the daily weather report. The rain from yesterday stopped this morning. But we still ________ ________ sunny skies today. It will be ________ ________ ________ ________. Tomorrow, strong winds will come, so it'll be very cold. ________ ________ ________ ________ and a scarf.

4 | 의도 고르기

대화를 듣고, 남자가 한 마지막 말의 의도로 가장 적절한 것을 고르시오.

① 충고 ② 동의 ③ 거절
④ 위로 ⑤ 감사

W Martin, I heard Amy ________ ________ ________ ________ this Saturday.

M Yes, she did. But I don't think I can go.

W Why not?

M I have to study ________ ________ ________ ________ next Monday.

W Don't worry. We can study together after lunch.

M I can focus better ________ ________ ________ ________.

5 | 언급하지 않은 내용 고르기

다음을 듣고, 여자가 책에 대해 언급하지 않은 것을 고르시오.

① 도서명 ② 작가 이름 ③ 장르
④ 출간 연도 ⑤ 줄거리

W Let me tell you about the book *Brave Joy*. It was ________ ________ 1963. It's ________ ________ ________. In this book, a bear ________ ________ ________ to find her family. Her name is Joy, and she is ________ ________ ________.
I recommend that you read it.

6 | 시간 정보 고르기

대화를 듣고, 두 사람이 만날 시각을 고르시오.

① 5:30 p.m. ② 6:00 p.m. ③ 6:30 p.m.
④ 7:00 p.m. ⑤ 7:30 p.m.

적중! Tip Are you going to ~?
상대방에게 가까운 미래의 계획을 물어볼 때 쓰는 표현으로, to 다음에는 동사원형이 온다.
· Are you going to join a school club?
너 학교 동아리에 가입할 거니?

[Cellphone rings.]
M Minji, are you going to the piano concert tonight?
W Yes, Dad.
M ________ ________ ________ ________? I can take you.
W It begins at 7:30.
M Okay. ________ ________ ________ by 6:30.
W Oh, I'm having dinner at the school cafeteria now.
M Alright. It's 5:30 now, so I'll ________ ________ ________ there in 30 minutes.
W Thanks, Dad.

7 | 장래 희망 고르기

대화를 듣고, 여자의 장래 희망으로 가장 적절한 것을 고르시오.

① 패션모델 ② 패션 디자이너
③ 보석 디자이너 ④ 메이크업 아티스트
⑤ 재단사

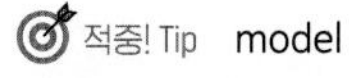

model
[모델]로 익숙한 외래어이지만 실제로는 [마를]로 발음된다.

W Inho, did you ________ ________ about your future dream job?
M Yes. My dream is to become a fashion model.
W Really? I want to work ________ ________ ________ ________ too!
M What do you want to do exactly?
W I want to ________ ________ ________.
M Cool. Someday, I might walk on a runway with your jewelry.
W That would be awesome.

8 | 심정 고르기

대화를 듣고, 남자의 심정으로 가장 적절한 것을 고르시오.

① upset ② disappointed
③ bored ④ nervous
⑤ thankful

W Yongjun, ________ ________ ________ ________?
M Yes, it's mine. Where did you find it?
W It was ________ ________ ________ at the bus stop.
M Oh, I took some notes while I was waiting for the bus.
W And you ________ ________ ________, right?
M Yeah. I really appreciate it. This means a lot to me.

9 | 할 일 고르기

대화를 듣고, 여자가 대화 직후에 할 일로 가장 적절한 것을 고르시오.

① 쿠키 굽기 ② 소금 건네주기
③ 요리 수업 듣기 ④ 쿠키 포장하기
⑤ 오븐 온도 확인하기

W Evan, you look so busy.
M Yeah, I have to ________ ________ ________ before everyone comes. But I still have a lot to do.
W Maybe I can help you.
M Then, could you ________ ________ ________ ________?
W Sure. Here you are.
M Thank you. Oh, I forgot to ________ ________ ________ ________.
W It's okay. Leave it to me.

10 | 주제 고르기

대화를 듣고, 무엇에 관한 내용인지 가장 적절한 것을 고르시오.

① 학교 신문 발간 ② 음악 수행평가
③ 기말고사 일정 ④ 노래 경연 대회
⑤ 지역 축제 계획

적중! Tip article
[알티클]보다는 [아리클]로 들린다. [rt]가 모음 사이에서 발음될 때는 약화되어 [r]에 가깝게 발음되기 때문이다.

M What are you looking at, Susan?
W I'm reading ________ ________ ________. There is a very interesting article in it.
M What is it about?
W ________ ________ ________ will take place next month.
M Will you enter it?
W Yes. The winner will have ________ ________ ________ ________ in the school festival.
M Go for it! You'll do well.

11 | 교통수단 고르기

대화를 듣고, 두 사람이 함께 이용할 교통수단으로 가장 적절한 것을 고르시오.

① 자전거 ② 지하철 ③ 기차
④ 자동차 ⑤ 버스

M Mom, how should we get to Sunset Beach this weekend?
W There is a subway station ________ ________ ________ ________. How about taking the subway?
M Well, I want to enjoy the view ________ ________ ________.
W Then, shall we ________ ________ ________?
M Great. Can I sit by the window?
W Of course.

12 | 이유 고르기

대화를 듣고, 남자가 노트북을 빌려줄 수 없는 이유로 가장 적절한 것을 고르시오.

① 고장 났기 때문에
② 잃어버렸기 때문에
③ 지금 써야 하기 때문에
④ 집에 두고 왔기 때문에
⑤ 다른 사람에게 빌려줬기 때문에

W Sejin, could you ________ ________ ________ ________?
M Why? You bought one last winter.
W Yeah, but it's broken.
M Oh, I see. But ________ ________ ________ ________. My brother borrowed mine.
W Then, what should I do? I need a laptop for my presentation now.
M Why don't you ________ ________ ________ ________? It's not that expensive.
W Okay, I will.

13 | 장소 고르기

대화를 듣고, 두 사람이 대화하는 장소로 가장 적절한 곳을 고르시오.

① 운동장 ② 미술실 ③ 음악실
④ 도서관 ⑤ 화장실

적중! Tip join us
[조인 어스]보다는 [조이너스]로 들린다. 앞에 나온 단어의 끝 자음과 뒤에 나온 단어의 첫 모음이 연음되기 때문이다.

W Minsu, could you ________ ________ ________ ________? It's right next to you.
M Okay, sure.
W Thanks. Why don't you ________ ________ ________ ________?
M Well, I'm ________ ________ the library now.
W We need one more person. Please join us.
M But it's too hot. I don't like to sweat.
W Then, I'll ________ ________ ________ ________ ________ later.
M Oh, really? Maybe I can play for a little while.

14 | 위치 고르기

대화를 듣고, 여자가 찾는 목걸이의 위치로 가장 알맞은 곳을 고르시오.

W Dad, can you ________ ________ ________ from my room?
M Sure. What does it look like?
W It's silver and has a heart pendant. The jewelry box is ________ ________ ________.
M Well, there's nothing in the box.
W Then, ________ ________ ________ ________.
M No, I can't see it. Oh, here it is! It's ________ ________ ________.

15 | 부탁·요청한 일 고르기

대화를 듣고, 남자가 여자에게 부탁한 일로 가장 적절한 것을 고르시오.

① 함께 등산하기 ② 그림 그려주기
③ 사진 찍어주기 ④ 포즈 연습하기
⑤ 암벽 오르기

적중! Tip Do you mind ~?
상대방에게 무언가를 요청할 때 사용되는 표현으로 '~해 줄래?, ~해도 괜찮을까?'라는 의미이다. 이때 mind 다음에는 동명사가 온다.
· Do you mind closing the door?
문 좀 닫아 줄래?

M Wow! We're on ________ ________ ________ ________ ________.
W Yeah. It wasn't easy, but we did it.
M Do you mind ________ ________ ________ of me? It's my first time climbing to the top.
W Of course not. Pose and ________ ________ ________ ________.
M Okay. I'll stand next to the huge stone.
W Excellent idea!

16 | 제안한 일 고르기

대화를 듣고, 여자가 남자에게 제안한 것으로 가장 적절한 것을 고르시오.

① 휴일 계획 세우기 ② 낚시하러 가기
③ 꽃 축제 놀러 가기 ④ 야외 운동하기
⑤ 영화 보러 가기

[Cellphone rings.]
M Hey, Emma. Do you have ________ ________ ________ ________ ________?
W No, I don't have any special plans.
M Then, how about going to the Spring Flower Festival?
W Well, it ended last Sunday.
M Oh, but I want to ________ ________ ________ ________.
W I suggest ________ ________ ________.
M That sounds interesting!

17 | 할 일 고르기

대화를 듣고, 두 사람이 내일 오전에 할 일로 가장 적절한 것을 고르시오.

① 경기 결과 보기 ② 토스트 만들기
③ 제과점 가기 ④ 식료품 사러 가기
⑤ 야구표 예매하기

적중! Tip Why not?
상대방의 의견이나 제안에 동의할 때 쓰는 표현이다. '왜 안 되겠어?'라는 뉘앙스로 즉, '물론 좋지, 당연하지'라는 의미이다.

M Honey, we need to go ________ ________ ________ for breakfast tomorrow.
W Can we go later?
M The bakery will close at 9. We should go now.
W But I'm ________ ________ ________ ________.
M Then, how about having fried eggs in the morning instead?
W Why not?
M Oh, we don't have eggs either.
W In that case, let's go to ________ ________ ________ before breakfast.
M Alright.

18 | 직업 고르기

대화를 듣고, 여자의 직업으로 가장 적절한 것을 고르시오.

① 의사 ② 피아니스트 ③ 동물 훈련사
④ 아나운서 ⑤ 미용사

W Charlie did a great job today. He is ________ ________ ________ ________.
M That's good.
W He won't ________ ________ ________ now.
M Thanks. How can I ________ ________ ________ ________?
W Reward him when he follows your commands.
M Okay, I'll give ________ ________ ________ to him.

19 | 적절한 응답 고르기

대화를 듣고, 여자의 마지막 말에 이어질 남자의 말로 가장 적절한 것을 고르시오.

Man: ____________________

① They won the game.
② Wait here, I'll go get them.
③ Don't give up.
④ He played outside.
⑤ I'll do my best.

M Why don't we play chess, Rachel?
W Well... I don't know ________ ________ ________ ________.
M Don't worry. I can teach you.
W But I think ________ ________ ________.
M The rules are simple. You can ________ ________ ________.
W Great. Where are the chessboard and pieces?

20 | 적절한 응답 고르기

대화를 듣고, 여자의 마지막 말에 이어질 남자의 말로 가장 적절한 것을 고르시오.

Man: ____________________

① I saw lots of insects there.
② Face your fears.
③ Watch out for the bee.
④ Don't you agree?
⑤ I'm scared of high places.

M What's wrong, Sunhee? I heard a scream.
W I saw a moth. ________ ________ ________ ________.
M Oh, I see. Is it gone now?
W I think so. Are you also ________ ________ ________?
M No, I'm not. I actually ________ ________.
W Then, what are you afraid of?

고난도 모의고사 음성 바로 듣기 ▶

1 다음을 듣고, 'I'가 무엇인지 가장 적절한 것을 고르시오.

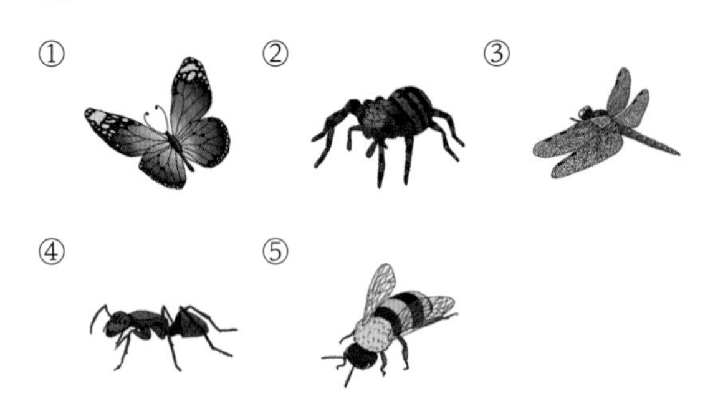

2 대화를 듣고, 남자가 구입할 휴대폰 그립톡으로 가장 적절한 것을 고르시오.

3 다음을 듣고, 화요일의 날씨로 가장 적절한 것을 고르시오.

4 대화를 듣고, 여자가 한 마지막 말의 의도로 가장 적절한 것을 고르시오.

① 감사 ② 불평 ③ 동의 ④ 위로 ⑤ 사과

5 다음을 듣고, 남자가 독감 예방법에 대해 언급하지 않은 것을 고르시오.

① 손 자주 씻기
② 규칙적으로 운동하기
③ 마스크 착용하기
④ 수분과 과일 섭취하기
⑤ 예방 주사 맞기

6 대화를 듣고, 두 사람이 만날 시각을 고르시오.

① 12:00 p.m. ② 12:15 p.m. ③ 12:30 p.m.
④ 12:45 p.m. ⑤ 1:00 p.m.

7 대화를 듣고, 남자의 장래 희망으로 가장 적절한 것을 고르시오.

① 소방관 ② 경찰관 ③ 의사
④ 항해사 ⑤ 조종사

8 대화를 듣고, 남자가 키우는 식물에 대한 내용으로 일치하지 않는 것을 고르시오.

① 라일락 나무이다.
② 높이는 대략 3m 정도이다.
③ 보라색 꽃을 피운다.
④ 향기가 강렬하고 달콤하다.
⑤ 키운 지 2년 되었다.

9 대화를 듣고, 남자가 대화 직후에 할 일로 가장 적절한 것을 고르시오.

① 수학 수업 듣기
② 쪽지 시험 보기
③ 수학 공부하기
④ 교과서 빌려주기
⑤ 스터디 모임 가기

10 대화를 듣고, 무엇에 관한 내용인지 가장 적절한 것을 고르시오.

① 수학 여행 신청
② 공개 수업 안내
③ 도난 신고 방법
④ 학교생활 규칙
⑤ 휴대폰 사용 예절

11 대화를 듣고, 두 사람이 함께 이용할 교통수단으로 가장 적절한 것을 고르시오.

① 배 ② 버스 ③ 자동차
④ 택시 ⑤ 비행기

12 대화를 듣고, 여자가 전시회를 보러 간 이유로 가장 적절한 것을 고르시오.

① 티켓을 선물 받아서
② 자신의 작품이 전시돼서
③ 숙제를 해야 해서
④ 좋아하는 화가가 참여해서
⑤ 친구가 보러 가자고 해서

13 대화를 듣고, 두 사람이 대화하는 장소로 가장 적절한 곳을 고르시오.

① 수족관 ② 옷가게 ③ 미용실
④ 화장품 가게 ⑤ 세탁소

14 대화를 듣고, 소망 초등학교의 위치로 가장 알맞은 곳을 고르시오.

You are here!

15 대화를 듣고, 여자가 남자에게 부탁한 일로 가장 적절한 것을 고르시오.

① 꽃 사오기
② 친구 초대하기
③ 같이 쇼핑하러 가기
④ 지하철역으로 마중 나오기
⑤ 저녁 식사 모임에 함께 가기

16 대화를 듣고, 남자가 여자에게 제안한 것으로 가장 적절한 것을 고르시오.

① 심호흡하기 ② 발레 대회 나가기
③ 물 마시기 ④ 의상 점검하기
⑤ 다리 스트레칭하기

17 대화를 듣고, 남자가 지난 토요일에 한 일로 가장 적절한 것을 고르시오.

① 축구장 가기 ② 운동화 사기
③ 응원 피켓 만들기 ④ 농구 경기하기
⑤ 동아리 활동하기

18 대화를 듣고, 남자의 직업으로 가장 적절한 것을 고르시오.

① 시장 ② 건축가 ③ 카레이서
④ 게임 개발자 ⑤ 군인

[19-20] 대화를 듣고, 남자의 마지막 말에 이어질 여자의 응답으로 가장 적절한 것을 고르시오.

19 Woman: ______________________

① Strawberry is my favorite.
② I'd like some water.
③ It will be five dollars.
④ I'm not hungry.
⑤ I'll take vanilla, please.

20 Woman: ______________________

① I just bought it.
② The store is really close.
③ Cash or card?
④ I saved money for a year.
⑤ I found your mouse under the desk.

23회 중학영어듣기 고난도 모의고사 Dictation 음성을 들으며 빈칸에 알맞은 단어를 채우시오.

1 | 화제 고르기

다음을 듣고, 'I'가 무엇인지 가장 적절한 것을 고르시오.

① ② ③ ④ ⑤

W I am ________ ________ ________. I have black lines ________ ________ ________ ________. I live in a large group, and my house looks like a hexagon. I help plants ________ ________ ________. What am I?

2 | 알맞은 그림 고르기

대화를 듣고, 남자가 구입할 휴대폰 그립톡으로 가장 적절한 것을 고르시오.

① ② ③ ④ ⑤

W There are so many kinds of phone grips here.
M Yeah. I don't know ________ ________ ________. Could you help me, Mina?
W My pleasure. How about the round ones?
M Well, I want ________ ________ ________.
W Then, a cloud shape would be better.
M You're right. Oh, I'll ________ ________ ________ ________ with a smiley face on it. That's the best.

3 | 날씨 고르기

다음을 듣고, 화요일의 날씨로 가장 적절한 것을 고르시오.

① ② ③ ④ ⑤

M Good morning. This is the weekly weather forecast. ________ ________ ________ ________ from Tuesday. But it will stop on Thursday. And we'll ________ ________ ________ ________ with sunny skies for the rest of the week. ________ ________ ________ put on sunscreen when you go out.

4 | 의도 고르기

대화를 듣고, 여자가 한 마지막 말의 의도로 가장 적절한 것을 고르시오.

① 감사 ② 불평 ③ 동의 ④ 위로 ⑤ 사과

M Sera, why did you ________ ________ ________ ________ this time?
W He ate all the snacks, Dad. Those were mine.
M Okay. I'll scold him for that. But you also ________ ________ ________ ________.
W Yes. It was my fault.
M Then, say sorry to him.
W But ________ ________ ________. Why do I have to do it first?

5 | 언급하지 않은 내용 고르기

다음을 듣고, 남자가 독감 예방법에 대해 언급하지 않은 것을 고르시오.

① 손 자주 씻기 ② 규칙적으로 운동하기
③ 마스크 착용하기 ④ 수분과 과일 섭취하기
⑤ 예방 주사 맞기

적중! Tip You'd better ~.
상대방에게 어떤 일을 하자는 제안이나 강한 충고를 나타낼 때 사용되는 표현으로 '~하는 게 좋습니다, 낫습니다'라는 의미이다. 이때 had better(='d better) 다음에는 동사원형이 온다.
· You'd better wake up early.
일찍 일어나는 것이 좋습니다.

M Hello, students. Let me tell you how to ________ ________ ________. First, you should wash your hands frequently. Also, getting a vaccine will be helpful. And you'd better ________ ________ ________ and eat fresh fruit. Don't forget to ________ ________.

6 | 시간 정보 고르기

대화를 듣고, 두 사람이 만날 시각을 고르시오.

① 12:00 p.m. ② 12:15 p.m. ③ 12:30 p.m.
④ 12:45 p.m. ⑤ 1:00 p.m.

적중! Tip Sounds good.
상대방의 제안, 권유, 요청을 수락하고 동의할 때 사용되는 표현이다.

[Cellphone rings.]
W Hi, Junho! Did you eat lunch?
M Lunch? No. *[Pause]* Oh, it's already 12:15.
W Yeah. ________ ________ ________ ________ at the Kelly's Burger.
M Sounds good.
W ________ ________ ________ there in 15 minutes?
M Well, I guess I need at least 30 minutes ________ ________ ________.
W Okay. Then, see you there at 1 o'clock.

7 | 장래 희망 고르기

대화를 듣고, 남자의 장래 희망으로 가장 적절한 것을 고르시오.

① 소방관 ② 경찰관 ③ 의사
④ 항해사 ⑤ 조종사

M Hayoon, I ________ ________ ________. Can I tell you about it?
W Sure.
M I ________ ________ ________ a firefighter, but my parents worry about it a lot.
W Oh, why?
M They say the job is too difficult and dangerous.
W Maybe you should tell them ________ ________ ________ ________ it.
M Okay. Thanks.

8 | 일치하지 않는 내용 고르기

대화를 듣고, 남자가 키우는 식물에 대한 내용으로 일치하지 않는 것을 고르시오.

① 라일락 나무이다.
② 높이는 대략 3m 정도이다.
③ 보라색 꽃을 피운다.
④ 향기가 강렬하고 달콤하다.
⑤ 키운 지 2년 되었다.

적중! Tip two years old
[투 이얼즈 올드]보다는 [투이얼졸드]로 들린다. 앞에 나온 단어의 끝 자음과 뒤에 나온 단어의 첫 모음이 연음되기 때문이다.

W Jason, what's the ________ ________ ________ ________ in this photo?
M It's a lilac tree. My father planted it when I was two years old.
W Oh, I see. It is ________ ________.
M It is around three meters tall.
W Wow! And its violet flowers look so beautiful.
M Yeah. It also has a ________ ________ ________ ________.

9 | 할 일 고르기

대화를 듣고, 남자가 대화 직후에 할 일로 가장 적절한 것을 고르시오.

① 수학 수업 듣기
② 쪽지 시험 보기
③ 수학 공부하기
④ 교과서 빌려주기
⑤ 스터디 모임 가기

W Do you ________ ________ ________ today, Jihoon?
M No, I don't.
W Then, can you ________ ________ ________ ________? I left mine at home.
M Sorry, but I need it now. ________ ________ ________ ________ math for tomorrow's quiz.
W Alright. I'll find someone else.

10 | 주제 고르기

대화를 듣고, 무엇에 관한 내용인지 가장 적절한 것을 고르시오.

① 수학 여행 신청
② 공개 수업 안내
③ 도난 신고 방법
④ 학교생활 규칙
⑤ 휴대폰 사용 예절

W Michael, I got ________ ________ ________ ________.
M What does it say, Mom?
W First, it says you can't use your phone at school anymore. You should ________ ________ ________ every morning.
M That's too bad.
W And some students' items were stolen recently. So, you should put yours in the locker.
M Okay. I'll ________ ________ ________.

11 | 교통수단 고르기

대화를 듣고, 두 사람이 함께 이용할 교통수단으로 가장 적절한 것을 고르시오.

① 배 ② 버스 ③ 자동차
④ 택시 ⑤ 비행기

M Honey, why don't we ________ ________ ________ ________ to Bailey Island?
W I'd love to! Can we take a ferry?
M Well, ________ ________ ________.
W Oh, then, how can we go there?
M There is a long bridge. So, ________ ________ ________ to the island.
W Wow, that'll be exciting!
M Yes. I can't wait.

12 | 이유 고르기

대화를 듣고, 여자가 전시회를 보러 간 이유로 가장 적절한 것을 고르시오.

① 티켓을 선물 받아서
② 자신의 작품이 전시돼서
③ 숙제를 해야 해서
④ 좋아하는 화가가 참여해서
⑤ 친구가 보러 가자고 해서

적중! Tip have fun

[해브 펀]보다는 [해펀]으로 들린다. [v]와 [f]처럼 발음할 때 혀의 위치가 비슷한 자음이 나란히 나오면 앞 단어의 끝 자음이 탈락되기 때문이다.

- have forever [해포레버]
- move forward [무포월드]

M Amy, ________ ________ ________ ________ to the party last weekend?
W I went to the Van Gogh Art Gallery with my friend.
M Are you ________ ________ ________ ________?
W Not me. My friend really loves his work, and she ________ ________ ________ ________ with her.
M I see. Did you have fun?
W Yeah. It wasn't bad.

13 | 장소 고르기

대화를 듣고, 두 사람이 대화하는 장소로 가장 적절한 곳을 고르시오.

① 수족관 ② 옷가게 ③ 미용실
④ 화장품 가게 ⑤ 세탁소

W Hello. Can I ________ ________ ________ ________ with a dolphin print?
M Yes. Could you ________ ________ ________ ________?
W I wear a large.
M Alright. *[Pause]* Here it is.
W Thank you. Oh, there's a mark on it.
M I see. It looks like makeup. Let me ________ ________ ________ ________.

14 | 위치 고르기

대화를 듣고, 소망 초등학교의 위치로 가장 알맞은 곳을 고르시오.

M Excuse me. I'm looking for Somang Elementary School.

W Go straight one block, and then ________ ________.

M Turn right?

W Yes. Then, go straight ________ ________ ________, and you'll see the playground on your right.

M Okay.

W It will be ________ ________ the playground.

M Thank you so much!

15 | 부탁·요청한 일 고르기

대화를 듣고, 여자가 남자에게 부탁한 일로 가장 적절한 것을 고르시오.

① 꽃 사오기
② 친구 초대하기
③ 같이 쇼핑하러 가기
④ 지하철역으로 마중 나오기
⑤ 저녁 식사 모임에 함께 가기

[Cellphone rings.]

M Hello, Yuna.

W Hey, Jimmy. Do you ________ ________ ________ tonight?

M Yes. I'll be free.

W Great. My friend Semi ________ ________ ________ ________, and I'd like to go with you.

M Alright. Then, can you meet me at the subway station? And let's ________ ________ ________ before the dinner.

W Okay.

16 | 제안한 일 고르기

대화를 듣고, 남자가 여자에게 제안한 것으로 가장 적절한 것을 고르시오.

① 심호흡하기 ② 발레 대회 나가기
③ 물 마시기 ④ 의상 점검하기
⑤ 다리 스트레칭하기

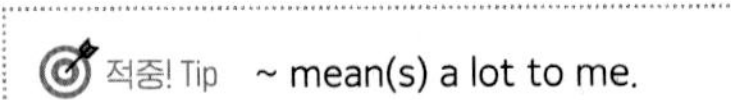

적중! Tip ~ mean(s) a lot to me.

어떤 것이 아주 감동적이거나 소중하거나 고마울 때 사용되는 표현으로, '~은 내게 힘이 많이 된다, 아주 소중하다, 큰 의미가 있다'라는 의미이다.

· You mean a lot to me.
넌 내게 아주 소중해.

M Nayoung, get ready. It is your turn next.

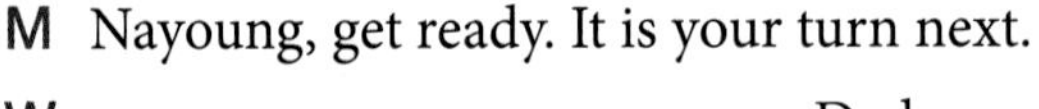

W ________ ________ ________, Dad.

M Calm down. You practiced a lot. You can ________ ________ ________ ________.

W Thanks. Your support means a lot to me.

M Did you ________ ________ ________?

W Yes, I did.

M You should also ________ ________ ________.

W Okay, I will.

17 | 한 일 고르기

대화를 듣고, 남자가 지난 토요일에 한 일로 가장 적절한 것을 고르시오.

① 축구장 가기 ② 운동화 사기
③ 응원 피켓 만들기 ④ 농구 경기하기
⑤ 동아리 활동하기

M Did you enjoy your weekend, Minji?

W It was great. I played basketball ________ ________ ________ ________.

M That sounds fun! I didn't know you are interested in basketball.

W Yeah. What do you do in ________ ________ ________?

M I watch soccer games. I ________ ________ ________ ________ last Saturday to cheer for the Tigers.

18 | 직업 고르기

대화를 듣고, 남자의 직업으로 가장 적절한 것을 고르시오.

① 시장 ② 건축가 ③ 카레이서
④ 게임 개발자 ⑤ 군인

W Hi, Mark. What are you looking at?
M It's ________ ________ ________.
W Oh, wow. It looks great. You ________ ________ ________ ________.
M Yes. It became very popular, so I'm happy.
W How do I play?
M You have to ________ ________ ________ and protect it.
W I usually like car games, but ________ ________ ________.
M Thanks. You should download it.

19 | 적절한 응답 고르기

대화를 듣고, 남자의 마지막 말에 이어질 여자의 응답으로 가장 적절한 것을 고르시오.

Woman: ____________________

① Strawberry is my favorite.
② I'd like some water.
③ It will be five dollars.
④ I'm not hungry.
⑤ I'll take vanilla, please.

 적중! Tip **either**
미국식으로는 [이더]로 발음되고, 영국식으로는 [아이더]로 발음된다.

W Hi. I would like to ________ ________ ________ ________.
M Sure. What flavor would you like?
W Hmm... What do you recommend?
M ________ ________ ________ ________ are chocolate and strawberry.
W I don't really like either.
M There's also vanilla and banana. ________ ________ ________ ________ ________?

20 | 적절한 응답 고르기

대화를 듣고, 남자의 마지막 말에 이어질 여자의 응답으로 가장 적절한 것을 고르시오.

Woman: ____________________

① I just bought it.
② The store is really close.
③ Cash or card?
④ I saved money for a year.
⑤ I found your mouse under the desk.

M Dasom, ________ ________ ________ ________ after school?
W I will go to the electronics store.
M Why will you go there?
W I'm going to ________ ________ ________ ________! Mine is so old and slow.
M It must be expensive. Where did you ________ ________ ________?

중학영어듣기 고난도 모의고사

1 다음을 듣고, 'this'가 가리키는 것으로 가장 적절한 것을 고르시오.

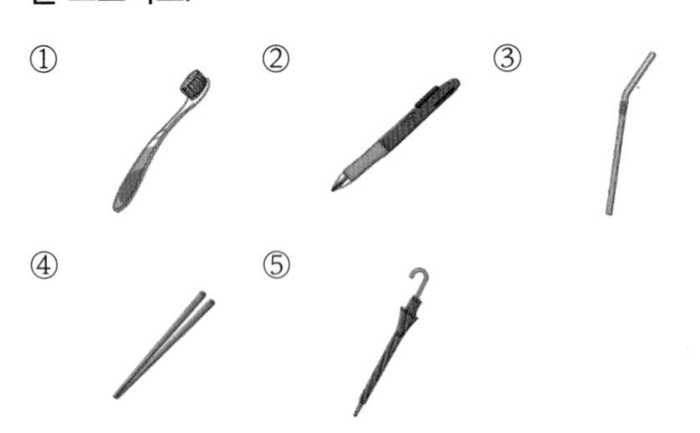

2 대화를 듣고, 남자가 만든 인형으로 가장 적절한 것을 고르시오.

3 다음을 듣고, 내일 오후의 날씨로 가장 적절한 것을 고르시오.

4 대화를 듣고, 남자가 한 마지막 말의 의도로 가장 적절한 것을 고르시오.

① 칭찬 ② 제안 ③ 동의 ④ 축하 ⑤ 당부

5 다음을 듣고, 여자가 여름 학교에 대해 언급하지 않은 것을 고르시오.

① 교육 기간 ② 수업 과목 ③ 참가 인원
④ 야외 활동 ⑤ 수업 장소

6 대화를 듣고, 남자가 공연장에 도착한 시각을 고르시오.

① 6:00 p.m. ② 6:30 p.m. ③ 7:00 p.m.
④ 7:30 p.m. ⑤ 8:00 p.m.

7 대화를 듣고, 여자의 장래 희망으로 가장 적절한 것을 고르시오.

① 작가 ② 사진작가 ③ 운동 선수
④ 변호사 ⑤ 의사

8 대화를 듣고, 여자의 심정으로 가장 적절한 것을 고르시오.

① 실망함 ② 지루함 ③ 안도함
④ 걱정스러움 ⑤ 자랑스러움

9 대화를 듣고, 남자가 대화 직후에 할 일로 가장 적절한 것을 고르시오.

① 휴대폰 고치기 ② 돈 송금하기
③ 은행 방문하기 ④ 앱 설치하기
⑤ 인증 번호 받기

10 대화를 듣고, 무엇에 관한 내용인지 가장 적절한 것을 고르시오.

① 독후감 쓰기 ② 다과회 열기
③ 교실 꾸미기 ④ 축제 준비하기
⑤ 극장 방문하기

11 대화를 듣고, 여자가 서울에서 이용한 교통수단으로 가장 적절한 것을 고르시오.

① 택시 ② 지하철 ③ 자동차
④ 자전거 ⑤ 버스

12 대화를 듣고, 여자가 고양이를 키우지 못하는 이유로 가장 적절한 것을 고르시오.

① 부모님이 반대해서 ② 털 알레르기가 있어서
③ 돌볼 시간이 없어서 ④ 동생이 무서워해서
⑤ 키울 공간이 부족해서

13 대화를 듣고, 두 사람이 대화하는 장소로 가장 적절한 곳을 고르시오.

① 식당 ② 병원 ③ 공항
④ 소방서 ⑤ 기차역

14 대화를 듣고, 남자가 찾고 있는 휴대폰의 위치로 가장 알맞은 곳을 고르시오.

15 대화를 듣고, 남자가 여자에게 부탁한 일로 가장 적절한 것을 고르시오.

① 카네이션 준비하기 ② 케이크 사오기
③ 감사 편지 쓰기 ④ 기념 노래 부르기
⑤ 선물 교환하기

16 대화를 듣고, 여자가 남자에게 제안한 것으로 가장 적절한 것을 고르시오.

① 텀블러 사용하기 ② 분리수거 하기
③ 헌 옷 기부하기 ④ 페트병 재활용하기
⑤ 플라스틱 사용 줄이기

17 대화를 듣고, 두 사람이 구입할 물건을 고르시오.

① 우산 ② 상품권 ③ 시계
④ 가방 ⑤ 청바지

18 대화를 듣고, 여자의 직업으로 가장 적절한 것을 고르시오.

① 수의사 ② 심사위원 ③ 피아니스트
④ 육상 선수 ⑤ 체육 교사

[19-20] 대화를 듣고, 여자의 마지막 말에 이어질 남자의 응답으로 가장 적절한 것을 고르시오.

19 Man: ______________________

① I ate a sandwich.
② Here's your bill.
③ Congratulations!
④ Sure, thank you.
⑤ Let's go fishing.

20 Man: ______________________

① School ended yesterday.
② He's in third grade.
③ Did you get the score?
④ You did a great job.
⑤ You'll do better next time.

24회 Dictation

Dictation
음성 바로 듣기 ▶

24회 중학영어듣기 고난도 모의고사 Dictation 음성을 들으며 빈칸에 알맞은 단어를 채우시오.

1 | 화제 고르기

다음을 듣고, 'this'가 가리키는 것으로 가장 적절한 것을 고르시오.

① ② ③ ④ ⑤

M This is normally ________, ________, ________ ________.
This is usually ________ ________ ________. But this is also made of other materials like paper. You can use this ________ ________ ________. What is this?

2 | 알맞은 그림 고르기

대화를 듣고, 남자가 만든 인형으로 가장 적절한 것을 고르시오.

① ② ③ ④ ⑤

W Honey, what are you doing?
M I'm making a doll for our daughter. She ________ ________ ________.
W Wow, that's so sweet! Did you make ________ ________ ________ too?
M Of course. I tried to make a checkered shirt and jeans for it, but it was too difficult.
W It's already enough. It even has a ribbon ________ ________ ________.

3 | 날씨 고르기

다음을 듣고, 내일 오후의 날씨로 가장 적절한 것을 고르시오.

① ② ③ ④ ⑤

M Hello. This is the weather report. There will be ________ ________ ________ this afternoon. The temperature will ________ ________ ________ overnight. It will be cloudy all day tomorrow. On the day after tomorrow, we'll have winter weather ________ ________ ________.

4 | 의도 고르기

대화를 듣고, 남자가 한 마지막 말의 의도로 가장 적절한 것을 고르시오.

① 칭찬 ② 제안 ③ 동의 ④ 축하 ⑤ 당부

W Mr. Jackson, I heard you were ________ ________ ________.
M Yes. Sit here, please. I'd like to talk about your history report.
W Oh, is there a problem?
M No. You did a great job. Are you ________ ________ ________ ________ of Rome?
W Yes, sir.
M Then, I think you can ________ ________ ________ ________.

5 | 언급하지 않은 내용 고르기

다음을 듣고, 여자가 여름 학교에 대해 언급하지 않은 것을 고르시오.

① 교육 기간 ② 수업 과목 ③ 참가 인원
④ 야외 활동 ⑤ 수업 장소

적중! Tip first day
[펄스트 데이]보다는 [펄스데이]로 들린다. 자음 3개가 연속해서 나오면 중간 자음은 발음되지 않기 때문이다.

W Hello, students. ________ ________ ________ our summer school. It'll open on the first day of August and ________ ________ ________ ________. You will learn math and English in the mornings. But on Fridays, you will ________ ________. Only 50 students can participate, so please sign up quickly.

6 | 시간 정보 고르기

대화를 듣고, 남자가 공연장에 도착한 시각을 고르시오.

① 6:00 p.m. ② 6:30 p.m. ③ 7:00 p.m.
④ 7:30 p.m. ⑤ 8:00 p.m.

적중! Tip already
[얼레디]보다는 [얼레리]로 들린다. [d]는 모음 사이에서 발음될 때는 약화되어 [r]에 가깝게 발음되기 때문이다.

[Cellphone rings.]

W Hello, Minsu. Where are you? I'm ________ ________ ________.

M I already entered the concert hall.

W What? The show begins at 7:30. And it's 7 o'clock now.

M I ________ ________ ________ some souvenirs before the show.

W When did you arrive here?

M ________ ________ ________ than the show time.

7 | 장래 희망 고르기

대화를 듣고, 여자의 장래 희망으로 가장 적절한 것을 고르시오.

① 작가 ② 사진작가 ③ 운동 선수
④ 변호사 ⑤ 의사

M Yura, what are you reading?

W It's ________ ________ ________ ________. The artist is my role model.

M Do you want to be a photographer?

W No. Actually, she is ________ ________ ________. I want to be like her. Taking pictures is just her hobby.

M Oh, I see.

8 | 심정 고르기

대화를 듣고, 여자의 심정으로 가장 적절한 것을 고르시오.

① 실망함 ② 지루함 ③ 안도함
④ 걱정스러움 ⑤ 자랑스러움

M Youngmin, did you know that we won't ________ ________ ________ ________ this year?

W Yes. My homeroom teacher said that this morning.

M I'm so sad. I was ________ ________ ________ ________.

W Actually, that's not that bad for me.

M Really? Why?

W I ________ ________ ________ ________, so I'm happy about it.

9 | 할 일 고르기

대화를 듣고, 남자가 대화 직후에 할 일로 가장 적절한 것을 고르시오.

① 휴대폰 고치기 ② 돈 송금하기
③ 은행 방문하기 ④ 앱 설치하기
⑤ 인증 번호 받기

W ________ ________ ________ here, Andy?

M Okay, Mom. What's the problem?

W I want to send money ________ ________ ________.

M Let me see. Hmm... You should install the banking app first.

W I don't know ________ ________ ________ ________. Can you do that for me?

M Sure. Give me your phone.

10 | 주제 고르기

대화를 듣고, 무엇에 관한 내용인지 가장 적절한 것을 고르시오.

① 독후감 쓰기 ② 다과회 열기
③ 교실 꾸미기 ④ 축제 준비하기
⑤ 극장 방문하기

W What are you watching, Minho?

M It's a video about ________ ________ ________ ________.

W Do you enjoy drinking tea?

M No. But my class will open a tea café ________ ________ ________ ________.

W Sounds good.

M What about your class?

W ________ ________ ________ ________, *Romeo and Juliet*.

M Cool! I'll go to see it.

11 | 교통수단 고르기

대화를 듣고, 여자가 서울에서 이용한 교통수단으로 가장 적절한 것을 고르시오.

① 택시 ② 지하철 ③ 자동차
④ 자전거 ⑤ 버스

M Lucy, ________ ________ ________ your trip to Seoul. What was your favorite place?

W The N Seoul Tower! But I also loved Namdaemun Market.

M Wow! Did you ________ ________ ________ ________ on the tour bus?

W No, I didn't.

M Why not? Isn't it more comfortable?

W The taxi drivers were ________ ________, so I toured by taxi.

12 | 이유 고르기

대화를 듣고, 여자가 고양이를 키우지 못하는 이유로 가장 적절한 것을 고르시오.

① 부모님이 반대해서 ② 털 알레르기가 있어서
③ 돌볼 시간이 없어서 ④ 동생이 무서워해서
⑤ 키울 공간이 부족해서

적중! Tip I wish ~.
바람이나 소원을 나타낼 때 사용되는 표현으로 '~라면 좋을 텐데'라는 의미이다.
· I wish I could dance well.
춤을 잘 출 수 있으면 좋을 텐데.

M Mina, do you like cats?
W Yes. I love them.
M Then, why don't you adopt one? My cat ________ ________ ________.
W Oh, you can't keep all of them, right?
M Exactly. I don't ________ ________ ________.
W I wish I could. But my parents won't ________ ________ ________ ________ ________. So, I can't.
M Sorry to hear that.

13 | 장소 고르기

대화를 듣고, 두 사람이 대화하는 장소로 가장 적절한 곳을 고르시오.

① 식당 ② 병원 ③ 공항
④ 소방서 ⑤ 기차역

적중! Tip because of
[비커즈 오브]보다는 [비커저브]로 들린다. 앞에 나온 단어의 끝 자음과 뒤에 나온 단어의 첫 모음이 연음되기 때문이다.

M So, what did the staff say?
W ________ ________ ________ ________. The plane isn't here yet.
M Oh, no. ________ ________ will we have to wait?
W It will be two hours.
M What? That's too long. Why will it arrive so late?
W The plane couldn't take off because of ________ ________ ________.
M Alright. Then, let's ________ ________ before it arrives.

14 | 위치 고르기

대화를 듣고, 남자가 찾고 있는 휴대폰의 위치로 가장 알맞은 곳을 고르시오.

M Thanks ________ ________ ________. See you later!
W Wait! Do you have everything?
M Hmm... Oh, I think I ________ ________ ________ on the table.
W I'll go get it. *[Pause]* Well, it's not there.
M Then, ________ ________ ________ ________.
W I still can't see it. I should call your phone. *[Cellphone rings.]* Oh, it's ________ ________ ________.

15 | 부탁·요청한 일 고르기

대화를 듣고, 남자가 여자에게 부탁한 일로 가장 적절한 것을 고르시오.

① 카네이션 준비하기 ② 케이크 사오기
③ 감사 편지 쓰기 ④ 기념 노래 부르기
⑤ 선물 교환하기

M Nara, I heard ________ ________ ________ carnations for the Teacher's Day celebration.

W Yes. And you will write the thank-you letter.

M Yeah. But I hope ________ ________ ________ ________.

W Why?

M Because I'm ________ ________ ________ ________, and you have good handwriting.

W Okay. Let's change.

M Thank you so much.

16 | 제안한 일 고르기

대화를 듣고, 여자가 남자에게 제안한 것으로 가장 적절한 것을 고르시오.

① 텀블러 사용하기 ② 분리수거 하기
③ 헌 옷 기부하기 ④ 페트병 재활용하기
⑤ 플라스틱 사용 줄이기

적중! Tip plastic
[플라스틱]으로 익숙한 외래어이지만 실제로는 [플래스틱]으로 발음된다.

W Steve, you're using a tumbler.

M Yes. I want to ________ ________ ________.

W Me too.

M I also think we use too much plastic.

W Then, let's ________ ________ ________ ________. We can make flowerpots with them this weekend.

M That's ________ ________ ________!

17 | 특정 정보 고르기

대화를 듣고, 두 사람이 구입할 물건을 고르시오.

① 우산 ② 상품권 ③ 시계
④ 가방 ⑤ 청바지

W Next Wednesday is Dan's birthday. ________ ________ ________ ________ for him?

M What about buying an umbrella?

W Well, he ________ ________ ________ ________ last week.

M Then, how about a watch?

W I don't think he needs one. He checks the time on his phone.

M Why don't we get him a gift card so he can buy ________ ________ ________?

W Great idea!

18 | 직업 고르기

대화를 듣고, 여자의 직업으로 가장 적절한 것을 고르시오.

① 수의사 ② 심사위원 ③ 피아니스트
④ 육상 선수 ⑤ 체육 교사

적중! Tip Take it easy.
무리하거나 조급해하는 사람을 진정시킬 때 사용되는 표현으로, '진정해, 쉬엄쉬엄해'라는 의미이다.

M That was ________ ________ ________, Hanna. Great job.
W Thank you. Can I run some more laps?
M No. You should rest now. You worked hard enough.
W But I want to ________ ________ ________ my record.
M Take it easy. Your ________ ________ ________.
W Well, then I'll see you at tomorrow's practice.

19 | 적절한 응답 고르기

대화를 듣고, 여자의 마지막 말에 이어질 남자의 응답으로 가장 적절한 것을 고르시오.

Man: ____________________

① I ate a sandwich.
② Here's your bill.
③ Congratulations!
④ Sure, thank you.
⑤ Let's go fishing.

W ________ ________ ________ ________ tonight, Honey?
M I'll make pasta.
W That sounds delicious. What will we eat it with?
M You can choose ________ ________ ________ ________.
W Chicken sounds good to me.
M Great.
W Do you ________ ________ ________ ________ you cook?

20 | 적절한 응답 고르기

대화를 듣고, 여자의 마지막 말에 이어질 남자의 응답으로 가장 적절한 것을 고르시오.

Man: ____________________

① School ended yesterday.
② He's in third grade.
③ Did you get the score?
④ You did a great job.
⑤ You'll do better next time.

M Hey, Mary. Why are you so sad?
W I ________ ________ ________.
M Oh, why? You studied hard.
W Maybe I was ________ ________.
M That's okay. Everyone makes mistakes.
W But I'll get ________ ________ ________ ________ in the class. I feel terrible.

MEMO

영어듣기 만점을 위한 **완벽한 실전 대비서**

해커스 중학영어듣기 모의고사 24회

초판 1쇄 발행 2022년 9월 1일

지은이	해커스 어학연구소
펴낸곳	㈜해커스 어학연구소
펴낸이	해커스 어학연구소 출판팀
주소	서울특별시 서초구 강남대로61길 23 ㈜해커스 어학연구소
고객센터	02-566-0001
교재 관련 문의	publishing@hackers.com 해커스북 사이트(HackersBook.com) 고객센터 Q&A 게시판
동영상강의	HackersBook.com
ISBN	978-89-6542-489-5 (53740)
Serial Number	01-01-01

영어듣기 만점을 위한 완벽한 실전 대비서

해커스 중학영어듣기 모의고사 24회

정답 및 해설

영어듣기 만점을 위한 **완벽한 실전 대비서**

해커스 중학영어듣기 모의고사 24회

LEVEL 1

정답 및 해설

해커스 어학연구소

01회 실전 모의고사

| 문제 pp.26-27

1	①	2	②	3	⑤	4	①	5	④	6	④	7	①	8	①	9	④	10	③
11	②	12	②	13	③	14	③	15	⑤	16	④	17	③	18	②	19	④	20	②

1 화제 고르기

정답 ①

W I have four long legs and a long neck. I can reach leaves on tall trees. I have yellow fur with brown spots. I live in a warm area. What am I?

여 나는 네 개의 긴 다리와 긴 목을 가지고 있습니다. 나는 높은 나무에 있는 나뭇잎에 닿을 수 있습니다. 나는 갈색 얼룩무늬가 있는 누르스름한 털을 가지고 있습니다. 나는 따뜻한 지역에서 삽니다. 나는 무엇인가요?

해설 | 나(I)는 네 개의 긴 다리와 긴 목을 가지고 있고 높은 나무에 있는 나뭇잎에 닿을 수 있다고 했으므로 정답은 ①이다.

어휘 | long [lɔːŋ] 형 긴 neck [nek] 명 목 reach [riːtʃ] 동 닿다 fur [fəːr] 명 털 spot [spɑt] 명 얼룩 무늬, 점; 장소

2 알맞은 그림 고르기

정답 ②

W Excuse me. I'm looking for a cushion.
M Do you want a square one or a round one?
W I prefer round ones.
M Okay. What about this one with cherries?
W Hmm... Do you have other patterns?
M Sure. What about this round one with clouds on it?
W I love that one. I'll take it.

여 실례합니다. 쿠션을 찾고 있는데요.
남 네모난 것을 원하세요, 둥근 것을 원하세요?
여 둥근 것을 선호해요.
남 네. 체리가 그려진 이건 어떠세요?
여 흠... 다른 무늬도 있나요?
남 그럼요. 둥근 모양에 구름이 그려진 이건 어떠신가요?
여 그거 정말 맘에 드네요. 그걸 살게요.

해설 | 남자가 둥근 모양에 구름이 그려진 것을 추천하자 여자가 마음에 든다고 했으므로 정답은 ②이다.

어휘 | square [skwɛər] 형 네모난, 사각형의 명 정사각형 round [raund] 형 둥근 prefer [prifə́ːr] 동 선호하다 pattern [pǽtərn] 명 무늬, 양식

3 날씨 고르기

정답 ⑤

M Hello, everyone. This is the weekly weather forecast. We'll have warm spring weather this week with clear skies. However, on Friday, it'll become cloudy. On Saturday night, it'll start raining across the whole country.

남 안녕하십니까, 여러분. 주간 일기 예보입니다. 이번 주에는 맑은 하늘과 함께 따뜻한 봄 날씨가 되겠습니다. 하지만, 금요일에는 날이 흐려질 것입니다. 토요일 밤에는 전국에 걸쳐 비가 내리기 시작하겠습니다.

해설 | 금요일에는 흐려질 것이라고 했으므로 정답은 ⑤이다.

어휘 | spring [spriŋ] 명 봄 however [hauévər] 부 하지만, 그러나 across [əkrɔ́ːs] 전 ~에 걸쳐서; ~을 건너서 whole [houl] 형 전부의

4 의도 고르기

정답 ①

W Did you hear that a new shopping mall just opened downtown?
M Oh, really? Does it have many good stores?
W Yes. My favorite clothing store is there.
M Great. Let's go together soon.
W Okay! What about tomorrow?
M I can't go tomorrow because of basketball practice.

여 시내에 새 쇼핑몰이 얼마 전에 개장했다는 얘기 들었니?
남 오, 진짜? 거기 좋은 가게들이 많아?
여 응. 내가 가장 좋아하는 옷 가게가 거기에 있어.
남 좋다. 우리 조만간 같이 가자.
여 알겠어! 내일은 어때?
남 농구 연습 때문에 내일은 못 가.

해설 | 여자가 내일 쇼핑몰에 갈 것을 제안하자 남자가 농구 연습 때문에 못 간다고 했으므로 정답은 ① '거절'이다.

어휘 | downtown [dáuntaun] 부 시내에 because of ~ 때문에 basketball [bǽskitbɔːl] 명 농구

5 언급하지 않은 내용 고르기

정답 ④

W Let me introduce my dad to you. He has short blond hair. He came from Canada 20 years ago. He plays the violin in an orchestra. He also teaches violin classes. His hobby is playing chess.

여 저희 아빠를 소개해드리겠습니다. 아빠는 짧은 금발 머리입니다. 아빠는 20년 전에 캐나다에서 오셨습니다. 그는 관현악단에서 바이올린을 연주하십니다. 그리고 바이올린 수업도 하십니다. 그의 취미는 체스 두기입니다.

해설 | ① 외모(짧은 금발 머리), ② 고향(캐나다), ③ 직업(관현악단에서 바이올린 연주, 바이올린 수업), ⑤ 취미(체스 두기)에 대해 언급했으므로 정답은 ④ '나이'이다.

어휘 | blond [blɑnd] 형 금발의 orchestra [ɔ́:rkəstrə] 명 관현악단, 오케스트라 play chess 체스를 두다

6 시간 정보 고르기

정답 ④

M Jihye, what are you doing tomorrow?
W I'll go to a clarinet lesson. It's really fun.
M That sounds cool. I want to join you!
W I'll take you to the lesson then. Come to my house at 2:00 p.m. tomorrow.
M Great. When does the clarinet lesson begin?
W It begins at 2:30.

남 지혜야, 너 내일 뭐 할 거니?
여 클라리넷 수업에 갈 거야. 그건 정말 재미있어.
남 멋진걸. 나도 너랑 같이 가고 싶어!
여 그럼 수업에 널 데려가 줄게. 내일 오후 2시에 우리 집에 와.
남 좋아. 클라리넷 수업이 언제 시작하는데?
여 2시 30분에 시작해.

해설 | 남자가 클라리넷 수업이 언제 시작하는지를 묻자 여자가 2시 30분에 시작한다고 했으므로 정답은 ④ '2:30 p.m.'이다.

어휘 | clarinet [klæ̀rənét] 명 클라리넷 lesson [lésn] 명 수업

7 장래 희망 고르기

정답 ①

M Somin, who is this in the picture on your desk?
W She is my role model, Janet Rolland.
M Wow. Who is she?
W She is a famous singer. She sang the song *Someday*.
M Do you want to be a singer like her?
W Yes. I want to be a great singer in the future.
M I'm sure your dream will come true.

남 소민아, 네 책상 위에 있는 사진 속의 이 사람은 누구니?
여 내 롤 모델인 Janet Rolland야.
남 우와. 그녀는 누구니?
여 그녀는 유명한 가수야. <Someday>라는 노래를 불렀어.
남 너도 그녀처럼 가수가 되고 싶니?
여 응. 나중에 훌륭한 가수가 되고 싶어.
남 네 꿈은 분명 이루어질 거야.

해설 | 여자가 나중에 훌륭한 가수가 되고 싶다고 했으므로 정답은 ① '가수'이다.

어휘 | picture [píktʃər] 명 사진 role model 롤 모델, 모범이 되는 사람 famous [féiməs] 형 유명한 come true 이루어지다, 실현되다

8 심정 고르기

정답 ①

M Ella, what's the problem? You look very tired.
W I didn't sleep well, Brian.
M Oh, why not?
W I was too worried about today's science test.
M Come on. I know you're good at science.
W But I don't think I studied enough. I'm really nervous.
M Don't worry. You can do it.

남 Ella, 무슨 문제 있니? 너 정말 피곤해 보여.
여 잠을 잘 못 잤어, Brian.
남 오, 왜 못 잤니?
여 오늘 과학 시험이 너무 걱정됐거든.
남 말도 안 돼. 네가 과학을 잘하는 걸 내가 아는데.
여 근데 내가 충분히 공부하지 않았던 것 같아. 정말 불안해.
남 걱정하지 마. 넌 할 수 있어.

해설 | 여자가 충분히 공부하지 않은 것 같아서 정말 불안하다고 했으므로 정답은 ① '불안함'이다.

어휘 | sleep [sli:p] 동 (잠을) 자다 worried [wə́:rid] 형 걱정되는 nervous [nə́:rvəs] 형 불안한, 긴장되는

9 할 일 고르기

정답 ④

M What's your plan for Sunday, Vicky?
W I'm going to watch a movie at a theater.
M I wanted to invite you to lunch.
W The movie starts at 8, so I can have lunch with you.
M Can I join you for the movie too?
W Sure. I'll get a ticket for your seat now.

남 네 일요일 계획은 뭐니, Vicky?
여 영화관에서 영화 볼 거야.
남 너를 점심 식사에 초대하고 싶었는데.
여 영화는 8시에 시작하니까 너랑 점심 먹을 수 있어.
남 너랑 영화 보러 같이 가도 돼?
여 물론이지. 내가 지금 네 좌석 티켓을 구매할게.

해설 | 여자가 지금 남자 좌석의 티켓을 구매하겠다고 했으므로 정답은 ④ '영화 티켓 구매하기'이다.

어휘 | plan [plæn] 명 계획 동 계획하다 theater [θíːətər] 명 영화관, 극장 seat [siːt] 명 좌석, 자리

10 주제 고르기

정답 ③

W Did you read my text message yesterday?
M No. What was it about?
W I sent you a link to a game review.
M Oh, is this for the new video game, *Hark's Castle*?
W Yes. You should read it. The game sounds really exciting.
M I will. I can't wait to play the game when it comes out this weekend.

여 어제 내 문자 메시지 읽었니?
남 아니. 뭐에 대한 거였어?
여 내가 게임 리뷰의 링크를 보냈어.
남 오, 이거 새 비디오 게임인 <Hark's Castle>에 대한 거니?
여 응. 너도 읽어봐야 해. 그 게임 진짜 흥미진진한 것 같아.
남 그럴게. 이번 주말에 게임이 출시되면 그 게임을 빨리 해보고 싶어.

해설 | 여자가 남자에게 게임 리뷰의 링크를 보냈다고 했고 남자가 이번 주말에 출시되면 그 게임을 빨리 해보고 싶다고 하고 있으므로 정답은 ③ '새 비디오 게임'이다.

어휘 | text message 문자 메시지 come out 출시하다, 나오다

11 교통수단 고르기

정답 ②

[Cellphone rings.]
M Hey, Hajung!
W Hi, Jaemin! Do you want to go to the new library?
M Yes. How should we go there?
W We can go by bus.
M But it will take so long on the bus.
W Hmm... Then, how about taking the subway?
M Okay. Let's meet in front of the station in five minutes.
W Great.

[휴대폰이 울린다.]
남 안녕, 하정아!
여 안녕, 재민아! 새로운 도서관에 가볼래?
남 응. 거기에 어떻게 가야 해?
여 버스로 갈 수 있어.
남 하지만 버스로는 매우 오래 걸릴 거야.
여 흠... 그럼, 지하철을 타는 건 어때?
남 그래. 5분 후에 역 앞에서 만나자.
여 좋아.

해설 | 여자가 지하철을 탈 것을 제안하자 남자가 그러자고 했으므로 정답은 ② '지하철'이다.

어휘 | library [láibreri] 명 도서관 subway [sʌ́bwei] 명 지하철 in front of ~앞에

12 이유 고르기

정답 ②

W Ricky, what are you drawing?
M I'm drawing the forest near grandma's house, Mom.
W It's my favorite place. Your sketch looks really beautiful.
M Thank you. Actually, this is a birthday gift for you.
W Oh, this is the best gift!

여 Ricky, 뭘 그리고 있니?
남 저는 할머니 댁 근처의 숲을 그리고 있어요, 엄마.
여 거긴 내가 가장 좋아하는 장소야. 네 스케치는 정말 아름답구나.
남 고마워요. 사실, 이건 엄마를 위한 생일 선물이에요.
여 오, 이건 최고의 선물이구나!

해설 | 남자가 그의 그림은 여자의 생일 선물이라고 했으므로 정답은 ② '선물을 하기 위해서'이다.

어휘 | forest [fɔ́ːrist] 명 숲 sketch [sketʃ] 명 스케치, 밑그림

13 장소 고르기

정답 ③

W Hi, Mr. Smith. What can I do for you?
M Hello. I think I broke my arm.
W What happened?
M I bumped into another player while I was playing soccer.
W Okay. Let's take an X-ray first. Please go to the next room.
M Alright.

여 안녕하세요, Smith 씨. 어디가 아프신가요?
남 안녕하세요. 팔이 부러진 것 같아요.
여 무슨 일이 있었나요?
남 축구를 하는 중에 다른 선수와 부딪쳤어요.
여 알겠습니다. 먼저 엑스레이를 찍어봅시다. 옆 방으로 가주세요.
남 알겠어요.

해설 | 남자가 팔이 부러진 것 같다고 했고 여자가 엑스레이를 찍어보자고 하는 것으로 보아 정답은 ③ '병원'이다.

어휘 | break [breik] 동 부러지다; 깨다 bump into ~와 부딪치다 player [pléiər] 명 선수 while [wail] 접 ~하는 중에, 동안에 X-ray 명 엑스레이

14 위치 고르기

정답 ③

M Excuse me. Is there a bookstore nearby?
W Yes. Smile Bookstore is not far from here.
M Nice! Could you tell me how I can get there?
W Go straight one block, and turn left on Main Street.
M On Main Street?
W Yes. It'll be on your right. It's next to the repair shop.
M Thanks.

남 실례합니다. 근처에 서점이 있나요?
여 네. 스마일 서점이 여기서 멀지 않아요.
남 좋네요! 거기에 어떻게 갈 수 있는지 알려주시겠어요?
여 한 블록 직진한 다음, 메인 가에서 좌회전하세요.
남 메인 가에서요?
여 네. 서점은 당신 오른쪽에 있을 거예요. 정비소 옆에 있어요.
남 감사합니다.

해설 | 서점은 한 블록 직진한 다음 메인 가에서 좌회전했을 때 오른쪽, 즉 정비소 옆에 있을 것이라고 했으므로 정답은 ③이다.

어휘 | bookstore [búkstɔ̀ːr] 명 서점 nearby [nìərbái] 부 근처에 형 근처의 far from ~에서 먼 next to ~의 옆에 repair shop 정비소

15 부탁·요청한 일 고르기

정답 ⑤

M Honey, your cousin Anna is going to arrive soon.
W Right. What should we do for dinner?
M How about cooking cream pasta?
W But she'll be here in 10 minutes. What about having dinner at the new restaurant?
M Okay. I heard that their food is delicious.
W Can you call and make a reservation?
M Of course!

남 여보, 당신의 사촌 Anna가 곧 도착할 거야.
여 알겠어. 우리 저녁 식사를 어떻게 할까?
남 크림파스타를 요리하는 게 어때?
여 하지만 그녀는 10분 후에 여기 도착할 거야. 새로운 식당에서 저녁을 먹는 게 어떨까?
남 좋아. 거기 음식이 맛있다고 들었어.
여 당신이 전화해서 예약해줄 수 있어?
남 물론이지!

해설 | 여자가 새로운 식당에서 저녁을 먹자고 했고 남자에게 전화로 예약해달라고 부탁했으므로 정답은 ⑤ '식당 예약하기'이다.

어휘 | cousin [kʌ́zn] 명 사촌, 친척 cook [kuk] 동 요리하다 restaurant [réstərənt] 명 식당 make a reservation 예약하다

16 제안한 일 고르기

정답 ④

W Dad, look at this. The plant is dying.
M Oh, no! The leaves are all yellow!
W Do we have to water it?
M No. I think it needs sunlight.
W Then, how about moving it outside?
M Okay. That sounds good.

여 아빠, 이것 좀 보세요. 식물이 죽어가고 있어요.
남 오, 이런! 잎이 모두 노란색이구나!
여 물을 줘야 할까요?
남 아니. 내 생각엔 햇빛이 필요한 것 같아.
여 그럼, 이걸 밖으로 옮기는 게 어떨까요?
남 그래. 그게 좋겠다.

해설 | 여자가 남자에게 식물을 밖으로 옮기는 것을 제안했으므로 정답은 ④ '식물을 밖으로 옮기기'이다.

어휘 | plant [plænt] 명 식물 die [dai] 동 죽다 water [wɔ́ːtər] 동 물을 주다 명 물 sunlight [sʌ́nlait] 명 햇빛

17 특정 정보 고르기

정답 ③

W Minhyun, look! Somebody threw away a table.
M It seems clean, Mom. Should we bring it to our home?
W I have an idea. I can make it into new furniture.
M That's a good idea. What can you make with it?
W Hmm... We already have some shelves. So, I'll make a chair.
M I'm sure it will look great!

여 민현아, 보렴! 누가 탁자를 버렸구나.
남 그거 깨끗해 보이네요, 엄마. 우리가 집에 가져갈까요?
여 나한테 생각이 있어. 내가 저걸 새 가구로 만들 수 있거든.
남 좋은 생각이에요. 저걸로 뭘 만들 수 있어요?
여 흠... 우리는 이미 선반 몇 개가 있지. 그러니, 의자를 만들게.
남 그건 분명 멋져 보일 거예요!

해설 | 여자가 의자를 만들 것이라고 했으므로 정답은 ③ '의자'이다.

어휘 | throw away 버리다 furniture [fə́:rnitʃər] 명 가구 shelf [ʃelf] 명 선반

18 직업 고르기

정답 ②

M Where are you going, miss?
W To the train station, please. How long will it take?
M About 40 minutes. Are you in a hurry?
W Yes. I'm running a little late. My train leaves at 4 p.m.
M Traffic is bad today, but I'll try to get you there on time.
W Thank you.

남 어디로 가십니까, 손님?
여 기차역으로 가주세요. 얼마나 걸릴까요?
남 약 40분이요. 급하신가요?
여 네. 약간 늦었어요. 기차가 오후 4시에 출발하거든요.
남 오늘 교통이 안 좋지만, 제때 거기로 모셔다드리도록 해보겠습니다.
여 감사해요.

해설 | 남자가 여자에게 어디에 가는지를 묻자 여자가 기차역으로 가달라고 했고, 남자가 오늘 교통이 안 좋은 상황이지만 여자를 제때 데려다주도록 해보겠다고 했으므로 정답은 ② '택시 기사'이다.

어휘 | train station 기차역 about [əbáut] 부 약, 대략 전 ~에 대하여 in a hurry 급히 traffic [trǽfik] 명 교통, 교통량 on time 제때에

19 적절한 응답 고르기

정답 ④

M Where did you go after class?
W I went to my book club.
M I didn't know you liked to read. Who is in the club?
W A few friends. I really enjoy meeting them.
M That sounds fun.
W Come and join us.
M Maybe. How often do you meet?
W Once a week.

남 너 방과 후에 어디 갔었니?
여 독서 동아리에 갔어.
남 네가 독서를 좋아하는지 몰랐어. 누가 동아리에 속해있니?
여 몇몇 친구들. 나는 그들을 만나는 것이 정말 즐거워.
남 재미있을 것 같아.
여 와서 우리와 함께 하자.
남 글쎄. 얼마나 자주 만나는데?
여 일주일에 한 번.

해설 | 남자가 얼마나 자주 만나는지를 묻고 있으므로 정답은 빈도를 언급하는 ④ 'Once a week.'이다.

선택지 해석

① 수업이 막 시작했어. ② 나는 오늘 그를 만났어. ③ 그러고 싶지만, 할 수 없어. ④ 일주일에 한 번. ⑤ 책을 펴.

어휘 | a few 몇몇의, 약간의 once [wʌns] 부 한 번

20 적절한 응답 고르기

정답 ②

W I love your shoes, Mark. Where did you buy them?
M Thank you. I got them at Shoe World.
W Is the store nice? I need new shoes.
M Yes. It sells so many kinds of shoes.
W Good. I should go there soon.
M What type of shoes do you want?
W I need some sneakers.

여 네 신발 정말 맘에 든다, Mark. 어디에서 샀니?
남 고마워. Shoe World에서 샀어.
여 그 가게 좋아? 나 새 신발이 필요한데.
남 응. 아주 많은 종류의 신발을 팔아.
여 좋아. 곧 거기에 가봐야겠어.
남 넌 어떤 종류의 신발을 원하는데?
여 나는 운동화가 필요해.

해설 | 남자가 여자에게 어떤 종류의 신발을 원하는지를 묻고 있으므로 정답은 신발의 종류를 언급하는 ② 'I need some sneakers.'이다.

선택지 해석

① 발이 아파. ② 나는 운동화가 필요해. ③ 믿을 수 없어. ④ 버스로 갈 거야. ⑤ 아니. 그는 방금 떠났어.

어휘 | store [stɔ:r] 명 가게, 상점 kind [kaind] 명 종류 형 친절한 believe [bilí:v] 동 믿다

02회 실전 모의고사

1	①	2	④	3	①	4	②	5	②	6	③	7	③	8	⑤	9	④	10	②
11	④	12	②	13	③	14	⑤	15	④	16	②	17	①	18	④	19	①	20	⑤

1 화제 고르기

정답 ①

M You can find this in a living room. It is soft and comfortable. You can sit on it and watch TV or read books. It usually has cushions on it. What is this?

남 이것은 거실에서 찾을 수 있습니다. 이것은 푹신하고 편안합니다. 이것 위에 앉아서 텔레비전을 보거나 책을 읽을 수 있습니다. 이것 위에는 보통 쿠션이 있습니다. 이것은 무엇인가요?

해설 | 이것(this)은 거실에서 찾을 수 있고, 위에 앉아서 텔레비전을 보거나 책을 읽을 수 있다고 했으므로 정답은 ①이다.

어휘 | living room 거실 comfortable [kʌ́mfərtəbl] 형 편안한

2 알맞은 그림 고르기

정답 ④

W May I help you, sir?
M Yes, please. I'm looking for a raincoat for my daughter.
W Sure. Here is one with little ducks.
M Do you have any others? She's a little old to wear that.
W Okay. We have this one with star shapes.
M It's pretty. She likes stars.
W Then, she's going to love this one.
M Right. I'll get it.

여 도와드릴까요?
남 네. 제 딸에게 줄 우비를 찾고 있어요.
여 그렇군요. 여기 작은 오리들이 있는 게 있어요.
남 다른 것들도 있나요? 딸이 그것을 입기에는 좀 나이가 많아서요.
여 알겠습니다. 별 모양이 있는 이것도 있어요.
남 예쁘네요. 딸이 별을 좋아해요.
여 그럼, 이것을 정말 좋아할 거예요.
남 맞아요. 그걸로 살게요.

해설 | 여자가 별 모양들이 있는 우비를 보여주었고 남자가 그것을 사겠다고 했으므로 정답은 ④이다.

어휘 | raincoat [réinkout] 명 우비 daughter [dɔ́:tər] 명 딸 shape [ʃeip] 명 모양, 형태

3 날씨 고르기

정답 ①

W Good morning. This is the weather report. It was cloudy and windy all day yesterday. Today, it'll be snowy and cold in the morning. But the sky will clear in the evening. It'll be warm and sunny from tomorrow. Thank you.

여 안녕하십니까. 일기 예보입니다. 어제는 온종일 흐리고 바람이 많이 불었습니다. 오늘은, 오전에 눈이 오고 추울 것입니다. 하지만 저녁에는 하늘이 맑아질 것입니다. 내일부터는 따뜻하고 화창할 예정입니다. 감사합니다.

해설 | 내일부터는 따뜻하고 화창할 예정이라고 했으므로 정답은 ①이다.

어휘 | weather report 일기 예보 clear [kliər] 동 맑아지다 형 맑은 warm [wɔ:rm] 형 따뜻한

4 의도 고르기

정답 ②

M Kate, do you smell something delicious?
W Oh, there's a bakery.
M I can see many kinds of breads and cakes in the bakery.
W I want to buy a slice of chocolate cake.
M Let's go inside then.
W Sure. That's a good idea.

남 Kate, 뭔가 맛있는 냄새가 나지?
여 오, 저기에 제과점이 있네.
남 제과점에 많은 종류의 빵과 케이크가 보여.
여 나는 초콜릿케이크 한 조각을 사고 싶어.
남 그럼 안에 들어가 보자.
여 그래. 좋은 생각이야.

해설 | 남자가 제과점 안에 들어가 보자고 제안하자 여자가 그러자고 했으므로 정답은 ② '승낙'이다.

어휘 | smell [smel] 동 냄새가 나다 delicious [dilíʃəs] 형 맛있는 bakery [béikəri] 명 제과점 slice [slais] 명 한 조각 inside [ìnsaid] 부 안에, 내부로 전 ~ 안에

5 언급하지 않은 내용 고르기

정답 ②

M Hi, everyone. I'm Adam, and I'll be your guide for today's visit to the art museum. You will follow me to Hall A first, and then we will go to the second floor. The tour will last for about two hours. You can visit the gift shop on the first floor after the tour.

남 안녕하세요, 여러분. 저는 Adam이고, 오늘 여러분의 미술관 방문을 위한 가이드가 되어 드리겠습니다. 여러분은 먼저 A 전시실로 저를 따라오실 것이고, 그 후에 저희는 2층으로 가겠습니다. 관람은 약 2시간 동안 이어질 것입니다. 여러분은 관람 후에 1층의 기념품 가게를 방문하실 수 있습니다.

해설 | ① 가이드 이름(Adam), ③ 관람 순서(A 전시실 이후 2층 이동), ④ 소요 시간(약 2시간), ⑤ 기념품 가게 위치(1층)에 대해 언급했으므로 정답은 ② '시작 시간'이다.

어휘 | guide [gaid] 명 가이드, 안내인 follow [fálou] 동 따라가다, 따르다 floor [flɔːr] 명 층; 바닥 last [læst] 동 이어지다, 계속되다
gift shop 기념품 가게, 선물가게

6 시간 정보 고르기

정답 ③

W James, you didn't forget about our photo shoot at the photo studio, right?
M Of course not. It's at 4 p.m. tomorrow.
W That's right. Let's meet at 3:30.
M I think that's too late. We should change our clothes there.
W Then, how about 3?
M Great! I'll see you then.

여 James, 너 사진관에서 우리 사진 촬영하는 것 잊어버리지 않았지, 그렇지?
남 물론 안 잊었지. 내일 오후 4시잖아.
여 맞아. 우리 3시 30분에 만나자.
남 너무 늦은 것 같아. 우리 거기서 옷 갈아입어야 하잖아.
여 그럼, 3시는 어때?
남 좋아! 그때 보자.

해설 | 여자가 3시는 어떤지 묻자 남자가 좋다고 했으므로 정답은 ③ '3:00 p.m.'이다.

어휘 | shoot [ʃuːt] 명 (영화, 사진) 촬영 동 (총을) 쏘다 photo studio 사진관 clothes [klouz] 명 옷 (cloth [klɔːθ] 명 천)

7 장래 희망 고르기

정답 ③

W Brad, what are you doing?
M Hi, Sarah. I'm practicing my part for the school play.
W Wow! Are you interested in acting?
M Yes. I want to become an actor in the future.
W I think you have enough talent.
M Thanks, Sarah.

여 Brad, 뭐 하고 있니?
남 안녕, Sarah. 학교 연극을 위해서 내 역할을 연습하고 있어.
여 우와! 너 연기에 관심이 있어?
남 응. 난 미래에 배우가 되고 싶어.
여 나는 네게 충분한 재능이 있다고 생각해.
남 고마워, Sarah.

해설 | 남자는 미래에 배우가 되고 싶다고 했으므로 정답은 ③ '배우'이다.

어휘 | practice [prǽktis] 동 연습하다 명 관행 part [pɑːrt] 명 역할; 부분 play [plei] 명 연극 enough [inʌ́f] 형 충분한 talent [tǽlənt] 명 재능

8 심정 고르기

정답 ⑤

M Jisun, the weather is so nice today.
W Yes, it is. It's perfect weather for a picnic.
M That's right. Would you like to go on a picnic at noon?
W Sure. Let's enjoy some sandwiches outside.
M Great idea! We will have a good time.

남 지선아, 오늘 날씨가 너무 좋아.
여 응, 맞아. 소풍 가기 딱 좋은 날씨야.
남 맞아. 정오에 소풍 갈래?
여 그래. 야외에서 샌드위치를 즐기자.
남 좋은 생각이야! 우리는 즐거운 시간을 보낼 거야.

해설 | 남자가 소풍 갈 것을 제안하며 즐거운 시간을 보낼 것이라고 했으므로 정답은 ⑤ 'excited'이다.

선택지 해석

① 슬픈 ② 화난 ③ 수줍은 ④ 걱정스러운 ⑤ 신난

어휘 | go on a picnic 소풍 가다 (picnic [píknik] 명 소풍) outside [àutsáid] 부 야외에서 명 바깥쪽

9 할 일 고르기

정답 ④

M	Emily, you don't look well. Are you feeling sick?	남 Emily, 안색이 안 좋아 보여. 너 아프니?
W	Yes, Dad. I feel dizzy and so cold.	여 네, 아빠. 어지럽고 너무 추워요.
M	I guess you caught a cold. Do you have a fever?	남 감기에 걸린 것 같구나. 열이 있니?
W	I don't know.	여 모르겠어요.
M	Then, check your temperature.	남 그렇다면, 체온을 재보렴.
W	Okay, I will.	여 알겠어요, 그럴게요.

해설 | 남자가 여자에게 체온을 재보라고 하자 여자가 알겠다고 했으므로 정답은 ④ '체온 재기'이다.

어휘 | dizzy [dízi] 형 어지러운 catch a cold 감기에 걸리다 fever [fíːvər] 명 열 temperature [témpərətʃər] 명 체온; 온도

10 주제 고르기

정답 ②

W	Danny, are you ready for the school talent show?	여 Danny, 학교 장기 자랑 준비는 됐니?
M	Yes. Our team practiced for a month.	남 네, 저희 팀은 한 달 동안 연습했어요.
W	What are you going to do?	여 무엇을 할 예정이니?
M	We're going to sing the song *Yellow Submarine* by The Beatles.	남 비틀즈가 부른 <Yellow Submarine>을 부를 거예요.
W	Wonderful. Your team will do great.	여 멋지구나. 너희 팀은 잘할 거야.
M	Thank you, Ms. Astor.	남 감사합니다, Astor 선생님.

해설 | 여자가 남자에게 학교 장기 자랑 준비가 됐는지, 어떤 노래를 부를 것인지 묻고 있는 것으로 보아 정답은 ② '장기 자랑'이다.

어휘 | talent show 장기 자랑

11 교통수단 고르기

정답 ④

M	Mom, I'm going to the amusement park on Saturday with my friends.	남 엄마, 저 친구들이랑 토요일에 놀이공원에 갈 거예요.
W	How are you getting there, John?	여 거기에 어떻게 갈 거니, John?
M	We'll take the bus. It's going to take 30 minutes.	남 버스를 타려고요. 30분 걸릴 거예요.
W	Why don't you take the subway? It's always faster.	여 지하철을 타는 게 어떠니? 항상 그게 더 빠르단다.
M	Okay. We'll do that.	남 알겠어요. 그렇게 할게요.

해설 | 여자가 지하철을 탈 것을 제안하자 남자가 알겠다고 했으므로 정답은 ④ '지하철'이다.

어휘 | amusement park 놀이공원 fast [fæst] 형 빠른 부 빨리

12 이유 고르기

정답 ②

W	You didn't come to the book club yesterday, did you?	여 너 어제 독서 동아리에 안 왔더라, 그렇지?
M	Actually, I went to the airport.	남 사실, 난 공항에 갔어.
W	Why did you go there?	여 거기에는 왜 갔어?
M	I went to pick up my friend. He is visiting Korea for a vacation.	남 친구를 마중하러 갔어. 친구가 방학 동안 한국을 방문하거든.
W	Cool! I hope he has a great time here.	여 멋지다! 그가 여기서 좋은 시간을 보내길 바라.

해설 | 남자가 친구를 마중하러 공항에 갔다고 했으므로 정답은 ② '친구를 마중하기 위해서'이다.

어휘 | airport [érpɔrt] 명 공항 pick up 마중 나가다, 차에 태우다 visit [vízit] 동 방문하다 vacation [veikéiʃən] 명 방학, 휴가
hope [houp] 동 바라다, 희망하다

13 장소 고르기

정답 ③

M Next person, please. *[Pause]* How can I help you?
W I need some stamps.
M How many do you need?
W Five, please. Oh, and I need to send this.
M Alright. What is in the box?
W It is a birthday gift for my sister. She lives in China.
M I see. It will be 15 dollars for international mail.

남 다음 분이요. *[잠시 멈춤]* 어떻게 도와드릴까요?
여 우표가 좀 필요해요.
남 몇 장이나 필요하세요?
여 5장이요. 오, 그리고 이것을 보내야 해요.
남 알겠습니다. 상자에 뭐가 들어 있나요?
여 저희 누나에게 줄 생일 선물이에요. 그녀는 중국에 살고 있거든요.
남 그렇군요. 국제 우편은 15달러입니다.

해설 | 여자는 우표가 필요하다고 했고, 소포를 보내려는 여자에게 남자가 국제 우편은 15달러라는 말을 하는 것으로 보아 정답은 ③ '우체국'이다.

어휘 | stamp [stæmp] 명 우표 send [send] 동 보내다 international mail 국제 우편

14 위치 고르기

정답 ⑤

W Dad, did you see my earphones in the house?
M Hmm... I'm not sure.
W I put them on the desk yesterday, but I can't find them.
M Did you check under the desk?
W Sure. But they weren't there.
M Oh! I found your earphones. They are on the shelf.

여 아빠, 집에서 제 이어폰 보셨어요?
남 흠... 잘 모르겠구나.
여 어제 책상 위에 뒀는데, 찾을 수가 없어요.
남 책상 아래도 확인했니?
여 그럼요. 그런데 거기에 없었어요.
남 오! 네 이어폰을 찾았단다. 선반 위에 있구나.

해설 | 남자가 선반 위에서 이어폰을 찾았으므로 정답은 ⑤이다.

어휘 | shelf [ʃelf] 명 선반

15 부탁·요청한 일 고르기

정답 ④

[Cellphone rings.]
M Hey, Liz. Are you busy?
W Hi, Peter. What's up?
M *[Clicking sound]* I sent you pictures of some bracelets. Could you pick one out?
W Sure. What's it for?
M It's a Christmas gift for Miranda.
W I like the blue one with little birds.
M Thanks!

[휴대폰이 울린다.]
남 안녕, Liz. 바쁘니?
여 안녕, Peter. 무슨 일이야?
남 *[클릭하는 소리]* 너한테 팔찌 사진들을 몇 개 보냈어. 하나 골라줄 수 있어?
여 물론이지. 그건 뭘 위한 거야?
남 이건 Miranda에게 줄 크리스마스 선물이야.
여 나는 작은 새들이 있는 파란색 팔찌가 맘에 들어.
남 고마워!

해설 | 남자가 여자에게 팔찌 사진을 보내면서 골라 달라고 부탁했으므로 정답은 ④ '물건 골라주기'이다.

어휘 | bracelet [bréislit] 명 팔찌 pick out ~을 고르다

16 제안한 일 고르기

정답 ②

M Honey, where are you going?
W I'm going to the park to run.
M But it's too cold outside now.
W Oh, I didn't check the weather forecast today.
M What about going to the gym instead?
W That sounds like a great idea! I need to exercise.

남 여보, 어디 가는 거야?
여 뛰려고 공원에 가.
남 하지만 지금 밖에 엄청 추워.
여 오, 오늘 일기 예보를 확인 안 했네.
남 대신에 체육관에 가는 건 어때?
여 좋은 생각 같아! 나 운동해야 해.

해설 | 남자가 여자에게 체육관에 가는 것을 제안했으므로 정답은 ② '체육관 가기'이다.

어휘 | forecast [fɔ́rkæst] 명 예보, 예상 동 예상하다 gym [dʒim] 명 체육관 exercise [éksərsaiz] 동 운동하다 명 운동

17 할 일 고르기

정답 ①

W Hi, Daniel. I love watching science fiction movies these days.
M Well, did you watch *Starlights* then?
W Not yet. I heard the movie is very interesting.
M Do you want to watch it this Sunday? I have two free tickets.
W Sure. Thank you so much.
M No problem.

여 안녕, Daniel. 난 요즘 공상 과학 영화 보는 게 너무 좋더라.
남 음, 그럼 <Starlights> 봤니?
여 아직. 그 영화 정말 재미있다고 들었어.
남 이번 일요일에 그거 볼래? 나한테 무료 티켓이 두 장 있어.
여 그래. 정말 고마워.
남 천만에.

해설 | 남자가 일요일에 영화 <Starlights>를 보자고 하자 여자가 그러자고 했으므로 정답은 ① '영화 보러 가기'이다.

어휘 | science fiction movie 공상 과학 영화 these days 요즘 interesting [íntərəstiŋ] 형 재미있는, 흥미로운 free [friː] 형 무료의; 자유의

18 직업 고르기

정답 ④

W Thank you for coming today, Mr. Smith.
M It's my pleasure.
W Let's begin the interview by talking about your new book.
M Sure. It took two years to write. I was traveling in Italy during that time.
W Do you always travel when you write a book?
M Yes. Traveling helps me a lot because it gives me useful ideas.
W Our readers will find that interesting.

여 오늘 와주셔서 감사해요, Smith씨.
남 별말씀을요.
여 당신의 신간에 대해 이야기하는 것으로 인터뷰를 시작할게요.
남 좋지요. 집필하는 데 2년이 걸렸어요. 그 시기 동안 저는 이탈리아에서 여행하는 중이었고요.
여 책을 집필할 때 항상 여행을 하시나요?
남 네. 여행은 유용한 아이디어를 주기 때문에 저에게 많은 도움이 돼요.
여 저희 독자들이 흥미롭게 생각하겠어요.

해설 | 여자가 남자의 신간에 대해 이야기하는 것으로 인터뷰를 시작하자고 했고, 책을 집필할 때의 이야기를 하는 것으로 보아 정답은 ④ '작가'이다.

어휘 | interview [íntərvjuː] 명 인터뷰 travel [trǽvəl] 동 여행하다 useful [júːsfəl] 형 유용한 find [faind] 동 ~라고 생각하다, 여기다; 찾다

19 적절한 응답 고르기

정답 ①

W What are you studying, Jiwoo?
M I'm solving some math problems.
W Are they difficult for you?
M Yes. Actually, I'm not good at math. It is not my favorite subject.
W Then, what subject do you like most?
M I like studying history.

여 뭘 공부하고 있어, 지우야?
남 수학 문제 몇 개를 푸는 중이야.
여 그것들이 너한테 어렵니?
남 응. 사실, 난 수학을 잘하지 못해. 그건 내가 가장 좋아하는 과목은 아니야.
여 그럼, 너는 무슨 과목을 가장 좋아하니?
남 나는 역사 공부하는 걸 좋아해.

해설 | 여자가 남자에게 무슨 과목을 가장 좋아하는지 물었으므로 정답은 과목을 언급하는 ① 'I like studying history.'이다.

선택지 해석

① 나는 역사 공부하는 걸 좋아해. ② 나는 나쁜 성적을 받았어. ③ 함께 문제를 풀어보자. ④ 응, 맞아. ⑤ 슬퍼하지 마.

어휘 | solve [sɑːlv] 동 풀다, 해결하다 be good at ~을 잘하다, ~에 능숙하다 subject [sʌ́bdʒikt] 명 과목; 주제 most [moust] 부 가장 history [hístəri] 명 역사

20 적절한 응답 고르기

정답 ⑤

M Hello. Can I help you?
W Yes, please. I'd like to buy a ticket for Gwangju.
M What time do you want to leave?
W I want to leave around noon.
M I see. *[Typing sound]* Here is your ticket. The train leaves at 12:10 p.m.
W Thank you. Where can I get on the train?
M Platform number 3.

남 안녕하세요. 도와드릴까요?
여 네. 광주행 표를 사고 싶어요.
남 언제 출발하고 싶으신가요?
여 정오쯤에 출발하고 싶어요.
남 알겠습니다. *[타자 치는 소리]* 여기 손님의 표예요. 기차는 오후 12시 10분에 출발해요.
여 감사합니다. 기차는 어디에서 탈 수 있나요?
남 3번 승강장이요.

해설 | 여자가 기차는 어디에서 탈 수 있는지를 물었으므로 정답은 승강장 위치를 언급하는 ⑤ 'Platform number 3.'이다.

선택지 해석

① 제 차를 가져갈게요. ② 그가 맞았어요. ③ 그녀는 광주에서 왔어요. ④ 앉아주세요. ⑤ 3번 승강장이요.

어휘 | around [əráund] 부 ~쯤, 대략; 주변에 noon [nuːn] 명 정오, 낮 12시 get on (버스·지하철 등을) 타다 platform [plǽtfɔːrm] 명 승강장, 플랫폼

03회 실전 모의고사

| 문제 pp.42-43

1	③	2	②	3	②	4	⑤	5	④	6	③	7	④	8	①	9	⑤	10	⑤
11	①	12	③	13	②	14	①	15	③	16	④	17	④	18	③	19	④	20	③

1 화제 고르기

정답 ③

M I have four legs and a short tail. I am usually raised on a farm. My white curly hair keeps me warm. Also, it is used to make cloth. What am I?

남 나는 네 개의 다리와 짧은 꼬리를 가지고 있습니다. 나는 보통 농장에서 길러집니다. 내 하얗고 곱슬곱슬한 털은 나를 따뜻하게 해줍니다. 또한, 그것은 옷감을 만드는 데에 사용됩니다. 나는 무엇인가요?

해설 | 나(I)의 하얗고 곱슬곱슬한 털이 따뜻하게 해주며, 털이 옷감을 만드는 데에 사용된다고 했으므로 정답은 ③이다.

어휘 | tail [teil] 명 꼬리 raise [reiz] 동 기르다; 들어올리다 farm [fɑːrm] 명 농장 curly [kə́ːrli] 형 곱슬곱슬한 cloth [klɔ́ːθ] 명 옷감, 천

2 알맞은 그림 고르기

정답 ②

W Welcome. May I help you?
M I'm looking for some slippers.
W How about these with dogs?
M Hmm... I prefer cats because I have a cat at home.
W I see. Well, these have cats on them.
M Oh, those are perfect!

여 어서 오세요. 도와드릴까요?
남 실내화를 좀 찾고 있어요.
여 강아지가 있는 이건 어떠신가요?
남 흠... 저는 집에 고양이가 있어서 고양이를 선호해요.
여 그렇군요. 자, 이건 위에 고양이가 그려져 있어요.
남 오, 딱 좋네요!

해설 | 여자가 고양이가 그려진 실내화가 있다고 하자 남자가 딱 좋다고 했으므로 정답은 ②이다.

어휘 | slipper [slípər] 명 실내화, 슬리퍼 prefer [prifə́ːr] 동 선호하다

3 날씨 고르기

정답 ②

W Good evening. This is a weather report for this weekend. It will be sunny on Saturday. So, you can enjoy a picnic with your family. On Sunday morning, there will be dark clouds in the sky. And it will rain in the afternoon.

여 안녕하십니까. 이번 주말의 일기 예보입니다. 토요일은 화창하겠습니다. 그러니, 가족과 소풍을 즐기실 수 있을 것입니다. 일요일 오전에는 하늘에 먹구름이 끼겠습니다. 그리고 오후에 비가 내릴 것입니다.

해설 | 일요일 오후에 비가 내릴 것이라고 했으므로 정답은 ②이다.

어휘 | enjoy [indʒɔ́i] 동 즐기다 dark clouds 먹구름

4 의도 고르기

정답 ⑤

M Mom, could I ask you a favor?
W What is it, Taejun?
M I need to buy some books, but I don't have money.
W You got your pocket money last week, didn't you?
M Yes, I did. But I spent it all. Sorry.
W Okay. But you should not waste money next time.

남 엄마, 부탁을 하나 드려도 될까요?
여 그게 무엇이니, 태준아?
남 책을 몇 권 사야 하는데, 돈이 없어요.
여 지난주에 용돈을 받았잖아, 그렇지 않니?
남 네. 맞아요. 그런데 그걸 다 썼어요. 죄송해요.
여 알겠다. 하지만 다음번에는 돈을 낭비하면 안 돼.

해설 | 남자가 용돈을 다 썼다고 하자 여자가 다음번에는 돈을 낭비하면 안 된다고 했으므로 정답은 ⑤ '충고'이다.

어휘 | favor [féivər] 명 부탁 pocket money 용돈 waste [weist] 동 낭비하다

5 언급하지 않은 내용 고르기

정답 ④

M Let me tell you about the modern dance festival at the National Theater. It'll start on March 27th and end on April 6th. World-famous dancers like Sam Cox will take part. The admission fee is five dollars for adults and two dollars for students.

남 국립 극장에서 열릴 현대 무용 축제에 대해 말씀드리겠습니다. 전시회는 3월 27일에 시작하여 4월 6일에 끝날 예정입니다. Sam Cox처럼 세계적으로 유명한 무용가들이 참여할 것입니다. 입장료는 어른은 5달러이고 학생은 2달러입니다.

해설 | ① 행사 장소(국립 극장), ② 행사 기간(3월 27일부터 4월 6일까지), ③ 참여 무용가(Sam Cox처럼 세계적으로 유명한 무용가들), ⑤ 입장료(어른 5달러, 학생 2달러)에 대해 언급했으므로 정답은 ④ '특별 공연'이다.

어휘 | modern [mádərn] 형 현대의 world-famous 형 세계적으로 유명한 take part 참여하다, 참가하다 admission fee 입장료

6 시간 정보 고르기

정답 ③

[Cellphone rings.]
W Sangmin, where are you?
M Oh, I'm coming. I'm so sorry.
W It's already 9:30 a.m.
M I'm almost there. Please wait for me.
W Did you get up late?
M No. I took the bus at 8:30, but there was heavy traffic on the road.
W Okay, hurry up!

[휴대폰이 울린다.]
여 상민아, 어디니?
남 오, 나 가는 중이야. 정말 미안해.
여 벌써 오전 9시 30분이야.
남 거의 다 왔어. 나를 기다려줘.
여 늦게 일어난 거야?
남 아니. 8시 30분에 버스를 탔는데, 도로에 교통 체증이 있었어.
여 알겠어, 서둘러 와!

해설 | 남자가 8시 30분에 버스를 탔다고 했으므로 정답은 ③ '8:30 a.m.'이다.

어휘 | already [ɔːlrédi] 부 벌써, 이미 wait for ~를 기다리다 get up 일어나다 heavy traffic 교통 체증

7 장래 희망 고르기

정답 ④

W Is this your summer vacation homework, Minsu?
M Yes. It's a miniature of Gyeongbokgung.
W Wow, it looks the same as the palace. You're so talented!
M Thank you. I want to design unique buildings with traditional styles.
W I believe you'll be a good architect someday.

여 이게 네 여름 방학 숙제니, 민수야?
남 응. 경복궁 축소 모형이야.
여 우와, 그 궁이랑 똑같아 보여. 너 정말 재능 있다!
남 고마워. 나는 전통 양식이 들어간 독특한 건물을 설계하고 싶어.
여 네가 언젠가 훌륭한 건축가가 될 거라고 믿어.

해설 | 남자가 전통 양식이 들어간 독특한 건물을 설계하고 싶다고 하자, 여자가 남자에게 좋은 건축가가 될 것을 믿는다고 했으므로 정답은 ④ '건축가'이다.

어휘 | palace [pǽlis] 명 궁전 design [dizáin] 동 설계하다, 디자인하다 unique [juːníːk] 형 독특한 traditional [trədíʃənəl] 형 전통적인 architect [árkətekt] 명 건축가

8 심정 고르기

정답 ①

M Amy, your grandmother is coming to visit us this weekend.
W Really? How long is she going to stay with us this time, Dad?
M For a week. Can you clean the guest room before she arrives?
W Of course. I can't wait to see her!

남 Amy, 할머니께서 이번 주말에 우리를 방문하러 오신단다.
여 정말이요? 이번에는 얼마나 오래 우리와 지내실 거래요, 아빠?
남 일주일 동안. 할머니께서 도착하시기 전에 손님방을 청소해 주겠니?
여 물론이죠. 빨리 할머니를 뵙고 싶어요!

해설 | 여자가 할머니를 빨리 뵙고 싶다고 한 것으로 보아 정답은 ① '설렘'이다.

어휘 | stay [stei] 동 지내다, 머무르다 clean [kliːn] 동 청소하다 형 깨끗한 guest [gest] 명 손님

9 할 일 고르기

정답 ⑤

W Oh, no! There is a hole in my new jacket!
M But you bought it 10 minutes ago.
W I think they sold me a bad one. What should I do?
M You should get a refund.
W But I really like this jacket.
M Then, ask them to give you a new one.
W Okay. I'll go back to the store now.

여 오, 이런! 내 새 재킷에 구멍이 있어!
남 그런데 그거 10분 전에 샀잖아.
여 나한테 불량을 판 것 같아. 내가 뭘 해야 하지?
남 환불받아야 해.
여 하지만 난 이 재킷이 정말 마음에 들어.
남 그러면, 그들에게 새 것을 달라고 부탁해봐.
여 알겠어. 지금 가게로 돌아가야겠다.

해설 | 여자가 지금 가게로 돌아가야겠다고 했으므로 정답은 ⑤ '가게로 돌아가기'이다.

어휘 | hole [houl] 명 구멍 bad [bæd] 형 불량한; 나쁜 get a refund 환불받다 ask [æsk] 동 부탁하다; 묻다, 질문하다

10 주제 고르기

정답 ⑤

W Blake, how's your drawing going?
M It's going great, Susie!
W Is it a flying car?
M Yes, it is. I'm drawing a future city.
W Nice! How about drawing a rocket station?
M That's a cool idea. Maybe people can ride a rocket like an airplane in the future.

여 Blake, 그림은 어떻게 되고 있니?
남 잘 되고 있어, Susie!
여 이건 하늘을 나는 차야?
남 응, 맞아. 미래 도시를 그리고 있거든.
여 멋지다! 로켓 정류장을 그리는 건 어때?
남 멋진 생각이야. 아마 사람들이 미래에는 비행기처럼 로켓을 탈 수 있을 거야.

해설 | 여자가 남자에게 그리고 있는 그림에 대해 묻자 남자가 미래 도시를 그리고 있다고 했으므로 정답은 ⑤ '미래 도시 그리기'이다.

어휘 | station [stéiʃən] 명 정류장, 정거장 airplane [érplein] 명 비행기

11 교통수단 고르기

정답 ①

M Anne, I forgot to buy baking soda.
W Let's go to Boram Mart and buy some. The bus stop is right over there.
M Hmm... I think it's too close for the bus.
W Then, why don't we take a walk? It's a beautiful day.
M Sure. Let's go enjoy the spring weather.

남 Anne, 나 베이킹소다를 사는 걸 잊어버렸어.
여 보람 마트에 가서 좀 사자. 버스 정류장이 바로 저쪽에 있네.
남 흠... 버스를 타기엔 너무 가까운 것 같아.
여 그럼, 산책을 하는 건 어때? 아름다운 날이야.
남 그래. 가서 봄 날씨를 즐기자.

해설 | 여자가 산책할 것을 제안하자 남자가 그러자고 했으므로 정답은 ① '도보'이다.

어휘 | forget [fərgét] 동 잊다 bus stop 버스 정류장 close [klouz] 형 가까운 동 닫다

12 이유 고르기

정답 ③

M Excuse me, when will the plane from Busan get here? My friend should arrive soon.
W Let me check, sir. *[Pause]* Oh, the plane didn't leave Busan yet.
M What happened?
W There is a bad storm with strong winds. They may cancel the flight.
M Oh, okay. Thank you for the help.

남 실례합니다, 부산에서 오는 비행기는 여기에 언제 도착하나요? 제 친구가 곧 도착할 거예요.
여 확인해보겠습니다, 손님. *[잠시 멈춤]* 오, 그 비행기는 아직 부산에서 출발하지 않았어요.
남 무슨 일이 있었나요?
여 강풍을 동반한 심한 폭풍우가 있어요. 비행을 취소할 수도 있습니다.
남 오, 알겠습니다. 도와주셔서 감사합니다.

해설 | 여자가 강풍을 동반한 심한 폭풍우가 있어 비행을 취소할 수도 있다고 했으므로 정답은 ③ '기상 상황이 악화되어서'이다.

어휘 | arrive [əráiv] 동 도착하다 plane [plein] 명 비행기 storm [stɔːrm] 명 폭풍우, 폭풍 cancel [kǽnsəl] 동 취소하다 flight [flait] 명 비행

13 장소 고르기

정답 ②

M Hi. Can I help you?
W I'd like to buy a book.
M What kind of book are you looking for?
W I'm looking for a funny story. I want to laugh a lot while I read it.
M Okay. How about this one?
W Let me see. *[Pause]* Perfect. I'll take this.

남 안녕하세요. 도와드릴까요?
여 책을 한 권 사고 싶어요.
남 어떤 종류의 책을 찾으세요?
여 웃긴 이야기를 찾고 있어요. 읽으면서 많이 웃고 싶거든요.
남 알겠습니다. 이건 어떤가요?
여 한번 볼게요. *[잠시 멈춤]* 딱 좋아요. 이걸 살게요.

해설 | 여자가 책을 한 권 사고 싶다고 했고, 이어서 남자가 보여준 책을 사겠다는 말을 하는 것으로 보아 정답은 ② '서점'이다.

어휘 | funny [fʌ́ni] 형 웃기는, 재미있는 laugh [læf] 동 웃다

14 위치 고르기

정답 ①

W Hi, Tom. What's up?
M I found a wallet. I should take it to a police station. Is there one near here?
W Yes. Go straight two blocks, and turn left on High Street.
M Turn left on High Street?
W Yes. It'll be on your right. It's next to the hospital.
M Thank you.

여 안녕, Tom. 무슨 일이니?
남 나 지갑을 발견했어. 이걸 경찰서에 가져가야 해. 여기 근처에 경찰서가 있니?
여 응. 두 블록 직진해서, 하이 가에서 좌회전해.
남 하이 가에서 좌회전하라고?
여 응. 네 오른쪽에 있을 거야. 병원 옆에 있어.
남 고마워.

해설 | 경찰서는 두 블록 직진해서 하이 가에서 좌회전한 다음 오른쪽, 즉 병원 옆에 있다고 했으므로 정답은 ①이다.

어휘 | wallet [wálit] 명 지갑 police station 경찰서

15 부탁·요청한 일 고르기

정답 ③

W Honey, here I am. Let's go watch the movie.
M Okay. Did you bring my glasses?
W Yes. I also bought the tickets on the way.
M Thank you. What about buying some popcorn?
W Good idea! Can you get it while I get a movie poster?
M Of course.

여 여보, 나 왔어. 영화 보러 가자.
남 알겠어. 내 안경 가져왔어?
여 응. 내가 오는 길에 티켓도 샀어.
남 고마워. 팝콘을 좀 사는 건 어때?
여 좋은 생각이야! 내가 영화 포스터를 가져오는 동안 그걸 사다줄래?
남 물론이지.

해설 | 여자가 남자에게 자신이 영화 포스터를 가져오는 동안에 팝콘을 사달라고 부탁했으므로 정답은 ③ '팝콘 사기'이다.

어휘 | bring [briŋ] 동 가져오다 glasses [glǽsəz] 명 안경 (glass [glæs] 명 유리) poster [póustər] 명 포스터

16 제안한 일 고르기

정답 ④

W Taemin, what did you put on the Christmas tree?
M I hung these ribbons and lights, Mom.
W It looks beautiful. But I think it needs something more.
M Really? What should I do?
W Why don't you decorate the top with a star?
M Okay, I will.

여 태민아, 크리스마스트리에 무엇을 달았니?
남 이 리본들이랑 전구들을 걸었어요, 엄마.
여 아름답구나. 그런데 뭔가가 더 필요한 것 같아.
남 정말요? 뭘 해야 할까요?
여 꼭대기를 별로 장식하는 게 어떠니?
남 알겠어요, 그럴게요.

해설 | 여자가 남자에게 크리스마스트리 꼭대기를 별로 장식하는 것을 제안했으므로 정답은 ④ '별 장식 달기'이다.

어휘 | hang [hæŋ] 동 걸다, 매달다 beautiful [bjú:təfəl] 형 아름다운 decorate [dékərèit] 동 장식하다 top [tap] 명 꼭대기

17 한 일 고르기

정답 ④

M Nayoung, did you have a good holiday?
W Yeah. I went to Jeju with my family.
M Oh, what did you do there?
W I climbed Hallasan. What about you?
M I played badminton in the park everyday.
W Sounds fun! I'd like to join you next time.

남 나영아, 즐거운 휴일 보냈니?
여 응. 나는 가족과 함께 제주에 갔었어.
남 오, 거기서 뭐 했니?
여 한라산을 등반했어. 너는?
남 나는 매일 공원에서 배드민턴을 쳤어.
여 재미있겠다! 다음번에 너랑 같이 하고 싶어.

해설 | 남자는 휴일에 매일 공원에서 배드민턴을 쳤다고 했으므로 정답은 ④ '배드민턴 치기'이다.

어휘 | climb [klaim] 동 등반하다, 오르다

18 직업 고르기

정답 ③

W Hi, Dr. Lee. Can I come in?
M Sure. Have a seat. What's the problem?
W I become angry too easily. What's wrong with me?
M Don't worry. Many people have that problem.
W Really?
M Yes. Let me tell you how to control your feelings.

여 안녕하세요, 이 선생님. 들어가도 될까요?
남 그럼요. 앉으세요. 무엇이 문제인가요?
여 저는 너무 쉽게 화가 나요. 저는 뭐가 문제일까요?
남 걱정 마세요. 많은 사람들이 그 문제를 가지고 있답니다.
여 정말이요?
남 네. 제가 감정을 조절하는 방법을 알려 드릴게요.

해설 | 여자가 너무 쉽게 화가 난다면서 뭐가 문제인지 묻자 남자가 감정을 조절하는 방법을 알려주겠다고 하는 것으로 보아 정답은 ③ '상담사'이다.

어휘 | have a seat 앉다 easily [íːzili] 부 쉽게 control [kəntróul] 동 조절하다, 제어하다 feeling [fíːliŋ] 명 감정, 느낌

19 적절한 응답 고르기

정답 ④

[Cellphone rings.]
M Hi, Mia.
W Hello, Robert. What are you doing in the evening?
M I will go to the park to see the fireworks.
W Actually, I called you to ask about going there together.
M Great. Can I bring my sister Anna too?
W Sure. I'm so excited.
M Okay. Let's meet at 7 p.m. in the park.
W That sounds great.

[휴대폰이 울린다.]
남 안녕, Mia.
여 안녕, Robert. 저녁에 뭐 할 거야?
남 불꽃놀이를 보러 공원에 갈 거야.
여 실은, 거기 같이 갈지 물어보려고 너한테 전화했는데.
남 좋아. 내 동생 Anna도 데려가도 돼?
여 물론이지. 너무 신난다.
남 그래. 공원에서 오후 7시에 만나자.
여 그게 좋겠다.

해설 | 남자가 공원에서 오후 7시에 만날 것을 제안했으므로 정답은 제안을 수락하는 ④ 'That sounds great.'이다.

선택지 해석

① 그는 벌써 점심을 먹으러 갔어. ② 내 주말은 재미있었어. ③ 도와줘서 고마워. ④ 그게 좋겠다. ⑤ 아직도 결정 안 했니?

어휘 | firework [faiərwəːrk] 명 불꽃놀이

20 적절한 응답 고르기

정답 ③

M Junmi, did you watch the news this morning?
W No, I didn't. Why?
M There will be heavy rain today.
W Oh, no! I didn't bring an umbrella.
M It's okay. I have a big one. You can share it with me.
W Thank you so much.

남 준미야. 오늘 아침에 뉴스 봤니?
여 아니, 못 봤어.왜?
남 오늘 많은 비가 내릴 거래.
여 오, 이런! 나 우산 안 가져왔는데.
남 괜찮아. 나한테 큰 게 있어. 나와 함께 써도 돼.
여 정말 고마워.

해설 | 여자가 우산을 가져오지 않았다고 하자 남자가 우산을 자신과 함께 써도 된다고 했으므로 정답은 고마움을 표현하는 ③ 'Thank you so much.'이다.

선택지 해석

① 좋은 소식이 있어. ② 잘 자. ③ 정말 고마워. ④ 조심해. ⑤ 곧 돌아올게.

어휘 | watch [wɑtʃ] 동 보다 umbrella [ʌmbrélə] 명 우산 share [ʃɛər] 동 함께 쓰다, 공유하다

04회 실전 모의고사

| 문제 pp.50-51

1	④	2	⑤	3	③	4	④	5	③	6	②	7	④	8	②	9	③	10	③
11	⑤	12	⑤	13	②	14	③	15	③	16	①	17	④	18	③	19	①	20	⑤

1 화제 고르기

정답 ④

W This is an electronic tool. You may find this at home. You can make a hole in the wall with this. It is also very useful when you make furniture. What is this?

여 이것은 전자 도구입니다. 집에서 이것을 찾을 수 있습니다. 이것으로 벽에 구멍을 뚫을 수 있습니다. 이것은 가구를 만들 때도 매우 유용합니다. 이것은 무엇인가요?

해설 | 이것(this)으로 벽에 구멍을 뚫을 수 있고, 가구를 만들 때도 매우 유용하다고 했으므로 정답은 ④이다.

어휘 | electronic [ilektrάnik] 형 전자의 tool [tu:l] 명 도구, 연장 make a hole 구멍을 뚫다 useful [júsfəl] 형 유용한 furniture [fə́rnitʃər] 명 가구

2 알맞은 그림 고르기

정답 ⑤

W Dylan, did you buy a new kite?
M No, Mom. I made it in my art class today.
W Great job! Is that a fish in the center?
M Actually, it's a rocket. I made it for my little brother.
W That is so sweet of you.

여 Dylan, 새 연을 샀니?
남 아뇨, 엄마. 오늘 미술 수업 시간에 제가 만든 거예요.
여 잘했네! 가운데 있는 것은 물고기니?
남 사실, 로켓이에요. 남동생을 위해 이걸 만들었어요.
여 정말 다정하구나.

해설 | 남자가 연의 가운데에 로켓이 있다고 했으므로 정답은 ⑤이다.

어휘 | kite [kait] 명 연 center [séntər] 명 가운데, 중심 sweet [swi:t] 형 다정한; 달콤한

3 날씨 고르기

정답 ③

W Good morning, everyone. This is the weather forecast for this week. It will be cloudy on Monday. And on Tuesday, it will rain. On Wednesday, the rain will stop and the sun will shine in the morning, but there will be lots of clouds all afternoon.

여 안녕하십니까, 여러분. 이번 주의 일기 예보입니다. 월요일에는 흐리겠습니다. 그리고 화요일에는 비가 내리겠습니다. 수요일에는 비가 그치고 오전에는 햇빛이 비치겠지만, 오후 내내 많은 구름이 낄 예정입니다.

해설 | 수요일 오후 내내 많은 구름이 낄 예정이라고 했으므로 정답은 ③이다.

어휘 | weather forecast 일기 예보 shine [ʃain] 동 비치다, 빛나다

4 의도 고르기

정답 ④

M Could you read my article about Earth Day, Sally?
W Why did you write an article? Was it homework?
M No, it wasn't. I joined the school newspaper.
W Congratulations! You always wanted to be a reporter.
M Thanks. Is the article easy to understand?
W I think so. You did a good job!

남 지구의 날에 대한 내 기사 읽어봐 줄 수 있어, Sally?
여 왜 기사를 썼어? 숙제였니?
남 아니, 그건 아니야. 나 학교 신문사에 들어갔거든.
여 축하해! 넌 항상 기자가 되고 싶어 했잖아.
남 고마워. 이 기사 이해하기에 쉽니?
여 그런 것 같아. 잘했다!

해설 | 남자가 자신이 쓴 기사가 이해하기 쉽냐고 묻자 여자가 그런 것 같다며 잘했다고 했으므로 정답은 ④ '칭찬'이다.

어휘 | article [ά:rtikl] 명 기사 reporter [ripɔ́:rtər] 명 기자 understand [ʌndərstǽnd] 동 이해하다

5 언급하지 않은 내용 고르기

정답 ③

M Hello, everyone. I'd like to tell you about our school singing contest, Show Me Your Voice. The contest will be this Friday. The winner will get a 100-dollar coupon for the nearby market. You can sign up for the contest on our website.

남 안녕하세요, 여러분. 저는 우리 학교의 노래 대회인 Show Me Your Voice를 소개해드리려고 합니다. 이 대회는 이번 주 금요일에 있을 것입니다. 우승자는 근처 시장의 100달러짜리 쿠폰을 받을 것입니다. 여러분은 우리 학교 웹사이트에서 대회에 신청할 수 있습니다.

해설 | ① 대회 이름(Show Me Your Voice), ② 대회 날짜(이번 주 금요일), ④ 우승 상품(근처 시장의 100달러짜리 쿠폰), ⑤ 신청 방법(웹사이트)에 대해 언급했으므로 정답은 ③ '참가자 수'이다.

어휘 | contest [kántest] 명 대회 coupon [kú:pɑn] 명 쿠폰 nearby [nìərbái] 형 근처의 sign up for ~을 신청하다

6 시간 정보 고르기

정답 ②

W Hi, Bill. Where are you going?
M I'm going to a movie.
W What movie are you going to watch?
M It's called *The Little Cat*. Would you like to join me?
W Sure. When does it start?
M It starts at 6:45.
W Oh, that's in 15 minutes. It's already 6:30.
M Don't worry. The theater is across the street.

여 안녕, Bill. 어디 가는 중이니?
남 나는 영화를 보러 가고 있어.
여 어떤 영화 볼 거야?
남 <The Little Cat>이라는 거야. 같이 갈래?
여 좋지. 그거 언제 시작하니?
남 6시 45분에 시작해.
여 오, 그거 15분 후에 시작하네. 벌써 6시 30분인데.
남 걱정 마. 극장은 길 건너에 있어.

해설 | 여자가 지금 6시 30분이라고 했으므로 정답은 ② '6:30 p.m.'이다.

어휘 | theater [θí:ətər] 명 극장 across [əkrɔ́:s] 전 ~을 건너, ~의 맞은편에

7 장래 희망 고르기

정답 ④

W Brian, you look sleepy.
M I studied science until 2 a.m. last night.
W Wow. You're studying really hard.
M I need to study hard because I want to be a pilot.
W I hope your dream comes true.
M How about you?
W I like English, so I want to become an English teacher.

여 Brian, 너 졸려 보여.
남 어젯밤에 새벽 2시까지 과학 공부를 했거든.
여 우와. 너 정말 열심히 공부하는구나.
남 나는 비행기 조종사가 되고 싶기 때문에 공부를 열심히 해야 해.
여 네 꿈이 이루어지길 바랄게.
남 너는 어때?
여 나는 영어를 좋아해서, 영어 선생님이 되고 싶어.

해설 | 여자가 영어 선생님이 되고 싶다고 했으므로 정답은 ④ '영어 교사'이다.

어휘 | sleepy [slí:pi] 형 졸리는 science [sáiəns] 명 과학 hard [hɑ:rd] 부 열심히 형 어려운 pilot [páilət] 명 비행기 조종사

8 심정 고르기

정답 ②

W Ross, I'm excited to go home now.
M What's going on?
W My mom brought a puppy home this morning.
M You always wanted a puppy. I'm glad for you!
W Yes. I can't wait to see her!

여 Ross, 나 지금 집에 가는게 신나.
남 무슨 일이야?
여 우리 엄마가 오늘 오전에 강아지를 집에 데려오셨거든.
남 너 항상 강아지를 원했었잖아. 정말 기쁜 일이네!
여 응. 빨리 강아지를 만나고 싶어!

해설 | 여자가 집에 가는게 신난다고 하며 집에 데려온 강아지를 빨리 만나고 싶다고 했으므로 정답은 ② 'happy'이다.

선택지 해석

① 화난 ② 행복한 ③ 수줍은 ④ 자랑스러운 ⑤ 속상한

어휘 | excited [iksáitid] 형 신난 puppy [pʌ́pi] 명 강아지 glad [glæd] 형 기쁜

9 할 일 고르기

정답 ③

W Dad, where are the towels?
M You are so wet!
W It started to rain on my way home. But I can't find any towels in the drawer.
M Oh, right. I washed them all.
W Really? I need one to dry my hair.
M I'll go get one from the dryer now.
W Thanks!

여 아빠, 수건들 어디에 있어요?
남 너 흠뻑 젖었네!
여 집에 오는 길에 비가 내리기 시작했어요. 그런데 서랍에서 수건을 도저히 찾을 수가 없어요.
남 오, 맞다. 내가 그것들을 모두 빨았거든.
여 정말요? 저 머리를 말리기 위한 수건이 하나 필요해요.
남 지금 건조기에서 하나 가져다 주마.
여 고마워요!

해설 | 남자가 지금 건조기에서 수건 하나를 가져오겠다고 했으므로 정답은 ③ '수건 가져오기'이다.

어휘 | wet [wet] 형 젖은 on one's way 오는 길에, 가는 길에 drawer [drɔːr] 명 서랍 dry [drai] 동 말리다 형 건조한 (dryer [dráiər] 명 건조기)

10 주제 고르기

정답 ③

M Hi, Tina. I have something to give you.
W Okay. What is it?
M It's an invitation to our math teacher's wedding next Sunday.
W Are many students going?
M Yes. He invited all the students in our class.
W Great. I'll be there to celebrate his marriage.

남 안녕, Tina. 너에게 줄 게 있어.
여 응. 뭔데?
남 다음 주 일요일에 하는 우리 수학 선생님 결혼식 청첩장이야.
여 많은 학생들이 가니?
남 응. 선생님께서 우리 반 학생들 모두를 초대하셨어.
여 좋아. 나도 선생님 결혼을 축하해드리러 갈게.

해설 | 남자가 여자에게 수학 선생님 결혼식 청첩장을 주면서 선생님이 반 학생들 모두를 초대했다고 하고 있으므로 정답은 ③ '선생님 결혼식'이다.

어휘 | celebrate [séləbrèit] 동 축하하다, 기념하다 marriage [mǽridʒ] 명 결혼

11 교통수단 고르기

정답 ⑤

M How will you go to the gym, Jenny?
W I will take a bus from home.
M Why don't you go with me now?
W I forgot to bring my gym clothes. Don't wait for me.
M Okay. Then I'll take the subway now.
W Good idea. It's too cold to walk. See you at the gym.

남 체육관에 어떻게 갈 거야, Jenny?
여 나는 집에서 버스를 탈 거야.
남 지금 나랑 같이 가지 않을래?
여 체육복을 가져오는 것을 잊어버렸어. 나 기다리지 마.
남 그래. 그럼 나는 지금 지하철을 탈게.
여 좋은 생각이야. 걷기에는 너무 추워. 체육관에서 보자.

해설 | 남자가 지금 지하철을 탈 것이라고 했으므로 정답은 ⑤ '지하철'이다.

어휘 | gym [dʒim] 명 체육관

12 이유 고르기

정답 ⑤

W Martin, when will you meet Rebecca today?
M We are going to meet next week.
W Is there something wrong?
M She has a bad stomachache, so she has to stay home.
W I'm sorry to hear that. I hope she gets better soon.
M Me too.

여 Martin, 오늘 언제 Rebecca를 만날 거니?
남 우리 다음 주에 만날 거야.
여 무슨 문제 있어?
남 Rebecca가 심한 배탈이 나서, 집에 있어야 해.
여 안됐다. 그녀가 빨리 낫길 바라.
남 나도.

해설 | 여자가 남자에게 오늘 언제 Rebecca를 만날 것인지를 묻자 남자가 다음 주에 만날 것이고 그녀가 심한 배탈이 나서 집에 있어야 한다고 했으므로 정답은 ⑤ '친구가 배가 아파서'이다.

어휘 | stomachache [stʌ́məkèik] 명 배탈, 복통 get better (병이) 낫다, 회복하다 soon [suːn] 부 빨리; 곧

13 장소 고르기

정답 ②

M Mom, look at the peaches.
W They look delicious!
M They seem soft. Is it okay to touch them?
W No, Gerard, you can't.
M Alright. Can we buy some?
W Yes. Put them in the cart.
M Okay. And can I buy a new body wash too?
W Of course. Go get one from the aisle.

남 엄마, 복숭아 좀 보세요.
여 맛있어 보이는구나!
남 부드러워 보여요. 만져봐도 괜찮나요?
여 아니, Gerard, 안 된단다.
남 알겠어요. 몇 개 살까요?
여 그래. 그것들을 카트에 놓으렴.
남 네. 그리고 새 바디 워시도 사도 돼요?
여 물론이지. 통로에서 하나 가져오렴.

해설 | 남자가 복숭아와 새 바디 워시를 사도 되는지를 묻는 것으로 보아 정답은 ② '마트'이다.

어휘 | peach [piːtʃ] 명 복숭아 soft [sɔːft] 형 부드러운 touch [tʌtʃ] 동 만지다 put [put] 동 두다; 넣다 aisle [ail] 명 통로

14 위치 고르기

정답 ③

[Cellphone rings.]
M Hello?
W Hi, Ted. Where did you put my English textbook?
M I put it on your desk last night.
W Well, it's not there. I looked on the bookshelf, but I couldn't find it.
M Did you check inside your bag?
W Oh, it's in the bag. Thanks.

[휴대폰이 울린다.]
남 여보세요?
여 안녕, Ted. 내 영어 교과서 어디에 뒀어?
남 어젯밤에 네 책상 위에 뒀어.
여 글쎄, 거기에 없어. 책장을 봤는데, 찾을 수가 없었어.
남 네 가방 안은 확인해봤어?
여 오, 가방 안에 있네. 고마워.

해설 | 여자가 가방 안에서 영어 교과서를 찾았으므로 정답은 ③이다.

어휘 | textbook [tékstbuk] 명 교과서 bookshelf [búkʃélf] 명 책장 inside [ìnsáid] 전 ~안에

15 부탁·요청한 일 고르기

정답 ③

W Excuse me, are you Ben? I messaged you to buy your microwave.
M Oh, you are Angela. Here it is.
W Thank you.
M Watch out. It's quite heavy.
W Then, could you help me carry it to my car? I parked near here.
M No problem.

여 실례합니다, 당신이 Ben이신가요? 전자레인지를 사려고 제가 당신에게 메시지를 보냈었어요.
남 오, 당신이 Angela시군요. 여기 있습니다.
여 감사합니다.
남 조심하세요. 그게 꽤 무거워요.
여 그러면, 제 차로 나르는 걸 도와주실 수 있나요? 여기 근처에 주차했어요.
남 그럼요.

해설 | 여자가 남자에게 전자레인지를 나르는 것을 도와달라고 요청했으므로 정답은 ③ '물건 옮겨주기'이다.

어휘 | message [mésidʒ] 동 메시지를 보내다 명 메시지 microwave [máikrəweiv] 명 전자레인지 watch out 조심하다 quite [kwait] 부 꽤 carry [kǽri] 동 나르다 park [pɑːrk] 동 주차하다

16 제안한 일 고르기

정답 ①

M Kate, are you hungry now?
W Yes. I didn't eat dinner today.
M Do you want to order some Chinese food?
W Sure! I'll call the restaurant now.
M Why don't we use the delivery app? We can see the menu easily.
W That's a great idea!

남 Kate, 지금 배고프니?
여 응. 오늘 저녁을 안 먹었거든.
남 중국 음식 좀 주문할까?
여 좋지! 내가 지금 식당에 전화할게.
남 오, 배달 앱을 사용하는 게 어때? 메뉴를 쉽게 볼 수 있어.
여 좋은 생각이야!

해설 | 남자가 여자에게 배달 앱을 사용하는 것을 제안했으므로 정답은 ① '배달 앱 사용하기'이다.

어휘 | order [ɔ́ːrdər] 동 주문하다; 명령하다 delivery [dilːvəri] 명 배달 app [æp] 명 앱

17 특정 정보 고르기

정답 ④

W Troy, did you hear about the exhibition in the library?
M No, I didn't. What are they showing?
W They are displaying old books from all over the world.
M That's really interesting.
W Yes. You can also learn about the lives of famous writers.
M I'll go there this afternoon!

여 Troy, 너 도서관에서 열리는 전시회에 대해 들었니?
남 아니, 못 들었어. 뭘 전시하고 있어?
여 전 세계의 고서들을 전시하고 있어.
남 그거 진짜 흥미로운걸.
여 응. 또한 넌 유명 작가들의 삶에 대해서도 배울 수 있어.
남 오늘 오후에 거기 가야겠다!

해설 | 남자가 도서관에서 열리는 전시회에 갈 것이라고 했으므로 정답은 ④ '도서관'이다.

어휘 | exhibition [èksəbíʃən] 명 전시회; 전시 display [displéi] 동 전시하다 writer [ráitər] 명 작가

18 직업 고르기

정답 ③

W Please keep away from the building, sir.
M What's going on?
W There was a fire on the third floor.
M Oh, no! Is everyone okay?
W Yes. Everyone got out of the building.
M That's good. Was it a big fire?
W No. We put it out quickly.
M I'm glad you got here so fast.

여 건물에 가까이 가지 마세요, 선생님.
남 무슨 일인가요?
여 3층에서 화재가 있었어요.
남 오, 이런! 모두 괜찮은가요?
여 네. 모두 건물에서 빠져나왔어요.
남 다행이네요. 큰 불이었나요?
여 아니요. 저희가 금방 껐습니다.
남 그렇게나 빨리 여기 와주셔서 다행이네요.

해설 | 여자가 남자에게 건물에 화재가 나서 불을 끈 사실을 안내하고 있는 것으로 보아 정답은 ③ '소방관'이다.

어휘 | keep away from ~에 가까이 가지 않다, 떨어져 있다 put out (불을) 끄다

19 적절한 응답 고르기

정답 ①

W Hi, Sam. Did you go skiing yesterday?
M Yes. I went skiing with my family.
W I like to ski too. How often do you go?
M Once or twice per month. What about you?
W Almost every weekend. I always go to the same resort.
M Why? Is it close?
W Yes. It's just an hour away.

여 안녕, Sam. 너 어제 스키 타러 갔니?
남 응. 가족이랑 스키 타러 갔었어.
여 나도 스키 타는 것 좋아해. 넌 얼마나 자주 가니?
남 매달 한 번이나 두 번. 너는 어때?
여 거의 매주. 난 항상 같은 리조트로 가.
남 왜? 가깝니?
여 응. 그곳은 딱 1시간 떨어져 있어.

해설 | 여자가 항상 같은 리조트에 간다고 하자 남자가 가까워서인지 이유를 물었으므로 정답은 거리를 언급하는 ① 'Yes. It's just an hour away.'이다.

선택지 해석

① 응. 그곳은 딱 1시간 떨어져 있어. ② 남동생이 한 명 있어. ③ 아니, 난 스키를 잘 못 타. ④ 알겠어, 좋은 지적이야. ⑤ 그건 내가 가장 좋아하는 취미야.

어휘 | per [pəːr] 전 매, 마다 almost [ɔ́ːlmoust] 부 거의 same [seim] 형 같은 close [klouz] 형 가까운 동 닫다 away [əwéi] 부 떨어져, 떠나서

20 적절한 응답 고르기

정답 ⑤

M Hi. Do you live near here?
W Yes. My house is just over there.
M Oh, great. I'm actually lost.
W Where do you want to go?
M I'm looking for the swimming pool.
W You're very close. It's right next to the park.
M Thank you so much for helping me.
W Don't mention it.

남 안녕하세요. 여기 근처에 사시나요?
여 네. 저희 집이 바로 저기에요.
남 오, 다행이네요. 사실 길을 잃었거든요.
여 어디에 가고 싶으신데요?
남 저는 수영장을 찾고 있어요.
여 아주 가까이 있어요. 그건 공원 바로 옆에 있어요.
남 도와줘서 정말 고마워요.
여 천만에요.

해설 | 남자가 여자에게 도와줘서 고맙다고 하고 있으므로 정답은 감사 인사에 대해 답하는 ⑤ 'Don't mention it.'이다.

선택지 해석

① 여기 주차하면 안 돼요. ② 늦어서 죄송해요. ③ 네. 저는 수영하는 것을 좋아해요. ④ 여기 언제 오실 건가요? ⑤ 천만에요.

어휘 | lost [lɔːst] 형 길을 잃은 swimming pool 수영장

05회 실전 모의고사

| 문제 pp.58-59

1	③	2	④	3	⑤	4	③	5	⑤	6	④	7	②	8	②	9	①	10	③
11	⑤	12	④	13	①	14	④	15	④	16	②	17	③	18	②	19	④	20	④

1 화제 고르기

정답 ③

W I have four legs. I can walk and swim. My fur looks white. I live in the North Pole, and I like to eat seals and fish. What am I?

여 나는 네 개의 다리를 가지고 있습니다. 나는 걷고 수영할 수 있습니다. 내 털은 하얗게 보입니다. 나는 북극에 살고, 물개와 물고기를 먹는 것을 좋아합니다. 나는 무엇인가요?

해설 | 나(I)는 털이 하얗게 보이고, 북극에 살며, 물개와 물고기를 먹는 것을 좋아한다고 했으므로 정답은 ③이다.

어휘 | fur [fəːr] 명 털 North Pole 북극 seal [siːl] 명 물개

2 알맞은 그림 고르기

정답 ④

W Can I help you?
M Yes. I'd like to buy a pair of sunglasses for my sister.
W Okay. How about these star-shaped ones?
M They're pretty. Do you have any others?
W We have regular sunglasses with a ribbon on them.
M These will look good on my sister. I'll get them.

여 도와드릴까요?
남 네. 여동생에게 줄 선글라스 한 쌍을 사고 싶어요.
여 알겠습니다. 이 별 모양으로 된 것은 어떤가요?
남 예쁘네요. 다른 것들도 있나요?
여 겉에 리본이 달린 일반 선글라스가 있어요.
남 이게 제 여동생에게 어울릴 것 같아요. 이걸 살게요.

해설 | 여자가 겉에 리본이 달린 평범한 선글라스를 보여주자 남자가 그것을 사겠다고 했으므로 정답은 ④이다.

어휘 | pair [pɛər] 명 한 쌍 star-shaped 형 별 모양의 regular [régjulər] 형 일반의, 보통의; 규칙적인

3 날씨 고르기

정답 ⑤

W Good morning, everyone! This is the weather forecast for this weekend. On Saturday morning, there will be heavy showers. And in the afternoon, it will be very cloudy. On Sunday, it will be sunny and hot. Thank you.

여 안녕하십니까, 여러분! 이번 주말의 일기 예보입니다. 토요일 오전에는 강한 소나기가 오겠습니다. 그리고 오후에는 매우 흐릴 것입니다. 일요일에는 화창하고 덥겠습니다. 감사합니다.

해설 | 일요일에는 화창하고 더울 것이라고 했으므로 정답은 ⑤이다.

어휘 | shower [ʃáuər] 명 소나기

4 의도 고르기

정답 ③

M Hello, I'm looking for a computer.
W What are you going to use the computer for?
M I play games, so I need a fast model.
W Oh, then I recommend this one. Many pro gamers use it.
M It's too expensive. I can't afford it.

남 안녕하세요, 저는 컴퓨터를 찾고 있어요.
여 컴퓨터를 무엇에 쓰실 건가요?
남 제가 게임을 해서요, 속도가 빠른 모델이 필요해요.
여 오, 그럼 이걸 추천해드릴게요. 많은 프로게이머가 그걸 써요.
남 너무 비싸네요. 그걸 살 여유가 없어요.

해설 | 여자가 한 컴퓨터 모델을 추천하자 남자가 너무 비싸다며 그것을 살 여유가 없다고 했으므로 정답은 ③ '거절'이다.

어휘 | recommend [rèkəménd] 동 추천하다 expensive [ikspénsiv] 형 비싼 afford [efɔ́ːrd] 동 (~을 살/할) 여유가 있다

5 언급하지 않은 내용 고르기

정답 ⑤

W I'd like to introduce my brother, Sumin, to you. He is 10 years old, and his birthday is July 31st. He has short brown hair. His hobby is playing basketball with his friends. His dream is becoming a basketball player.

여 여러분에게 제 남동생 수민이를 소개하고 싶습니다. 동생은 10살이고, 생일은 7월 31일입니다. 그는 짧은 갈색 머리를 가지고 있습니다. 동생의 취미는 친구들과 농구를 하는 것입니다. 동생의 꿈은 농구 선수가 되는 것입니다.

해설 | ① 생일(7월 31일), ② 외모(짧은 갈색 머리), ③ 취미(친구들과 농구 하기), ④ 장래 희망(농구 선수)에 대해 언급했으므로 정답은 ⑤ '성격'이다.

어휘 | brown [braun] 형 갈색의 hobby [hábi] 명 취미

6 시간 정보 고르기

정답 ④

[Cellphone rings.]
M Hello?
W Hey, Junho! This is Minji. I'm calling to check what time we should meet for the movie tomorrow.
M How about 4:30 p.m.? The movie starts at 5:00.
W I want to eat something before the movie, but I'm okay with that.
M Then, let's meet at the theater at 4.
W Okay. See you then.

[휴대폰이 울린다.]
남 여보세요?
여 안녕, 준호야! 나 민지야. 내일 영화 보러 몇 시에 만나야 하는지 확인하려고 전화했어.
남 오후 4시 30분은 어때? 영화가 5시에 시작하잖아.
여 영화 전에 뭔가 먹고 싶긴 한데, 그 시간도 괜찮아.
남 그럼, 영화관에서 4시에 만나자.
여 알겠어. 그때 만나자.

해설 | 남자가 영화관에서 4시에 만나자고 하자 여자가 알겠다고 했으므로 정답은 ④ '4:00 p.m.'이다.

어휘 | meet [miːt] 동 만나다 theater [θíːətər] 명 영화관, 극장

7 장래 희망 고르기

정답 ②

W Come in. Make yourself at home.
M Thank you. Oh, you were watching a video.
W Yes. Actually, it's my dance practice video.
M Wow, you look like a professional dancer!
W Thanks. I want to be a great dancer someday.
M I believe you will achieve your dream.

여 들어와. 편하게 있어.
남 고마워. 오, 영상을 보고 있었구나.
여 응. 사실, 그건 내 무용 연습 영상이야.
남 우와, 너 마치 전문 무용수처럼 보인다!
여 고마워. 난 언젠가 훌륭한 무용수가 되고 싶어.
남 난 네가 꿈을 이룰 거라고 믿어.

해설 | 여자가 언젠가 훌륭한 무용수가 되고 싶다고 했으므로 정답은 ② '무용수'이다.

어휘 | make oneself at home 편하게 있다, 편히 쉬다 practice [præktis] 명 연습; 관행 professional [prəféʃənəl] 형 전문적인 achieve [ətʃíːv] 동 이루다, 성취하다

8 일치하지 않는 내용 고르기

정답 ②

W Did you enjoy your summer camp, Sunho?
M It was wonderful! I met many new friends.
W That's nice. Did you go to Sokcho?
M No. We went to Gangneung. We took the train there.
W What did you do there?
M We watched the sunrise at the beach in the morning. We also went mountain climbing on Seoraksan.

여 여름 캠프에서 즐거웠니, 선호야?
남 굉장히 좋았어! 새로운 친구들을 많이 만났어.
여 좋겠다. 속초에 갔었니?
남 아니. 강릉에 갔어. 그곳으로 기차를 타고 갔어.
여 거기서 뭐 했어?
남 우리는 아침에 해변에서 일출을 봤어. 그리고 설악산으로 등산도 갔어.

해설 | 여자가 남자에게 속초에 갔었는지 묻자 남자가 아니라며 강릉에 갔다고 했으므로 정답은 ② '속초에 갔다.'이다.

어휘 | wonderful [wʌ́ndərfəl] 형 굉장히 좋은, 놀라운 sunrise [sʌ́nraiz] 명 일출, 해돋이 mountain climbing 등산

9 할 일 고르기

정답 ①

W Dad, this library is huge. M Look! There are a lot of new books on that shelf. W They look interesting. Can I borrow a new book? M Of course. Let's choose a book. W I want a fantasy novel, but I can't find one. M Okay. Let's ask the librarian for help. She can recommend a book.	여 아빠, 이 도서관은 정말 커요. 남 보렴! 저쪽 책장에 신간 도서가 많이 있구나. 여 재미있어 보여요! 신간을 빌릴 수 있나요? 남 물론이지. 한 권 골라보자. 여 전 판타지 소설을 원하는데, 찾을 수가 없어요. 남 그렇구나. 사서에게 도와달라고 부탁하자. 그녀가 책을 추천해줄 수 있을 거야.

해설 | 남자가 사서에게 도와달라고 부탁하자고 했으므로 정답은 ① '도움 요청하기'이다.

어휘 | huge [hjuːdʒ] 형 큰 novel [nάːvl] 명 소설 librarian [laibrέəriən] 명 사서

10 주제 고르기

정답 ③

W Jeremy, what are you looking at? M I'm looking at a poster about saving energy. We should unplug electronic devices when we don't use them. W I didn't know that. M It also says we should turn off the lights when we leave the room. W I already do that. M That's good.	여 Jeremy, 뭘 보고 있는 거야? 남 에너지 절약에 대한 포스터를 보고 있어. 전자 기기를 쓰지 않을 때에는 플러그를 뽑아야 해. 여 그건 몰랐네. 남 여기에는 또한 방에서 나갈 때 불을 꺼야 한다고 쓰여 있어. 여 나는 이미 그렇게 하고 있어. 남 좋아.

해설 | 남자가 포스터에 적혀 있는 에너지 절약 방법들을 말하고 있으므로 정답은 ③ '에너지 절약 방법'이다.

어휘 | unplug [ənplʌ́g] 동 플러그를 뽑다 electronic [ilektrάnik] 형 전자의 device [diváis] 명 기기, 장치 say [sei] 동 쓰여 있다; 말하다 turn off 끄다

11 교통수단 고르기

정답 ⑤

W How was your trip to Vietnam, Jaewon? M It was fun! The food was really delicious. W I hear a lot of people ride motorcycles there. M Right. But my brother and I are too young to ride them. W Then, how did you move around the city? M We rented bicycles.	여 베트남 여행은 어땠어, 재원아? 남 재미있었어! 음식이 정말 맛있었어. 여 그곳에서는 많은 사람들이 오토바이를 탄다고 들었어. 남 맞아. 그런데 내 남동생과 나는 오토바이를 타기에는 너무 어려. 여 그럼, 도시 여기저기를 어떻게 돌아다녔어? 남 우리는 자전거를 빌렸어.

해설 | 여자가 베트남에서 도시 여기저기를 어떻게 돌아다녔는지 묻자 남자가 자전거를 빌렸다고 했으므로 정답은 ⑤ '자전거'이다.

어휘 | trip [trip] 명 여행 Vietnam [vìːetnάːm] 명 베트남 delicious [dilíʃəs] 형 맛있는 motorcycle [móutərsàikl] 명 오토바이 rent [rent] 동 빌리다

12 이유 고르기

정답 ④

M Mom, can I go out? My friend, Sam, wants to have dinner with me. W I'm afraid you can't. M Why not? W Did you forget? Your cousins are coming to visit. You should stay home. M Oh, is that tonight? W Yes. You'd better tell Sam you can't go out. M Okay. I'll call him back.	남 엄마, 저 외출해도 돼요? 제 친구 Sam이 저랑 저녁을 먹고 싶어 해요. 여 안타깝지만 그럴 수 없단다. 남 왜 안돼요? 여 잊어버렸니? 네 사촌들이 방문하러 오기로 했잖니. 넌 집에 있어야 해. 남 오, 그게 오늘 밤이에요? 여 그래. Sam에게 외출할 수 없다고 얘기하는 게 좋겠구나. 남 알겠어요. 그에게 다시 전화할게요.

해설 | 여자가 남자의 사촌들이 방문하러 오기로 해서 남자가 집에 있어야 한다고 말했으므로 정답은 ④ '사촌이 방문해서'이다.

어휘 | go out 외출하다, 나가다 cousin [kʌ́zn] 명 사촌, 친척 stay [stei] 동 (계속) 있다, 머무르다

13 장소 고르기

정답 ①

M Excuse me, do you work here?
W Yes. Can I help you?
M Do I need to wear a swimming cap in the pool?
W Yes. Is this your first time here?
M Yeah. I signed up yesterday. I didn't bring my swimming cap today.
W You can rent one at the counter near the locker rooms.
M Thank you!

남 실례합니다, 여기서 일하시나요?
여 네. 도와드릴까요?
남 수영장 안에서 수영모를 써야 되나요?
여 네. 여기는 처음이세요?
남 네. 어제 등록했어요. 오늘 수영모를 가지고 오지 않았어요.
여 탈의실 근처 카운터에서 하나 빌리실 수 있어요.
남 감사합니다!

해설 | 남자가 수영장 안에서 수영모를 써야 되냐고 묻자 여자가 그래야 한다며 탈의실 근처 카운터에서 하나 빌릴 수 있다고 안내한 것으로 보아 정답은 ① '수영장'이다.

어휘 | swimming cap 수영모 locker room 탈의실

14 위치 고르기

정답 ④

M Hi, Taylor. Do you know the nearest hair salon?
W Sure. Benny's Salon is near here.
M Good. How can I get there?
W Go straight one block, and turn left on West Street.
M Turn left on West Street?
W Yes. It'll be on your left. It's between the bank and the theater.
M Okay. Thanks.

남 안녕, Taylor. 너 가장 가까운 미용실 아니?
여 그럼. Benny's Salon이 여기 근처에 있어.
남 잘됐다. 거기 어떻게 가면 돼?
여 한 블록 직진해서, 웨스트 가에서 좌회전해.
남 웨스트 가에서 좌회전?
여 응. 네 왼쪽에 있을 거야. 그건 은행과 극장 사이에 있어.
남 알겠어. 고마워.

해설 | 미용실은 한 블록 직진해서 웨스트 가에서 좌회전한 다음 왼쪽, 즉 은행과 극장 사이에 있다고 했으므로 정답은 ④이다.

어휘 | nearest [nírəst] 형 가장 가까운 hair salon 미용실

15 부탁·요청한 일 고르기

정답 ④

M Sena, are you busy on Friday?
W No, I'm not. Why?
M Would you like to come to my birthday party?
W Yes, I'd love to go!
M Great. Can you make a music playlist for my party? You know a lot of good music.
W Sure. I'll make it for your party.

남 세나야, 너 금요일에 바쁘니?
여 아니, 안 바빠. 왜?
남 내 생일 파티에 올래?
여 응, 가고 싶어!
남 좋아. 파티를 위한 음악 목록을 만들어줄 수 있어? 넌 좋은 음악을 많이 알고 있잖아.
여 물론이지. 네 파티를 위해 만들어 볼게.

해설 | 남자가 여자에게 파티를 위한 음악 목록을 만들어 달라고 부탁했으므로 정답은 ④ '음악 목록 만들기'이다.

어휘 | busy [bízi] 형 바쁜 playlist [pléilist] 명 (연주곡) 목록

16 제안한 일 고르기

정답 ②

W Eric, did you buy this plate?
M No. I made it.
W It's beautiful. Was it difficult to make?
M Not really. I can make various plates, pots, and vases.
W I want to try it too.
M How about joining our clay art lesson tomorrow?
W Okay. I will!

여 Eric, 이 접시 샀니?
남 아니. 내가 만들었어.
여 예쁘다. 만들기 어려웠어?
남 별로 안 어려웠어. 난 다양한 접시, 항아리, 그리고 꽃병을 만들 수 있어.
여 나도 해보고 싶어.
남 내일 우리 점토 미술 수업에 참가하는 건 어때?
여 좋아. 그럴게!

해설 | 남자가 여자에게 점토 미술 수업에 참가하는 것을 제안했으므로 정답은 ② '수업 참가하기'이다.

어휘 | plate [pleit] 명 접시 various [vέəriəs] 형 다양한 pot [pɑt] 명 항아리 vase [veis] 명 꽃병 clay [klei] 명 점토

17 한 일 고르기

정답 ③

W How did your weekend go, Nick?
M I went to watch a symphony orchestra perform with my parents. What about you?
W I painted my bedroom wall.
M That's really interesting! What color did you choose?
W I chose blue. It's my favorite color.

여 주말은 어떻게 보냈니, Nick?
남 부모님이랑 교향악단 공연을 보러 갔었어. 너는?
여 내 침실 벽을 페인트칠했어.
남 정말 흥미로운걸! 어떤 색을 골랐니?
여 파란색을 골랐어. 내가 가장 좋아하는 색깔이거든.

해설 | 여자가 주말에 침실 벽을 페인트칠했다고 했으므로 정답은 ③ '페인트칠하기'이다.

어휘 | symphony orchestra 교향악단 perform [pərfɔ́:rm] 통 공연하다 paint [peint] 통 페인트칠하다 wall [wɔ:l] 명 벽

18 직업 고르기

정답 ②

M Alice, how was your show?
W It went well. The kids loved it.
M I bet they did. Did you pull the rabbit out of the hat?
W Yes. That was their favorite trick.
M Well, I'm always surprised by your coin magic!
W Thank you. I'll practice more tricks.

남 Alice, 네 공연은 어땠니?
여 잘 진행됐어. 아이들이 정말 좋아했어.
남 분명 그랬을 거야. 너 모자에서 토끼 꺼내는 것 했니?
여 응. 그건 아이들이 가장 좋아하는 마술이었어.
남 음, 난 늘 네 동전 마술에 놀라는데!
여 고마워. 나는 더 많은 마술을 연습할 거야.

해설 | 남자가 여자의 동전 마술에 늘 놀란다고 했으므로 정답은 ② '마술사'이다.

어휘 | kid [kid] 명 아이 pull [pul] 통 꺼내다, 빼내다; 당기다 trick [trik] 명 마술, 묘기; 속임수 surprised [sərpráizd] 형 놀란

19 적절한 응답 고르기

정답 ④

W You look a bit sick today, Steve. Are you feeling alright?
M No. I think I have a cold, Mom.
W Maybe you should get some medicine.
M I already took some. But it didn't work.
W Oh, it must be a very bad cold.
M Yeah. Can I be absent from school today?
W Okay. I'll contact your teacher.

여 오늘 좀 아파 보이는구나, Steve. 괜찮은 거니?
남 아니요. 감기에 걸린 것 같아요, 엄마.
여 아마도 약을 먹어야겠구나.
남 이미 먹었어요. 근데 효과가 없었어요.
여 오, 분명 아주 심한 감기인 것 같아.
남 네. 오늘 학교에 결석해도 될까요?
여 그래. 선생님께는 내가 연락드리마.

해설 | 남자가 학교에 결석해도 되는지 허락을 구하고 있으므로 정답은 허락하는 ④ 'Okay. I'll contact your teacher.'이다.

선택지 해석

① 밖에 많이 춥니? ② 배가 아프구나. ③ 수업 중엔 조용히 하렴. ④ 그래. 선생님께는 내가 연락드리마. ⑤ 실수해서 미안하다.

어휘 | medicine [médisn] 명 약 work [wə:rk] 통 효과가 있다; 일하다 absent from ~에 결석한

20 적절한 응답 고르기

정답 ④

[Cellphone rings.]
M Hello?
W Hi, Peter. It's Helen. Are you free tomorrow?
M Yeah. I don't have any plans.
W Would you like to go to a music festival with me then?
M I'd love to.
W Great. It's going to be sunny, so wear a big hat.
M I don't have one. Can you lend me your hat?
W Yes. No problem.

[휴대폰이 울린다.]
남 여보세요?
여 안녕, Peter. 나 Helen이야. 내일 한가하니?
남 응. 나 아무 계획 없어.
여 그럼 나랑 음악 축제에 갈래?
남 완전 좋지.
여 좋아. 햇빛이 쨍쨍할 거니까, 큰 모자를 써.
남 나 없어. 네 것을 빌려줄 수 있을까?
여 응. 문제 없어.

해설 | 남자가 모자를 빌려달라고 부탁했으므로 정답은 부탁을 수락하는 ④ 'Yes. No problem.'이다.

선택지 해석

① 아주 멋진 모자네. ② 내가 가장 좋아하는 노래야. ③ 내 잘못이야. ④ 응. 문제 없어. ⑤ 나중에 보자.

어휘 | festival [féstəvəl] 명 축제 lend [lend] 통 빌려주다

06회 실전 모의고사

| 문제 pp.66-67

1	①	2	③	3	①	4	④	5	③	6	①	7	③	8	④	9	④	10	③
11	③	12	④	13	①	14	⑤	15	⑤	16	③	17	②	18	⑤	19	④	20	③

1 화제 고르기

정답 ①

M This comes in many sizes and shapes. You can wear it on your wrist. Usually, it has three hands. Also, you need this to check the time. What is this?

남 이것은 여러 가지 크기와 모양으로 나옵니다. 이것을 손목에 착용할 수 있습니다. 보통, 이것은 세 개의 바늘을 가지고 있습니다. 또한, 시간을 확인하기 위해 이것이 필요합니다. 이것은 무엇인가요?

해설 | 이것(this)은 손목에 착용할 수 있고, 시간을 확인하기 위해 필요하다고 했으므로 정답은 ①이다.

어휘 | wrist [rist] 명 손목 hand [hænd] 명 (시계·계기 등의) 바늘; 손

2 알맞은 그림 고르기

정답 ③

W Tom, what are you doing on the Internet?
M I'm looking for pajamas for my brother.
W Let me help you. How about the ones with diamonds and hearts?
M They look nice. I'll order them.
W I think he will love them.

여 Tom, 인터넷으로 뭐 하고 있니?
남 남동생에게 줄 잠옷을 찾고 있어.
여 내가 도와줄게. 다이아몬드와 하트가 그려진 이건 어때?
남 좋아 보이네. 그걸 주문할래.
여 네 남동생이 이걸 정말 좋아할 것 같아.

해설 | 여자가 남자에게 다이아몬드와 하트가 그려진 잠옷을 추천했고, 남자는 그것을 주문하겠다고 했으므로 정답은 ③이다.

어휘 | pajama [pədʒɑ́:mə] 명 잠옷 order [ɔ́:rdər] 동 주문하다; 명령하다

3 날씨 고르기

정답 ①

M Good morning! Here is the weekend weather report. It'll be sunny and clear with warm winds on Saturday. On Sunday, however, it'll be rainy across the whole country. Don't forget your umbrella.

남 안녕하십니까! 주말 일기 예보입니다. 토요일에는 따뜻한 바람과 함께 화창하고 맑겠습니다. 하지만, 일요일에는 전국에 걸쳐 비가 내릴 예정입니다. 우산을 잊지 마세요.

해설 | 일요일에는 전국에 걸쳐 비가 내릴 것이라고 했으므로 정답은 ①이다.

어휘 | weekend [wí:kend] 명 주말 clear [kliər] 형 맑은 whole [houl] 형 전부의

4 의도 고르기

정답 ④

M Kelly, I heard that you will move to Jeonju soon.
W Yes. Actually, this is my last day of school.
M I see. Are you going to empty your locker?
W Yeah. I have a pile of textbooks.
M Do you need help?
W Please. Can you carry some for me?

남 Kelly, 너 곧 전주로 이사 간다는 얘기 들었어.
여 맞아. 사실, 오늘이 마지막 등교일이야.
남 그렇구나. 너 사물함 비울 거니?
여 응. 교과서 한 무더기가 있네.
남 도와줄까?
여 부탁할게. 몇 권 들어줄 수 있을까?

해설 | 여자가 남자에게 교과서 몇 권을 들어줄 수 있을지 물었으므로 정답은 ④ '부탁'이다.

어휘 | move [mu:v] 동 이사 가다 empty [émpti] 동 비우다 textbook [tékstbuk] 명 교과서 carry [kǽri] 동 들다, 운반하다

5 언급하지 않은 내용 고르기

정답 ③

W Let me introduce an exciting event in our town. The name of this event is the Golden Apple Festival. It started in 1970. We celebrate it for three days. You can try different kinds of apples. It has interesting activities like an apple drawing contest.

여 저희 마을의 재미있는 행사를 소개해드리겠습니다. 이 행사의 이름은 Golden Apple Festival입니다. 이 행사는 1970년에 시작되었습니다. 저희는 그것을 3일 동안 벌입니다. 여러분은 여러 가지 종류의 사과들을 맛보실 수 있습니다. 행사에는 사과 그리기 대회와 같은 흥미로운 활동들이 있습니다.

해설 | ① 이름(Golden Apple Festival), ② 시작 연도(1970년), ④ 기간(3일), ⑤ 활동(사과 그리기 대회)에 대해 언급했으므로 정답은 ③ '참가비'이다.

어휘 | introduce [ìntrədjúːs] 동 소개하다 event [ivént] 명 행사 town [taun] 명 마을 celebrate [séləbrèit] 동 벌이다, 거행하다; 축하하다 different [dífərənt] 형 여러 가지의 activity [æktívəti] 명 활동

6 시간 정보 고르기

정답 ①

W George, did you borrow the books for the history project?
M No. How about you?
W Not yet. Why don't we go to the library together?
M Sure. Let's meet in the afternoon today. How about 4?
W The library closes at 5 on Saturdays. Can we meet at 3?
M Okay. See you later.

여 George, 너 역사 수행평가를 위한 책들을 빌렸니?
남 아니. 너는?
여 아직. 우리 같이 도서관에 가는 게 어때?
남 좋아. 오늘 오후에 만나자. 4시 어때?
여 도서관이 토요일에는 5시에 닫아. 3시에 만나도 될까?
남 알겠어. 이따 보자.

해설 | 여자가 3시에 만나자고 하자 남자가 알겠다고 했으므로 정답은 ① '3:00 p.m.'이다.

어휘 | borrow [bárou] 동 빌리다 project [prádʒekt] 명 수행평가, 과제; 사업

7 장래 희망 고르기

정답 ③

W You look cheerful, Mark.
M I am. I just signed up for cooking class.
W Do you like cooking?
M Yeah. I sometimes cook for my family.
W Oh, I didn't know that.
M Actually, I hope to become a famous chef like Jamie Oliver.
W I'm sure you'll be a great chef.

여 기분이 좋아 보이네, Mark.
남 맞아. 나 방금 요리 수업 등록했거든.
여 요리하는 거 좋아하니?
남 응. 나는 가끔 가족들을 위해 요리를 해.
여 오, 그건 몰랐네.
남 사실, 나는 Jamie Oliver 같이 유명한 요리사가 되고 싶어.
여 넌 분명히 훌륭한 요리사가 될 거야.

해설 | 남자가 유명한 요리사가 되고 싶다고 했으므로 정답은 ③ '요리사'이다.

어휘 | cheerful [tʃíərfəl] 형 기분이 좋은, 명랑한 sign up for ~을 등록하다, 신청하다 sometimes [sʌmtáimz] 부 가끔, 때때로 famous [féiməs] 형 유명한 chef [ʃef] 명 요리사

8 일치하지 않는 내용 고르기

정답 ④

M Jennifer, your new laptop looks nice.
W Thank you. This was a Christmas gift from my mom.
M That's cool! I like the purple color.
W Yes, I like it too. And it's not heavy at all.
M Did you download any games?
W Of course. Do you want to play them with me?
M Sure. I'm so excited.

남 Jennifer, 네 새 노트북 좋아 보인다.
여 고마워. 이건 어머니께 받은 크리스마스 선물이었어.
남 멋지다! 보라색이 마음에 든다.
여 맞아, 나도 그게 좋아. 그리고 이건 전혀 무겁지가 않아.
남 게임은 다운 받았니?
여 물론이지. 나랑 게임 해볼래?
남 그래. 정말 신난다.

해설 | 여자가 노트북이 전혀 무겁지 않다고 했으므로 정답은 ④ '무게가 무겁다.'이다.

어휘 | laptop [lǽptɑp] 명 노트북 purple [pə́ːrpl] 형 보라색의 명 보라색 not ~ at all 전혀 ~하지 않은

9 할 일 고르기

정답 ④

M May I help you?
W I'd like to buy a ticket for the musical *Lion King*.
M Sorry, but they are sold out.
W But you started selling the tickets yesterday.
M Yes. This show is very popular these days.
W I'll buy a ticket for *Dracula* then.

남 도와드릴까요?
여 <라이언 킹> 뮤지컬 티켓을 사고 싶어요.
남 죄송하지만, 매진이에요.
여 근데 어제 티켓을 팔기 시작했잖아요.
남 네. 이 공연이 요즘에 굉장히 인기 있어서요.
여 그럼 <드라큘라> 티켓을 살게요.

해설 | 여자가 다른 뮤지컬 티켓을 사겠다고 했으므로 정답은 ④ '티켓 구매하기'이다.
어휘 | sold out 매진된 popular [pápjulər] 형 인기 있는

10 주제 고르기

정답 ③

W Luke, did you know Mr. Smith had a car accident?
M No, I didn't. Is he okay?
W He didn't get hurt because he fastened his seatbelt tightly.
M I'm glad to hear that. It's an important rule.
W Yes. Another one is never to use a smartphone when you're driving.
M I think that is the most important rule.

여 Luke, 너 Smith씨가 차 사고 난 거 알았니?
남 아니, 몰랐어. 괜찮으셔?
여 안전벨트를 꽉 매서 다치지는 않으셨어.
남 그렇다니 다행이네. 그건 중요한 수칙이야.
여 응. 또 다른 것은 운전 중에는 절대 스마트폰을 사용하면 안 된다는 거야.
남 난 그게 가장 중요한 수칙이라고 생각해.

해설 | 안전벨트를 꽉 매는 것이 중요한 수칙이고, 운전 중에는 절대 스마트폰을 사용하면 안 된다고 했으므로 정답은 ③ '운전 안전 수칙'이다.
어휘 | accident [ǽksidənt] 명 사고 fasten [fǽsn] 동 매다 seatbelt [sì:tbɛlt] 명 안전벨트 tightly [táitli] 부 꽉, 단단히 rule [ru:l] 명 수칙, 규칙

11 교통수단 고르기

정답 ③

M Hello. When does the train to Seoul leave?
W It leaves at 4 p.m.
M Oh, no. I have to wait 50 minutes. I'm in a hurry.
W How about taking a bus at the bus stop? It comes every 15 minutes.
M That's perfect. I'll take a bus. Thanks a lot!

남 안녕하세요. 서울행 기차는 언제 출발하나요?
여 오후 4시에 출발합니다.
남 오, 이런. 50분을 기다려야 하네요. 제가 급해서요.
여 버스 정류장에서 버스를 타는 건 어떠세요? 버스가 15분마다 온답니다.
남 딱 좋네요. 버스를 타야겠어요. 정말 감사합니다!

해설 | 여자가 버스를 탈 것을 제안했고, 남자는 버스를 타겠다고 했으므로 정답은 ③ '버스'이다.
어휘 | in a hurry 바쁜, 서둘러 bus stop 버스 정류장

12 이유 고르기

정답 ④

W Minho, you look so sleepy. What did you do last night?
M I stayed up all night to read comic books.
W Wow. I didn't know you like comic books.
M I didn't like them before, but Jerry lent me some interesting ones about superheroes.
W Who is your favorite superhero?
M I like Iron Man the best.

여 민호야, 너 엄청 졸려 보여. 어젯밤에 뭐 했니?
남 만화책 보느라 밤을 샜어.
여 우와. 네가 만화책을 좋아하는지 몰랐네.
남 이전에는 그것들을 안 좋아했는데, Jerry가 슈퍼히어로에 관한 재미있는 것들을 빌려줬거든.
여 네가 가장 좋아하는 슈퍼히어로는 누구야?
남 나는 아이언맨이 제일 좋아.

해설 | 남자가 만화책을 보느라 밤을 새웠다고 했으므로 정답은 ④ '만화책을 읽었기 때문에'이다.
어휘 | stay up all night 밤을 새우다 comic book 만화책 lend [lend] 동 빌려주다

13 관계 고르기

정답 ①

W Good afternoon. How may I help you?
M I want to check in. I'm Tim Smith, and I booked a room for two days.
W Yes, Mr. Smith. *[Pause]* Here is your key to Room 507. It has an ocean view.
M Thanks.
W Have a wonderful day.

여 안녕하세요. 무엇을 도와드릴까요?
남 체크인을 하고 싶어요. 저는 Tim Smith이고, 이틀 동안 묵을 방을 예약했어요.
여 네, Smith씨. *[잠시 멈춤]* 여기 507호 열쇠입니다. 바다 전망이랍니다.
남 감사합니다.
여 좋은 하루 보내세요.

해설 | 남자가 체크인을 하고 싶다고 했고 여자가 남자에게 방 열쇠를 주고 있는 것으로 보아 정답은 ① '호텔 직원 — 고객'이다.

어휘 | check in 체크인하다, 투숙 수속을 밟다 view [vjuː] 명 전망; 견해

14 위치 고르기

정답 ⑤

W Seho, can you get my purse in the bedroom?
M Okay. Where did you put it?
W Look on the bed.
M There's nothing on the bed.
W Then, how about checking on the desk?
M Let me see. Oh, I got it. It's under the chair!

여 세호야, 침실에서 내 지갑 좀 갖다줄래?
남 그래. 어디에 뒀어?
여 침대 위를 봐봐.
남 침대 위에는 아무것도 없어.
여 그럼, 책상 위를 확인해 보는 것은 어때?
남 어디 보자. 오, 찾았어. 의자 밑에 있어!

해설 | 남자가 의자 밑에서 지갑을 찾았으므로 정답은 ⑤이다.

어휘 | purse [pəːrs] 명 지갑 bedroom [bédrùːm] 명 침실

15 부탁·요청한 일 고르기

정답 ⑤

[Cellphone rings.]
M Hello, Mom.
W Hello, Matt. Where are you?
M I'm at the school gym. Why?
W I called your older brother, but he won't answer.
M I saw him at the cafeteria a few minutes ago.
W Could you tell him to come home early? He promised to clean his room today.
M Sure. No problem.

[휴대폰이 울린다.]
남 여보세요, 엄마.
여 여보세요, Matt. 너 어디에 있니?
남 저 학교 체육관에 있어요. 왜요?
여 네 형에게 전화했는데, 전화를 받지 않는구나.
남 제가 몇 분 전에 구내식당에서 형을 봤어요.
여 집에 일찍 오라고 형에게 얘기해줄래? 형이 오늘 자기 방을 치우기로 약속했거든.
남 그럼요. 물론이죠.

해설 | 여자가 남자에게 집에 일찍 오라고 형에게 얘기해달라고 부탁했으므로 정답은 ⑤ '형에게 메시지 전하기'이다.

어휘 | answer [ǽnsər] 동 (전화를) 받다; 대답하다 cafeteria [kæfətíəriə] 명 구내식당, 간이식당

16 제안한 일 고르기

정답 ③

W What are you going to do on Saturday, Chris?
M I'm going to stay home and watch TV.
W Would you like to play tennis with me?
M Can you play tennis well?
W No. But I want to learn. I heard you are a good player.
M I'm not, actually. Why don't we practice together?
W That's a great idea!

여 토요일에 뭐 할 거니, Chris?
남 집에 있으면서 TV를 볼 거야.
여 나랑 테니스 칠래?
남 너 테니스 잘 칠 수 있어?
여 아니. 그런데 배우고 싶어. 나는 네가 테니스를 잘 친다고 들었거든.
남 그렇지 않아, 사실은. 우리 같이 연습하는 건 어때?
여 그거 좋은 생각이다!

해설 | 여자가 테니스를 치자고 하자 남자가 여자에게 같이 연습하는 것을 제안했으므로 정답은 ③ '테니스 함께 치기'이다.

어휘 | learn [ləːrn] 동 배우다 actually [ǽktʃuəli] 부 사실은 practice [prǽktis] 동 연습하다

17 한 일 고르기

정답 ②

W Hansu, did you have a good holiday?
M Yes. I had a great time.
W What did you do?
M Our family made a small garden. We planted lettuce, tomatoes, and carrots.
W That sounds interesting.
M Yeah. It is our first family garden. I hope everything grows well.

여 한수야, 즐거운 휴일 보냈니?
남 응. 좋은 시간을 보냈어.
여 무엇을 했는데?
남 우리 가족은 작은 텃밭을 만들었어. 상추, 토마토, 그리고 당근을 심었어.
여 재미있을 것 같아.
남 응. 그건 우리 가족의 첫 번째 텃밭이야. 모든 게 잘 자라기를 바라고 있어.

해설 | 남자가 휴일에 자신의 가족이 작은 텃밭을 만들었다고 했으므로 정답은 ② '텃밭 만들기'이다.

어휘 | holiday [hálədèi] 명 휴일 garden [gá:rdn] 명 텃밭, 정원 lettuce [létis] 명 상추 carrot [kǽrət] 명 당근 grow [grou] 동 자라다, 성장하다

18 직업 고르기

정답 ⑤

M Hello, *People Show* viewers. Let's meet our guest, Anna Miller.
W Hi, Bill. It's nice to be here.
M Anna, you won the first prize in the Women's Golf Championship. Congratulations!
W Thank you.
M How did you prepare for it?
W I played golf every day. I tried hard to make a smooth swing.

남 안녕하세요, <People Show> 시청자 여러분. 우리의 게스트 Anna Miller를 만나봅시다.
여 안녕하세요, Bill. 여기 나오게 되어서 좋네요.
남 Anna, 여성 골프 선수권 대회에서 1등을 하셨죠. 축하해요!
여 감사합니다.
남 어떻게 준비하셨나요?
여 매일 골프를 쳤어요. 매끄러운 스윙을 하려고 열심히 노력했죠.

해설 | 남자는 여자가 여성 골프 선수권 대회에서 1등을 했다고 했고, 여자가 매일 골프를 치며 대회를 준비했다고 했으므로 정답은 ⑤ '골프 선수'이다.

어휘 | prepare [pripέər] 동 준비하다 smooth [smu:ð] 형 매끄러운, 부드러운

19 적절한 응답 고르기

정답 ④

M What do you want to watch, Sarah?
W I'm not sure. What type of movie do you like?
M What about a horror movie?
W I don't want to see a scary one.
M Okay. Then, how about a comedy?
W Sure! Can I pick one?
M Sure. It's your choice.

남 뭘 보고 싶니, Sarah?
여 잘 모르겠어. 너는 어떤 종류의 영화를 좋아해?
남 공포 영화는 어때?
여 무서운 건 보고 싶지 않아.
남 알겠어. 그럼, 코미디는 어때?
여 그래! 내가 하나 골라도 돼?
남 물론이지. 네가 선택해.

해설 | 여자가 자신이 영화를 골라도 되는지 남자에게 허락을 구하고 있으므로 정답은 승낙하는 ④ 'Sure. It's your choice.'가 정답이다.

선택지 해석

① 좋은 선택이야. ② 나는 그게 무서워. ③ 나는 아직 그걸 안 봤어. ④ 물론이지. 네가 선택해. ⑤ 그건 다음에 보자.

어휘 | type [taip] 명 종류, 유형 horror [hɔ́:rər] 명 공포 scary [skέəri] 형 무서운 choice [tʃɔis] 명 선택 afraid of ~을 무서워하는, ~이 두려운

20 적절한 응답 고르기

정답 ③

W Sam, can you make a cup of coffee for me?
M Sure. I can make you one. Let's use the new coffee machine.
W Do you know how to use it?
M Yes. Turn it on, and put some water in the container.
W Okay. What's next?
M Put a capsule in, and press the start button.
W Where is the button?
M It's on the top of the machine.

여 Sam, 나한테 커피 한 잔 만들어 줄 수 있니?
남 물론이지. 한 잔 만들어 줄게. 새 커피 기계를 사용해보자.
여 어떻게 사용하는지 알아?
남 응. 그것을 켜고, 용기에 물을 넣으면 돼.
여 알겠어. 그 다음은 뭐야?
남 캡슐을 넣고, 시작 버튼을 눌러.
여 버튼이 어디에 있어?
남 그건 기계 위쪽에 있어.

해설 | 여자가 시작 버튼이 어디에 있는지를 묻고 있으므로 정답은 위치를 언급하는 ③ 'It's on the top of the machine.'이다.

선택지 해석

① 핫초코는 어때? ② 나는 이미 커피 한 잔을 마셨어. ③ 그건 기계 위쪽에 있어. ④ 물이 끓고 있어. ⑤ 커피 맛이 좋지 않았어.

어휘 | machine [məʃí:n] 명 기계 turn on 켜다 container [kəntéinər] 명 용기, 그릇 press [pres] 동 누르다 boil [bɔil] 동 끓다

07회 실전 모의고사

| 문제 pp.74-75

1	①	2	⑤	3	①	4	②	5	①	6	②	7	②	8	④	9	①	10	⑤
11	⑤	12	⑤	13	①	14	③	15	③	16	④	17	①	18	③	19	④	20	②

1 화제 고르기

정답 ①

W I have four short legs and a short tail. I also have a shell on my back. I can hide in it. I can live both in the water and on the ground. What am I?

여 나는 네 개의 짧은 다리와 짧은 꼬리를 가지고 있습니다. 나는 등에 딱지도 있습니다. 나는 그 속에 숨을 수 있습니다. 나는 물 속과 땅 위에서 모두 살 수 있습니다. 나는 무엇인가요?

해설 | 나(I)는 네 개의 짧은 다리와 짧은 꼬리를 가지고 있고 등에 딱지가 있다고 했으므로 정답은 ①이다.

어휘 | shell [ʃel] 명 (등)딱지; 껍질 back [bæk] 명 등 hide [haid] 동 숨다 ground [graund] 명 땅

2 알맞은 그림 고르기

정답 ⑤

M Can I help you?
W Yes, please. I'm looking for a tray for my kitchen.
M What about this round one?
W It looks fine, but I don't like frogs.
M Then, what about this square one with a sunflower on it?
W It's beautiful! I'll take that one.

남 도와드릴까요?
여 네. 주방용 쟁반을 찾고 있어요.
남 이 둥근 것은 어떠신가요?
여 괜찮아 보이기는 하는데, 개구리가 마음에 안 들어요.
남 그럼, 해바라기가 그려진 이 네모난 것은 어떠신가요?
여 예쁘네요! 그것을 살게요.

해설 | 남자가 위에 해바라기가 그려진 네모난 쟁반을 권유하자 여자가 그것을 사겠다고 했으므로 정답은 ⑤이다.

어휘 | tray [trei] 명 쟁반 round [raund] 형 둥근 frog [frɔːg] 명 개구리 square [skwɛər] 형 네모난 명 정사각형 sunflower [sʌ́nflauər] 명 해바라기

3 날씨 고르기

정답 ①

M Good morning! Here is today's weather forecast. Seoul will be windy and cold. In Daejeon, it'll be cloudy and windy. Daegu and Busan will be rainy all day long. Jeju will be sunny with a clear sky.

남 안녕하십니까! 오늘의 일기 예보입니다. 서울에는 바람이 불고 추울 것입니다. 대전은 흐리고 바람이 불겠습니다. 대구와 부산에는 온종일 비가 내릴 것입니다. 제주는 맑은 하늘과 함께 화창하겠습니다.

해설 | 제주는 맑은 하늘과 함께 화창할 것이라고 했으므로 정답은 ①이다.

어휘 | windy [wíndi] 형 바람이 부는 cloudy [kláudi] 형 흐린 all day long 온종일

4 의도 고르기

정답 ②

M Excuse me. May I try this jacket on?
W Sure. Do you need anything else?
M Hmm... Do you have these pants in black?
W Let me see. What size do you wear?
M Large, please.
W Here you go. Please take off your shoes in the dressing room.

남 실례합니다. 이 재킷을 입어봐도 되나요?
여 물론이에요. 더 필요하신 것 있으세요?
남 흠... 이 바지 검은색으로 있나요?
여 확인해볼게요. 어떤 사이즈를 입으시나요?
남 라지로 주세요.
여 여기 있습니다. 탈의실에서는 신발을 벗어 주세요.

해설 | 여자가 남자에게 바지를 주면서 탈의실에서는 신발을 벗어 달라고 했으므로 정답은 ② '부탁'이다.

어휘 | try on 입어보다 take off (옷·모자 등을) 벗다 dressing room 탈의실; 분장실

5 언급하지 않은 내용 고르기

정답 ①

M Good morning, students. This is an announcement about our school team's volleyball game. There's going to be a semifinal game this Friday. The game will be in our school auditorium. The tickets are free. Everyone is welcome, so please come and enjoy the match. Thank you.

남 안녕하세요, 학생 여러분. 우리 학교 팀의 배구 경기에 대한 공지입니다. 이번 금요일에 준결승 경기가 있을 것입니다. 경기는 우리 학교 강당에서 열릴 것입니다. 티켓은 무료입니다. 누구나 환영이니, 오셔서 경기를 즐기시기 바랍니다. 감사합니다.

해설 | ② 종목(배구), ③ 요일(이번 금요일), ④ 장소(학교 강당), ⑤ 티켓 가격(무료)에 대해 언급했으므로 정답은 ① '상대 학교'이다.

어휘 | announcement [ənáunsmənt] 명 공지; 발표 volleyball [válibɔ̀:l] 명 배구 semifinal [sèmifáinəl] 형 준결승의 auditorium [ɔ̀:ditɔ́:riəm] 명 강당

6 시간 정보 고르기

정답 ②

M Sujin, when should we leave for the airport tomorrow?
W How about 7 a.m.? We need to arrive at the airport before 9.
M The flight leaves at 12 p.m., so we don't have to hurry.
W Okay. Let's leave at 8.
M Good. See you in the morning!

남 수진아, 우리 내일 공항으로 언제 출발해야 할까?
여 오전 7시는 어때? 우린 9시 전에 공항에 도착해야 해.
남 비행기가 오후 12시에 출발하니까, 서두르지 않아도 돼.
여 그래. 8시에 출발하자.
남 좋아. 아침에 보자!

해설 | 여자가 오전 8시에 출발하자고 하자 남자가 좋다고 했으므로 정답은 ② '8:00 a.m.'이다.

어휘 | leave [li:v] 동 출발하다, 떠나다 airport [érpɔrt] 명 공항 arrive [əráiv] 동 도착하다 hurry [hə́:ri] 동 서두르다

7 장래 희망 고르기

정답 ②

M Soyoon, what are you watching?
W It's a video about latte art.
M That looks so beautiful! Do you want to learn latte art?
W Yes. I want to make delicious coffee for people.
M I think you will be an amazing barista!
W Thank you. It's my dream.

남 소윤아, 뭘 보고 있니?
여 라테 아트에 관한 영상이야.
남 정말 예뻐 보인다! 넌 라테 아트를 배우고 싶은 거니?
여 응. 난 사람들에게 맛있는 커피를 만들어 주고 싶어.
남 내 생각에 넌 굉장한 바리스타가 될 거야!
여 고마워. 그게 내 꿈이야.

해설 | 여자가 사람들에게 맛있는 커피를 만들어 주고 싶다고 하자 남자가 여자에게 굉장한 바리스타가 될 것이라고 했으므로 정답은 ② '바리스타'이다.

어휘 | latte art 라테 아트(우유 거품을 이용해 커피 위에 그림을 그리는 것) barista [bəri:stə] 명 바리스타, 커피 내리는 전문가

8 심정 고르기

정답 ④

M Who is that in the picture, Sujin?
W This is my cousin, Jinho. My aunt just sent it to me.
M What is he wearing around his neck?
W It's his pet snake.
M Really? He must really like snakes.
W Yes. I want to have a pet snake like him.

남 사진 속에 저 사람 누구야, 수진아?
여 내 사촌 진호야. 이모가 방금 나한테 보내주셨어.
남 그가 목에 걸치고 있는 게 뭐니?
여 그건 그의 애완 뱀이야.
남 정말? 그는 뱀을 진짜 좋아하나봐.
여 응. 나도 그처럼 애완 뱀을 가지고 싶어.

해설 | 여자도 사촌처럼 애완 뱀을 가지고 싶다고 했으므로 정답은 ④ '부러움'이다.

어휘 | aunt [ænt] 명 이모, 고모 wear [wɛər] 동 걸치다; 입다 pet [pet] 형 애완의 명 애완동물 snake [sneik] 명 뱀

9 할 일 고르기

정답 ①

W Jason, let's have lunch together.
M Sure. *[Bump sound]* Ouch!
W What's wrong?
M I think I broke my arm.
W Are you sure?
M I think so. It hurts really badly.
W Oh, no! Should I call 911?
M No. It's okay. I'll take a taxi to the hospital.

여 Jason, 점심 같이 먹자.
남 그래. *[부딪히는 소리]* 아야!
여 무슨 일이야?
남 팔이 부러진 것 같아.
여 확실해?
남 그런 것 같아. 정말 심하게 아파.
여 오, 이런! 911에 전화할까?
남 아니야. 괜찮아. 병원에 택시를 타고 갈게.

해설 | 남자가 병원에 택시를 타고 가겠다고 했으므로 정답은 ① '병원 가기'이다.

어휘 | break [breik] 동 부러지다; 깨다 arm [ɑːrm] 명 팔 hurt [həːrt] 동 아프다; 다치다 badly [bǽdli] 부 심하게 hospital [hɑ́spitl] 명 병원

10 주제 고르기

정답 ⑤

W What are you doing, Peter?
M I'm reading an article about protecting the environment.
W What is happening to the environment?
M Because of global warming, many plants and animals are dying.
W Oh... That's so sad. What can we do?
M We should stop climate change.

여 뭐 하고 있어, Peter?
남 환경 보호에 대한 기사를 읽고 있어.
여 환경에 무슨 일이 일어나고 있는데?
남 지구 온난화 때문에 많은 식물과 동물들이 죽어가고 있어.
여 오... 너무 슬프다. 우리가 뭘 할 수 있을까?
남 우리는 기후 변화를 막아야 해.

해설 | 남자가 지구 온난화 때문에 많은 식물과 동물들이 죽어가고 있으며, 자신들이 기후 변화를 막아야 한다고 했으므로 정답은 ⑤ '환경 보호'이다.

어휘 | protect [prətékt] 동 보호하다 environment [inváiərənmənt] 명 환경 global warming 지구 온난화 climate change 기후변화

11 교통수단 고르기

정답 ⑤

W Mark, when does the musical start?
M It begins at 6:20.
W 6:20? We're going to be late!
M Calm down. It's not even 5:30 yet. We can walk there.
W But it's raining outside.
M Oh, then why don't we take the subway?
W I think that's the best option. Let's do that.

여 Mark, 뮤지컬은 언제 시작해?
남 6시 20분에 시작해.
여 6시 20분? 우리 늦겠어!
남 진정해. 아직 5시 30분도 안 됐어. 거기에 걸어가면 돼.
여 그런데 밖에 비가 오잖아.
남 오, 그럼 지하철 타는 게 어때?
여 그게 최선의 선택인 것 같네. 그렇게 하자.

해설 | 남자가 지하철을 타는 것이 어떤지를 묻자 여자가 그렇게 하자고 했으므로 정답은 ⑤ '지하철'이다.

어휘 | option [ɑ́pʃən] 명 선택(권)

12 이유 고르기

정답 ⑤

[Cellphone rings.]
W Hello, Daniel. Where are you?
M Hi, Molly. I'm on the highway.
W Are you still coming to my house tonight? It's snowing a lot.
M I have a little problem. My car stopped on the road. I'm waiting for help.
W I'm so sorry. Are you okay?
M Yes. I'm fine. But it will take a while.

[휴대폰이 울린다.]
여 여보세요, Daniel. 너 어디야?
남 안녕, Molly. 나 고속도로 위야.
여 오늘 밤에 여전히 우리 집에 올 예정이야? 눈이 많이 오고 있어.
남 나 작은 문제가 있어. 내 차가 도로에서 멈췄어. 나는 도움을 기다리는 중이야.
여 정말 안타깝네. 너는 괜찮니?
남 응. 나는 괜찮아. 그렇지만 조금 시간이 걸릴 거야.

해설 | 남자가 차가 도로에서 멈춰서 도움을 기다리는 중이라고 했으므로 정답은 ⑤ '차가 고장 났기 때문에'이다.

어휘 | highway [háiwèi] 명 고속도로 road [roud] 명 도로 help [help] 명 도움 동 돕다

13 장소 고르기

정답 ①

M Can I take your order?
W No. I'm not ready yet.
M Okay. Take your time.
W What are popular dishes here?
M Cream pasta and cheese pizza are very popular.
W Well, I'll try cream pasta then.
M Do you need anything to drink?
W I'll have an orange juice.

남 주문하시겠습니까?
여 아니요. 아직 준비가 안 됐어요.
남 알겠습니다. 천천히 하세요.
여 여기서 인기 있는 요리가 뭔가요?
남 크림파스타와 치즈피자가 매우 인기 있어요.
여 음, 그러면 크림파스타를 먹어볼게요.
남 마실 것도 필요하신가요?
여 오렌지 주스 한 잔 주세요.

해설 | 남자가 여자에게 주문을 받고 있고, 여자는 인기 있는 요리가 무엇인지 남자에게 묻는 것으로 보아 정답은 ① '식당'이다.

어휘 | order [ɔ́:rdər] 명 주문; 순서 동 명령하다 popular [pάpjulər] 형 인기 있는 dish [diʃ] 명 요리, 음식; 접시

14 위치 고르기

정답 ③

M Hanna, is there a bank near here?
W Hmm... there's one downtown.
M Okay. How can I get there from here?
W Go straight one block, and turn left.
M Okay.
W A police station will be on your right. The bank is next to it.
M Thank you!

남 한나야, 여기 근처에 은행 있어?
여 흠... 시내에 하나 있어.
남 그렇구나. 여기서 어떻게 갈 수 있어?
여 한 블록 직진해서, 좌회전해.
남 알았어.
여 경찰서가 네 오른쪽에 있을 거야. 은행은 그 옆에 있어.
남 고마워!

해설 | 은행은 한 블록 직진해서 좌회전한 다음 오른쪽, 즉 경찰서 옆에 있다고 했으므로 정답은 ③이다.

어휘 | bank [bæŋk] 명 은행 downtown [dàuntáun] 부 시내에

15 부탁·요청한 일 고르기

정답 ③

[Cellphone rings.]
M Hi, Katy. It's Shawn.
W Hey. What's happening?
M I'm going to the café to meet you. Did you leave your house?
W Not yet. Why?
M Great! Can you bring your math book then? I forgot to pack mine in my bag.
W No problem. I'll bring it.

[휴대폰이 울린다.]
남 안녕, Katy. 나 Shawn이야.
여 안녕. 무슨 일이야?
남 나 너 만나러 카페 가는 중이야. 넌 집에서 나왔니?
여 아직. 왜?
남 잘됐다! 그럼 네 수학책 좀 가져올 수 있어? 가방에 내 것을 챙기는 걸 잊어버렸어.
여 물론이지. 가져갈게.

해설 | 남자가 여자에게 수학책을 가져와달라고 부탁했으므로 정답은 ③ '수학책 가져오기'이다.

어휘 | math [mæθ] 명 수학 pack [pæk] 동 챙기다, 싸다

16 제안한 일 고르기

정답 ④

M Tomorrow is my mother's birthday. What should I get her?
W I baked a cake for my mom last year. Why don't you try that?
M That's an excellent idea. But I don't know how to bake a cake.
W Come to my house today, and I can help you.
M Great! Thanks.

남 내일이 우리 엄마 생신이야. 내가 뭘 사드려야 할까?
여 나는 작년에 엄마께 케이크를 구워드렸어. 그걸 해보는 게 어때?
남 그거 훌륭한 생각이다. 그런데 나 케이크 만드는 방법을 몰라.
여 오늘 우리 집에 와, 그러면 내가 도와줄 수 있어.
남 좋아! 고마워.

해설 | 여자가 작년에 엄마께 케이크를 구워드렸다고 하면서 그것을 해보는 것을 남자에게 제안했으므로 정답은 ④ '케이크 굽기'이다.

어휘 | bake [beik] 동 굽다 excellent [éksələnt] 형 훌륭한

17 한 일 고르기

정답 ①

W What did you do last Sunday, Josh?
M I helped my dad clean the house. How about you?
W I went skiing with my brother.
M Wasn't it cold? It was really windy last weekend.
W Yes. But I still had a lot of fun.
M That's cool! I want to learn how to ski later.

여 지난 일요일에 뭐 했니, Josh?
남 아빠가 집 청소 하시는 걸 도와드렸어. 너는?
여 나는 남동생과 스키를 타러 갔어.
남 춥지 않았어? 지난주에 바람이 많이 불었잖아.
여 응. 그래도 여전히 정말 재미있었어.
남 멋지다! 나도 나중에 스키 타는 법을 배우고 싶어.

해설 | 여자는 지난 일요일에 남동생과 스키를 타러 갔었다고 했으므로 정답은 ① '스키 타기'이다.

어휘 | go skiing 스키 타러 가다 learn [ləːrn] 동 배우다

18 직업 고르기

정답 ③

M Ginny, is that your dad on TV?
W Yes, it is.
M Wow! What is he doing?
W He sells products on the show.
M What kind of product does he sell?
W He sells everything from food to digital devices.
M That's a cool job.

남 Ginny, TV에 나오는 분이 너희 아빠셔?
여 응, 맞아.
남 우와! 뭘 하고 계시는 거야?
여 TV 프로그램에서 제품을 판매하셔.
남 어떤 종류의 제품을 판매하셔?
여 음식에서 디지털 기기까지 전부 판매하셔.
남 멋진 직업이네.

해설 | 여자가 자신의 아빠가 TV 프로그램에서 제품을 판매한다고 했으므로 정답은 ③ '쇼호스트'이다.

어휘 | product [prádʌkt] 명 제품, 상품 from A to B A부터 B까지 device [diváis] 명 기기, 장치

19 적절한 응답 고르기

정답 ④

W Hey, Alex. What are you doing outside your house?
M I'm waiting for my mom to come home.
W Why are you waiting outside?
M I lost my keys.
W Oh. Where did you lose them?
M I think I left them at school.
W Well, I hope you find them.

여 안녕, Alex. 집 밖에서 뭐하고 있니?
남 엄마가 집에 오시길 기다리는 중이야.
여 왜 밖에서 기다려?
남 내가 열쇠를 잃어버렸거든.
여 오. 어디서 잃어버렸어?
남 학교에 두고 온 것 같아.
여 이런, 그걸 찾으면 좋겠다.

해설 | 남자가 열쇠를 학교에 두고 온 것 같다고 했으므로 정답은 위로하는 ④ 'Well, I hope you find them.'이다.

선택지 해석

① 안으로 들어와. ② 거기가 내가 그걸 두고 온 곳이야. ③ 그녀가 여기서 만나자고 했어. ④ 이런, 그걸 찾으면 좋겠다. ⑤ 언제나 환영이야.

어휘 | outside [àutsáid] 부 밖에서 명 바깥쪽 wait for ~를 기다리다 lose [luːz] 동 잃다

20 적절한 응답 고르기

정답 ②

W What's your favorite memory from your childhood?
M Let's see... I think it was hiking with my grandfather.
W Where did you go?
M We went to Jirisan.
W Why was it special to you?
M I saw wonderful views on the mountain. You should go sometime.
W I'd like to do that one day.

여 어린 시절의 가장 좋았던 추억이 뭐야?
남 어디 보자... 할아버지와 함께 갔던 하이킹인 것 같아.
여 어디로 갔었니?
남 우리는 지리산에 갔었어.
여 왜 그것이 네게 특별했니?
남 산에서 아주 멋진 경치를 봤거든. 너도 언젠가 가봐야 해.
여 나도 언젠가는 그러고 싶어.

해설 | 남자가 여자에게 언젠가 한라산에 가보라고 추천하고 있으므로 정답은 추천을 받아들이는 ② 'I'd like to do that one day.'이다.

선택지 해석

① 그렇게 말해줘서 고마워. ② 나도 언젠가는 그러고 싶어. ③ 힘들고 피곤한 날이었어. ④ 사진을 좀 보여줄게. ⑤ 너무 늦어지고 있어.

어휘 | wonderful [wʌ́ndərfəl] 형 멋진, 놀라운 view [vjuː] 명 경치; 견해 sometime [sʌ́mtaim] 부 언젠가, 언제 tiring [táiəriŋ] 형 피곤한

08회 실전 모의고사

| 문제 pp.82-83

1	⑤	2	④	3	④	4	④	5	②	6	⑤	7	②	8	⑤	9	④	10	③
11	④	12	③	13	②	14	③	15	④	16	③	17	③	18	⑤	19	①	20	③

1 화제 고르기

정답 ⑤

M This has a square shape and comes in many different colors and patterns. This is made of thin cloth. You can fold this and carry it in your pocket. You can wipe away sweat or tears with this. What is this?

남 이것은 사각형 모양이고 여러 다양한 색상과 무늬로 나옵니다. 이것은 얇은 천으로 만들어집니다. 이것을 접어서 주머니에 넣고 다닐 수 있습니다. 이것으로 땀이나 눈물을 닦을 수 있습니다. 이것은 무엇인가요?

해설 | 이것(this)은 얇은 천으로 만들어지고, 이것으로 땀이나 눈물을 닦을 수 있다고 했으므로 정답은 ⑤이다.

어휘 | cloth [klɔːθ] 명 천 fold [fould] 동 접다 wipe away 닦다, 없애다, 제거하다 sweat [swet] 명 땀 동 땀을 흘리다 tear [tiər] 명 눈물

2 알맞은 그림 고르기

정답 ④

M Excuse me. I'd like to buy a T-shirt for my younger brother.
W Let me see. How do you like this T-shirt with stripes?
M It looks too simple.
W Does he like smiley faces? We have one with a smiley face on it.
M I like the one with lots of smiley faces. I'll take that one.

남 실례합니다. 남동생에게 줄 티셔츠를 사고 싶어요.
여 어디 볼게요. 줄무늬가 있는 이 티셔츠는 어떤가요?
남 너무 단순해 보여요.
여 남동생이 스마일 그림을 좋아하나요? 스마일 그림이 그려진 것이 있어요.
남 스마일 그림이 많이 있는 것이 마음에 드네요. 저걸로 살게요.

해설 | 남자가 스마일 그림이 많이 있는 게 마음에 든다며 그 티셔츠를 사겠다고 했으므로 정답은 ④이다.

어휘 | stripe [straip] 명 줄무늬 simple [símpl] 형 단순한 smiley face 스마일 그림, 웃는 얼굴 그림

3 날씨 고르기

정답 ④

W Good evening. This is the weekend weather report. Sunny days will continue until Saturday morning. But there will be strong winds from Saturday afternoon. On Sunday morning, there will be a little rain. But it'll stop in the afternoon.

여 안녕하십니까. 주말 일기 예보입니다. 토요일 오전까지 화창한 날이 이어질 것입니다. 하지만 토요일 오후부터는 강한 바람이 불 예정입니다. 일요일 오전에는 비가 약간 내리겠습니다. 하지만 오후에는 그치겠습니다.

해설 | 일요일 오전에는 비가 약간 내릴 것이라고 했으므로 정답은 ④이다.

어휘 | continue [kəntínjuː] 동 이어지다, 계속하다 a little 약간의, 매우 적은

4 의도 고르기

정답 ④

W Jiho, you are smiling a lot today. What happened?
M Do you remember that I sent my essay to the writing contest?
W Yes. Did they announce the winner?
M Yes. I got second prize.
W Oh, congratulations! I knew you would do well!

여 지호야, 너 오늘 많이 웃고 있네. 무슨 일이야?
남 내가 글짓기 대회에 수필을 보냈던 것 기억해?
여 응. 우승자를 발표했어?
남 응. 나 2등상을 받았어.
여 오, 축하해! 네가 잘할 줄 알았어!

해설 | 남자가 글짓기 대회에서 2등상을 받았다고 하자 여자가 축하한다고 했으므로 정답은 ④ '축하'이다.

어휘 | remember [rimémbər] 동 기억하다 send [send] 동 보내다 essay [ései] 명 수필, 논문 prize [praiz] 명 상, 상금

5 언급하지 않은 내용 고르기

정답 ②

M Let me introduce our after-school program to you. We hike up a hill near our school, and we study the plants around us. We take pictures of the plants and then find information about them on the Internet. We also give presentations about the plants.

남 여러분들께 저희의 방과 후 프로그램을 소개해드리겠습니다. 저희는 학교 근처의 산에 올라가서, 주변의 식물들을 관찰합니다. 저희는 그 식물들의 사진을 찍고 이후에 인터넷에서 그것들에 대한 정보를 찾아봅니다. 저희는 또한 그 식물들에 대해 발표를 합니다.

해설 | ① 등산하기, ③ 식물 사진 찍기, ④ 인터넷 조사하기, ⑤ 발표하기를 언급했으므로 정답은 ② '식물 그리기'이다.

어휘 | hill [hil] 명 산, 언덕 plant [plænt] 명 식물 information [ìnfərméiʃən] 명 정보 presentation [prèzəntéiʃən] 명 발표; 증정

6 시간 정보 고르기

정답 ⑤

M Jane, did you get home alright yesterday?
W Yes. But my parents got upset because I was late.
M You left early.
W Yeah, I left at 7 p.m. But I went to a bookstore and stayed until 9.
M So, when did you get home?
W I arrived home at 10 o'clock.

남 Jane, 어제 집에 잘 들어갔니?
여 응. 근데 내가 늦어서 부모님이 화가 나셨어.
남 너 일찍 떠났잖아.
여 맞아, 오후 7시에 떠났지. 그런데 서점에 갔다가 9시까지 있었어.
남 그래서, 집에 언제 갔는데?
여 10시에 집에 도착했어.

해설 | 여자가 집에 10시에 도착했다고 했으므로 정답은 ⑤ '10:00 p.m.'이다.

어휘 | upset [ʌpset] 형 화난, 속상한

7 장래 희망 고르기

정답 ②

W Look at the beautiful painting on the wall.
M Do you like it, Jenny?
W I love it!
M Actually, I painted those roses.
W Really? I think you're an amazing artist.
M Thank you. I want to be a famous painter someday.
W I'm sure you will be great like Picasso!

여 벽에 있는 저 아름다운 그림 좀 봐봐.
남 마음에 드니, Jenny?
여 마음에 들어!
남 사실은, 내가 저 장미들을 그렸어.
여 정말? 넌 멋진 예술가인 것 같아.
남 고마워. 난 언젠가 유명한 화가가 되고 싶어.
여 넌 꼭 피카소처럼 훌륭해질 거야!

해설 | 남자가 유명한 화가가 되고 싶다고 했으므로 정답은 ② '화가'이다.

어휘 | painting [péintiŋ] 명 그림 (painter [péintər] 명 화가) amazing [əméiziŋ] 형 멋진, 놀라운 artist [ɑ́:rtist] 명 예술가 famous [féiməs] 형 유명한

8 심정 고르기

정답 ⑤

W Harry, what's wrong?
M I had a fight with my best friend, Tommy.
W Oh, no. Why?
M He told my biggest secret to other people!
W Sorry to hear that. You must feel upset.
M Totally. He said sorry, but I can't forgive him now.

여 Harry, 무슨 일이니?
남 내 가장 친한 친구인 Tommy와 싸웠어.
여 오, 이런. 왜?
남 그가 나의 가장 큰 비밀을 다른 사람들에게 말했어!
여 유감이네. 너 화가 났겠구나.
남 완전히. Tommy가 미안하다고는 했지만, 지금은 그를 용서할 수가 없어.

해설 | 여자가 화가 났겠다고 하자 남자가 완전히 그렇다고 한 후, 친구를 용서할 수가 없다고 했으므로 정답은 ⑤ 'angry'이다.

선택지 해석

① 수줍은 ② 지루한 ③ 편안한 ④ 신난 ⑤ 화난

어휘 | have a fight with ~와 싸우다 secret [sí:krit] 명 비밀 totally [tóutəli] 부 완전히 forgive [fərgív] 동 용서하다 relaxed [rilǽkst] 형 편안한

9 할 일 고르기

정답 ④

M What are you going to do this holiday, Amy?	남 이번 휴일에 뭐 할 거야, Amy?
W I'm going to Hong Kong with my parents.	여 나는 부모님과 홍콩에 갈 거야.
M That sounds fun.	남 재미있겠다.
W Yes. I'm so excited! I need to take a picture for my passport today.	여 응. 나 너무 신나! 오늘 여권용 사진을 찍어야 해.
M You can use the picture you used for your student ID card.	남 학생증에 썼던 사진을 써도 돼.
W Oh, right. I'll call the studio and cancel the appointment.	여 오, 맞네. 사진관에 전화해서 예약 취소해야겠다.

해설 | 여자가 사진관에 전화해서 예약을 취소해야겠다고 했으므로 정답은 ④ '사진관에 전화하기'이다.

어휘 | passport [pǽspɔːrt] 명 여권 student ID card 학생증 cancel [kǽnsəl] 동 취소하다 appointment [əpɔ́intmənt] 명 예약, 약속; 임명

10 주제 고르기

정답 ③

W Hajun, do you remember this postcard?	여 하준아, 이 엽서 기억나?
M Oh, it's from the railroad museum.	남 오, 이거 철도 박물관에서 산 거잖아.
W Yes. We visited it for a class trip.	여 그래. 우리 견학하러 거기 방문했었지.
M Yeah. I really enjoyed seeing the old trains.	남 응. 난 옛날 기차들을 보는 것이 정말 즐거웠어.
W I had fun too. I learned about driving a train.	여 나도 재미있었어. 기차를 운전하는 것에 대해 배웠어.

해설 | 남자와 여자가 엽서를 보며 철도 박물관에 견학 갔었던 이야기를 했으므로 정답은 ③ '철도 박물관 견학'이다.

어휘 | railroad [réilroud] 명 철도 have fun 재미있다

11 교통수단 고르기

정답 ④

M Yura, how do we get to the baseball stadium?	남 유라야, 우리 야구 경기장에 어떻게 갈까?
W Well, how about taking the subway? There are express trains to the stadium.	여 음, 지하철을 타는 건 어때? 경기장으로 가는 급행열차가 있어.
M But they're always crowded, aren't they?	남 그런데 그건 항상 붐비잖아, 그렇지 않니?
W Then, why don't we take a taxi instead?	여 그럼, 대신 택시로 가는 게 어때?
M Okay. I'll call one.	남 좋아. 내가 한 대 부를게.

해설 | 여자가 택시를 탈 것을 제안하자 남자가 좋다고 했으므로 정답은 ④ '택시'이다.

어휘 | stadium [stéidiəm] 명 경기장 express train 급행열차 crowded [kráudid] 형 (사람들이) 붐비는, 복잡한

12 이유 고르기

정답 ③

W Hi, Dad. What's in the bag? Did you buy something?	여 다녀오셨어요, 아빠. 가방에 뭐가 있나요? 뭘 사셨어요?
M I bought flowers, Cathy.	남 꽃을 샀단다, Cathy.
W Why did you buy them?	여 왜 그것들을 사셨어요?
M I bought them for your mother. It's our 20th wedding anniversary.	남 네 엄마를 위해서 샀단다. 20주년 결혼 기념일이거든.
W Can I see?	여 봐도 돼요?
M Sure. Here, take a look.	남 그럼. 여기, 한 번 보렴.
W They're beautiful. Mom will love them.	여 아름답네요. 엄마가 정말 좋아하실 거예요.

해설 | 여자가 남자에게 꽃을 왜 샀는지 묻자 남자가 여자의 엄마를 위해서 샀다고 했으므로 정답은 ③ '아내에게 선물하기 위해서'이다.

어휘 | wedding anniversary 결혼 기념일

13 장소 고르기

정답 ②

M Do you have cough medicine?
W Yes, we do. Do you also have a fever?
M No, I don't have a fever. But I started to cough yesterday. It's getting worse.
W I see. Here's the cough syrup. You should take this twice a day.
M Thank you.

남 기침약 있나요?
여 네, 있습니다. 열도 있으세요?
남 아니요, 열은 없어요. 근데 어제 기침을 하기 시작했어요. 점점 심해지고 있어요.
여 알겠습니다. 여기 기침약입니다. 이것을 하루에 두 번 드셔야 해요.
남 감사합니다.

해설 | 남자가 기침약이 있는지를 물었고 여자가 기침약을 주면서 하루에 두 번 먹어야 한다는 말을 하는 것으로 보아 정답은 ② '약국'이다.

어휘 | cough [kɔːf] 명 기침 동 기침하다 medicine [médisn] 명 약 fever [fíːvər] 명 열 twice [twais] 부 두 번

14 위치 고르기

정답 ③

W Are you going out today, Danny?
M Yes, Mom. But I can't find my mask.
W I saw it on the table this morning.
M It's not there now. Did you put it by the TV?
W No, I didn't. Hmm... *[Pause]* Oh, did you check on the sofa?
M It's here! Thank you. I'll get home before dinner.

여 오늘 외출할 거니, Danny?
남 네, 엄마. 그런데 제 마스크를 못 찾겠어요.
여 그거 오늘 아침에 탁자 위에서 봤어.
남 지금은 거기에 없어요. 텔레비전 옆에 놓으셨어요?
여 아니, 놓지 않았어. 흠... *[잠시 멈춤]* 오, 소파 위는 확인했니?
남 여기 있네요! 감사해요. 저녁 식사 전에 집에 올게요.

해설 | 여자가 소파 위를 확인했는지 물은 후 남자가 그곳에서 마스크를 찾았으므로 정답은 ③이다.

어휘 | go out 외출하다

15 부탁·요청한 일 고르기

정답 ④

W Kevin, what are you doing today?
M I don't know yet.
W I'm watching a movie with Linda. Do you want to come with us?
M What are you watching?
W The one about a friendship between a boy and a dragon.
M That sounds great. Can you get me a ticket?
W No problem.

여 Kevin, 오늘 뭐 할 거야?
남 아직 모르겠어.
여 난 Linda랑 영화 볼 거야. 너도 우리랑 함께 갈래?
남 뭘 볼 건데?
여 소년과 용 사이의 우정에 대한 거야.
남 재미있을 것 같아. 내 티켓을 사줄 수 있어?
여 물론이지.

해설 | 여자가 함께 영화를 볼 것인지 물었고 남자가 자신의 티켓을 사달라고 부탁했으므로 정답은 ④ '영화 티켓 사기'이다.

어휘 | friendship [fréndʃip] 명 우정 between [bitwíːn] 전 사이에 dragon [drǽgən] 명 용

16 제안한 일 고르기

정답 ③

M You were great in the school play, Karen.
W Thanks! I practiced my part really hard.
M Do you think I can be in the next play?
W Of course! It's a lot of fun.
M Well, I'm not sure.
W Give it a try. Join the drama club.
M Maybe I will.

남 학교 연극에서 멋졌어, Karen.
여 고마워! 내 역할을 정말 열심히 연습했거든.
남 네 생각에 나도 다음 연극에 참여할 수 있을 것 같니?
여 물론이지! 정말 재미있어.
남 음, 난 잘 모르겠어.
여 시도해봐. 연극 동아리에 가입해.
남 그렇게 할까 봐.

해설 | 여자가 남자에게 연극 동아리에 가입하는 것을 제안했으므로 정답은 ③ '동아리 가입하기'이다.

어휘 | play [plei] 명 연극 part [pɑːrt] 명 역할; 부분 give a try 시도하다 join [dʒɔin] 동 가입하다, 참가하다

17 할 일 고르기

정답 ③

[Cellphone rings.]
W Hello, Thomas. What are you doing?
M I just finished washing the dishes.
W Do you want to go swimming this afternoon?
M It's a great idea, but I need to study today.
W I forgot about the science test. I guess we can swim later.
M Then, what about studying together at my house?
W Okay. I will be there in 10 minutes.

[휴대폰이 울린다.]
여 여보세요, Thomas. 뭐 하고 있니?
남 난 방금 설거지를 끝냈어.
여 오늘 오후에 수영하러 갈래?
남 좋은 생각이긴 한데, 오늘 나 공부해야 돼.
여 나 과학 시험에 대해 잊고 있었어. 우리 수영은 나중에 해야겠네.
남 그럼, 우리 집에서 같이 공부하는 게 어때?
여 그래. 거기에 10분 후에 갈게.

해설 | 남자가 자신의 집에서 같이 과학 시험공부를 하자고 하자 여자가 그러자고 했으므로 정답은 ③ '과학 공부하기'이다.
어휘 | wash the dishes 설거지를 하다 guess [ges] 동 ~인 것 같다, ~라고 생각하다 later [léitər] 부 나중에

18 직업 고르기

정답 ⑤

M Excuse me. I'm here to report a crime.
W Okay. What happened?
M Someone stole my phone at a train station.
W What did the person look like?
M I'm not sure. I fell asleep.
W Alright. We will look at the video then.

남 실례합니다. 저 여기 범죄를 신고하려고 왔어요.
여 알겠습니다. 무슨 일이 있었죠?
남 누군가가 기차역에서 제 휴대폰을 훔쳐 갔어요.
여 그 사람이 어떻게 생겼었나요?
남 잘 모르겠어요. 제가 잠이 들었거든요.
여 그렇군요. 그럼 저희가 영상을 살펴보도록 하겠습니다.

해설 | 남자가 범죄를 신고하려고 왔다고 했고 여자가 범인의 생김새를 물은 뒤 영상을 살펴보겠다고 했으므로 정답은 ⑤ '경찰관'이다.
어휘 | crime [kraim] 명 범죄 steal [stiːl] 동 훔치다 person [pə́ːrsn] 명 사람 fall asleep 잠이 들다

19 적절한 응답 고르기

정답 ①

M Jia, what are you going to do tomorrow?
W I'm just going to watch TV. How about you?
M I'm spending the day at my parents' bakery.
W What do you do there?
M I usually help them bake cookies. I can make different kinds of cookies.
W Oh, really? I'd love to try them.
M I'll bring some for you.

남 지아야, 너 내일 뭐 할 거니?
여 난 그냥 TV를 볼 거야. 너는?
남 부모님 제과점에서 하루를 보낼 거야.
여 너는 거기서 뭘 하는데?
남 나는 보통 부모님이 쿠키를 굽는 것을 도와드려. 나는 여러 종류의 쿠키들을 만들 수 있거든.
여 오, 정말? 먹어보고 싶다.
남 널 위해 몇 개 가져다 줄게.

해설 | 여자가 남자에게 쿠키를 먹어보고 싶다고 했으므로 정답은 호의를 베푸는 ① 'I'll bring some for you.'이다.

선택지 해석

① 널 위해 몇 개 가져다 줄게. ② 응. 우리 그것도 구워. ③ 죄송하지만, 영업이 끝났어요. ④ 아니. 냄새가 좋지 않았어. ⑤ 응. 그녀를 만나고 싶어.

어휘 | bake [beik] 동 굽다 bring [briŋ] 동 가져오다

20 적절한 응답 고르기

정답 ③

M Hi, can I see Dr. Kim?
W He is seeing a patient right now.
M Okay. Do I have to wait long?
W I think so. He is very busy today.
M Then, I will come tomorrow.
W Sure. What time will you come?
M I'd like to see him at 10 a.m.

남 안녕하세요, 김 선생님을 뵐 수 있을까요?
여 지금은 환자를 보고 계세요.
남 알겠어요. 저 오래 기다려야 하나요?
여 그럴 것 같아요. 선생님이 오늘 매우 바쁘셔서요.
남 그럼, 내일 올게요.
여 그러세요. 몇 시에 오시겠어요?
남 오전 10시에 뵙고 싶어요.

해설 | 여자가 내일 몇 시에 올 것인지를 물었으므로 정답은 방문할 시간을 언급하는 ③ 'I'd like to see him at 10 a.m.'이다.

선택지 해석

① 그들은 내일 커피 마시러 만날 거예요. ② 그가 금방 전화 줄 거예요. ③ 오전 10시에 뵙고 싶어요. ④ 밖에서 기다릴게요. ⑤ 다른 선택지가 없군요.

어휘 | patient [péiʃənt] 명 환자 in a minute 금방 option [ápʃən] 명 선택지, 선택

09회 실전 모의고사

| 문제 pp.90-91

1	①	2	①	3	①	4	③	5	③	6	①	7	④	8	④	9	②	10	⑤
11	⑤	12	⑤	13	④	14	③	15	①	16	③	17	①	18	⑤	19	④	20	④

1 화제 고르기

정답 ①

M I am a large bird. I can fly high in the sky, and I can see far away. I have white feathers on my head and brown ones on my body. I can hunt very well. You can find me on a one-dollar bill. What am I?

남 나는 큰 새입니다. 나는 하늘에서 높이 날 수 있고, 멀리 볼 수 있습니다. 나는 머리에는 흰 깃털이 있고 몸에는 갈색 깃털이 있습니다. 나는 사냥을 매우 잘할 수 있습니다. 1달러짜리 지폐에서 나를 찾을 수 있습니다. 나는 누구인가요?

해설 | 나(I)는 하늘에서 높이 날 수 있고 멀리 볼 수 있으며 머리에는 흰 깃털이 있고 몸에는 갈색 깃털이 있다고 했으므로 정답은 ①이다.

어휘 | high [hai] 부 높이 형 높은 far away 멀리, 멀리 떨어져 feather [féðər] 명 깃털 bill [bil] 명 지폐; 계산서

2 알맞은 그림 고르기

정답 ①

W Minsu, what's that?
M It's a carrot cake. I made it for you.
W How sweet! The rabbit on it is so cute.
M Really? Actually, I chose a bird at first. But I changed my mind.
W Oh, that's good. I love rabbits more.

여 민수야, 그게 뭐니?
남 당근 케이크야. 널 위해서 만들었어.
여 정말 상냥하구나! 위에 있는 토끼가 정말 귀여워.
남 정말? 사실은, 처음에 새를 선택했거든. 하지만 마음을 바꿨어.
여 오, 잘했어. 나는 토끼를 더 좋아해.

해설 | 여자가 케이크 위에 있는 토끼가 정말 귀엽다고 했으므로 정답은 ①이다.

어휘 | carrot [kǽrət] 명 당근 sweet [swi:t] 형 상냥한; 달콤한 actually [ǽktʃuəli] 부 사실은 at first 처음에 mind [maind] 명 마음

3 날씨 고르기

정답 ①

W Good morning. Here's the weather report. The sky's cloudy, and it'll start raining in the afternoon. But the rain will stop before midnight. Tomorrow, it'll be a sunny day with a warm breeze. It'll be a perfect day for a picnic.

여 안녕하십니까. 일기 예보입니다. 하늘이 흐린 가운데 오후에는 비가 내리기 시작하겠습니다. 하지만 비는 자정 전에 그칠 것입니다. 내일은 따뜻한 산들바람이 부는 화창한 날이 될 것입니다. 소풍을 가기에 제격인 날이 되겠습니다.

해설 | 내일은 따뜻한 산들바람이 부는 화창한 날이 될 것이라고 했으므로 정답은 ①이다.

어휘 | midnight [mìdnaít] 명 자정; 한밤중 breeze [bri:z] 명 산들바람(살랑살랑 부드럽게 부는 바람)

4 의도 고르기

정답 ③

M Ivy, how was your vacation?
W It was good, Conan. I went to Namhae. How was your trip to Paris?
M It was great! I bought a present for you.
W Wow, that's so nice of you! What is it?
M It's a small Eiffel Tower statue.
W Thank you for the gift.

남 Ivy, 방학은 어땠니?
여 즐거웠어, Conan. 난 남해에 갔었거든. 네 파리 여행은 어땠니?
남 좋았지! 네게 줄 선물 사 왔어.
여 우와, 너 정말 다정하다! 뭔데?
남 작은 에펠탑 조각상이야.
여 선물 고마워.

해설 | 남자가 여자를 위해 사 온 선물에 대해 여자가 고맙다고 했으므로 정답은 ③ '감사'이다.

어휘 | statue [stǽtʃu:] 명 조각상

5 언급하지 않은 내용 고르기

정답 ③

M Hello, students. I'd like to tell you about the new basketball club. We meet from 2 to 4 p.m. every Monday and Friday. Our first meeting will be on Monday next week. You should bring basketball shoes to the practices. Please sign your name on the bulletin board to become a member.

남 안녕하세요, 학생 여러분. 새로운 농구 동아리에 대해 말씀드리려고 합니다. 저희는 매주 월요일과 금요일 오후 2시부터 4시까지 모입니다. 첫 번째 모임은 다음 주 월요일에 있을 예정입니다. 연습에는 농구화를 가져오셔야 합니다. 회원이 되기 위해서는 게시판에 이름을 써 주십시오.

해설 | ① 모임 시간(매주 월요일과 금요일 오후 2시부터 4시까지), ② 시작일(다음 주 월요일), ④ 준비물(농구화), ⑤ 등록 방법(게시판에 이름 쓰기)에 대해 언급했으므로 정답은 ③ '회원 수'이다.

어휘 | sign [sain] 통 이름을 쓰다, 서명하다 bulletin board 게시판 member [mémbər] 명 회원; 일원

6 시간 정보 고르기

정답 ①

[Cellphone rings.]
M Hello, Mina! What's going on?
W Hi, Jihoon. When should we meet this afternoon?
M The birthday party begins at 6, so why don't we meet at 5?
W That sounds great! I don't want to be late.
M Okay. Let's meet at 5 near the bus stop.
W Great. I'll see you later.

[휴대폰이 울린다.]
남 안녕, 미나야! 무슨 일이야?
여 안녕, 지훈아. 우리 오늘 오후에 언제 만나야 할까?
남 생일 파티가 6시에 시작하니까, 5시에 만나는 게 어때?
여 좋아! 난 늦고 싶지 않거든.
남 알았어. 버스 정류장 근처에서 5시에 만나자.
여 좋아. 이따 보자.

해설 | 남자가 5시에 만나자고 하자 여자가 좋다고 했으므로 정답은 ① '5:00 p.m.'이다.

어휘 | begin [bigín] 통 시작하다

7 장래 희망 고르기

정답 ④

M Lucy, what are you listening to?
W I'm listening to classical music now.
M Classical music makes me very calm.
W I agree. That's why I like classical music.
M Can you play an instrument?
W Yes. Actually, my dream is to be a great violinist.
M That's impressive. I hope you achieve your goal.

남 Lucy, 뭘 듣고 있어?
여 나 지금 클래식 음악을 듣고 있어.
남 클래식 음악은 나를 정말 차분하게 만들어.
여 맞아. 내가 클래식 음악을 좋아하는 이유야.
남 너는 악기를 연주할 수 있니?
여 응. 사실, 내 꿈은 훌륭한 바이올리니스트가 되는 거야.
남 멋지다. 네가 목표를 이룰 수 있길 바랄게.

해설 | 여자가 자신의 꿈이 훌륭한 바이올리니스트가 되는 것이라고 했으므로 정답은 ④ '바이올리니스트'이다.

어휘 | classical music 클래식 음악 impressive [imprésiv] 형 멋진, 인상적인 achieve [ətʃíːv] 통 이루다, 성취하다

8 심정 고르기

정답 ④

W What's the matter, Henry?
M My little sister was washing the dishes when I left my house.
W And?
M She just called me and said that she broke a cup.
W Oh, no! Is she okay?
M She was crying. I think I have to go home now.

여 무슨 일이니, Henry?
남 내가 집을 나올 때 여동생이 설거지를 하고 있었거든.
여 그런데?
남 여동생이 방금 전화해서는 컵을 깨뜨렸다고 했어.
여 오, 이런! 여동생은 괜찮아?
남 그녀는 울고 있었어. 나 지금 집에 가봐야 할 것 같아.

해설 | 남자가 여동생이 방금 전화해서 컵을 깨뜨렸다고 했고, 그녀가 울고 있어서 지금 집에 가봐야 할 것 같다고 했으므로 정답은 ④ '걱정스러움'이다.

어휘 | break [breik] 통 깨다, 부수다

9 할 일 고르기

정답 ②

W Dad, let's go jogging. You promised to exercise with me. M Okay. I'll get ready. W Today, I'd like to run along the park's paths. M Sure. Is it sunny outside? W Yes. The sun is very strong. M Then, could you get my cap? W Alright. I'll get it.	여 아빠, 조깅 가요. 저랑 운동한다고 약속하셨잖아요. 남 알겠어. 준비하마. 여 오늘은, 공원 산책로를 따라 달리고 싶어요. 남 그래. 밖이 화창하니? 여 네. 햇빛이 아주 강해요. 남 그럼, 내 모자를 가져다 주겠니? 여 알겠어요. 가져갈게요.

해설 | 남자가 여자에게 모자를 가져다 달라고 하자 여자가 알겠다고 했으므로 정답은 ② '모자 가져오기'이다.

어휘 | promise [prámis] 동 약속하다 get ready 준비하다 along [əlɔ́ːŋ] 전 ~을 따라 path [pæθ] 명 산책로, 길 cap [kæp] 명 모자

10 주제 고르기

정답 ⑤

W How often do you volunteer at the animal shelter? M I go there every Saturday. W I want to help the animals too. M Why don't you volunteer with me? How about this Saturday? W Saturday sounds perfect. M What about meeting at the train station at 9 in the morning? W Good. See you there.	여 너는 얼마나 자주 동물 보호소에서 자원봉사를 하니? 남 난 매주 토요일에 거기에 가. 여 나도 동물들을 돕고 싶어. 남 나랑 같이 자원봉사를 하지 않을래? 이번 토요일 어때? 여 토요일이 딱 좋은 것 같아. 남 아침 9시에 기차역에서 만날까? 여 좋아. 거기서 봐.

해설 | 여자가 남자에게 동물 보호소에서 얼마나 자주 자원봉사를 하는지 물으며 자신도 동물들을 돕고 싶다고 한 것으로 보아 정답은 ⑤ '봉사 활동 참여'이다.

어휘 | volunteer [vɑ̀ləntíər] 동 자원봉사를 하다 명 자원봉사자 animal shelter 동물 보호소

11 교통수단 고르기

정답 ⑤

M Janet, how will you get to the science museum tomorrow? W Well, my sister will take me by car. What about you? M I think I will take the free shuttle bus with Lisa. W Oh, I didn't know about the shuttle. Can I take it with you? M Of course. Let's meet at the bus stop in front of our school at 8. W Alright. I'll see you then.	남 Janet, 내일 과학 박물관에 어떻게 갈 거니? 여 음, 우리 언니가 차로 데려다 줄 거야. 너는? 남 난 Lisa랑 무료 셔틀 버스를 탈 거 같아. 여 오, 셔틀에 대해서는 몰랐어. 너랑 같이 타도 될까? 남 물론이지. 8시에 우리 학교 앞에 있는 버스 정류장에서 만나자. 여 알겠어. 그럼 그때 보자.

해설 | 여자가 남자에게 같이 셔틀 버스를 타도 되는지 묻자 남자가 물론이라고 했으므로 정답은 ⑤ '셔틀 버스'이다.

어휘 | free [friː] 형 무료의; 자유의 shuttle bus 셔틀 버스

12 이유 고르기

정답 ⑤

W Excuse me, Mr. Brown. Can I talk to you for a second? M Sure. What is it? W I lost my school library card a few days ago. So, I'd like to get a new one. M Okay. Show me your student card, and fill out this form. W Here it is. Thanks.	여 실례합니다, Brown 선생님. 잠깐 이야기 할 수 있을까요? 남 물론이지. 무슨 일이니? 여 제가 며칠 전에 학교 도서 대출증을 잃어버렸어요. 그래서, 새것을 받고 싶어요. 남 그렇구나. 내게 학생증을 보여주고, 이 양식을 작성하렴. 여 여기 있어요. 감사합니다.

해설 | 여자가 학교 도서 대출증을 잃어버려서 새것을 받고 싶다고 남자에게 말했으므로 정답은 ⑤ '도서 대출증을 재발급 받기 위해서'이다.

어휘 | lose [luːz] 동 잃어버리다, 잃다 library card 도서 대출증 fill out (양식을) 작성하다 form [fɔːrm] 명 양식, 서식; 형태

13 관계 고르기

정답 ④

M Good afternoon. Can I help you?
W Yes. I bought these pants here last week, but they are too big for me.
M Would you like to try a smaller size or get a refund?
W I want a refund, please.
M Sure. Can I see your receipt?

남 안녕하세요. 도와드릴까요?
여 네. 지난주에 여기서 이 바지를 샀는데, 저에게 너무 크네요.
남 더 작은 사이즈를 입어보실 건가요, 아니면 환불을 받으실 건가요?
여 환불해주세요.
남 알겠습니다. 영수증을 볼 수 있을까요?

해설 | 여자가 지난주에 여기서 바지를 샀는데 자신한테 너무 크다고 하자 남자가 더 작은 사이즈를 입어볼 건지 환불을 받을 건지 묻고 있는 것으로 보아 정답은 ④ '옷가게 점원 — 손님'이다.

어휘 | pants [pænts] 명 바지 get a refund 환불 받다 receipt [risíːt] 명 영수증

14 위치 고르기

정답 ③

W Julie's Café is closed now. I'm very sad about it.
M Oh, it's not closed. It moved to another place.
W How can I get there then?
M Go straight one block, and turn left at Central Street.
W Turn left at Central Street?
M Yes. It's on your right. It's next to the donut store.
W Thank you.

여 Julie's Café가 이제 문을 닫았어. 너무 슬프다.
남 오, 거기 문 안 닫았어. 다른 장소로 옮긴 거야.
여 거기 어떻게 갈 수 있니 그러면?
남 한 블록 직진해서, 센트럴 가에서 좌회전해.
여 센트럴 가에서 좌회전하라고?
남 응. 네 오른쪽에 있어. 도넛 가게 옆이야.
여 고마워.

해설 | Julie's Café는 한 블록 직진해서 센트럴 가에서 좌회전 한 다음 오른쪽, 즉 도넛 가게 옆에 있다고 했으므로 정답은 ③이다.

어휘 | close [klouz] 동 문을 닫다, 폐업하다 move [muːv] 동 옮기다, 움직이다

15 부탁·요청한 일 고르기

정답 ①

M Maggie, where's your sister?
W She went to get the tent, Dad.
M Alright. It's getting cold. Let's start a campfire.
W That will be great! I'll gather some branches.
M I already got firewood. Can you take out the marshmallows?
W Sure. I'll do that now.

남 Maggie, 네 여동생은 어디 있니?
여 텐트 가지러 갔어요, 아빠.
남 그렇구나. 날이 점점 추워지네. 모닥불을 피우자.
여 멋질 것 같아요! 제가 나뭇가지들을 모을게요.
남 내가 이미 장작을 가져왔단다. 마시멜로 좀 꺼내 줄래?
여 물론이죠. 지금 할게요.

해설 | 남자가 여자에게 마시멜로를 꺼내 달라고 부탁했으므로 정답은 ① '마시멜로 꺼내기'이다.

어휘 | campfire [kǽmpfaiər] 명 모닥불 gather [gǽðər] 동 모으다 branch [bræntʃ] 명 나뭇가지 firewood [fáiərwud] 명 장작

16 제안한 일 고르기

정답 ③

W Do you have any plans for the summer, Greg?
M Not really. How about you, Tina?
W I'm thinking of learning to dance.
M That sounds like a lot of fun. Why don't we join a dance class together?
W Good idea. Let's sign up together.

여 여름에 계획이 있니, Greg?
남 딱히 없어. 너는, Tina?
여 난 춤을 배우는 걸 생각 중이야.
남 그거 정말 재미있을 것 같아. 우리 함께 댄스 수업에 참가하는 게 어때?
여 좋은 생각이야. 함께 등록하자.

해설 | 여자가 춤을 배우는 것을 생각 중이라고 하자 남자가 여자에게 함께 댄스 수업에 참가하는 것을 제안했으므로 정답은 ③ '댄스 수업 듣기'이다.

어휘 | plan [plæn] 명 계획 join [dʒɔin] 동 참가하다, 함께 하다 sign up 등록하다

17 특정 정보 고르기

정답 ①

W Jake, are you looking for something?
M It's raining outside, but I can't find my umbrella.
W Maybe you didn't bring it to school this morning.
M No. I bought it on the way to school today.
W Then, let me help you find it.

여 Jake, 무엇을 찾고 있니?
남 밖에 비가 오고 있는데, 우산을 못 찾겠어.
여 네가 오늘 아침에 학교에 안 가져왔을지도 몰라.
남 아니야. 오늘 학교 오는 길에 샀어.
여 그럼, 내가 찾는 거 도와줄게.

해설 | 남자가 우산을 못 찾겠다며 오늘 학교 오는 길에 샀다고 했으므로 정답은 ① '우산'이다.

어휘 | on the way to ~로 가는 길에

18 직업 고르기

정답 ⑤

M I have the results of your eye test.
W How are they?
M I think you should wear glasses now.
W Is my eye sight that bad?
M It's not serious, but you will see things better with a pair of glasses.
W Can I use contact lenses?
M Sure.

남 시력 검사 결과가 나왔습니다.
여 어떤가요?
남 이제 안경을 쓰셔야 할 것 같네요.
여 제 시력이 그렇게 나쁜가요?
남 심각한 건 아니지만, 안경을 쓰면 더 잘 보일 겁니다.
여 콘택트 렌즈를 껴도 되나요?
남 그럼요.

해설 | 남자가 여자에게 시력 검사 결과가 나왔다며 이제 안경을 써야 한다고 말한 것으로 보아 정답은 ⑤ '안과 의사'이다.

어휘 | result [rizʌ́lt] 명 결과 eye test 시력 검사 wear [wɛər] 동 쓰다, 입다 eye sight 시력; 시야

19 적절한 응답 고르기

정답 ④

M Hey, Jisu. What do you want to do this weekend?
W Why don't we go to the beach?
M Sure. Can my friend Nari come too?
W Of course! She is welcome to join us.
M Great. How will we get to the beach?
W Let's take a bus.

남 안녕, 지수야. 이번 주말에 뭐 하고 싶니?
여 해변에 가는 게 어때?
남 좋아. 내 친구 나리도 가도 돼?
여 물론이지! 우리와 함께 해도 좋아.
남 잘 됐다. 우리 해변에는 어떻게 갈까?
여 버스를 타자.

해설 | 남자가 해변에 어떻게 갈지를 묻고 있으므로 정답은 교통수단을 언급하는 ④ 'Let's take a bus.'이다.

선택지 해석

① 바다가 고요해. ② 그녀는 내 친구야. ③ 나는 휴가 중이야. ④ 버스를 타자. ⑤ 그녀는 토요일에 와.

어휘 | beach [biːtʃ] 명 해변 calm [kɑːm] 형 고요한, 차분한

20 적절한 응답 고르기

정답 ④

W We are going on the school trip tomorrow.
M Yeah. I can't wait to visit the farm. It will be nice to be outside.
W What will we do there?
M We will pick strawberries at the farm.
W I hope there are animals too.
M What animal do you want to see?
W I'd like to see a horse.

여 우리 내일 학교 소풍 가네.
남 응. 빨리 농장을 방문하고 싶어. 바깥 바람 쐬니까 좋다.
여 우리 거기에서 뭘 하게 될까?
남 농장에서 딸기를 딸 거야.
여 동물들도 있었으면 좋겠다.
남 어떤 동물이 보고 싶어?
여 나는 말을 보고 싶어.

해설 | 남자가 농장에서 어떤 동물이 보고 싶은지를 묻고 있으므로 정답은 동물을 언급하는 ④ 'I'd like to see a horse.'이다.

선택지 해석

① 학교에서는 뛰지 마. ② 그건 문 밖에 있어. ③ 그들의 여행은 지난 주였어. ④ 나는 말을 보고 싶어. ⑤ 난 오래 있을 수 없어.

어휘 | farm [fɑːrm] 명 농장 pick [pik] 동 따다; 고르다

10회 실전 모의고사

| 문제 pp.98-99

1	③	2	①	3	①	4	②	5	④	6	④	7	②	8	③	9	①	10	②
11	③	12	④	13	④	14	②	15	①	16	⑤	17	④	18	③	19	③	20	⑤

1 화제 고르기

정답 ③

W This is usually near a bathroom sink. You use this when you wash your hands or body. This makes bubbles when it gets wet. This becomes smaller when you use it. What is this?

여 이것은 보통 화장실 세면대 근처에 있습니다. 손이나 몸을 씻을 때 이것을 사용합니다. 이것은 물에 젖으면 거품이 납니다. 이것은 사용하면 점점 더 작아집니다. 이것은 무엇인가요?

해설 | 이것(this)은 손이나 몸을 씻을 때 사용하고 물에 닿으면 거품이 난다고 했으므로 정답은 ③이다.

어휘 | sink [siŋk] 명 세면대, 싱크대 동 가라앉다 bubble [bʌ́bl] 명 거품 get wet 물에 젖다

2 알맞은 그림 고르기

정답 ①

M Hello. Are you looking for something?
W Yes. I lost my headset around here.
M Oh, I see. What does it look like?
W It has a heart shape on it.
M Is it this one here?
W No. That one isn't mine. Mine doesn't have a wire.
M Then, what about this headset?
W That's it! Thank you for finding it.

남 안녕하세요. 무엇을 찾고 계시나요?
여 네. 제가 이 근처에서 헤드폰을 잃어버렸거든요.
남 오, 그렇군요. 어떻게 생겼나요?
여 하트 모양이 그려져 있어요.
남 여기 이것일까요?
여 아니요. 그건 제 것이 아니에요. 제 것에는 선이 없거든요.
남 그럼, 이 헤드폰은 어때요?
여 그거예요! 찾아주셔서 감사합니다.

해설 | 여자가 잃어버린 헤드폰에 하트 모양이 그려져 있고 선이 없다고 했으므로 정답은 ①이다.

어휘 | headset [hédsèt] 명 헤드폰 mine [main] 명 내 것 wire [waiər] 명 선, 전선

3 날씨 고르기

정답 ①

W Good evening! Here's the weather report for this weekend. It will be sunny on Saturday morning. But the sky will be cloudy in the afternoon. On Sunday, there will be heavy rain all day. Don't forget to take your umbrella.

여 안녕하십니까! 이번 주말의 일기 예보입니다. 토요일 오전에는 화창하겠습니다. 하지만 오후에는 하늘이 흐려질 것입니다. 일요일에는 온종일 많은 비가 내리겠습니다. 우산 챙기는 것을 잊지 마십시오.

해설 | 일요일에는 온종일 많은 비가 내릴 것이라고 했으므로 정답은 ①이다.

어휘 | heavy [hévi] 형 많은; 무거운 all day 온종일

4 의도 고르기

정답 ②

M Did you drop my phone, Wendy?
W Yes, Dad. Is it broken?
M No. But there's a small scratch.
W Oh, it was an accident.
M Don't worry, but be careful next time.
W I will. I'm sorry it happened.

남 네가 내 휴대폰 떨어뜨렸니, Wendy?
여 네, 아빠. 그거 고장났어요?
남 아니. 그런데 작은 흠집이 났구나.
여 오, 그건 사고였어요.
남 걱정 마, 하지만 다음번에는 조심하렴.
여 그럴게요. 그런 일이 생겨서 죄송해요.

해설 | 남자의 휴대폰을 떨어뜨려서 흠집을 낸 것에 대해 여자가 죄송하다고 했으므로 정답은 ② '사과'이다.

어휘 | drop [drɑp] 동 떨어뜨리다 명 방울 broken [bróukən] 형 고장난 scratch [skrætʃ] 명 흠집 동 긁다 careful [kέərfəl] 형 조심하는

5 언급하지 않은 내용 고르기

정답 ④

W I'd like to tell you about my goals for next year. I will go jogging every morning. Also, I plan to read two books a month and learn French. Lastly, I'm going to do volunteer work at hospitals.

여 저의 내년 목표에 대해 말씀드리고 싶습니다. 저는 매일 아침 조깅을 할 것입니다. 또한, 한 달에 두 권의 책을 읽고 프랑스어를 배울 계획입니다. 마지막으로, 저는 병원에서 자원봉사를 할 것입니다.

해설 | ① 조깅하기, ② 독서하기, ③ 프랑스어 배우기, ⑤ 봉사 활동하기를 언급했으므로 정답은 ④ '저축하기'이다.

어휘 | goal [goul] 명 목표 month [mʌnθ] 명 달, 개월 French [frentʃ] 명 프랑스어 형 프랑스의 lastly [lǽstli] 부 마지막으로 volunteer work 자원봉사

6 시간 정보 고르기

정답 ④

M Somin, do you want to go swimming tomorrow?
W Sure! What time should we leave, Derek?
M How about 7:30 in the morning?
W I don't think I can be ready by then.
M But the bus leaves at 8 o'clock.
W Can we take the next bus?
M The next bus leaves at 9, so how about 8:30?
W Great!

남 소민아, 내일 수영하러 갈래?
여 물론이지! 우리 몇 시에 출발해야 해, Derek?
남 아침 7시 30분 어때?
여 난 그때까지 준비할 수 있을 것 같지 않아.
남 하지만 버스가 8시에 출발하잖아.
여 다음 버스를 타도 될까?
남 다음 버스는 9시에 출발하니까, 8시 30분은 어때?
여 좋아!

해설 | 남자가 다음 버스는 9시에 출발하니 8시 30분에 만나자고 하자 여자가 좋다고 했으므로 정답은 ④ '8:30 a.m.'이다.

어휘 | leave [liːv] 동 출발하다, 떠나다 ready [rédi] 형 준비된

7 장래 희망 고르기

정답 ②

W Hi, Leo. Are you interested in robot science?
M Yes. Why do you ask?
W I have two tickets for the robot exhibition in Changwon. But my parents can't go with me.
M That's too bad. But I'd love to come with you.
W Cool. I didn't want to go alone.
M Do you like robots too?
W Yes. I want to be a robot scientist one day!

여 안녕, Leo. 너 로봇 과학에 관심 있니?
남 응. 왜 물어보는 거야?
여 나한테 창원에서 하는 로봇 전시회 티켓이 두 장 있거든. 그런데 우리 부모님은 나랑 가실 수가 없어.
남 정말 안타깝다. 근데 나는 너랑 가고 싶어.
여 좋아. 나 혼자 가고 싶지 않았어.
남 너도 로봇 좋아하니?
여 응. 난 언젠가 로봇 과학자가 되고 싶어!

해설 | 여자가 언젠가 로봇 과학자가 되고 싶다고 했으므로 정답은 ② '로봇 과학자'이다.

어휘 | be interested in ~에 관심이 있다 exhibition [èksəbíʃən] 명 전시회; 전시

8 심정 고르기

정답 ③

W Mike, you woke up so early today.
M I know, Mom. I couldn't sleep well.
W Is it because you are starting a new school?
M Yes. I can't wait!
W Really? I thought you would be nervous.
M Not at all. I'm really looking forward to meeting new friends.

여 Mike, 오늘 엄청 일찍 일어났구나.
남 그러게요, 엄마. 잠을 잘 못 잤어요.
여 새로운 학교에 등교하는 날이라서 그런 거니?
남 네. 정말 기대돼요!
여 정말? 나는 네가 긴장할 줄 알았는데.
남 전혀요. 새로운 친구들을 만나는 것을 정말 기대하고 있어요.

해설 | 여자가 새로운 학교에 등교하는 날이라서 일찍 일어났냐고 묻자 남자가 그렇다며 정말 기대된다고 했으므로 정답은 ③ 'excited'이다.

선택지 해석

① 화난 ② 걱정스러운 ③ 기대되는 ④ 초조한 ⑤ 수줍은

어휘 | early [ə́ːrli] 부 일찍

9 할 일 고르기

정답 ①

M We have to wait for three hours to ride the roller coaster.
W Whoa, the line is too long. I don't think I can wait.
M Same here. Shall we go somewhere else?
W I'd like to buy some gifts for my sister.
M Then, what about going to the souvenir shop?
W Sounds good!

남 롤러코스터를 타려면 3시간을 기다려야 해.
여 우와, 줄이 너무 길어. 나는 못 기다릴 것 같아.
남 나도 마찬가지야. 우리 다른 데로 갈까?
여 나 여동생을 위해 선물을 좀 사고 싶어.
남 그럼, 기념품 가게에 가는 게 어때?
여 좋아!

해설 | 남자가 기념품 가게에 가자고 제안하자 여자가 좋다고 했으므로 정답은 ① '기념품 가게 가기'이다.

어휘 | wait [weit] 동 기다리다 ride [raid] 동 타다 line [lain] 명 줄; 선 souvenir [sùːvəníər] 명 기념품

10 주제 고르기

정답 ②

M Amy, did you know Parents' Day is this Friday?
W Sure. I knew that.
M Did you prepare a present for our parents?
W Not yet. Do you want to prepare it together?
M That would be great.
W How about buying flowers for them?
M I like the idea! Let's write a letter too.
W Okay. And I'll buy a cake.

남 Amy, 어버이날이 이번 금요일인 거 알았어?
여 그럼. 알고 있었지.
남 우리 부모님께 드릴 선물 준비했어?
여 아직. 같이 준비할래?
남 그럼 좋을 것 같아.
여 꽃을 사드리는 건 어때?
남 그 아이디어 마음에 든다! 우리 편지도 쓰자.
여 알겠어. 그리고 내가 케이크 살게.

해설 | 여자가 어버이날 선물을 같이 준비하자고 한 뒤 두 사람이 어떤 선물을 준비할지 말하고 있으므로 정답은 ② '어버이날 선물'이다.

어휘 | Parents' Day 어버이날 present [préznt] 명 선물 [prizént] 동 증정하다, 선물하다

11 교통수단 고르기

정답 ③

[Cellphone rings.]
M Hey, Selena.
W Hi, Chuck. Would you like to go on a night tour of the palace?
M Yes. When does it begin?
W The tour begins at 7 p.m.
M Great! Do you want to ride a bike to the palace?
W Not really. I don't like riding bikes.
M Oh, then how about taking a taxi?
W Sure. That works for me.

[휴대폰이 울린다.]
남 안녕, Selena.
여 안녕, Chuck. 오늘 궁궐 야간 관람에 갈래?
남 응. 언제 시작하는데?
여 관람은 저녁 7시에 시작해.
남 좋아! 궁궐까지 자전거 타고 가고 싶니?
여 아니 별로. 나는 자전거 타는 걸 안 좋아해.
남 오, 그럼 택시 타는 건 어때?
여 그래. 그게 나한테 좋겠어.

해설 | 남자가 택시를 탈 것을 제안하자 여자가 그러자고 했으므로 정답은 ③ '택시'이다.

어휘 | palace [pǽlis] 명 궁궐, 궁전 begin [bigín] 동 시작하다 ride a bike 자전거를 타다

12 이유 고르기

정답 ④

M Bokyung, are you joining the ski camp?
W I wanted to join the camp, but I can't.
M Why not?
W My family will visit my uncle and cousins in Daegu.
M That sounds like fun!
W Yes. I'm looking forward to it. I hope you have a great time.
M Thank you! You too.

남 보경아, 너 스키 캠프에 참가할 거니?
여 캠프에 참가하고 싶지만, 할 수 없어.
남 왜 못해?
여 우리 가족이 대구에 있는 삼촌과 사촌들을 방문할 거거든.
남 그것도 즐거울 것 같네!
여 응. 기대하고 있어. 좋은 시간을 보내길 바랄게.
남 고마워! 너도.

해설 | 남자가 여자에게 왜 스키 캠프에 참가하지 못하는지 묻자 여자가 가족이 대구에 있는 삼촌과 사촌들을 방문할 것이라고 했으므로 정답은 ④ '친척을 방문해야 해서'이다.

어휘 | cousin [kʌ́zn] 명 사촌 look forward to 기대하다

13 장소 고르기

정답 ④

M Hello, ma'am. Where is Ms. Simpson's desk?
W It is right next to the window.
M Oh, but she isn't here now. I'll come back later.
W Why are you looking for her?
M I'd like to ask her about the history project.

남 안녕하세요, 선생님. Simpson 선생님의 책상이 어디인가요?
여 창문 바로 옆 자리란다.
남 오, 지금 안 계시는군요. 제가 다음에 다시 올게요.
여 왜 그분을 찾고 있는 거니?
남 선생님께 역사 과제에 대해서 여쭤볼 것이 있어서요.

해설 | 남자가 Simpson 선생님의 책상이 어디인지 찾으면서 역사 과제에 대해 여쭤볼 것이 있다는 말을 하는 것으로 보아 정답은 ④ '교무실'이다.
어휘 | look for 찾다

14 위치 고르기

정답 ②

M My hands are really dry.
W Why don't you put on some hand cream?
M Okay. *[Pause]* Hmm... I can't find it.
W Did you put it on the piano?
M No, I didn't. Can you check next to the fish tank?
W Sure. Oh, here it is!

남 내 손 진짜 건조해.
여 핸드크림을 좀 발라보는 건 어때?
남 알겠어. *[잠시 멈춤]* 흠... 못 찾겠는데.
여 피아노 위에 두었잖아?
남 아니야, 안 그랬어. 수조 옆 좀 확인해줄래?
여 그래. 오, 여기 있네!

해설 | 남자가 수조 옆을 확인해달라고 하고 여자가 그곳에서 핸드크림을 찾았으므로 정답은 ②이다.
어휘 | dry [drai] 형 건조한 put on (화장품을) 바르다; (옷을) 입다 fish tank 수조

15 부탁·요청한 일 고르기

정답 ①

W Adrian, is this your laptop?
M No, it's not. I borrowed it from the library information desk.
W I need to check my essay file. How do you borrow one?
M Show your student card to the librarian.
W I didn't bring it. Can I use this laptop instead?
M Alright. Wait for 10 minutes then.
W Okay. Thank you.

여 Adrian, 이거 네 노트북이니?
남 아니, 내 거 아니야. 도서관 안내 데스크에서 빌렸어.
여 나 에세이 파일 확인해야 되는데. 그거 어떻게 빌려?
남 사서 선생님께 학생증을 보여주면 돼.
여 나 학생증 안 가져왔어. 대신에 이 노트북을 써도 될까?
남 좋아. 그럼 10분만 기다려.
여 알겠어. 고마워.

해설 | 여자가 남자에게 노트북을 써도 되는지 부탁했으므로 정답은 ① '노트북 사용하기'이다.
어휘 | laptop [lǽptɑp] 명 노트북 information desk 안내 데스크 student card 학생증 instead [instéd] 부 그 대신에

16 제안한 일 고르기

정답 ⑤

W Hello. Can I help you?
M Yes. I'm looking for some strawberries.
W I'm sorry, but we are out of strawberries today.
M Oh, no! I really need them to decorate my cake.
W You should try the fruit market around the corner. They always have strawberries.
M Okay. Thank you.

여 안녕하세요. 도와드릴까요?
남 네. 딸기를 찾고 있어요.
여 죄송하지만, 오늘 딸기가 다 떨어졌어요.
남 오, 이런! 케이크를 장식하려면 꼭 필요한데요.
여 길 모퉁이에 있는 과일 시장에 가보세요. 거기에는 언제나 딸기가 있거든요.
남 알겠습니다. 감사합니다.

해설 | 여자가 남자에게 길 모퉁이에 있는 과일 시장에 가볼 것을 제안했으므로 정답은 ⑤ '과일 시장 가기'이다.
어휘 | be out of 떨어지다, ~을 다 써서 없다 decorate [dékərèit] 동 장식하다

17 한 일 고르기

정답 ④

W Charlie, what did you do last weekend?
M I played with my little brother. How about you?
W I went camping with my parents.
M Wow, that's cool! Was it exciting?
W Yes. We had a barbecue at night.
M I want to go camping too. It sounds like fun.

여 Charlie, 지난 주말에 뭐 했어?
남 나는 남동생이랑 놀았어. 너는?
여 나는 부모님과 캠핑을 갔어.
남 우와, 멋지다! 재미있었어?
여 응. 우리는 밤에 바비큐파티를 했어.
남 나도 캠핑 가보고 싶어. 재미있을 것 같아.

해설 | 여자가 지난 주말에 부모님과 캠핑을 갔다고 했으므로 정답은 ④ '캠핑 가기'이다.

어휘 | parent [pέərənt] 명 부모

18 직업 고르기

정답 ③

M Welcome, Naomi.
W Thank you for inviting me to *Friday Night Live*.
M Thank you for being here. How was your concert?
W Wonderful. I enjoyed singing my new song in front of my fans.
M Can you introduce your new album?
W It has five songs, and I wrote them by myself.
M You must be proud of your work.

남 환영합니다, Naomi.
여 저를 <Friday Night Live>에 초대해 주셔서 감사합니다.
남 와 주셔서 감사합니다. 당신의 콘서트는 어땠나요?
여 굉장히 좋았어요. 저희 팬들 앞에서 제 신곡을 부르는 것이 즐거웠어요.
남 당신의 새 앨범을 소개해주시겠어요?
여 다섯 곡이 있고, 그것들을 혼자 썼어요.
남 당신의 작품이 분명 자랑스러우시겠어요.

해설 | 여자가 팬들 앞에서 자신의 신곡을 부르는 것이 즐거웠다고 한 것으로 보아 정답은 ③ '가수'이다.

어휘 | invite [inváit] 동 초대하다 introduce [ìntrədjúːs] 동 소개하다 by oneself (남의 도움 없이) 혼자, 홀로 work [wəːrk] 명 작품 동 일하다

19 적절한 응답 고르기

정답 ③

W Honey, how's the weather today?
M It's very cold.
W Oh, that's bad news for me.
M Why?
W I left my coat in the office yesterday.
M Don't worry. You can take mine.
W Thank you. Where is it?
M It's in the living room.

여 여보, 오늘 날씨 어때?
남 많이 추워.
여 오, 나한테는 안 좋은 소식이네.
남 왜?
여 어제 사무실에 코트를 두고 왔거든.
남 걱정 마. 내 것을 입고 가도 돼.
여 고마워. 그거 어디에 있는데?
남 거실에 있어.

해설 | 여자가 남자에게 코트가 어디에 있는지를 물었으므로 정답은 위치를 언급하는 ③ 'It's in the living room.'이다.

선택지 해석

① 날씨가 끔찍해. ② 우리가 그 개를 찾았어. ③ 거실에 있어. ④ 나는 집에서 일찍 나왔어. ⑤ 코트가 너무 커.

어휘 | news [njuːz] 명 소식; 뉴스 office [ɔ́ːfis] 명 사무실 terrible [térəbl] 형 끔찍한

20 적절한 응답 고르기

정답 ⑤

[Telephone rings.]
W Hey, Seho.
M Hi, Doyun. Did you have fun at the festival last night?
W Yes. I can't believe so many people came.
M Me either. What was your favorite part?
W I really enjoyed the magic show.
M Oh, maybe I left before that.
W Did you leave the festival early? Why?
M I had to finish my homework.

[전화기가 울린다.]
여 안녕, 세호야.
남 안녕, 도연아. 어젯밤에 축제에서 재미있었니?
여 응. 그렇게 많은 사람들이 왔다는 게 믿기지가 않아.
남 나도야. 가장 좋았던 부분은 뭐였어?
여 마술 쇼가 정말 재미있었어.
남 오, 아마 내가 그전에 자리를 떠났나 보네.
여 축제에서 일찍 떠났어? 왜?
남 숙제를 끝내야 했거든.

해설 | 여자가 왜 남자가 축제에서 일찍 떠났는지를 묻고 있으므로 정답은 일찍 떠난 이유를 언급하는 ⑤ 'I had to finish my homework.'이다.

선택지 해석

① 내가 여기에서 가장 나이가 많아. ② 난 그녀를 못 봤어. ③ 케이크가 맛있었어. ④ 난 그곳에 오후 6시에 도착했어. ⑤ 숙제를 끝내야 했거든.

어휘 | believe [bilíːv] 동 믿다 magic show 마술 쇼

11회 실전 모의고사

| 문제 pp.106-107

1	①	2	②	3	③	4	②	5	⑤	6	①	7	③	8	②	9	③	10	⑤
11	①	12	③	13	①	14	④	15	②	16	④	17	⑤	18	②	19	③	20	②

1 화제 고르기

정답 ①

W I have gray skin. I have two big ears and a long nose. I can use my nose like a hand and move heavy things with it. What am I?

여 나는 회색 피부를 가지고 있습니다. 나는 두 개의 큰 귀와 긴 코가 있습니다. 나는 코를 손처럼 이용할 수 있고 그것으로 무거운 것을 옮길 수 있습니다. 나는 누구인가요?

해설 | 나(I)는 코를 손처럼 이용할 수 있고 그것으로 무거운 것을 옮길 수 있다고 했으므로 정답은 ①이다.

어휘 | gray [grei] 형 회색의 skin [skin] 명 피부 move [muːv] 동 옮기다, 움직이다 heavy [hévi] 형 무거운

2 알맞은 그림 고르기

정답 ②

M May I help you?
W Yes. I'm looking for a hat for my brother.
M How about this one with a big car on it?
W I like it, but the car is too big.
M Then, I recommend this. It has many small cars on it.
W This is perfect! He'll love it.

남 도와드릴까요?
여 네. 남동생에게 줄 모자를 찾고 있어요.
남 큰 자동차가 그려진 이건 어떤가요?
여 좋긴 한데, 자동차가 너무 커요.
남 그럼, 이걸 추천해드릴게요. 작은 자동차가 많이 그려져 있어요.
여 그게 딱 좋네요! 남동생이 정말 좋아할 거예요.

해설 | 남자가 작은 자동차가 많이 그려진 모자를 추천해주자 여자가 딱 좋다고 했으므로 정답은 ②이다.

어휘 | recommend [rèkəménd] 동 추천하다

3 날씨 고르기

정답 ③

M Good evening, everyone! This is the weekly weather report. It's going to rain from tomorrow morning. So, don't forget your umbrella. The rain will stop on Thursday. On Friday, it'll be sunny and warm. Spring's almost here.

남 안녕하십니까, 여러분! 주간 일기 예보입니다. 내일 아침부터 비가 내리겠습니다. 따라서, 우산을 잊지 마십시오. 비는 목요일에 그칠 것입니다. 금요일에는 날이 화창하고 따뜻하겠습니다. 봄이 거의 다 왔습니다.

해설 | 내일 아침부터 비가 내린다고 했으므로 정답은 ③이다.

어휘 | weekly [wíːkli] 형 주간의, 매주의 almost [ɔ́ːlmoust] 부 거의

4 의도 고르기

정답 ②

W We should write our history paper, John.
M What are we going to write about?
W What about European history?
M I don't like that topic. Do you have other ideas?
W Well, we can write about American history instead. What do you think?
M I like the idea. Let's focus on that.

여 우리 역사 리포트 써야 해, John.
남 뭐에 대해서 쓸까?
여 유럽 역사는 어때?
남 그 주제는 별로야. 다른 아이디어 있어?
여 음, 대신 미국 역사에 대해 쓸 수도 있어. 어떻게 생각해?
남 그 아이디어 마음에 들어. 그 주제에 초점을 맞춰보자.

해설 | 여자가 미국 역사에 대해 리포트를 쓰는 것을 제안하면서 어떻게 생각하는지를 묻자 남자가 그 아이디어가 마음에 든다고 했으므로 정답은 ② '동의'이다.

어휘 | paper [péipər] 명 리포트, 과제; 종이 European [jùərəpíən] 형 유럽의 topic [tápik] 명 주제 focus on ~에 초점을 맞추다

5 언급하지 않은 내용 고르기

정답 ⑤

M Let me introduce a landmark of our town. Its name is Plato Hotel. The main building of the hotel was built in 1905. It has more than 400 rooms with beautiful designs. There is a gym and a swimming pool on the 15th floor. Guests can use them for free.

남 우리 마을의 랜드마크를 소개해드리겠습니다. 그것의 이름은 Plato 호텔입니다. 이 호텔의 본관은 1905년에 지어졌습니다. 여기에는 아름다운 디자인의 400개 이상의 객실이 있습니다. 15층에는 체육관과 수영장이 있습니다. 투숙객들은 그것들을 무료로 이용할 수 있습니다.

해설 | ① 이름(Plato 호텔), ② 건축 연도(1905년), ③ 객실 개수(400개 이상), ④ 편의 시설(체육관과 수영장)에 대해 언급했으므로 정답은 ⑤ '객실 사용료'이다.

어휘 | landmark [lǽndmɑːrk] 명 랜드마크, 주요 지형지물 build [bild] 동 짓다, 건축하다 for free 무료로

6 시간 정보 고르기

정답 ①

M Honey, are you cooking roasted chicken tonight?
W Yes, I am. I invited Mr. and Mrs. Jones for dinner.
M Oh, I forgot.
W They will be here at 5:30 p.m.
M When are you going to start cooking then?
W In 30 minutes. It only takes an hour to cook.
M You mean it's 4:00 p.m. now? I need to pick up our son at 4:30 from school.

남 여보, 오늘 밤에 통닭구이 요리할 거야?
여 응, 그럴 거야. 저녁 식사에 Jones씨 부부를 초대했어.
남 오, 나 잊고 있었어.
여 그분들은 오후 5시 30분에 오실 거야.
남 그럼 언제 요리를 시작할 거야?
여 30분 뒤에. 요리하는 데 1시간밖에 안 걸려.
남 지금 오후 4시라는 거야? 난 4시 30분에 우리 아들을 학교에서 데려와야 해.

해설 | 남자가 지금 오후 4시냐며 되물은 것으로 보아 정답은 ① '4:00 p.m.'이다.

어휘 | roasted [róustid] 형 구운 invite [inváit] 동 초대하다 pick up 데려오다, 데리러 가다; 집다

7 장래 희망 고르기

정답 ③

W Michael, what did you do last night?
M I watched a hospital documentary.
W How was it?
M After I watched it, I wanted to be a nurse. It's a very interesting job.
W Sounds great! I know you like to help people.
M Yes. I want to take care of sick people in the future.

여 Michael, 어젯밤에 뭐 했니?
남 병원 다큐멘터리를 봤어.
여 어땠어?
남 그걸 보고 나니까, 간호사가 되고 싶었어. 그건 진짜 흥미로운 직업이야.
여 멋진걸! 내가 알기로 넌 사람들을 돕는 걸 좋아하잖아.
남 응. 난 미래에 아픈 사람들을 돌보고 싶어.

해설 | 남자가 병원 다큐멘터리를 보고 나서 간호사가 되고 싶었다고 했으므로 정답은 ③ '간호사'이다.

어휘 | nurse [nəːrs] 명 간호사 job [dʒab] 명 직업, 일 take care of ~를 돌보다

8 심정 고르기

정답 ②

M What are you writing, Sophie?
W I'm writing a letter to congratulate my friend.
M For what?
W She received an award for good citizenship yesterday. She helped her neighbors escape from a fire.
M Wow, how brave she is!
W Yeah. I'm so proud of her.

남 뭘 쓰고 있니, Sophie?
여 내 친구를 축하해주기 위해 편지를 쓰고 있어.
남 뭐 때문에?
여 그녀가 어제 훌륭한 시민상을 받았어. 그녀가 이웃들이 화재 현장에서 탈출하는 걸 도왔거든.
남 우와, 그녀는 정말 용감하구나!
여 응. 나는 그녀가 정말 자랑스러워.

해설 | 여자가 자신의 친구가 이웃들이 화재 현장에서 탈출하는 것을 도와서 훌륭한 시민상을 받았다고 하며 그녀가 정말 자랑스럽다고 했으므로 정답은 ② '자랑스러움'이다.

어휘 | congratulate [kəngrǽtʃuleit] 동 축하하다 receive [risíːv] 동 받다 award [əwɔ́ːrd] 명 상 citizenship [sítizənʃip] 명 시민성 neighbor [néibər] 명 이웃 escape [iskéip] 동 탈출하다 brave [breiv] 형 용감한

9 할 일 고르기

정답 ③

W Charles, are you excited for our family trip to Busan?
M Of course, Mom. I can't wait!
W Why don't we eat some raw fish?
M That's my favorite food! How will we get to Busan?
W The express bus would be best. Can you book three tickets on the Internet?
M Yes. I'll book them right away.

여 Charles, 부산으로의 가족 여행이 기대되니?
남 물론이죠, 엄마. 너무 기대돼요!
여 회를 먹는 건 어떠니?
남 제가 가장 좋아하는 음식이에요! 우리 부산에 어떻게 가요?
여 고속버스가 가장 좋을 것 같아. 인터넷으로 표를 세 장 예매해주겠니?
남 네. 바로 예매할게요.

해설 | 여자가 인터넷으로 고속버스표 세 장을 예매해달라고 하자 남자가 바로 예매하겠다고 했으므로 정답은 ③ '버스표 예매하기'이다.

어휘 | raw fish 회(날 생선) book [buk] 동 예매하다, 예약하다 명 책 right away 바로, 즉시

10 주제 고르기

정답 ⑤

W Did you see the poster on Main Street?
M The one about the new gym?
W No. The one about saving sea animals.
M Yes, I saw it. The environmental group is looking for volunteers.
W I want to join it to help the animals.
M Call and ask about the details.

여 너 메인 가에 있는 포스터 봤니?
남 새로운 체육관에 관한 거?
여 아니. 해양 동물 구조에 대한 것 말이야.
남 응, 봤어. 그 환경단체는 자원봉사자들을 찾고 있어.
여 나는 동물들을 도와주기 위해서 참여하고 싶어.
남 전화해서 자세한 정보를 물어봐.

해설 | 남자가 바다 동물 구조에 대한 포스터를 언급하여 그 환경단체가 자원봉사자들을 찾고 있다고 했고 여자가 참여하고 싶다고 말한 것으로 보아 정답은 ⑤ '자원봉사 참여'이다.

어휘 | gym [dʒim] 명 체육관 save [seiv] 동 구조하다 environmental group 환경단체 volunteer [vɑ̀ləntíər] 명 자원봉사자 detail [ditéil] 명 자세한 정보, 세부 사항

11 교통수단 고르기

정답 ①

M Emma, how will we go to Paris from London?
W Why don't we take a plane?
M Well, that will be too expensive. What about taking a train?
W Good idea! We can save 30 euros.
M Great. Let's take a train then.

남 Emma, 우리 런던에서 파리로 어떻게 갈까?
여 비행기를 타는 건 어때?
남 글쎄, 그건 너무 비쌀 텐데. 기차를 타는 건 어떨까?
여 좋은 생각이야! 우린 30유로를 아낄 수 있겠어.
남 훌륭한걸. 그러면 기차를 타자.

해설 | 남자가 기차를 탈 것을 제안하자 여자가 좋은 생각이라고 했으므로 정답은 ① '기차'이다.

어휘 | expensive [ikspénsiv] 형 비싼

12 이유 고르기

정답 ③

M Nahyun, what are you looking for?
W I'm looking for some newspapers, Dad.
M Why do you need them?
W I want to paint my plastic bottles, and I need them to cover the floor.
M Right. You can find some outside.
W Thank you, Dad!

남 나현아, 뭘 찾고 있니?
여 신문을 좀 찾고 있어요, 아빠.
남 그게 왜 필요하니?
여 플라스틱병을 색칠하고 싶은데, 바닥을 덮기 위해 그것들이 필요해요.
남 그렇구나. 밖에서 몇 장 찾을 수 있을 거야.
여 고마워요, 아빠!

해설 | 남자가 신문이 왜 필요한지를 묻자 여자가 바닥을 덮는 데 필요하다고 했으므로 정답은 ③ '바닥에 깔기 위해서'이다.

어휘 | plastic bottle 플라스틱병 cover [kʌ́vər] 동 덮다, 씌우다 floor [flɔːr] 명 바닥

13 장소 고르기

정답 ①

M What are you going to order?
W I can't decide. There are so many options.
M Yes. Their drinks all look delicious.
W Hmm... I'll order an orange juice.
M Okay. I'm going to get a hot chocolate.
W Alright. I'll order the drinks, so please find some seats.
M Okay. Here's some money.

남 뭘 주문할 거니?
여 나 못 정하겠어. 너무 많은 선택지가 있네.
남 응. 음료가 다 맛있어 보인다.
여 흠... 난 오렌지 주스를 주문해야겠어.
남 알겠어. 난 핫초코로 할래.
여 좋아. 내가 음료를 주문할 테니까, 자리 좀 찾아봐 줘.
남 그래. 돈 여기 있어.

해설 | 남자가 여자에게 무엇을 주문할 것인지 묻고 음료가 다 맛있어 보인다고 말을 하는 것으로 보아 정답은 ① '카페'이다.

어휘 | option [ápʃən] 명 선택지, 선택 delicious [dilíʃəs] 형 맛있는 seat [siːt] 명 자리

14 위치 고르기

정답 ④

M Mia, is there a bakery nearby? It's my mom's birthday today.
W Yes. A new bakery opened close to here.
M Good! How do I get there?
W Go straight one block, and turn right on Richmond Street.
M On Richmond Street?
W Yes. It'll be on your left. It's between the bookstore and the flower shop.
M Thanks.

남 Mia, 근처에 제과점 있니? 오늘 우리 엄마 생신이야.
여 응. 여기 근처에 새로운 제과점이 문을 열었어.
남 잘됐다! 거기 어떻게 가?
여 한 블록 직진해서 리치몬드 가에서 우회전해.
남 리치몬드 가에서?
여 응. 그건 네 왼쪽에 있을 거야. 서점이랑 꽃집 사이에 있어.
남 고마워.

해설 | 제과점이 한 블록 직진해서 리치몬드 가에서 우회전 한 다음 왼쪽, 즉 서점과 꽃집 사이에 있을 것이라고 했으므로 정답은 ④이다.

어휘 | bakery [béikəri] 명 제과점 nearby [nìərbái] 부 근처에 형 근처의 flower shop 꽃집

15 부탁·요청한 일 고르기

정답 ②

M Honey, it's Christmas next week.
W Right. We should buy presents for our children.
M What about a toy airplane? Kevin's into airplanes these days.
W Sounds great. How about a sketchbook for Chloe?
M That's perfect. She loves drawing. Should we also get a Christmas tree this year?
W Yes. Will you get one tomorrow?
M Sure!

남 여보, 크리스마스가 다음 주네.
여 그러네. 우리 아이들을 위한 선물을 사야겠다.
남 장난감 비행기는 어때? Kevin이 요즘에 비행기에 빠져있잖아.
여 좋은 것 같아. Chloe에게는 스케치북이 어떨까?
남 완벽해. 그녀는 그림 그리는 것을 매우 좋아하지. 우리 올해에는 크리스마스트리도 사는 게 좋을까?
여 응. 내일 하나 사 올래?
남 그래!

해설 | 남자가 올해 크리스마스트리도 사는 것이 좋을지 묻자 여자가 동의하며 내일 하나를 사 오라고 부탁했으므로 정답은 ② '트리 사 오기'이다.

어휘 | be into 빠져있다 these days 요즘, 오늘날

16 제안한 일 고르기

정답 ④

M Kelly, how did you get so good at math?
W I took an online math course after school.
M I want to take the course too.
W How about taking the sample class first? I will send you the link.
M Thanks! That will be very helpful.

남 Kelly, 너 어떻게 수학을 그렇게 잘하게 됐니?
여 방과 후에 온라인 수학 강의를 들었어.
남 나도 그 강의 듣고 싶어.
여 샘플 강의를 먼저 들어보는 게 어때? 내가 링크 보내줄게.
남 고마워! 정말 도움이 될 거야.

해설 | 여자가 남자에게 샘플 강의를 먼저 들어보는 것을 제안했으므로 정답은 ④ '샘플 강의 들어보기'이다.

어휘 | course [kɔːrs] 명 강의 sample [sǽmpl] 명 샘플, 견본 link [liŋk] 명 링크; 연결 helpful [hélpfəl] 형 도움이 되는

17 할 일 고르기

정답 ⑤

[Cellphone rings.]

M Hello, Rachel. What's up?

W I'm just listening to music, Joey.

M Then, would you like to have a snowball fight before lunch?

W Sure! But there's not much snow outside.

M Oh, I can see that. We can't have a snowball fight then.

W Hmm... Why don't we go for a walk at the park?

M Sounds great!

[휴대폰이 울린다.]

남 안녕, Rachel. 뭐해?

여 그냥 음악 듣고 있어, Joey.

남 그럼, 점심 전에 눈싸움 할래?

여 물론이지! 근데 밖에 눈이 많이 없는걸.

남 오, 그래 보이네. 그럼 눈싸움은 못 하겠다.

여 흠... 공원에 산책하러 가는 건 어때?

남 좋아!

해설 | 여자가 공원에 산책을 가자고 제안하자 남자가 좋다고 했으므로 정답은 ⑤ '산책 가기'이다.

어휘 | snowball fight 눈싸움 go for a walk 산책하러 가다

18 직업 고르기

정답 ②

W Does this bus go to Cleveland?

M Yes, it does.

W How much is the fare, please?

M It's 15 dollars from here to Cleveland.

W How long will it take?

M We'll take the bus lane, so it will take about an hour and a half.

W Okay, thanks.

여 이 버스는 클리블랜드에 가나요?

남 네, 갑니다.

여 요금이 얼마인가요?

남 여기에서 클리블랜드까지는 15달러입니다.

여 얼마나 오래 걸리나요?

남 버스 전용 차로로 갈 거라서, 한 시간 반 정도 걸릴 거예요.

여 알겠습니다, 감사합니다.

해설 | 여자가 남자에게 버스 요금과 소요 시간을 물었고, 남자는 버스 전용 차로로 갈 것이라 한 시간 반 정도 걸린다고 답했으므로 정답은 ② '버스 기사'이다.

어휘 | fare [fɛər] 명 요금 lane [lein] 명 차로, 차선

19 적절한 응답 고르기

정답 ③

M Are you ready to start on our art project?

W I think so. Let's look at the instructions.

M What do they say?

W We need scissors and old magazines.

M I have some old magazines here.

W I brought two pairs of scissors.

M Are we missing anything?

W We also need glue.

남 미술 과제 시작할 준비됐니?

여 그런 것 같아. 설명서를 보자.

남 뭐라고 나와 있어?

여 가위와 오래된 잡지들이 필요해.

남 여기 오래된 잡지들이 있어.

여 나는 가위 두 개를 가져왔어.

남 우리가 뭐 빼먹은 것 있니?

여 우리는 풀도 필요해.

해설 | 남자가 미술 과제 준비물 중 빼먹은 것이 있는지 묻고 있으므로 정답은 필요한 것을 언급하는 ③ 'We also need glue.'이다.

선택지 해석

① 나도 너를 그리워 했어. ② 그것들을 여기로 가지고 와줘. ③ 우리는 풀도 필요해. ④ 그것들을 조심해. ⑤ 그거 아직 안 읽었어.

어휘 | instruction [instrʌ́kʃən] 명 설명서; 지시 scissors [sízərz] 명 가위 magazine [mæɡəzíːn] 명 잡지 miss [mis] 동 빼먹다; 그리워하다

20 적절한 응답 고르기

정답 ②

W I really love this song. What is it?

M It's called *Falling*. A rock band sings it.

W I thought you didn't like rock music.

M I don't usually listen to rock songs. I prefer pop music.

W I see.

M What about you? What is your favorite music?

W I like classical music.

여 이 노래 진짜 좋다. 이거 뭐지?

남 <Falling>이라는 거야. 한 록 밴드가 이걸 불렀어.

여 난 네가 록 음악을 안 좋아한다고 생각했어.

남 나는 록 음악을 잘 듣지 않아. 난 팝 음악을 선호하거든.

여 그렇구나.

남 너는 어때? 네가 가장 좋아하는 음악은 뭐야?

여 난 클래식 음악을 좋아해.

해설 | 남자가 어떤 음악을 좋아하는지 묻고 있으므로 정답은 음악의 장르를 언급하는 ② 'I like classical music.'이다.

선택지 해석

① 넌 점점 가까워지고 있어. ② 난 클래식 음악을 좋아해. ③ 함께 노래하자. ④ 콘서트는 내일이야. ⑤ 그녀는 기타를 연주해.

어휘 | song [sɔ́ːŋ] 명 노래

12회 실전 모의고사

| 문제 pp.114-115

1	②	2	②	3	①	4	②	5	①	6	④	7	③	8	②	9	①	10	③
11	④	12	①	13	②	14	⑤	15	①	16	①	17	④	18	⑤	19	②	20	②

1 화제 고르기

정답 ②

M You can take this anywhere. You can use it to take pictures with your friends and family. You can also print the photo right away with this. What is this?

남 이것은 어디든지 가져갈 수 있습니다. 친구들 및 가족과 사진을 찍는 데 이것을 사용할 수 있습니다. 또한 이것으로 즉시 사진을 인쇄할 수 있습니다. 이것은 무엇인가요?

해설 | 이것(this)으로 사진을 찍고 그것을 즉시 인쇄할 수 있다고 했으므로 정답은 ②이다.

어휘 | anywhere [énihwɛər] 부 어디든지; 어딘가에 print [print] 동 인쇄하다 right away 즉시

2 알맞은 그림 고르기

정답 ②

W Sumin, help me choose a pair of gloves for winter. Which should I get?
M What about the ones with a little ribbon?
W I already have ones with a ribbon.
M You'll like these with fur balls then.
W Oh, they are pretty. I'll get those.

여 수민아, 겨울에 쓸 장갑 고르는 것 좀 도와줘. 어떤 것을 사야 할까?
남 작은 리본이 달린 건 어때?
여 리본이 달린 건 이미 있어.
남 네가 털 방울이 달린 이걸 좋아할 거 같아 그럼.
여 오, 예쁘다. 그걸로 살래.

해설 | 남자가 털 방울이 달린 장갑을 여자가 좋아할 것 같다고 하자 여자가 그것을 사겠다고 했으므로 정답은 ②이다.

어휘 | choose [tʃuːz] 동 고르다, 선택하다 glove [glʌv] 명 장갑 fur [fəːr] 명 털

3 날씨 고르기

정답 ①

M Good evening! This is the weather report. It's raining heavily outside now, but it'll stop during the night. Tomorrow, it'll be cloudy and a little bit windy in the morning. After that, the sky will clear, and it'll be sunny all afternoon.

남 안녕하십니까! 일기 예보입니다. 지금 밖에 비가 많이 오고 있지만, 밤 사이에 그치겠습니다. 내일은 오전에 흐리고 바람이 조금 불 것입니다. 그 이후에는, 하늘이 개고 오후 내내 화창하겠습니다.

해설 | 내일 오전 이후에는 하늘이 개고 오후 내내 화창할 것이라고 했으므로 정답은 ①이다.

어휘 | heavily [hévili] 부 많이, 심하게; 무겁게 during [djúəriŋ] 전 ~ 사이에, ~ 동안 a little bit 조금

4 의도 고르기

정답 ②

W Matt, I need your help.
M What can I do for you, Sora?
W I need a book on that shelf, but I am too short. Can you get it for me?
M Okay. Which book is it?

여 Matt, 네 도움이 좀 필요해.
남 내가 뭘 해줄까, 소라야?
여 저 선반에 있는 책이 필요한데, 나는 키가 너무 작아. 나에게 저것 좀 꺼내 줄래?
남 알겠어. 어떤 책이야?

해설 | 여자가 선반에 있는 책을 꺼내 달라고 부탁하자 남자가 알겠다며 어떤 책인지를 물었으므로 정답은 ② '승낙'이다.

어휘 | shelf [ʃelf] 명 선반 short [ʃɔːrt] 형 키가 작은; 짧은

5 언급하지 않은 내용 고르기

정답 ①

W Hi, everyone. Today, I'd like to introduce you to our new drink, Lemonella. It tastes sweet and sour. And you can get it for only one dollar. It's in a reusable cup, so you can use the cup again after drinking it. Please enjoy our new drink!

여 안녕하세요, 여러분. 오늘은, 여러분들에게 우리의 새로운 음료인 Lemonella를 소개해드리고 싶군요. 이것은 새콤달콤한 맛이 납니다. 그리고 단 1달러면 이것을 구매하실 수 있습니다. 재사용 가능한 컵에 담겨 있어서, 음료를 마신 후에는 컵을 다시 사용할 수 있습니다. 저희의 새로운 음료를 즐겨주시길 바랍니다!

해설 | ② 이름(Lemonella), ③ 맛(새콤달콤함), ④ 가격(1달러), ⑤ 용기(재사용 가능한 컵)에 대해 언급했으므로 정답은 ① '제조 회사'이다.

어휘 | sweet and sour 새콤달콤한 reusable [riúːzəbəl] 형 재사용 가능한

6 시간 정보 고르기

정답 ④

[Cellphone rings.]
M Hi, Erica.
W Hey, Jordan! Are you on your way to the restaurant?
M Yes. I left home at 6:30.
W I'm still waiting for a bus, but it'll arrive soon.
M Don't worry. It's only 7 o'clock.
W It takes 20 minutes to get there by bus, so let's meet at the restaurant at 7:30.
M Okay.

[휴대폰이 울린다.]
남 안녕, Erica.
여 안녕, Jordan! 식당에 가는 길이야?
남 응. 6시 30분에 집에서 나왔어.
여 난 아직 버스 기다리는 중인데, 금방 올 거야.
남 걱정 마. 겨우 7시야.
여 거기 가려면 버스로 20분 걸리니까, 7시 30분에 식당에서 만나자.
남 알겠어.

해설 | 여자가 식당에서 7시 30분에 만나자고 하자 남자가 알겠다고 했으므로 정답은 ④ '7:30 p.m.'이다.

어휘 | on one's way to ~로 가는 길에 arrive [əráiv] 동 도착하다

7 장래 희망 고르기

정답 ③

W James, what are you doing?
M I'm watching my documentary film about turtles, Emily.
W It looks really interesting! Did you make the film?
M Yes. I want to be a movie director in the future.
W I think you have enough talent.
M Thanks, Emily.

여 James, 뭐 하고 있니?
남 나는 거북이에 대한 내 다큐멘터리 영화를 보고 있어, Emily.
여 정말 흥미로워 보여! 네가 그 영화 만들었니?
남 응. 난 미래에 영화감독이 되고 싶어.
여 나는 네게 충분한 재능이 있다고 생각해.
남 고마워, Emily.

해설 | 남자가 미래에 영화감독이 되고 싶다고 했으므로 정답은 ③ '영화감독'이다.

어휘 | film [film] 명 영화 turtle [təːrtl] 명 거북이 director [diréktər] 명 감독 future [fjúːtʃər] 명 미래 talent [tǽlənt] 명 재능

8 심정 고르기

정답 ②

W Dongho, I heard your piano audition is today.
M Yes. But I'm worried. It's my first time to play the piano in front of many people.
W Try to focus on the music.
M Yeah. But I think I'm going to make a mistake.
W You practiced a lot. You can do it.
M I always get nervous when I imagine myself on a stage.

여 동호야, 네 피아노 오디션이 오늘이라고 들었어.
남 응. 그런데 나 걱정돼. 많은 사람 앞에서 피아노 연주하는 게 처음이거든.
여 음악에 집중하려고 노력해봐.
남 응. 그런데 실수할 것 같아.
여 너 연습 많이 했잖아. 할 수 있어.
남 내가 무대에 있는 걸 상상하면 항상 긴장하게 돼.

해설 | 남자가 많은 사람들 앞에서 피아노를 연주하는 게 처음이라 걱정되고, 무대에 있는 것을 상상하면 항상 긴장하게 된다고 했으므로 정답은 ② 'nervous'이다.

선택지 해석

① 화난 ② 긴장한 ③ 편안한 ④ 신난 ⑤ 고마운

어휘 | audition [ɔːdíʃən] 명 오디션 in front of ~의 앞에서 focus on ~에 집중하다; ~에 초점을 맞추다 make a mistake 실수하다

9 할 일 고르기

정답 ①

W Can I ask you something?
M Sure. What is it?
W Do you know the way to the hospital?
M I'm sorry, but I'm new here too.
W Oh, okay. I didn't bring my smartphone, so I don't have a map.
M Well, I'll check the map on my smartphone app then.
W Thanks a lot!

여 뭐 좀 여쭤봐도 될까요?
남 물론이죠. 뭔가요?
여 병원으로 가는 길을 아시나요?
남 죄송하지만, 저도 여기가 처음이라서요.
여 오, 알겠습니다. 제가 스마트폰을 안 가져와서, 지도가 없어요.
남 음, 그럼 제 스마트폰 앱으로 지도를 확인해볼게요.
여 정말 감사합니다!

해설 | 남자가 스마트폰 앱으로 지도를 확인해보겠다고 했으므로 정답은 ① '지도 앱 확인하기'이다.

어휘 | check [tʃek] 동 확인하다 app [æp] 명 앱

10 주제 고르기

정답 ③

M Did you know that grandma's 90th birthday is this Friday?
W Yeah. I was thinking about buying her presents.
M She likes flowers. What about gardening tools?
W I don't know. She can't walk well these days.
M Hmm... How about a knitting kit?
W That sounds good. She likes knitting sweaters.
M I hope she likes it.
W Why don't we also buy a card?

남 할머니 90번째 생신이 이번 금요일인 거 알았어?
여 응. 선물 사드리는 것을 생각하고 있었어.
남 할머니는 꽃을 좋아하시잖아. 원예 도구는 어때?
여 잘 모르겠어. 할머니는 요즘 잘 걷지 못하시잖아.
남 흠... 뜨개질 재료 키트는 어때?
여 좋은 것 같아. 할머니는 스웨터 뜨는 것을 좋아하시잖아.
남 할머니가 좋아하셨으면 좋겠다.
여 우리 그리고 카드도 사는 게 어때?

해설 | 남자가 여자에게 할머니의 90번째 생신이 이번 주 금요일인 것을 알았는지 묻자 여자가 선물을 사드리는 것을 생각하고 있었다고 했으므로 정답은 ③ '생신 선물'이다.

어휘 | gardening [gá:rdniŋ] 명 원예, 정원 가꾸기 tool [tu:l] 명 도구 knitting [nítiŋ] 명 뜨개질 (knit [nit] 동 뜨개질을 하다)
kit [kit] 명 키트(무엇을 만들 수 있도록 재료가 들어있는 세트)

11 교통수단 고르기

정답 ④

W Jaehwan, what time is the wedding ceremony?
M It's at 5:30.
W Oh, we should hurry!
M Yes. I thought we had more time.
W The traffic will be heavy now. But we can't be late.
M Well, today is Saturday, so it will be fine. How about taking a taxi?
W Yes. It's more comfortable. Let's take a taxi then.

여 재환아, 결혼식이 몇 시지?
남 5시 30분이야.
여 오, 서둘러야겠다!
남 응. 우리에게 시간이 더 많이 있다고 생각했는데.
여 지금은 교통량이 많을 거야. 하지만 우린 늦으면 안 돼.
남 음, 오늘 토요일이니까, 괜찮을 거야. 택시 타는 게 어때?
여 응. 그게 더 편하지. 그럼 택시 타자.

해설 | 남자가 택시를 타자고 제안하자 여자가 그게 더 편할 것이라며 그러자고 했으므로 정답은 ④ '택시'이다.

어휘 | wedding ceremony 결혼식 traffic [trǽfik] 명 교통량 comfortable [kʌ́mfərtəbl] 형 편한, 편안한

12 이유 고르기

정답 ①

W Excuse me. Why is Main Street blocked?
M Oh, didn't you know about the parade?
W What parade?
M There's a Christmas parade today on Main Street.
W That's why there are so many people here! Thank you.
M You're welcome. Have a good day!

여 실례합니다. 메인 가 통행이 왜 막혔나요?
남 오, 퍼레이드에 대해 모르셨나요?
여 무슨 퍼레이드요?
남 오늘 메인 가에서 크리스마스 퍼레이드가 있어요.
여 그래서 이곳에 많은 사람이 있는 것이군요! 감사합니다.
남 천만에요. 좋은 하루 보내세요!

해설 | 여자가 남자에게 메인 가 통행이 왜 막혔는지를 물었고 남자가 오늘 메인 가에서 크리스마스 퍼레이드가 있다고 했으므로 정답은 ① '퍼레이드가 있어서'이다.

어휘 | block [blɑk] 동 (지나가지 못하게) 막다, 차단하다 명 블록 parade [pəréid] 명 퍼레이드

13 장소 고르기
정답 ②

W Good afternoon. Do you need any help?
M Hi. I'm looking for a book.
W What's it called?
M I'm not sure, but it's a novel by Mary Robinson.
W Let me see. *[Pause]* Do you mean *The Light on the Road*?
M Yes. I think that's it.
W Look in the fiction section. It's on the second floor.

여 안녕하세요. 도움이 필요하신가요?
남 안녕하세요. 저는 책을 찾고 있어요.
여 제목이 뭐죠?
남 확실하지 않지만, Mary Robinson의 소설이에요.
여 확인해보겠습니다. *[잠시 멈춤]* <The Light on the Road> 말씀하시는 건가요?
남 네. 그것인 것 같아요.
여 소설 구역에서 찾아보세요. 그건 2층에 있어요.

해설 | 남자가 책을 찾고 있다고 했고 여자가 소설 구역에서 찾아보라며 2층에 있다고 하는 것으로 보아 정답은 ② '도서관'이다.

어휘 | novel [návəl] 명 소설 fiction [fíkʃən] 명 소설

14 위치 고르기
정답 ⑤

M Darling, could you get my ring in the kitchen?
W Sure. Where did you put it?
M I guess it is on the table.
W No. I don't see it there.
M Hmm... Look on the microwave.
W Oh, I found it! It's by the sink.

남 여보, 부엌에 있는 내 반지 좀 가져다줄래?
여 알겠어. 그거 어디에 뒀는데?
남 탁자 위인 것 같아.
여 아니. 거기에 안 보여.
남 흠... 전자레인지 위를 봐봐.
여 오, 찾았어! 싱크대 옆에 있네.

해설 | 여자가 싱크대 옆에서 반지를 찾았으므로 정답은 ⑤이다.

어휘 | kitchen [kítʃən] 명 부엌 microwave [máikrəwèiv] 명 전자레인지 sink [siŋk] 명 싱크대, 개수대

15 부탁·요청한 일 고르기
정답 ①

W Hey, Aaron. Is chicken okay for dinner?
M Sure, Mom. But are you all right? Your finger is bleeding.
W Oh, no. I better get a bandage. Could you help me?
M What can I do?
W Can you cut these vegetables for me?
M I'll do it. Please take a break, Mom.

여 얘, Aaron. 저녁으로 닭고기 요리 괜찮니?
남 물론이죠, 엄마. 그런데 괜찮으세요? 손가락에서 피가 나고 있어요.
여 오, 이런. 밴드를 붙이는 게 낫겠구나. 나를 좀 도와주겠니?
남 제가 뭘 하면 될까요?
여 이 채소들을 나 대신 썰어줄래?
남 그럴게요. 쉬고 계세요, 엄마.

해설 | 여자가 남자에게 채소들을 대신 썰어달라고 요청했으므로 보아 정답은 ① '채소 썰기'이다.

어휘 | finger [fíŋgər] 명 손가락 bleed [bliːd] 동 피가 나다, 출혈하다 vegetable [védʒətəbl] 명 채소, 야채 take a break 쉬다, 휴식을 취하다

16 제안한 일 고르기
정답 ①

W Hi, Kevin. What's the problem?
M Hello, Dr. Kim. I have a bad headache.
W Do you have a fever or runny nose?
M I have a runny nose.
W I think you caught a cold.
M What should I do?
W You should take some medicine today. You will get better.
M Thank you.

여 안녕하세요, Kevin. 어디가 안 좋으세요?
남 안녕하세요, 김 선생님. 저 심한 두통이 있어요.
여 열이나 콧물이 나나요?
남 콧물이 나요.
여 감기에 걸리신 것 같네요.
남 제가 뭘 해야 하죠?
여 오늘 약을 좀 드시는 것이 좋겠어요. 나아지실 거예요.
남 감사합니다.

해설 | 여자가 남자에게 약을 먹을 것을 제안하고 있으므로 정답은 ① '약 먹기'이다.

어휘 | bad [bæd] 형 심한; 나쁜 fever [fíːvər] 명 열 runny nose 콧물 catch a cold 감기에 걸리다 medicine [médisn] 명 약

17 한 일 고르기

정답 ④

M Jimin, how was your summer vacation?
W It was the best ever! We took a trip to Hawaii and visited my aunt there. What about you?
M I learned sewing in summer school.
W Awesome! Did you make something?
M Yes. I made a tablecloth.

남 지민아, 여름방학은 어땠어?
여 지금까지 중 최고였어! 하와이로 여행을 가서 거기 이모 댁을 방문했거든. 너는 어땠니?
남 나는 여름학교에서 바느질을 배웠어.
여 멋지다! 뭔가를 만들었니?
남 응. 식탁보를 만들었어.

해설 | 남자는 여름방학에 여름학교에서 바느질을 배웠다고 했으므로 정답은 ④ '바느질 배우기'이다.

어휘 | take a trip 여행을 가다 aunt [ænt] 명 이모, 고모 sewing [sóuiŋ] 명 바느질, 재봉 awesome [ɔ́:səm] 형 멋진 tablecloth [téibəlklɔ̀θ] 명 식탁보

18 직업 고르기

정답 ⑤

M How did your interview go yesterday?
W It was fine. I got the answers to all of my questions.
M That's good. Will you write an article about it?
W I actually finished it last night.
M When is it going to be in the newspaper?
W You can see my article tomorrow.

남 어제 인터뷰는 어떻게 됐어?
여 괜찮았어. 모든 질문에 대해 답을 받았어.
남 다행이네. 그거에 대해 기사 쓸 거야?
여 나 사실 어젯밤에 끝냈어.
남 신문에 언제 실리는데?
여 내일 내 기사를 볼 수 있을 거야.

해설 | 남자가 여자에게 어제 인터뷰와 그것에 대해 기사를 쓸 것인지 묻는 등 기사에 대한 이야기를 하는 것으로 보아 정답은 ⑤ '기자'이다.

어휘 | interview [íntərvjù:] 명 인터뷰 article [á:rtikl] 명 기사 finish [fíniʃ] 동 끝내다, 마치다 newspaper [nú:zpeipər] 명 신문

19 적절한 응답 고르기

정답 ②

[Doorbell rings.]
M Welcome to my new house. Come in. Here is the living room.
W Wow, congratulations! It's so nice.
M Really? Do you like it?
W Yes. Your couch looks so comfortable.
M It is. I often fall asleep on it.
W I'm not surprised. Which room is the bedroom?
M It's the one on the left.

[초인종이 울린다.]
남 우리 새집에 온 걸 환영해. 들어와. 여기가 거실이야.
여 우와, 축하해! 정말 좋다.
남 정말? 마음에 들어?
여 응. 소파가 정말 편안해 보여.
남 맞아. 가끔 거기서 잠이 들곤 해.
여 그럴 만하네. 어떤 방이 침실이야?
남 왼쪽에 있는 거야.

해설 | 여자가 어떤 방이 침실인지를 묻고 있으므로 정답은 위치를 언급하는 ② 'It's the one on the left.'이다.

선택지 해석
① 자리 있어? ② 왼쪽에 있는 거야. ③ 자리에 앉아. ④ 이거 엄청 부드럽네. ⑤ 난 자러 갈 거야.

어휘 | couch [kautʃ] 명 소파 fall asleep 잠이 들다 room [ru:m] 명 방; 자리, 공간

20 적절한 응답 고르기

정답 ②

M Can you speak a second language, Olivia?
W Yes. I can speak Spanish.
M That's amazing. Was it hard to learn?
W Yes. I had to study a lot. Why?
M I also want to learn Spanish.
W That's great. Why don't you practice with me?
M I would love that.

남 너는 제2 언어를 할 수 있니, Olivia?
여 응. 나는 스페인어를 할 수 있어.
남 그거 굉장하다. 배우기 어려웠어?
여 응. 많이 공부해야 했어. 왜?
남 나도 스페인어를 배우고 싶어서.
여 잘됐다. 나랑 연습하는 게 어때?
남 그럼 너무 좋지.

해설 | 여자가 남자에게 자신과 스페인어를 연습하자고 제안했으므로 정답은 제안을 수락하는 ② 'I would love that.'이다.

선택지 해석
① 난 프랑스어를 하지 못해. ② 그럼 너무 좋지. ③ 숙제는 다 했니? ④ 넌 열심히 공부해야 해. ⑤ 안됐다.

어휘 | language [lǽŋgwidʒ] 명 언어 Spanish [spǽniʃ] 명 스페인어 형 스페인의 amazing [əméiziŋ] 형 굉장한, 놀라운

13회 실전 모의고사

| 문제 pp.122-123

1	②	2	②	3	④	4	⑤	5	④	6	②	7	④	8	④	9	②	10	③
11	⑤	12	④	13	⑤	14	②	15	③	16	④	17	⑤	18	④	19	②	20	①

1 화제 고르기

정답 ②

W I have gray fur and large ears. I can climb up trees with my sharp claws. I like to sleep and eat leaves on a tree. I am known as a mascot of Australia. What am I?

여 나는 회색 털과 큰 귀를 가지고 있습니다. 나는 날카로운 발톱으로 나무 위를 오를 수 있습니다. 나는 나무 위에서 잠을 자고 잎사귀를 먹는 것을 좋아합니다. 나는 호주의 마스코트로 알려져 있습니다. 나는 무엇인가요?

해설 | 나(I)는 회색 털과 큰 귀를 가지고 있고 날카로운 발톱으로 나무 위를 오를 수 있다고 했으므로 정답은 ②이다.

어휘 | fur [fəːr] 명 털 sharp [ʃɑːrp] 형 날카로운 claw [klɔː] 명 발톱 Australia [ɔːstréiljə] 명 호주

2 알맞은 그림 고르기

정답 ②

W Jake, try this pizza.
M It's delicious. Did you make it?
W Yes. I was making a cheese pizza. But I also had some pepperoni, so I added it.
M That's why it is so delicious.
W Next time, I'm going to add mushrooms too.
M Will you also make pineapple pizza for me?
W Why not?

여 Jake, 이 피자 맛 좀 봐봐.
남 맛있다. 네가 만들었어?
여 응. 나는 치즈피자를 만드는 중이었어. 그런데 페퍼로니가 조금 있길래, 그것을 추가했어.
남 그래서 이렇게 맛있는 거구나.
여 다음번엔, 버섯도 추가할 거야.
남 날 위해 파인애플 피자도 만들어줄래?
여 그거 좋지.

해설 | 여자가 치즈피자를 만드는 중에 페퍼로니도 있어서 추가했다고 했으므로 정답은 ②이다.

어휘 | try [trai] 동 맛보다; 시도하다 add [æd] 동 추가하다, 덧붙이다 mushroom [mʌ́ʃruːm] 명 버섯

3 날씨 고르기

정답 ④

W Good morning, everyone. This is the weather forecast. It's still raining from yesterday. The rain will stop tomorrow evening, but there will be strong winds on Thursday. From Friday through the weekend, it will be cold and cloudy, so dress warmly.

여 안녕하십니까, 여러분. 일기 예보입니다. 어제부터 비가 여전히 내리고 있습니다. 비는 내일 저녁에 그치겠지만, 목요일에는 강한 바람이 불겠습니다. 금요일부터 주말까지 춥고 흐리겠으니, 따뜻하게 입으십시오.

해설 | 금요일부터 주말까지 춥고 흐릴 것이라고 했으므로 정답은 ④이다.

어휘 | still [stil] 부 여전히, 아직도 through [θruː] 전 ~까지 weekend [wíːkend] 명 주말 warmly [wɔ́ːrmli] 부 따뜻하게

4 의도 고르기

정답 ⑤

W Chris, the new swimming pool in our town is open now.
M Oh, that's cool! I didn't know that.
W Do you want to go there with me tomorrow?
M I'm afraid I can't. I already have plans.
W Hmm... How about next weekend?
M Sounds great! I'm free next weekend.

여 Chris, 우리 동네에 새로운 수영장이 막 개장했어.
남 오, 좋은데! 난 몰랐어.
여 내일 나와 함께 거기 갈래?
남 안타깝지만 안돼. 이미 계획이 있어.
여 흠... 다음 주말은 어때?
남 좋지! 다음 주말에는 한가해.

해설 | 다음 주말에 수영장에 가자는 여자의 제안에 대해 남자가 좋다고 했으므로 정답은 ⑤ '승낙'이다.

어휘 | swimming pool 수영장 free [friː] 형 한가한; 자유의

5 언급하지 않은 내용 고르기

정답 ④

M Hi, I'm Mark Stone. I'd like to introduce you to a new smart watch, FitWatch. I made it for patients with heart problems. When there is a problem with your heart, it will send your data to your doctor. You can buy this watch from our stores across the country now.

남 안녕하세요, Mark Stone입니다. 저는 여러분들에게 새로운 스마트워치, FitWatch를 소개해드리고자 합니다. 저는 심장 질환이 있는 환자들을 위해 이것을 만들었습니다. 여러분의 심장에 문제가 있을 때, 이것은 의사에게 정보를 보낼 것입니다. 현재 전국에 있는 저희 매장에서 이 시계를 구매하실 수 있습니다.

해설 | ① 이름(FitWatch), ② 제작 이유(심장 질환이 있는 환자들을 위해), ③ 기능(의사에게 정보를 보냄), ⑤ 구매처(전국의 매장)에 대해 언급했으므로 정답은 ④ '가격'이다.

어휘 | patient [péiʃənt] 명 환자 heart problem 심장 질환, 심장병 send [send] 동 보내다 data [déitə] 명 정보, 자료

6 시간 정보 고르기

정답 ②

[Cellphone rings.]
M Hello, Sujin. When will your piano lesson end?
W It'll end at 4 p.m.
M How about going shopping together after the lesson?
W I'd love to.
M Then, I'll be at your piano school by 4.
W Oh, I have to pack my things after the lesson. So, I'll leave at 4:30.
M Alright. I'll see you then.

[휴대폰이 울린다.]
남 안녕, 수진아. 피아노 수업 언제 끝나니?
여 오후 4시에 끝날 거야.
남 수업 후에 같이 쇼핑하러 가는 게 어때?
여 좋아.
남 그럼, 4시까지 내가 피아노 학원으로 갈게.
여 오, 수업 후에 내 물건들을 챙겨야 해. 그러니까, 4시 30분에 나갈 거야.
남 알겠어. 그때 보자.

해설 | 여자가 피아노 학원에서 4시 30분에 나갈 것이라고 했으므로 정답은 ② '4:30 p.m.'이다.

어휘 | lesson [lésn] 명 수업; 교훈 end [end] 동 끝나다 명 끝

7 장래 희망 고르기

정답 ④

M Beth, did you draw these dresses?
W Yes. I love designing clothes! I'm always sketching new dresses.
M Wow! That sounds so interesting.
W My dream is to become a famous fashion designer.
M I hope your dream comes true.

남 Beth, 네가 이 드레스들을 그린 거야?
여 응. 옷 디자인하는 걸 좋아하거든! 난 언제나 새로운 드레스들을 그려.
남 우와! 정말 흥미로운 것 같아.
여 내 꿈은 유명한 의상 디자이너가 되는 거야.
남 네 꿈이 이루어지길 바랄게.

해설 | 여자가 자신의 꿈은 유명한 의상 디자이너가 되는 것이라고 했으므로 정답은 ④ '의상 디자이너'이다.

어휘 | draw [drɔː] 동 그리다 design [dizáin] 동 디자인하다 (designer [dizáinər] 명 디자이너)

8 심정 고르기

정답 ④

M Hyuna, what's going on?
W My family is going on a trip next week.
M Cool! Where are you going?
W We are going to visit Jeonju. I really want to wear a hanbok.
M It sounds exciting. When are you leaving?
W Friday. I can't wait for it!

남 현아야, 무슨 일 있니?
여 우리 가족이 다음 주에 여행을 가.
남 좋겠다! 어디 가는데?
여 전주를 방문할 거야. 나는 한복을 정말 입고 싶어.
남 신날 것 같아. 언제 출발하니?
여 금요일에. 빨리 가고 싶어!

해설 | 여자가 가족이 다음 주에 여행을 간다고 하며 빨리 가고 싶다고 했으므로 정답은 ④ '신남'이다.

어휘 | go on a trip 여행을 가다 wear [wɛər] 동 입다 leave [liːv] 동 출발하다, 떠나다

9 할 일 고르기

정답 ②

W What do we need to buy next?
M Let's get some apples. I'll bake an apple pie for you.
W Can you make a cherry pie instead?
M Sure. Why don't you get cherries? I'll get the flour and sugar.
W Okay. I'll meet you in front of the cashier.

여 우리 다음에 뭐 사야 해?
남 사과를 좀 사자. 너를 위해서 사과파이 구워줄게.
여 대신에 체리 파이를 만들어줄 수 있어?
남 물론이지. 네가 체리를 가져오는 게 어때? 난 밀가루랑 설탕을 가져올게.
여 그래. 계산대 앞에서 만나.

해설 | 남자가 여자에게 체리를 가져오라고 하자 여자가 알겠다고 했으므로 정답은 ② '체리 가져오기'이다.

어휘 | flour [fláuər] 명 밀가루 sugar [ʃúgər] 명 설탕

10 주제 고르기

정답 ③

W This is our school gym, Yongjun.
M Are there any rules to use it?
W First, no food or drink is allowed. Also, you should wear gym clothes and clean sneakers.
M Okay. What else?
W When you work out here, don't be too noisy.
M No problem. I'll follow those rules.

여 여기가 우리 학교 체육관이야, 용준아.
남 이용하는 데 규칙들이 있니?
여 먼저, 음식이나 음료수는 허용되지 않아. 또한, 체육복과 깨끗한 운동화를 착용해야 해.
남 알겠어. 또 뭐가 있어?
여 여기서 운동할 때, 너무 시끄럽게 하지 마.
남 물론이지. 그 규칙들을 따를게.

해설 | 남자가 체육관을 이용하기 위한 규칙들이 있는지를 물었고, 여자가 음식이나 음료수 가져오지 않기, 체육복과 깨끗한 운동화 착용하기 등을 말했으므로 정답은 ③ '체육관 이용 수칙'이다.

어휘 | gym [dʒim] 명 체육관 rule [ru:l] 명 규칙 allow [əláu] 동 허용하다, 허락하다 noisy [nɔ́izi] 형 시끄러운 follow [fálou] 동 따르다

11 교통수단 고르기

정답 ⑤

M How will you get to the baseball stadium?
W I'm thinking of going by subway.
M Well, my mom is going to take me by car. I think we can give you a ride.
W Really? Can I come with you?
M No problem. We will pick you up at 3:30.
W Thanks a lot.

남 야구 경기장에 어떻게 갈 거니?
여 지하철로 가는 걸 생각하고 있어.
남 음, 우리 엄마가 나를 차로 데려다주실 거거든. 너도 태워줄 수 있을 것 같아.
여 정말? 너랑 같이 가도 돼?
남 물론이지. 3시 30분에 데리러 갈게.
여 정말 고마워.

해설 | 남자가 자신의 엄마가 차로 데려다준다고 했고 여자가 같이 가도 되는지 묻자 물론이라고 했으므로 정답은 ⑤ '자동차'이다.

어휘 | stadium [stéidiəm] 명 경기장 give a ride 태워주다

12 이유 고르기

정답 ④

W Jongwon, why are you still at your desk? You said you would go hiking with your friends.
M Oh, it was canceled, Mom.
W Why?
M Our science teacher suddenly gave us homework. So, I should do it.
W I see. Then, I'll get you some fruit.
M Thank you.

여 종원아, 왜 아직도 책상에 앉아 있니? 친구들이랑 등산하러 간다고 했잖아.
남 오, 그거 취소됐어요, 엄마.
여 왜?
남 과학 선생님이 갑자기 저희한테 숙제를 내주셨어요. 그래서 그걸 해야 해요.
여 그렇구나. 그럼, 과일 좀 가져다줄게.
남 고마워요.

해설 | 남자가 등산 가는 게 취소된 이유로 과학 선생님이 갑자기 숙제를 내줘서 그것을 해야 한다고 했으므로 정답은 ④ '숙제를 해야 해서'이다.

어휘 | cancel [kǽnsəl] 동 취소하다 suddenly [sʌ́dnli] 부 갑자기 fruit [fru:t] 명 과일

13 장소 고르기

정답 ⑤

W Can I see your ticket, please?
M Sure. Here you go.
W Please enter through Gate 2. You're in Section C, near the stage. Enjoy the concert, sir.
M Thanks. Is the concert going to start on time?
W Yes. You'd better get to your seat now.
M Okay, I will.

여 티켓을 보여주시겠습니까?
남 네. 여기 있어요.
여 2번 출입구로 들어가세요. 무대 근처인 C 구역이시네요. 콘서트 재미있게 보세요.
남 고맙습니다. 콘서트는 정각에 시작하나요?
여 네. 지금 자리로 가셔야 해요.
남 네, 그럴게요.

해설 | 여자가 남자에게 2번 출입구로 들어가라고 한 후에 무대 근처인 C 구역이라고 하면서 콘서트를 재미있게 보라는 말을 하는 것으로 보아 정답은 ⑤ '공연장'이다.

어휘 | stage [steidʒ] 명 무대; 단계 on time 정각에, 제때에 seat [si:t] 명 좌석, 자리

14 위치 고르기

정답 ②

M Excuse me. Can you tell me how to get to city hall?
W Sure. Go straight two blocks, and turn right on Franklin Street. It'll be on your left side, next to the post office.
M How long do I have to walk?
W Around 10 minutes. It's not far from here.
M Thanks.

남 실례합니다. 시청으로 가는 방법 좀 알려주시겠어요?
여 물론이죠. 두 블록 직진해서, 프랭클린 가에서 우회전하세요. 당신의 왼쪽에 있을 거예요, 우체국 옆에요.
남 얼마나 걸어가야 하나요?
여 10분 정도요. 여기서 멀지 않아요.
남 감사합니다.

해설 | 시청은 두 블록 직진해서 프랭클린 가에서 우회전한 다음 왼쪽, 즉 우체국 옆에 있다고 했으므로 정답은 ②이다.

어휘 | city hall 명 시청 walk [wɔ:k] 동 걷다 far from ~에서 먼

15 부탁·요청한 일 고르기

정답 ③

M Amy, are you coming to the barbecue party tomorrow?
W Oh, no! I completely forgot.
M Can you still make it?
W Yes. But what should I bring?
M Just buy six bottles of soda. Everyone else is bringing food.
W Okay. See you tomorrow.

남 Amy, 내일 바비큐 파티에 올 거야?
여 오, 이런! 나 완전히 잊어버렸어.
남 그래도 올 수 있니?
여 응. 근데 내가 뭘 가져가야 하지?
남 그냥 탄산음료 여섯 병만 사 와. 다른 모두가 음식을 가져올 거야.
여 알겠어. 내일 보자.

해설 | 여자가 무엇을 가져가야 하는지를 묻자 남자가 탄산음료 여섯 병만 사 오라고 부탁했으므로 정답은 ③ '음료수 사 오기'이다.

어휘 | completely [kəmplí:tli] 부 완전히 make it (모임에) 오다, 참석하다; 성공하다 soda [sóudə] 명 탄산음료

16 제안한 일 고르기

정답 ④

M Kate, what are you doing?
W I'm trying to make a website, but it's not easy.
M Are you interested in computer programming?
W Yes. But I'm not familiar with writing code.
M Why don't you join our coding club then? You can learn a lot about coding.
W Yeah. That'll be very helpful.

남 Kate, 뭐 하고 있니?
여 웹사이트를 만들려고 노력 중인데, 쉽지 않아.
남 컴퓨터 프로그래밍에 흥미가 있니?
여 응. 그런데 코드 작성하는 것이 익숙하지 않아.
남 그럼 우리 코딩 동아리에 가입하는 게 어때? 코딩에 대해서 많이 배울 수 있어.
여 그래. 도움이 많이 될 거 같네.

해설 | 남자가 여자에게 코딩 동아리에 가입하는 것을 제안했으므로 정답은 ④ '코딩 동아리 가입하기'이다.

어휘 | be familiar with ~에 익숙하다 join [dʒɔin] 동 가입하다, 참여하다 helpful [hélpfəl] 형 도움이 되는

17 한 일 고르기

정답 ⑤

W Sangwoo, how was your New Year's Day?
M It was nice. I went to Jeongdongjin to see the sunrise. What about you?
W I flew kites with my cousins.
M That sounds fun! Did you make the kites?
W Yes. I made a bangpae kite.

여 상우야, 설날 어떻게 보냈니?
남 좋았어. 나는 일출을 보러 정동진에 갔었어. 너는 어땠어?
여 나는 내 사촌들과 연을 날렸어.
남 재미있었겠다! 네가 연을 만들었니?
여 응. 나는 방패연을 만들었어.

해설 | 여자가 설날에 사촌들과 연을 날렸다고 했으므로 정답은 ⑤ '연날리기'이다.

어휘 | sunrise [sʌ́nraiz] 명 일출, 해돋이 kite [kait] 명 연 cousin [kʌ́zn] 명 사촌, 친척

18 직업 고르기

정답 ④

W Excuse me. Will our flight arrive at Gimpo airport on time? I have a meeting at 2 p.m.
M We will land at 12 p.m.
W Oh, good.
M Would you like some coffee?
W I'd love to have one. Thank you.
M I'll get it right away.

여 저기요. 저희 비행기가 김포 공항에 제때 도착할까요? 오후 2시에 회의가 있어서요.
남 저희는 오후 12시에 착륙할 예정입니다.
여 오, 다행이네요.
남 커피 좀 드시겠어요?
여 한 잔 마시고 싶네요. 감사합니다.
남 바로 가져다드리겠습니다.

해설 | 여자가 남자에게 비행기가 김포 공항에 제때 도착할지 물었고, 남자가 여자에게 커피를 마실 것인지 물은 것으로 보아 정답은 ④ '승무원'이다.

어휘 | flight [flait] 명 비행기; 비행 on time 제때 land [lænd] 동 착륙하다 명 토지, 땅

19 적절한 응답 고르기

정답 ②

W Who were you talking to on the phone?
M Oh, that was my best friend. His name is Tom.
W You were laughing a lot.
M Yes. He's very funny. We always have a good time together.
W That's nice.
M Yeah. Who is your best friend?
W Hayoung is my closest friend.

여 누구랑 통화하고 있었어?
남 오, 나의 가장 친한 친구였어. 그의 이름은 Tom이야.
여 너 많이 웃고 있었어.
남 응. 그 친구가 매우 웃기거든. 우리는 항상 같이 즐거운 시간을 보내.
여 좋다.
남 응. 네 가장 친한 친구는 누구니?
여 하영이가 나의 가장 친한 친구야.

해설 | 남자가 여자의 가장 친한 친구가 누구인지를 물었으므로 정답은 친구의 이름을 언급하는 ② 'Hayoung is my closest friend.'이다.

선택지 해석

① 너 멋져보인다. ② 하영이가 나의 가장 친한 친구야. ③ 널 만나서 정말 좋아. ④ 나는 너와 친구가 되고 싶어. ⑤ 그 농담은 웃겼어.

어휘 | laugh [læf] 동 웃다 funny [fʌ́ni] 형 웃기는, 재미있는 make friends 친구가 되다 joke [dʒouk] 명 농담

20 적절한 응답 고르기

정답 ①

W Did you enjoy the movie *Family Holiday*, Olly?
M Yes. It was really good.
W I can't wait to see it.
M It's a popular movie, so you should buy your ticket early.
W Okay. Then, I'll get it online before.
M When do you plan to see it?
W I will go next Saturday.

여 영화 <Family Holiday> 재미있었니, Olly?
남 응. 정말 좋았어.
여 나도 빨리 그걸 보고 싶어.
남 그건 인기 있는 영화라서, 티켓을 일찍 사둬야 해.
여 알았어. 그러면 그 전에 온라인으로 티켓을 구해놔야겠다.
남 언제 볼 계획인데?
여 다음 토요일에 갈 거야.

해설 | 남자가 언제 영화를 볼 계획인지 묻고 있으므로 정답은 시기를 언급하는 ① 'I will go next Saturday.'이다.

선택지 해석

① 다음 토요일에 갈 거야. ② 나중에 들러. ③ 유감이네. ④ 난 액션 영화를 좋아해. ⑤ 너무 비싸.

어휘 | popular [pάpjulər] 형 인기 있는 plan [plæn] 동 계획하다 come by 들르다 shame [ʃeim] 명 유감스러운 일; 부끄러움

14회 실전 모의고사

| 문제 pp.130-131

1	③	2	⑤	3	①	4	①	5	③	6	②	7	①	8	⑤	9	④	10	②
11	②	12	⑤	13	①	14	④	15	②	16	⑤	17	⑤	18	②	19	②	20	①

1 화제 고르기

정답 ③

M Many people use this at schools, offices, and homes these days. It makes water clean. You can also get hot water from this, so you can drink tea or coffee. What is this?

남 많은 사람이 오늘날 학교, 사무실, 집에서 이것을 사용합니다. 이것은 물을 깨끗하게 만듭니다. 이것에서 뜨거운 물도 받을 수 있어서, 차나 커피를 마실 수 있습니다. 이것은 무엇인가요?

해설 | 이것(this)은 깨끗한 물을 만들고 이것에서 뜨거운 물을 받을 수 있다고 했으므로 정답은 ③이다.

어휘 | office [ɔ́:fis] 명 사무실 these days 오늘날; 요즘

2 알맞은 그림 고르기

정답 ⑤

W Nick, did you see my diary?
M Do you mean this one with a rainbow on it, Eve?
W No. I drew a cat on its cover.
M Is there anything else?
W I also wrote my name under the cat.
M Oh, I think I saw it on the kitchen table!

여 Nick, 내 일기장 봤니?
남 이 무지개가 그려진 것을 말하는 거니, Eve?
여 아니. 내가 표지에 고양이를 그려놨어.
남 그거 말고 다른 것도 있어?
여 그 고양이 밑에 내 이름도 써놨어.
남 오, 식탁에서 본 것 같아!

해설 | 여자가 일기장 표지에 고양이를 그리고 그 밑에 이름을 써놨다고 했으므로 정답은 ⑤이다.

어휘 | diary [dáiəri] 명 일기장, 일기 cover [kʌ́vər] 명 표지 동 덮다 kitchen table 명 식탁

3 날씨 고르기

정답 ①

W Good afternoon. This is the weather report for this weekend. The rain will not stop until Saturday morning. The sky will be cloudy on Saturday afternoon. But on Sunday morning, there will be no clouds, and it will be sunny.

여 안녕하십니까. 이번 주말의 일기 예보입니다. 비는 토요일 오전까지 그치지 않겠습니다. 토요일 오후에는 하늘이 흐리겠습니다. 그러나 일요일 오전에는 구름 한 점 없고, 화창할 것입니다.

해설 | 일요일 오전에는 구름이 없고 화창할 것이라고 했으므로 정답은 ①이다.

어휘 | until [əntíl] 전 ~까지

4 의도 고르기

정답 ①

W I'm so hungry, Ted.
M Yeah, me too. Let's have dinner.
W How about ordering pizza?
M We use the food delivery service too often.
W Then, we'd better cook.
M Why don't we make kimchi fried rice? That's my favorite dish.

여 나 너무 배고파, Ted.
남 응, 나도 그래. 저녁 먹자.
여 피자를 주문하는 게 어때?
남 우리 음식 배달 서비스를 너무 자주 이용하는걸.
여 그럼, 요리를 하는 것이 낫겠다.
남 우리 김치볶음밥을 만드는 건 어떨까? 그건 내가 가장 좋아하는 음식이야.

해설 | 남자가 여자에게 자신이 좋아하는 음식인 김치볶음밥을 만드는 것이 어떠냐고 했으므로 정답은 ① '제안'이다.

어휘 | delivery [dilívəri] 명 배달 often [ɔ́:fən] 부 자주, 종종 favorite [féivərit] 형 아주 좋아하는 dish [diʃ] 명 음식, 요리; 접시

5 언급하지 않은 내용 고르기

정답 ③

M Let me tell you about the shopping mall in my neighborhood. The shopping mall's name is Beach Mall. The mall is near Santa Monica beach. It opens at 10 a.m. and closes at 8 p.m. There are various restaurants on the second floor.

남 여러분들에게 저희 동네의 쇼핑몰에 대해 말씀드리려고 합니다. 쇼핑몰의 이름은 비치 몰입니다. 그 쇼핑몰은 산타모니카 해변 근처에 있습니다. 오전 10시에 열고 오후 8시에 닫습니다. 2층에는 다양한 식당이 있습니다.

해설 | ① 이름(비치 몰), ② 위치(산타모니카 해변 근처), ④ 영업시간(오전 10시부터 오후 8시), ⑤ 식당가 위치(2층)에 대해 언급했으므로 정답은 ③ '크기'이다.

어휘 | neighborhood [néibərhùd] 명 동네; 근처, 이웃 beach [biːtʃ] 명 해변 various [vɛ́əriəs] 형 다양한

6 시간 정보 고르기

정답 ②

W Namsoo, did you call the taxi?
M Yes, Mom. I'm ready to go!
W What time does our train leave?
M The train to Tongyeong leaves at 4 p.m.
W Oh, we should hurry. It's 3 o'clock now.
M That's okay. We can get to the station in 30 minutes.

여 남수야, 너 택시 불렀니?
남 네, 엄마. 나갈 준비가 됐어요!
여 기차가 몇 시에 떠나지?
남 통영행 기차는 오후 4시에 떠나요.
여 오, 서둘러야겠구나. 지금 3시야.
남 괜찮아요. 30분이면 역까지 갈 수 있어요.

해설 | 여자가 지금 3시라고 했으므로 정답은 ② '3:00 p.m.'이다.

어휘 | hurry [hə́ːri] 동 서두르다 station [stéiʃən] 명 역, 정거장

7 장래 희망 고르기

정답 ①

M Haley, did you go to Alex Prager's photo exhibition?
W No, I didn't. Did you?
M Yes. It was amazing. The pictures were so impressive.
W You love photography very much, don't you?
M Absolutely. I want to be a photographer like her one day.
W You have the talent to do it.

남 Haley, 너 Alex Prager의 사진 전시회에 갔었니?
여 아니, 안 갔어. 너는 갔었어?
남 응. 굉장하더라. 사진들이 정말 인상적이었어.
여 너 사진을 정말 좋아하는구나, 그렇지 않니?
남 물론이지. 난 언젠가 그녀 같은 사진작가가 되고 싶어.
여 네겐 그럴 재능이 있어.

해설 | 남자가 언젠가 그녀 같은 사진작가가 되고 싶다고 했으므로 정답은 ① '사진작가'이다.

어휘 | exhibition [èksəbíʃən] 명 전시회; 전시 impressive [imprésiv] 형 인상적인 absolutely [ǽbsəluːtli] 부 물론; 절대적으로 photographer [fətágrəfər] 명 사진 작가 talent [tǽlənt] 명 재능

8 심정 고르기

정답 ⑤

W I'm so excited about art class today.
M Is there something special about today's class?
W We are going to draw flowers with Korean traditional brushes.
M Oh, no! I forgot to bring my brush.
W I have two. You can use mine!
M Wow, thank you. I promise I will give it back.

여 나 오늘 미술 수업이 너무 기대돼.
남 오늘 수업에 뭔가 특별한 게 있어?
여 우린 한국 전통 붓으로 꽃을 그릴 거야.
남 오, 이런! 붓을 가져오는 걸 잊어버렸네.
여 내게 두 개가 있어. 내 것을 써도 돼!
남 우와, 고마워. 꼭 돌려줄게.

해설 | 여자가 자신의 붓을 써도 된다고 하자 남자가 고맙다고 했으므로 정답은 ⑤ 'thankful'이다.

선택지 해석

① 미안한 ② 화난 ③ 지루한 ④ 슬픈 ⑤ 고마운

어휘 | special [spéʃəl] 형 특별한 traditional [trədíʃənəl] 형 전통의, 전통적인 brush [brʌʃ] 명 붓, 솔 give back 돌려주다

9 할 일 고르기

정답 ④

W Jake, did you watch my new video on my channel?
M Yes, I did!
W Oh, thank you. How was it?
M I really liked it. Editing a video isn't easy, is it?
W You're right, but I enjoy it. Did you subscribe to my channel?
M Not yet. I'll do it right away.

여 Jake, 내 채널에 올라온 새 영상 봤니?
남 응, 봤어!
여 오, 고마워. 어땠니?
남 정말 좋았어. 영상 편집하는 게 쉽지 않아, 그렇지?
여 맞아, 근데 난 재미있어. 너 내 채널 구독했니?
남 아니 아직. 지금 바로 할게.

해설 | 여자가 자신의 채널을 구독했는지 묻자 남자가 지금 바로 하겠다고 했으므로 정답은 ④ '채널 구독하기'이다.

어휘 | edit [édit] 동 편집하다 subscribe to ~을 구독하다, 신청하다

10 주제 고르기

정답 ②

M When do you usually wake up, Hanbit?
W Around 6 a.m.
M Oh, why do you wake up so early?
W I love to jog in the morning.
M Me too! I go to the park next to the city hall.
W Really? That's close to my house.
M Do you want to jog there together tomorrow?
W Sure. I'll meet you at 6:30.

남 너는 보통 언제 일어나니, 한빛아?
여 대략 오전 6시쯤.
남 오, 왜 그렇게 일찍 일어나?
여 난 아침에 조깅하는 걸 정말 좋아하거든.
남 나도 그래! 난 시청 옆에 있는 공원으로 가.
여 진짜? 거기 우리 집에서 가까워.
남 내일 같이 조깅할래?
여 좋지. 6시 30분에 만나자.

해설 | 여자가 오전에 조깅하는 것을 좋아한다고 했고, 남자는 여자에게 내일 함께 조깅할 것을 제안하고 있으므로 정답은 ② '조깅하기'이다.

어휘 | wake up 일어나다, 깨다 around [əráund] 부 ~쯤 전 주위에 city hall 시청

11 교통수단 고르기

정답 ②

W Connor, are you going to the fashion show in Busan?
M Yes. How will you get there?
W I'll go to the show by train. What about you?
M I'll take a plane to Busan.
W That will be faster. Can I join you?
M Of course. You'd better buy a ticket soon.

여 Connor, 너 부산에서 열리는 패션쇼에 갈 거야?
남 응. 넌 거기 어떻게 갈 거니?
여 기차를 타고 패션쇼에 갈 거야. 너는?
남 나는 부산행 비행기를 타려고.
여 그게 더 빠르겠다. 나도 같이 가도 돼?
남 물론이지. 빨리 표를 사는 게 좋겠어.

해설 | 비행기를 타고 갈 거라는 남자에게 여자가 같이 가도 되는지 묻자 남자가 물론이라고 했으므로 정답은 ② '비행기'이다.

어휘 | plane [plein] 명 비행기 fast [fæst] 형 빠른 soon [su:n] 부 빨리, 신속하게; 곧

12 이유 고르기

정답 ⑤

W Thank you for visiting Nuri Bank today. How can I help you?
M Hello. I am traveling soon, and I need to use my card abroad.
W I see. You will need an international card then. Where are you going?
M I'm visiting Thailand and Vietnam.
W Okay. I will make the card for you. Just a moment.
M Thanks!

여 오늘 누리 은행에 방문해주셔서 감사합니다. 무엇을 도와드릴까요?
남 안녕하세요. 제가 곧 여행을 가는데, 제 카드를 해외에서 써야 해서요.
여 그러시군요. 그러면 국제 카드가 필요하시겠어요. 어디로 가시나요?
남 태국과 베트남을 방문할 거예요.
여 알겠습니다. 제가 카드를 만들어 드릴게요. 잠시만요.
남 감사합니다!

해설 | 남자가 곧 여행을 갈 것이고 해외에서 카드를 써야 한다고 했으므로 정답은 ⑤ '카드를 해외에서 사용하기 위해서'이다.

어휘 | abroad [əbrɔ́:d] 부 해외에서 international [ìntərnǽʃnəl] 형 국제의, 국제적인 Thailand [táilænd] 명 태국 Vietnam [vì:etnɑ́:m] 명 베트남

13 관계 고르기

정답 ①

M Oh, I always dreamed about meeting you, Zoe! Could you sign this CD for me?
W Of course. What's your name?
M I'm Mike. Every song on your new album is perfect!
W I'm so happy you like them. Which one is your favorite, Mike?
M It's hard to pick one, but my favorite is *Skater Girl*.

남 오, 항상 당신을 만나는 걸 꿈꿨어요, Zoe! 저를 위해 이 CD에 사인 좀 해주시겠어요?
여 물론이죠. 이름이 뭐예요?
남 Mike요. 당신의 새 앨범에 있는 모든 노래가 완벽해요!
여 좋아해 주셔서 정말 기쁘네요. 어떤 노래를 가장 좋아하시나요, Mike?
남 하나를 고르기 어렵지만, 가장 좋은 건 <Skater Girl>이에요.

해설 | 남자가 항상 여자를 만나기를 꿈꿨으며 여자의 새 앨범에 있는 모든 노래가 완벽하다고 하는 것으로 보아 정답은 ① '가수 — 팬'이다.

어휘 | dream [driːm] 동 꿈꾸다 sign [sain] 동 사인하다 명 기호 pick [pik] 동 고르다

14 위치 고르기

정답 ④

W Brad, do you see my tablet PC?
M No, Mom. I don't see it.
W I put it on the desk yesterday.
M Well, it's not there. Did you check on the chair?
W Yeah. It isn't on the chair. Can you look in the drawer?
M Oh, yes. Here it is!

여 Brad, 내 태블릿 PC 보이니?
남 아뇨, 엄마. 안 보이는데요.
여 내가 어제 책상 위에 올려뒀는데.
남 글쎄요, 거기에 없어요. 의자 위는 확인하셨어요?
여 그래. 의자 위에는 없더구나. 서랍 안을 봐줄 수 있겠니?
남 오, 알겠어요. 여기 있네요!

해설 | 여자가 서랍 안을 봐 달라고 부탁한 후 남자가 그곳에서 태블릿 PC를 찾았으므로 정답은 ④이다.

어휘 | drawer [drɔːr] 명 서랍

15 부탁·요청한 일 고르기

정답 ②

M Dinner is ready, Jane.
W Okay, Dad. What's the main dish?
M I made pasta salad.
W That sounds delicious! I'll set the table.
M Your brother already did it. But it's raining outside. Can you close the windows instead?
W Okay. I'll do it right now.

남 저녁 준비가 다 됐단다, Jane.
여 알겠어요, 아빠. 메인 요리가 뭔가요?
남 파스타 샐러드를 만들었단다.
여 맛있을 것 같아요! 제가 상을 차릴게요.
남 네 오빠가 이미 했단다. 근데 밖에 비가 오는구나. 대신에 창문들을 닫아주겠니?
여 알겠어요. 지금 바로 할게요.

해설 | 남자가 밖에 비가 온다며 여자에게 창문을 닫아 달라고 부탁했으므로 정답은 ② '창문 닫기'이다.

어휘 | dish [diʃ] 명 요리, 음식; 접시 set the table 상을 차리다 instead [instéd] 부 그 대신에

16 제안한 일 고르기

정답 ⑤

M Yuri, did you watch the movie, *French Notebook*?
W No. How was it?
M After I watched it, I wanted to learn French.
W Will you go to a language academy?
M No. I couldn't find a French academy near my house.
W What about online classes?
M That's a great idea.

남 유리야, 너 <French Notebook>이라는 영화 봤니?
여 아니. 그거 어땠어?
남 그걸 보고 나서, 프랑스어를 배우고 싶어졌어.
여 어학원에 갈 거니?
남 아니. 우리 집 근처에서 프랑스어 학원을 찾을 수 없었어.
여 온라인 강의는 어때?
남 그거 좋은 생각이야.

해설 | 여자가 남자에게 온라인 강의를 제안했으므로 정답은 ⑤ '온라인 강의 듣기'이다.

어휘 | French [frentʃ] 명 프랑스어 형 프랑스의 language [lǽŋgwidʒ] 명 언어 academy [əkǽdəmi] 명 학원, 학술원

17 특정 정보 고르기

정답 ⑤

M Honey, they are selling used furniture.	남 여보, 저 사람들이 중고 가구를 팔고 있어.
W Why don't we look around?	여 둘러보는 게 어때?
M Sure. This sofa looks comfortable.	남 그래. 이 소파 편해 보여.
W Yeah. But we bought our sofa three month ago.	여 응. 근데 우리 석 달 전에 소파를 샀잖아.
M What about this small chair? We need one for our office.	남 이 작은 의자는 어때? 우리 사무실에 하나 필요해.
W Oh, it looks perfect. Let's get it.	여 오, 딱 좋아 보여. 그거 사자.

해설 | 남자가 작은 의자는 어떤지를 물으며 사무실에 하나가 필요하다고 하자 여자가 그것을 사자고 했으므로 정답은 ⑤ '의자'이다.

어휘 | used [ju:sd] 형 중고의, 헌것의; 익숙한 furniture [fə́:rnitʃər] 명 가구 comfortable [kʌ́mfərtəbl] 형 편한, 편안한 office [ɔ́:fis] 명 사무실

18 직업 고르기

정답 ②

M Welcome to White Wedding Hall. Can I help you?	남 화이트 예식장에 오신 걸 환영합니다. 도와드릴까요?
W I'm playing at the wedding today.	여 저는 오늘 결혼식에서 연주할 건데요.
M Oh, of course. Are you alone?	남 오, 그렇군요. 혼자세요?
W The singer and drummer will be here soon.	여 가수와 드럼 연주자가 곧 여기로 올 거예요.
M Alright. What instrument do you play?	남 알겠습니다. 어떤 악기를 연주하세요?
W I play the guitar.	여 저는 기타를 연주해요.
M Great. I'll show you the stage now then.	남 훌륭하군요. 그러면 이제 무대로 안내해 드리겠습니다.
W Thanks for your help.	여 도와주셔서 감사해요.

해설 | 여자가 결혼식에서 연주할 것이라고 말한 뒤, 이어서 자신은 기타를 연주한다고 했으므로 정답은 ② '기타리스트'이다.

어휘 | wedding hall 예식장 (wedding [wédiŋ] 명 결혼식) alone [əlóun] 형 혼자인 instrument [ínstrəmənt] 명 악기 show [ʃou] 동 안내하다; 보여주다

19 적절한 응답 고르기

정답 ②

M Happy birthday, Hanna!	남 생일 축하해, 한나야!
W Wow, thank you! I'm so surprised!	여 우와, 고마워! 나 정말 놀랐어!
M We made a cake, and here's a gift for you!	남 우리가 케이크 만들었어, 그리고 여기 네 선물이야!
W The cake looks amazing. I love chocolate.	여 케이크 멋져 보인다. 나 초콜릿 정말 좋아해.
M Good. Do you want to see your gift now or later?	남 다행이야. 선물을 지금 볼래, 아니면 나중에 볼래?
W I'll open it now.	여 지금 열어볼래.

해설 | 남자가 여자에게 선물을 지금 볼 것인지 아니면 나중에 볼 것인지를 묻고 있으므로 정답은 지금 열어볼 것을 선택하는 ② 'I'll open it now.'이다.

선택지 해석

① 케이크 한 조각 부탁해. ② 지금 열어볼래. ③ 그는 열여섯 살이야. ④ 나중에 만나자. ⑤ 파티는 오후 6시에 시작해.

어휘 | surprised [sərpráizd] 형 놀란 gift [gift] 명 선물 later [léitər] 부 나중에 piece [pi:s] 명 조각

20 적절한 응답 고르기

정답 ①

W What do you plan to do this summer, John?	여 이번 여름에 뭐 할 계획이니, John?
M It's going to be hot, so I want to relax at home.	남 날이 더울 테니, 나는 집에서 쉬고 싶어.
W Oh, you really don't like the heat.	여 오, 더위를 정말 안 좋아하는구나.
M Not at all. It makes me feel tired. Do you have any plans?	남 전혀. 더위는 나를 지치게 만들어. 너는 계획이 있니?
W I love swimming, so I'll take a trip to the beach.	여 난 수영을 좋아해서, 해변으로 여행 갈 거야.
M Who will you go with?	남 누구랑 갈 거니?
W I'll be with my family.	여 가족들이랑 있을 거야.

해설 | 남자가 누구와 갈지를 묻고 있으므로 정답은 동행할 사람을 언급하는 ① 'I'll be with my family.'이다.

선택지 해석

① 가족들이랑 있을 거야. ② TV를 보고 싶어. ③ 힘든 하루였어. ④ 가을이 최고의 계절이야. ⑤ 행운을 빌어.

어휘 | heat [hi:t] 명 더위; 열 take a trip 여행하다

15회 실전 모의고사

| 문제 pp.138-139

1	②	2	②	3	⑤	4	③	5	④	6	③	7	②	8	④	9	⑤	10	①
11	①	12	②	13	②	14	④	15	①	16	⑤	17	⑤	18	③	19	①	20	⑤

1 화제 고르기

정답 ②

M I live in the desert. I have four long legs. There are two big bumps on my back. I store fat in them. I can survive without drinking water for three days. What am I?

남 나는 사막에서 삽니다. 나는 네 개의 긴 다리를 가지고 있습니다. 등에는 두 개의 큰 혹이 있습니다. 나는 그 안에 지방을 저장합니다. 나는 3일 동안 물을 마시지 않고 살아남을 수 있습니다. 나는 무엇인가요?

해설 | 나(I)는 네 개의 긴 다리와 두 개의 큰 혹을 가지고 있다고 했으므로 정답은 ②이다.

어휘 | bump [bʌmp] 명 혹 back [bæk] 명 등 store [stɔːər] 동 저장하다 fat [fæt] 명 지방 survive [sərváiv] 동 살아남다, 생존하다

2 알맞은 그림 고르기

정답 ②

M Mom, look at this.
W What's this, Minsu?
M I bought this tie for Dad's birthday.
W Why did you choose a striped one? He likes ones with dots.
M Because he already has many ties with dots. But he doesn't have one with stripes.
W Oh, you're right.

남 엄마, 이것 좀 보세요.
여 그게 뭐니, 민수야?
남 제가 아빠 생신 선물로 이 넥타이를 샀어요.
여 왜 줄무늬 넥타이를 골랐니? 아빠는 물방울무늬가 있는 것을 좋아하는걸.
남 왜냐하면 아빠는 물방울무늬 넥타이를 이미 많이 갖고 계시잖아요. 하지만 줄무늬가 있는 것은 없으세요.
여 오, 네 말이 맞구나.

해설 | 남자가 아빠 생일 선물로 넥타이를 샀다며 보여주자 여자가 왜 줄무늬가 있는 것을 골랐는지 물었으므로 정답은 ②이다.

어휘 | tie [tai] 명 넥타이 동 묶다 striped [straipt] 형 줄무늬가 있는, 줄무늬의 dot [dɑt] 명 물방울무늬 동 점을 찍다

3 날씨 고르기

정답 ⑤

M Good morning! Here is the weather report. This morning, the sky is cloudy. And in the afternoon, it will rain. But tomorrow, you will see clear skies. It'll be sunny all day.

남 안녕하십니까! 일기 예보입니다. 오늘 아침에는 하늘이 흐립니다. 그리고 오후에는 비가 내릴 것입니다. 그러나 내일은 맑은 하늘을 볼 수 있겠습니다. 온종일 화창할 예정입니다.

해설 | 내일 맑은 하늘을 볼 수 있겠다고 했으므로 정답은 ⑤이다.

어휘 | clear [kliər] 형 맑은 all day 온종일

4 의도 고르기

정답 ③

M How was your birthday party, Betty?
W It was fine, but I missed you.
M I had to visit my grandparents in Daegu. I'm so sorry.
W No problem, but why didn't you call me?
M I couldn't call you because I lost my phone. It was my fault.
W Oh, it's okay. I understand.

남 네 생일 파티는 어땠니, Betty?
여 괜찮았지만, 네가 없어서 섭섭했어.
남 난 대구에 계신 조부모님을 뵈러 가야 했어. 정말 미안해.
여 괜찮아, 근데 나한테 왜 전화 안 했니?
남 휴대폰을 잃어버려서 전화를 못 했어. 내 잘못이야.
여 오, 괜찮아. 이해해.

해설 | 자기 잘못이라고 사과한 남자에게 여자가 괜찮다며 이해한다고 했으므로 정답은 ③ '용서'이다.

어휘 | miss [mis] 동 (사람이) 없는 것을 섭섭히 여기다, 그리워하다; 놓치다 grandparent [grǽndpɛərənt] 명 조부모 lose [luːz] 동 잃다 fault [fɔːlt] 명 잘못; 결점, 단점

5 언급하지 않은 내용 고르기

정답 ④

M Today, I'd like to tell you about a soccer team, the Top Rangers. The team's coach is Aaron Choi. He was a famous player in the 1990s. There are 30 players on the team. Its color is purple. So, the team's fans wear purple T-shirts to their games.	남 오늘은 축구팀 Top Rangers에 대해 여러분에게 말씀드리고 싶습니다. 팀의 감독은 Aaron Choi입니다. 그는 1990년대에 유명한 선수였습니다. 팀에는 30명의 선수가 있습니다. 팀의 색상은 보라색입니다. 그래서, 팀의 팬들은 보라색 티셔츠를 입고 경기에 옵니다.

해설 | ① 종목(축구), ② 감독(Aaron Choi), ③ 선수 수(30명), ⑤ 팀 색상(보라색)에 대해 언급했으므로 정답은 ④ '대표 선수'이다.

어휘 | coach [koutʃ] 명 감독, 코치 famous [féiməs] 형 유명한 purple [pə́ːrpl] 명 보라색

6 시간 정보 고르기

정답 ③

M Jenny, do you know the TV program *Monster Hunt*? W Yes. It was my favorite TV show last spring. M I am so excited to watch next season's episodes. W It starts on Sunday, right? M No. It begins tonight at 8. W Really? It starts in an hour! M It's only 7, so you have enough time. Let's eat some pizza before we watch it.	남 Jenny, 너 <Monster Hunt>라는 TV 프로그램 아니? 여 응. 지난봄에 내가 가장 좋아했던 TV 쇼야. 남 다음 시즌 방송을 보게 돼서 너무 신나. 여 일요일에 시작하지, 그렇지? 남 아니. 오늘 밤 8시에 시작해. 여 정말? 1시간 후에 시작하네! 남 아직 7시니까, 충분한 시간이 있어. 그걸 보기 전에 우리 피자 좀 먹자.

해설 | 남자가 아직 7시라고 했으므로 정답은 ③ '7:00 p.m.'이다.

어휘 | episode [épəsòud] 명 1회 방송분 enough [inʌ́f] 형 충분한

7 장래 희망 고르기

정답 ②

M Monica, did you take these pictures? W Yes. I like to look at the stars and take photos of them. M Are you interested in space? W Yeah. I want to be an astronomer. M Oh, I can lend you some magazines about space exploration. W That would be great. Thanks!	남 Monica, 네가 이 사진들을 찍은 거니? 여 응. 나는 별을 보고 사진 찍는 걸 좋아하거든. 남 너 우주에 관심 있니? 여 응. 난 천문학자가 되고 싶어. 남 오, 네게 우주 탐사에 대한 잡지들을 빌려줄 수 있어. 여 그러면 참 좋을 것 같아. 고마워!

해설 | 여자가 천문학자가 되고 싶다고 했으므로 정답은 ② '천문학자'이다.

어휘 | be interested in ~에 관심이 있다 astronomer [əstrɑ́nəmər] 명 천문학자 exploration [èkspləréiʃən] 명 탐사, 탐험

8 일치하지 않는 내용 고르기

정답 ④

W Bill, which movie do you like the most? M It's *The Trophy.* W Is it an action movie? M Yes! It's a Korean action movie. W When was the movie made? M It was made in 2012. And it also won three awards in America. W That's impressive. I should watch the movie!	여 Bill, 네가 가장 좋아하는 영화는 뭐니? 남 <The Trophy>이야. 여 그거 액션 영화니? 남 응! 한국의 액션 영화야. 여 그 영화는 언제 만들어진 거야? 남 2012년에 만들어졌어. 그리고 미국에서 3개의 상을 받기도 했지. 여 인상적이네. 그 영화를 꼭 봐야겠어!

해설 | 남자가 영화가 2012년에 만들어졌다고 했으므로 정답은 ④ '2022년에 만들어졌다.'이다.

어휘 | win an award 상을 받다 impressive [imprésiv] 형 인상적인

9 할 일 고르기

정답 ⑤

W Honey, I can see the hotel swimming pool from our room window!
M Oh, it looks so nice. Let's go for a swim!
W Yes! I'm so excited.
M But I don't have a swimsuit. How about you?
W I don't have one, either. What should we do?
M Well, how about going to the department store?
W Okay. Let's go and buy swimsuits!

여 여보, 우리 방 창문에서 호텔 수영장이 보여!
남 오, 매우 좋아 보이네. 수영하러 가자!
여 그래! 너무 신난다.
남 그런데 나 수영복이 없어. 당신은?
여 나도 없어. 어떻게 하지?
남 글쎄, 백화점에 가는 건 어때?
여 좋아. 수영복 사러 가자!

해설 | 남자가 백화점에 가는 것을 제안하자 여자가 좋다며 수영복을 사러 가자고 했으므로 정답은 ⑤ '백화점 가기'이다.

어휘 | swimming pool 수영장 swimsuit [swímsu:t] 명 수영복 department store 백화점

10 주제 고르기

정답 ①

W Hey, Joshua. How's it going?
M Great! I'm planning a trip to Seoul.
W When are you going to visit?
M Next month.
W I envy you. You should go to Gwanghwamun.
M Oh, I read about it on a travel blog.
W It's one of the historically important places in the city.

여 안녕, Joshua. 어떻게 지내니?
남 아주 좋아! 난 서울 여행을 계획 중이야.
여 언제 갈 거야?
남 다음 달에.
여 부럽다. 넌 광화문에 가봐야 해.
남 오, 그곳에 대해서 여행 블로그에서 읽은 적 있어.
여 거긴 그 도시의 역사적으로 중요한 장소 중 하나야.

해설 | 남자가 서울 여행을 계획 중이라고 하자 여자가 광화문에 갈 것을 권하고 있으므로 정답은 ① '여행 계획하기'이다.

어휘 | plan [plæn] 동 계획하다 envy [énvi] 동 부러워하다 historically [histɔ́:rikəli] 부 역사적으로

11 교통수단 고르기

정답 ①

W Alex, how will you get to the ice rink?
M I'll take a bus. Would you like to join me?
W Hmm... No. I want to go on foot.
M But it's so far from here.
W I need to exercise. So, I'll walk there.

여 Alex, 너 빙상장에 어떻게 갈 거니?
남 버스를 탈 거야. 너도 같이 갈래?
여 흠... 아니. 난 걸어서 가고 싶어.
남 그렇지만 여기에서 너무 멀잖아.
여 난 운동해야 하거든. 그래서 걸어갈 거야.

해설 | 여자가 걸어갈 것이라고 했으므로 정답은 ① '도보'이다.

어휘 | ice rink 빙상장 on foot 걸어서, 도보로 far [fa:r] 형 먼

12 이유 고르기

정답 ②

[Telephone rings.]
W Hello, this is Barbecue Chicken. How may I help you?
M Hi, can I order two fried chickens for delivery?
W I'm sorry, but we can't make deliveries.
M Oh, why not?
W Because there's heavy snow outside. We don't deliver when the roads are dangerous.
M Then, can I pick up the chicken at your restaurant?
W Sure. That works.

[휴대폰이 울린다.]
여 여보세요, Barbecue Chicken입니다. 무엇을 도와드릴까요?
남 안녕하세요, 통닭 두 마리 배달 주문할 수 있을까요?
여 죄송하지만, 배달할 수 없어요.
남 오, 왜 안 되나요?
여 왜냐하면 밖에 눈이 많이 와서요. 저희는 도로가 위험할 때는 배달을 하지 않아요.
남 그러면, 제가 식당으로 통닭을 가지러 갈 수는 있나요?
여 그럼요. 그건 됩니다.

해설 | 남자가 왜 배달로 주문이 안 되는지 묻자, 여자가 밖에 눈이 많이 와서 도로가 위험할 때는 배달을 하지 않는다고 했으므로 정답은 ② '눈이 많이 와서'이다.

어휘 | make a delivery 배달하다 (deliver [dilívər] 동 배달하다; 전달하다) dangerous [déindʒərəs] 형 위험한

13 장소 고르기

정답 ②

M Bella, look! That fish is so cute!
W Yes. It's so small and colorful.
M I can't wait to see the seahorses. They're so interesting.
W I think the seahorse tank is close.
M Let's look at the sign.
W Oh, yes. It's right around the corner.
M Good! Let's go!

남 Bella, 봐봐! 저 물고기 너무 귀엽다!
여 그러게. 정말 작고 알록달록하다.
남 해마를 볼 수 있는 것도 기대돼. 그들은 너무 흥미로워.
여 해마 수조가 가까이에 있는 거 같아.
남 표지판을 보자.
여 오, 그래. 그건 모퉁이를 돌면 바로 있네.
남 좋았어! 가자!

해설 | 남자가 물고기를 가리키며 너무 귀엽다고 했고 여자가 해마 수조가 가까이에 있다고 말한 것으로 보아 정답은 ② '수족관'이다.

어휘 | colorful [kʌ́lərfəl] 형 알록달록한 seahorse [síːhɔːrs] 명 해마 tank [tæŋk] 명 수조

14 위치 고르기

정답 ④

W Hi, Ben. Why are you looking at the map?
M I'm looking for a shoe store. I need a new pair of shoes.
W I know a nice shop.
M How do I get there?
W Go straight one block, and turn right on Bradford Street.
M Go straight one block, and turn right.
W It'll be on your left between the school and the café.
M Thank you!

여 안녕, Ben. 왜 지도를 보고 있어?
남 신발 가게를 찾고 있어. 새 신발이 필요하거든.
여 나 괜찮은 가게를 하나 알아.
남 거기 어떻게 가?
여 한 블록 직진해서, 브래드포드 가에서 우회전해.
남 한 블록 직진해서, 우회전.
여 네 왼쪽에 학교와 카페 사이에 있을 거야.
남 고마워!

해설 | 신발 가게는 한 블록 직진해서 브래드포드 가에서 우회전한 다음 왼쪽, 즉 학교와 카페 사이에 있을 것이라고 했으므로 정답은 ④이다.

어휘 | look at 보다 map [mæp] 명 지도

15 부탁·요청한 일 고르기

정답 ①

M Mom, I finished cleaning my room.
W Good job, Andrew.
M Now, I guess we should clean the living room.
W You're right. I'm going to wash the curtains.
M Then, what should I do?
W Can you mop the floor?
M Of course. I'll do that.

남 엄마, 저 방 청소 끝냈어요.
여 잘했구나, Andrew.
남 이제, 우리 거실을 청소해야 할 것 같아요.
여 맞아. 내가 커튼을 세탁할 거란다.
남 그럼, 저는 뭘 해야 할까요?
여 바닥 좀 닦아주겠니?
남 물론이죠. 그렇게 할게요.

해설 | 남자가 여자에게 뭘 해야 하냐고 묻자 바닥을 닦아달라고 부탁했으므로 정답은 ① '바닥 닦기'이다.

어휘 | finish [fíniʃ] 동 끝내다, 끝나다 wash [waʃ] 동 세탁하다, 씻다 curtain [kə́ːrtn] 명 커튼 mop [map] 동 닦다

16 제안한 일 고르기

정답 ⑤

W Matthew, you look really tired.
M I didn't sleep last night.
W But you looked fine in the morning.
M I had some coffee. I began to feel sleepy after lunch.
W Did you take a nap?
M No. I have to finish this report today.
W Why don't you take a quick shower? It'll help you to wake up.
M Okay. Thanks for the advice.

여 Matthew, 너 정말 피곤해 보여.
남 어젯밤에 잠을 못 잤어.
여 그런데 오전에는 괜찮아 보였어.
남 커피를 좀 마셨거든. 점심 후에 졸려지기 시작했어.
여 낮잠은 잤니?
남 아니. 오늘 이 보고서를 끝내야 해.
여 간단히 샤워를 하는 것은 어때? 잠 깨는 데 도움이 될 거야.
남 알겠어. 조언해줘서 고마워.

해설 | 여자가 남자에게 간단히 샤워를 하는 것을 제안했으므로 정답은 ⑤ '샤워하기'이다.

어휘 | take a nap 낮잠을 자다 report [ripɔ́ːrt] 명 보고서 take a quick shower 간단히 샤워하다 advice [ædváis] 명 조언

17 한 일 고르기

정답 ⑤

W Luke, what did you do last weekend?
M I stayed home and played video games with my brother. How about you?
W I went on a bike ride with my sister.
M Did you go near the beach?
W Yes, we did. We rode for two hours.

여 Luke, 지난 주말에 뭐 했니?
남 집에 있으면서 남동생이랑 비디오 게임을 했어. 넌 어땠어?
여 여동생과 자전거 타러 갔어.
남 바닷가 근처에 갔니?
여 응, 맞아. 우린 두 시간 동안 탔어.

해설 | 여자가 지난 주말에 여동생과 자전거를 타러 갔다고 했으므로 정답은 ⑤ '자전거 타기'이다.

어휘 | stay [stei] 동 (계속) 있다, 머무르다

18 직업 고르기

정답 ③

M What is wrong with Milo, Dr. Wilson?
W I think he had an upset stomach.
M Our trash can was open last night. Maybe he ate something bad.
W A lot of dogs come to the hospital for the same reason. But he'll be fine.
M Thank you. We will be more careful in the future.

남 Milo는 어디가 안 좋은가요, Wilson 선생님?
여 배탈이 났던 것 같네요.
남 어젯밤에 쓰레기통이 열려 있었어요. 아마 녀석이 뭔가 상한 것을 먹었나 봐요.
여 많은 개가 같은 이유로 병원에 와요. 하지만 괜찮을 거예요.
남 감사합니다. 앞으로는 더 조심할게요.

해설 | 남자가 여자에게 반려견 Milo의 어디가 안 좋은지를 물었고 여자가 많은 개가 같은 이유로 병원에 온다고 했으므로 정답은 ③ '수의사'이다.

어휘 | have an upset stomach 배탈이 나다 reason [rí:zn] 명 이유 be careful 조심하다

19 적절한 응답 고르기

정답 ①

[Telephone rings.]
M Hi, Janet.
W Hello, Tim. Do you want to practice our song for the school concert soon?
M Yeah. When do you want to get together?
W I think next week is best. How about Monday?
M Sure. I am free on Monday.
W Where can we practice?
M Let's go to my house. It's near the school.
W Okay. See you there.

[전화기가 울린다.]
남 안녕, Janet.
여 안녕, Tim. 조만간 학교 연주회용 노래를 연습해볼래?
남 그래. 언제 모이고 싶어?
여 내 생각에 다음 주가 가장 좋을 것 같아. 월요일은 어때?
남 물론이지. 월요일에 한가해.
여 어디에서 연습할 수 있을까?
남 우리 집으로 가자. 학교 근처야.
여 알겠어. 거기에서 보자.

해설 | 남자가 학교 근처에 있는 본인 집에서 만나자고 제안했으므로 정답은 제안을 수락하는 ① 'Okay. See you there.'이다.

선택지 해석

① 알겠어. 거기에서 보자. ② 그는 월요일에 떠났어. ③ 커피 한잔할래? ④ 그녀는 연습을 빠졌어. ⑤ 그 집에는 세 개의 침실이 있어.

어휘 | get together 모이다 free [fri:] 형 한가한; 자유의

20 적절한 응답 고르기

정답 ⑤

M Welcome to Nick's Grocery Store. Can I help you?
W I'm looking for some ingredients to make juice.
M We have fresh fruit today. What about buying some?
W I'll get some bananas.
M How many do you want?
W I'll take five, please.

남 Nick's Grocery Store에 잘 오셨습니다. 도와드릴까요?
여 주스를 만들 재료를 찾고 있어요.
남 오늘 신선한 과일이 있답니다. 몇 개 사시는 게 어때요?
여 바나나를 좀 살게요.
남 몇 개나 원하세요?
여 다섯 개 주세요.

해설 | 남자가 여자에게 몇 개를 원하는지 물어보고 있으므로 정답은 수량을 언급하는 ⑤ 'I'll take five, please.'이다.

선택지 해석

① 저는 사과를 싫어해요. ② 그 음식 맛있네요. ③ 이건 얼마죠? ④ 여기서 드실 건가요, 아니면 가져가실 건가요? ⑤ 다섯 개 주세요.

어휘 | ingredient [ingrí:diənt] 명 재료 fresh [freʃ] 형 신선한 hate [heit] 동 싫어하다 delicious [dilíʃəs] 형 맛있는

16회 실전 모의고사

| 문제 pp.146-147

1	②	2	④	3	②	4	②	5	③	6	②	7	④	8	②	9	⑤	10	③
11	①	12	⑤	13	③	14	③	15	①	16	④	17	②	18	①	19	②	20	①

1 화제 고르기

정답 ②

M Many people use this. This shows the time and your messages. This can also play music, give directions, and check your health. It can count heartbeats on your wrist, so it is useful for the elderly.

남 많은 사람들이 이것을 사용합니다. 이것은 시간과 메시지를 보여줍니다. 또한 음악을 틀 수 있고, 길 안내를 해주며, 건강 상태를 확인할 수 있습니다. 이것은 손목에서 심장 박동 수를 셀 수 있으므로, 고령자들에게 유용합니다.

해설 | 이것(this)은 시간과 메시지를 보여주며, 손목에서 심장 박동 수를 셀 수 있다고 했으므로 정답은 ②이다.

어휘 | give directions 길 안내를 하다 count [kaunt] 동 세다 heartbeat [há:rtbi:t] 명 심장 박동 (수) wrist [rist] 명 손목 the elderly 고령자, 노인층

2 알맞은 그림 고르기

정답 ④

M How can I help you?
W I'm looking for a backpack.
M How about this one with a small tree on it? It's popular with students like you.
W I like it, but I think it's too plain.
M Then, what about this one? It has two big trees on it.
W It's so pretty! I'll take it.

남 무엇을 도와드릴까요?
여 배낭을 찾고 있어요.
남 위에 작은 나무 한 그루가 그려진 이건 어떤가요? 손님 같은 학생들에게 인기 있어요.
여 마음에 들긴 하는데, 너무 단순한 것 같아요.
남 그럼 이건 어떤가요? 두 그루의 큰 나무가 그려져 있어요.
여 정말 예쁜데요! 그걸 살게요.

해설 | 남자가 위에 두 그루의 큰 나무가 그려진 배낭을 보여주자 여자가 그것을 사겠다고 했으므로 정답은 ④이다.

어휘 | backpack [bǽkpæk] 명 배낭 popular [pápjulər] 형 인기 있는 plain [plein] 단순한

3 날씨 고르기

정답 ②

M Welcome to today's weather report. There's strong wind today, and it will be cloudy tomorrow morning. Tomorrow afternoon, there will be heavy rain. It's time for raincoats and rain boots!

남 오늘의 일기 예보입니다. 오늘은 강한 바람이 불겠고, 내일 오전에는 흐릴 것입니다. 내일 오후에는 많은 비가 내리겠습니다. 우비와 장화를 챙길 때입니다!

해설 | 내일 오후에는 많은 비가 내릴 것이라고 했으므로 정답은 ②이다.

어휘 | raincoat [réinkòut] 명 우비

4 의도 고르기

정답 ②

W Jacob, what are you going to do in the afternoon?
M I'm going to go to the supermarket and buy some beef for dinner.
W Oh, what are you cooking?
M I'm going to make hamburgers with French fries.
W Really? That's a good idea. Can I join you?
M Sure. Let's go to the supermarket together.

여 Jacob, 오후에 뭐 할 거니?
남 슈퍼마켓에 가서 저녁을 위해 소고기를 살 거야.
여 오, 무엇을 요리할 거야?
남 햄버거와 감자튀김을 만들 거야.
여 정말? 그거 좋은 생각이다. 내가 같이 가도 될까?
남 물론이지. 슈퍼마켓에 같이 가자.

해설 | 여자가 슈퍼마켓에 같이 가도 되는지 묻자 남자가 물론이라며 같이 가자고 했으므로 정답은 ② '승낙'이다.

어휘 | beef [bi:f] 명 소고기 together [təgéðər] 부 같이, 함께

5 언급하지 않은 내용 고르기

정답 ③

W I'd like to tell you about our history trip to Gyeongju. You should come to the school by 9 o'clock. We'll take a tour bus from there and leave at 9:30. The homeroom teachers and the principal will come on the trip. Don't forget to bring your lunch.

여 저는 경주로 가는 역사 탐방 여행에 대해 여러분들에게 말씀드리고 싶습니다. 여러분들은 9시까지 학교로 와야 합니다. 거기에서 관광버스를 타고 9시 30분에 떠날 것입니다. 담임 선생님들과 교장 선생님께서 여행에 함께 하실 것입니다. 점심을 가져오는 것을 잊지 마시기 바랍니다.

해설 | ① 여행지(경주), ② 집합 장소(학교), ④ 인솔 교사(담임 선생님들과 교장 선생님), ⑤ 준비물(점심)에 대해 언급했으므로 정답은 ③ '도착 시간'이다.

어휘 | homeroom teacher 담임 선생님 principal [prínsəpəl] 명 교장 (선생님)

6 시간 정보 고르기

정답 ②

M Sujin, are you going to the school soccer match tomorrow?
W Yes, I am. How about you?
M I'm going to the match too. Can I come with you?
W Great! How about meeting at 2?
M That's too late. What about 1:30?
W Alright. See you tomorrow.

남 수진아, 내일 학교 축구 경기에 갈 거니?
여 응, 갈 거야. 너는?
남 나도 경기에 갈 거야. 같이 가도 돼?
여 좋아! 2시에 만나는 게 어때?
남 그건 너무 늦어. 1시 30분은 어때?
여 알겠어. 내일 보자.

해설 | 남자가 1시 30분에 만나자고 하자 여자가 알겠다고 했으므로 정답은 ② '1:30 p.m.'이다.

어휘 | match [mætʃ] 명 경기

7 장래 희망 고르기

정답 ④

W What did you make with clay in art class, Jiseong?
M I made a shark. What about you, Seongmin?
W I made an airplane.
M Wow, it looks like a real one. This is amazing.
W I want to be a sculptor in the future.
M I'm sure your work will be beautiful! Good luck.

여 미술 시간에 찰흙으로 뭘 만들었니, 지성아?
남 상어를 만들었어. 너는, 성민아?
여 난 비행기를 만들었어.
남 우와, 진짜 비행기 같다. 굉장해.
여 난 미래에 조각가가 되고 싶어.
남 분명 네 작품은 아름다울 거야! 행운을 빌게.

해설 | 여자가 미래에 조각가가 되고 싶다고 했으므로 정답은 ④ '조각가'이다.

어휘 | clay [klei] 명 찰흙, 점토 shark [ʃaːrk] 명 상어 sculptor [skʌ́lptər] 명 조각가

8 일치하지 않는 내용 고르기

정답 ②

W Minsoo, I heard you went to Seoraksan.
M Yes. It was wonderful!
W That's great. Did you climb the mountain?
M No. Our family went up the mountain by cable car.
W How was it?
M It was scary, but the view was incredible.
W What else did you do?
M We ate delicious pajeon and bibimbap.

여 민수야, 너 설악산에 갔었다고 들었어.
남 응. 아주 멋졌어!
여 굉장하다. 등산을 했니?
남 아니. 우리 가족은 케이블카로 산에 올라갔어.
여 어땠어?
남 무서웠는데, 경치가 정말 굉장했어.
여 다른 건 뭘 했어?
남 우리는 맛있는 파전이랑 비빔밥을 먹었어.

해설 | 여자가 산을 올랐는지 묻자 남자가 아니라고 했으므로 정답은 ② '등산을 했다.'이다.

어휘 | climb [klaim] 동 등산하다, 오르다 go up 올라가다 scary [skɛ́əri] 형 무서운 incredible [inkrédəbl] 형 굉장한, 놀라운

9 할 일 고르기

정답 ⑤

M Excuse me. Can you tell me how to get to the airport?
W Sure. Cross the street, and take bus number 6000.
M Okay. Where do I buy a ticket?
W You can buy it on the app.
M Thanks. I'll download the app now.

남 실례합니다. 공항 가는 방법을 좀 알려주실 수 있나요?
여 물론이죠. 길을 건너서, 6000번 버스를 타세요.
남 알겠습니다. 표는 어디에서 사나요?
여 앱에서 살 수 있어요.
남 감사합니다. 지금 앱을 다운로드 할게요.

해설 | 남자가 지금 앱을 다운로드 하겠다고 했으므로 정답은 ⑤ '앱 다운로드 하기'이다.

어휘 | airport [érpɔ:rt] 명 공항 cross [krɔ:s] 동 건너다

10 주제 고르기

정답 ③

M Mom, I want to sign up for this cooking class.
W Let me see the brochure. Oh, this beginner class looks interesting.
M Yes. Can I take the class?
W Sure. Do you need anything for the class?
M I have to pay 25 dollars on the first day.

남 엄마, 저 이 요리 수업에 등록하고 싶어요.
여 안내서를 좀 보자. 오, 이 초보자 수업이 흥미로워 보이는구나.
남 네. 그 수업 들어도 돼요?
여 물론이지. 수업을 위해 필요한 게 있니?
남 첫날에 25달러를 내야 해요.

해설 | 남자가 요리 수업에 등록하고 싶다고 했고 여자가 수업에 무엇이 필요한지를 묻고 있으므로 정답은 ③ '요리 수업 등록'이다.

어휘 | sign up for ~을 등록하다, 신청하다 brochure [brouʃúər] 명 안내서, 소책자 beginner [bigínər] 명 초보자 pay [pei] 동 내다, 지불하다

11 교통수단 고르기

정답 ①

M Jimin, how was your trip to Yangpyeong?
W I took a train to go there and read a great book on the way.
M Sounds like you enjoyed the train.
W Yes. I also rode a bike in Yangpyeong to look around.
M Did you take yours?
W No. I rented one. The weather was great for bike riding too.

남 지민아, 양평 여행 어땠니?
여 그곳에 가려고 기차를 탔는데, 가는 길에 좋은 책도 한 권 읽었어.
남 기차 여행을 즐긴 것 같네.
여 응. 나는 양평에서 주변을 둘러보려고 자전거도 탔어.
남 네 것을 가져갔어?
여 아니. 빌렸어. 날씨도 자전거 타기에 좋았어.

해설 | 여자가 양평에서 주변을 둘러보려고 자전거도 탔다고 했으므로 정답은 ① '자전거'이다.

어휘 | trip [trip] 명 여행 look around 주변을 둘러보다, 돌아다니다 rent [rent] 동 빌리다

12 이유 고르기

정답 ⑤

W Good morning, Greg. Why did you get up so early?
M Good morning, Grandma. Dad is taking me fishing because he is not going to work today.
W Oh, really?
M Yes. Can I have a bowl of cereal before we leave?
W Sure. Here you go.
M Thank you, Grandma. I'm so excited!

여 잘 잤니, Greg. 왜 이렇게 일찍 일어났니?
남 안녕히 주무셨어요, 할머니. 아빠가 오늘 일하러 가지 않으셔서 저를 낚시에 데려가시기로 했어요.
여 오, 그러니?
남 네. 출발하기 전에 시리얼 한 그릇 먹어도 돼요?
여 그럼. 여기 있단다.
남 고맙습니다, 할머니. 정말 신나요!

해설 | 여자가 남자에게 왜 이렇게 일찍 일어났는지를 묻자 남자가 아빠와 낚시를 갈 것이라고 했으므로 정답은 ⑤ '낚시를 가기 위해서'이다.

어휘 | fishing [fíʃiŋ] 명 낚시 go to work 출근하다 bowl [boul] 명 그릇

13 관계 고르기

정답 ③

W Are you ready to order, sir?
M Yes. Can I get the steak and salad, please?
W I'm so sorry, but we are sold out of the steak.
M Oh, no. Then, what dish do you recommend?
W The fried rice with shrimp is also very delicious.

여 주문할 준비가 되셨나요, 손님?
남 네. 스테이크와 샐러드를 주시겠어요?
여 정말 죄송하지만, 스테이크는 다 팔렸어요.
남 오, 이런. 그럼, 어떤 요리를 추천하시나요?
여 새우볶음밥도 매우 맛있답니다.

해설 | 여자가 남자에게 주문할 준비가 되었는지를 묻자 남자가 스테이크와 샐러드를 달라는 말을 하는 것으로 보아 정답은 ③ '종업원 — 손님'이다.

어휘 | sold out of ~이 다 팔린, 매진된 recommend [rèkəménd] 동 추천하다

14 위치 고르기

정답 ③

[Cellphone rings.]
M Hello?
W Hello, Nate. Where did you put the car key?
M I think I put it on the shelf in the kitchen.
W It's not here.
M What about next to the vase?
W Oh, I see it on the chair. Thanks.

[휴대폰이 울린다.]
남 여보세요?
여 안녕, Nate. 차 열쇠 어디에 뒀니?
남 부엌에 있는 선반에 놓았던 것 같아.
여 여기에 없어.
남 꽃병 옆은?
여 오, 의자 위에 있는 게 보인다. 고마워.

해설 | 여자가 의자 위에서 차 열쇠를 발견했으므로 정답은 ③이다.

어휘 | vase [veis] 명 꽃병

15 부탁·요청한 일 고르기

정답 ①

W What's going on, Junho?
M I need to return these books by tomorrow, but the library is closed today.
W Why don't you return them tomorrow?
M My family is going camping tonight, so I don't have time.
W I can go to the library for you tomorrow.
M Really? Will you do that for me?
W Of course. No problem.

여 무슨 일이니, 준호야?
남 이 책들을 내일까지 반납해야 하는데, 도서관이 오늘 문을 닫았어.
여 내일 반납하는 게 어때?
남 우리 가족이 오늘 밤에 캠핑 갈 거라서, 시간이 없어.
여 내가 너 대신 내일 도서관에 가줄 수 있어.
남 정말? 그렇게 해줄 거야?
여 그럼. 물론이지.

해설 | 여자가 남자에게 자신이 남자 대신 내일 도서관에 가줄 수 있다고 했으므로 정답은 ① '빌린 책 반납하기'이다.

어휘 | return [ritə́:rn] 동 반납하다; 돌아오다 for [fər] 전 ~ 대신에; ~을 위해

16 제안한 일 고르기

정답 ④

M Hello. Are you Ms. Graham?
W Yes, I am. What can I help you with?
M I'm a reporter. And I want to interview you about your new toy store.
W Oh, this is my first interview. I don't know what to say.
M How about reading my question list beforehand? Here it is.
W Thank you so much.

남 안녕하세요. Graham씨 되시나요?
여 네, 그런데요. 뭘 도와드릴까요?
남 저는 기자예요. 그리고 선생님의 새 장난감 매장에 대해 인터뷰를 하고 싶습니다.
여 오, 이게 제 첫 인터뷰예요. 뭐라고 해야 할지 모르겠네요.
남 제 질문 목록을 미리 읽어보시는 것은 어떠세요? 여기 있어요.
여 정말 감사합니다.

해설 | 남자가 여자에게 질문 목록을 미리 읽어보는 것을 제안했으므로 정답은 ④ '질문 목록 읽기'이다.

어휘 | reporter [ripɔ́:rtər] 명 기자 interview [íntərvjù:] 동 인터뷰하다 명 인터뷰 beforehand [bifɔ́:hæ̀nd] 부 미리, 사전에

17 한 일 고르기

정답 ②

W Hajoon, how was your weekend?
M Hi, Sojung. It was excellent.
W What did you do?
M My family went to Hangang, and we picked up trash.
W Wow. Was there a lot of trash?
M Yes. But we threw it all away. The park looked clean after that.

여 하준아, 주말 어땠어?
남 안녕, 소정아. 정말 훌륭했어.
여 뭘 했는데?
남 우리 가족은 한강에 가서, 쓰레기를 주웠어.
여 우와. 그곳에 쓰레기가 많았니?
남 응. 근데 우리가 모두 다 버렸어. 그 뒤엔 공원이 깨끗해 보이더라.

해설 | 남자가 한강에 가서 쓰레기를 주웠다고 했으므로 정답은 ② '쓰레기 줍기'이다.

어휘 | excellent [éksələnt] 형 훌륭한, 탁월한 pick up 줍다, 집다 trash [træʃ] 명 쓰레기 throw away 버리다

18 직업 고르기

정답 ①

M Excuse me. Are you Ann Bain from the movie *Dance*?
W That's right.
M Wow! I loved that movie.
W Thank you. That's very kind.
M Is it okay if I take a picture with you? I want to show my friends.
W Sure. But just one, please.
M Thank you so much!

남 실례합니다. 영화 <Dance>에 나온 Ann Bain이세요?
여 맞아요.
남 우와! 저는 그 영화를 정말 좋아했어요.
여 감사합니다. 정말 친절하시네요.
남 같이 사진을 찍어도 괜찮을까요? 친구들에게 보여주고 싶어서요.
여 물론이죠. 근데 딱 한 장만요.
남 정말 감사합니다!

해설 | 여자가 영화 <Dance>에 나온 것이 맞다고 했으므로 정답은 ① '배우'이다.

어휘 | take a picture 사진을 찍다

19 적절한 응답 고르기

정답 ②

M Did you get a new phone, Mom?
W Yeah. But I don't know how to use it. It's very complicated.
M What do you want to do?
W I want to record a phone call.
M That's easy. Press the record button.
W Where is the record button?
M It's at the top of the screen.

남 새 휴대폰 사셨어요, 엄마?
여 응. 근데 어떻게 사용하는지 모르겠어. 정말 복잡하네.
남 뭘 하고 싶으신데요?
여 통화를 녹음하고 싶어.
남 쉬워요. 녹음 버튼을 누르세요.
여 녹음 버튼이 어디에 있니?
남 그건 화면 위쪽에 있어요.

해설 | 여자가 녹음 버튼이 어디에 있는지를 묻고 있으므로 정답은 위치를 언급하는 ② 'It's at the top of the screen.'이다.

선택지 해석

① 저 회의 중이에요. ② 그건 화면 위쪽에 있어요. ③ 휴대폰을 치워주세요. ④ 그는 여기가 처음이에요. ⑤ 수리점이 길모퉁이에 있어요.

어휘 | use [ju:z] 동 사용하다 complicated [kάmpləkèitid] 형 복잡한 record [rikɔ́:rd] 동 녹음하다; 기록하다 press [pres] 동 누르다

20 적절한 응답 고르기

정답 ①

W Excuse me. When is the dance performance?
M It starts this afternoon at 4.
W Okay. And how long does it last?
M It takes about an hour.
W That's perfect. Do I need to purchase tickets for it?
M No. It is free for all visitors.

여 실례합니다. 댄스 공연은 언제인가요?
남 오늘 오후 4시에 시작합니다.
여 그렇군요. 그리고 얼마나 오래 하나요?
남 한 시간 정도 걸려요.
여 좋네요. 표를 구매해야 하나요?
남 아니요. 모든 방문객에게 무료예요.

해설 | 여자가 댄스 공연의 표를 사야 하는지를 묻고 있으므로 정답은 표 구매 여부를 언급하는 ① 'No. It is free for all visitors.'이다.

선택지 해석

① 아니요. 모든 방문객에게 무료예요. ② 제가 출구를 알려드릴게요. ③ 당신은 연습을 더 하셔야 해요. ④ 오전에 갑시다. ⑤ 그는 가수예요.

어휘 | performance [pərfɔ́:rməns] 명 공연 last [læst] 동 지속하다, 계속되다 purchase [pə́:rtʃəs] 동 구매하다 exit [égzit] 명 출구

17회 실전 모의고사

| 문제 pp.154-155

1	②	2	③	3	③	4	②	5	③	6	③	7	①	8	④	9	⑤	10	⑤
11	③	12	②	13	④	14	②	15	①	16	④	17	③	18	③	19	②	20	④

1 화제 고르기

정답 ②

W I have a big head with round ears. I also have black and white fur. I look cute because I have black spots around my eyes. I like eating bamboo. What am I?

여 나는 둥근 귀와 큰 머리를 가지고 있습니다. 나는 또한 검은색과 하얀색 털이 있습니다. 나는 눈 주위에 검은 얼룩이 있어서 귀여워 보입니다. 나는 대나무를 먹는 것을 좋아합니다. 나는 무엇인가요?

해설 | 나(I)는 검은색과 하얀색 털이 있고 눈 주위에 검은 얼룩이 있어서 귀여워 보인다고 했으므로 정답은 ②이다.

어휘 | round [raund] 형 둥근 fur [fəːr] 명 털 spot [spɑt] 명 얼룩, 점; 장소 bamboo [bæmbúː] 명 대나무

2 알맞은 그림 고르기

정답 ③

M Hello. How can I help you?
W I'm looking for a stamp for my dad.
M How about this one with a crown?
W Hmm... I don't think he will like it.
M What about that one with a star?
W That looks nice. I'll take it.

남 안녕하세요. 무엇을 도와드릴까요?
여 아빠에게 드릴 도장을 찾고 있어요.
남 왕관이 있는 이건 어떤가요?
여 흠... 그건 아빠가 좋아하실 것 같지 않아요.
남 별이 있는 건 어떠세요?
여 좋아 보이네요. 그걸 살게요.

해설 | 남자가 별이 있는 도장은 어떤지를 묻자 여자가 좋아 보인다고 했으므로 정답은 ③이다.

어휘 | stamp [stæmp] 명 도장; 우표 crown [kraun] 명 왕관

3 날씨 고르기

정답 ③

M Good morning, everyone. Here is the world weather forecast for today. In Berlin, it's sunny now, but it will be cloudy in the afternoon. In London, there will be rain, so don't forget your umbrella. Madrid will be sunny all day long.

남 안녕하십니까, 여러분. 오늘의 세계 일기 예보입니다. 베를린은 현재 화창하지만, 오후에는 날이 흐려질 것입니다. 런던에는 비가 내릴 예정이니, 우산을 잊지 마십시오. 마드리드는 온종일 화창하겠습니다.

해설 | 런던에는 비가 내릴 것이라고 했으므로 정답은 ③이다.

어휘 | forget [fərgét] 동 잊다 umbrella [ʌmbrélə] 명 우산 all day long 온종일

4 의도 고르기

정답 ②

M Mom, look! There are rabbits near the fence.
W Wow! They're really cute.
M Can I give them carrots?
W You ate all the carrots at lunchtime.
M Can I feed them my cookies then?
W You can't do that, my boy. They may get sick.

남 엄마, 보세요! 울타리 근처에 토끼들이 있어요.
여 우와! 정말 귀엽구나.
남 토끼들에게 당근을 줘도 되나요?
여 네가 점심에 당근들을 모두 먹었잖니.
남 그럼 제 쿠키를 먹여도 되나요?
여 그건 안 된단다, 얘야. 토끼들이 아플 수도 있어.

해설 | 남자가 토끼들에게 자신의 쿠키를 줘도 되는지를 묻자 여자가 그건 안 된다고 했으므로 정답은 ② '불허'이다.

어휘 | near [niər] 전 ~의 근처에, 가까이에 fence [fens] 명 울타리 carrot [kǽrət] 명 당근 feed [fiːd] 동 먹이다, 음식을 주다

5 언급하지 않은 내용 고르기

정답 ③

W Hi, everyone. I'd like to introduce my favorite singer, Anthony Smith to you. He is from England. He started singing when he was in elementary school. He can also play the guitar and piano. He wrote many popular songs like *Happy Christmas*.

여 안녕하세요, 여러분. 여러분들에게 제가 가장 좋아하는 가수인 Anthony Smith를 소개해드리려고 합니다. 그는 영국 출신입니다. 그는 초등학교 때 노래하기 시작했습니다. 그는 또한 기타와 피아노를 연주할 수 있습니다. 그는 <Happy Christmas>와 같은 인기 있는 곡을 많이 작곡했습니다.

해설 | ① 이름(Anthony Smith), ② 출신 국가(영국), ④ 연주 악기(기타, 피아노), ⑤ 대표곡(<Happy Christmas>)에 대해 언급했으므로 정답은 ③ '데뷔 연도'이다.

어휘 | elementary school 초등학교 write [rait] 동 작곡하다; 쓰다

6 시간 정보 고르기

정답 ③

M Emily, how was your trip to Daegu?
W I really liked it, but I had a problem at the beginning of the trip.
M Oh, what happened?
W I booked the 1 p.m. train, but I couldn't catch it.
M When did you arrive at the station?
W I got there at 1:30. So I had to take the next train.

남 Emily, 대구 여행은 어땠니?
여 정말 좋았는데, 여행 초반에 문제가 있었어.
남 오, 무슨 일이었는데?
여 오후 1시 기차를 예매했었는데, 그걸 못 탔어.
남 역에 언제 도착했는데?
여 1시 30분에 도착했어. 그래서 다음 기차를 타야했어.

해설 | 여자가 1시 30분에 기차역에 도착했다고 했으므로 정답은 ③ '1:30 p.m.'이다.

어휘 | beginning [bigíniŋ] 명 시작, 처음 catch [kætʃ] 동 (버스, 기차 등을 시간 맞춰) 타다; 잡다

7 장래 희망 고르기

정답 ①

M What are you doing, Yoonji?
W I'm watching a drama. The main character is catching the criminal now.
M It sounds interesting!
W I want to solve mysterious crimes like that character.
M I believe you'll become a good detective.
W Thanks. I hope so.

남 뭐 하고 있니, 윤지야?
여 드라마를 보고 있어. 이제 주인공이 범인을 잡는 중이야.
남 흥미로운걸!
여 나도 저 등장인물처럼 불가사의한 범죄를 해결하고 싶어.
남 난 네가 좋은 형사가 될 거라고 믿어.
여 고마워. 나도 그랬으면 좋겠어.

해설 | 여자가 드라마 주인공처럼 불가사의한 범죄를 해결하고 싶다고 하자, 남자가 여자에게 좋은 형사가 될 것을 믿는다고 했으므로 정답은 ① '형사'이다.

어휘 | criminal [kríminəl] 명 범인 형 범죄의 (crime [kraim] 명 범죄) mysterious [mistíəriəs] 형 불가사의한; 신비의 believe [bilíːv] 동 믿다
detective [ditéktiv] 명 형사

8 심정 고르기

정답 ④

M Jenny, what's this trophy?
W Hi, Uncle Jack. Our girls' soccer team won the final match last week.
M Wow! Congratulations. I know that you practiced really hard for a year.
W Thank you. Our team improved so much.
M I'm so proud of you!

남 Jenny, 이 트로피는 뭐니?
여 안녕하세요, Jack 삼촌. 저희 여자 축구팀이 지난주에 결승전 경기에서 이겼어요.
남 우와! 축하한다. 네가 1년 동안 정말 열심히 연습했던 걸 알고 있단다.
여 감사합니다. 저희 팀은 정말 많이 향상되었어요.
남 네가 정말 자랑스럽구나!

해설 | 남자는 여자가 1년 동안 정말 열심히 연습해온 것을 알고 있다면서 여자가 정말 자랑스럽다고 했으므로 정답은 ④ '자랑스러움'이다.

어휘 | final match 결승전 improve [imprúːv] 동 향상하다

9 할일 고르기

정답 ⑤

W Phil, I'm glad you found a nice coat.
M Thank you. I really like the design.
W Let's go to another store and buy sweaters.
M Sounds great! But I'm a bit thirsty now.
W Well, there's a juice shop right there.
M Oh, wait here. I'll go and buy some juice.

여 Phil, 네가 근사한 코트를 찾아서 기뻐.
남 고마워. 나 이 디자인이 정말 마음에 들어.
여 다른 가게로 가서 스웨터를 사자.
남 좋아! 그런데 지금 약간 목이 말라.
여 음, 바로 저기에 주스 가게가 있어.
남 오, 여기서 기다려. 내가 가서 주스를 좀 사 올게.

해설 | 남자가 주스 가게에 가서 주스를 사 오겠다고 했으므로 정답은 ⑤ '주스 사러 가기'이다.

어휘 | sweater [swétər] 명 스웨터 a bit 약간, 조금 thirsty [θə́ːrsti] 형 목이 마른, 갈증이 난

10 주제 고르기

정답 ⑤

W Jeremy, what are you watching?
M I'm watching a news report about an accident.
W Oh, no! Was it serious?
M A car crashed into a house because of the snow. Some people are badly hurt.
W That's terrible. I'm so sad to hear that.
M Yeah. I hope they get well soon.

여 Jeremy, 뭘 보고 있니?
남 뉴스 보도에 나오는 사고 소식을 보고 있어.
여 오, 이런! 심각한 일이야?
남 눈 때문에 자동차가 한 집을 들이받았어. 몇몇 사람이 심하게 다쳤대.
여 끔찍하네. 그 소식을 듣게 돼서 너무 슬프다.
남 맞아. 그분들이 금방 회복하셨으면 좋겠어.

해설 | 남자가 지역 뉴스에 나오는 사고 소식을 보고 있다고 하면서 눈 때문에 자동차가 한 집을 들이받았다고 했으므로 정답은 ⑤ '교통사고'이다.

어휘 | crash into ~을 들이받다, 충돌하다 badly [bǽdli] 부 심하게 get well 회복하다

11 교통수단 고르기

정답 ③

M How will we get to the express bus terminal?
W I was going to ride the subway.
M But it's raining outside. And I need to carry many bags.
W Then, why don't we take a taxi?
M That will be much better.

남 우리 고속버스 터미널에 어떻게 가자?
여 난 지하철을 타려고 했었어.
남 그렇지만 밖에 비가 오고 있는걸. 그리고 난 많은 가방을 들고 가야 해.
여 그럼 우리 택시 타는 건 어때?
남 그게 훨씬 낫겠다.

해설 | 여자가 택시를 타는 것이 어떤지를 묻자 남자가 그게 훨씬 낫겠다고 했으므로 정답은 ③ '택시'이다.

어휘 | express [iksprés] 형 고속의 동 표현하다 carry [kǽri] 동 가지고 가다, 휴대하다; 나르다

12 이유 고르기

정답 ②

M Sarah, can you do me a favor?
W What is it, Dad?
M Could you go to the supermarket and buy some butter for me?
W I'm sorry, but I can't. I'm meeting my friend in 10 minutes.
M Oh, are you going somewhere?
W I promised we would watch a volleyball game together tonight.
M Okay. I'll ask your brother then.

남 Sarah, 내 부탁 좀 들어줄래?
여 뭔데요, 아빠?
남 나 대신 슈퍼마켓에 가서 버터 좀 사 와주겠니?
여 죄송한데, 그럴 수 없어요. 10분 후에 제 친구를 만날 거라서요.
남 오, 어디 갈 거니?
여 오늘 밤에 같이 배구 경기 보기로 약속했어요.
남 그렇구나. 그럼 네 남동생에게 부탁하마.

해설 | 남자가 여자에게 슈퍼마켓에 가서 버터를 사다 달라고 하자 여자가 못한다면서 10분 후에 친구를 만날 것이라고 했으므로 정답은 ② '친구를 만나야 하기 때문에'이다.

어휘 | do ~ a favor ~의 부탁을 들어주다 promise [prámis] 동 약속하다 volleyball [válibɔːl] 명 배구 ask [æsk] 동 부탁하다; 묻다, 질문하다

13 관계 고르기

정답 ④

M I'd like to borrow this book, please.	남 이 책을 대출하고 싶어요.
W Alright. Do you have a library card?	여 알겠습니다. 도서 대출증 있으세요?
M Yes. Here you go.	남 네. 여기요.
W Okay. You can borrow this book for a week.	여 네. 한 주 동안 이 책을 대출하실 수 있어요.
M That's fine. I will finish it by then.	남 괜찮아요. 그때까지는 다 읽을 거예요.
W Do you know where to return it?	여 어디에서 반납하는지 알고 계신가요?
M Yes. Thank you for your help!	남 네. 도와주셔서 감사합니다!

해설 | 남자가 책을 대출하고 싶다고 하자 여자가 도서 대출증이 있는지를 묻는 것으로 보아 정답은 ④ '도서관 사서 — 학생'이다.

어휘 | borrow [bárou] 동 대출하다, 빌리다 return [ritə́:rn] 동 반납하다; 돌아오다

14 위치 고르기

정답 ②

W Excuse me. Is there a post office near here?	여 실례합니다. 여기 근처에 우체국이 있나요?
M Yes. It's a few blocks away.	남 네. 몇 블록 떨어져 있어요.
W Okay. How can I get there?	여 그렇군요. 거기에 어떻게 갈 수 있죠?
M Go straight for two blocks, and turn right at Park Street.	남 두 블록 직진해서, 파크 가에서 우회전하세요.
W Turn right at Park Street?	여 파크 가에서 우회전이요?
M Yes. It will be on your left. It's next to the church.	남 네. 왼쪽에 있을 거예요. 교회 옆에 있어요.
W Thank you.	여 감사합니다.

해설 | 우체국은 두 블록 직진해서 파크 가에서 우회전한 다음 왼쪽, 즉 교회 옆에 있다고 했으므로 정답은 ②이다.

어휘 | post office 우체국 a few 몇, 약간의 church [tʃə:rtʃ] 명 교회

15 부탁·요청한 일 고르기

정답 ①

W Dan, did you finish your math homework?	여 Dan, 수학 숙제 끝냈니?
M I'm almost done, Mom.	남 거의 다 했어요, 엄마.
W Great. That was fast.	여 잘했네. 빨리했구나.
M I also have to finish a history essay this week, so I should work hard.	남 이번 주에 역사 에세이도 끝내야 해서, 열심히 해야 해요.
W Do you need any help?	여 도움이 필요하니?
M Can you help me with this problem? I'm not sure how to solve it.	남 이 문제 좀 도와주시겠어요? 어떻게 푸는 건지 잘 모르겠어요.
W Let me see.	여 어디 보자.

해설 | 여자가 수학 숙제를 하는 데 도움이 필요하냐고 묻자 남자가 문제 풀이를 도와달라고 부탁했으므로 정답은 ① '수학 숙제 도와주기'이다.

어휘 | almost [ɔ́:lmoust] 부 거의 problem [prábləm] 명 문제 solve [sɑ:lv] 동 풀다, 해결하다

16 제안한 일 고르기

정답 ④

M I heard you won your chess tournament, Mina.	남 네가 체스 대회에서 우승했다고 들었어, 미나야.
W I did! I beat 11 other players.	여 맞아! 다른 11명의 선수를 이겼어.
M That's impressive.	남 인상적이다.
W Are you interested in chess? You should join our after-school club.	여 너 체스에 관심 있니? 우리 방과 후 동아리에 들어와.
M Okay. Maybe I will.	남 응. 아마도 그래야겠어.
W Let's meet this afternoon. I can help you sign up.	여 오늘 오후에 만나자. 네가 가입하는 것을 도와줄 수 있어.

해설 | 여자가 방과 후 동아리에 가입하는 것을 제안했으므로 정답은 ④ '동아리 가입하기'이다.

어휘 | tournament [túərnəmənt] 명 대회 beat [bi:t] 동 이기다 impressive [imprésiv] 형 인상적인 be interested in ~에 관심이 있다
sign up 가입하다, 등록하다

17 특정 정보 고르기

정답 ③

M Erica, my brother mentioned that Square Park has a nice area for skateboarding.
W Oh, do you skateboard?
M Yes. It's my hobby. Why don't you come to the park with me?
W But I don't know how to skateboard.
M Well, I can teach you.
W Skateboarding seems too difficult for me. I'll come, but I'll ride my bike instead.

남 Erica, 내 동생이 그러는데 스퀘어 공원에 스케이트보드를 타기 좋은 장소가 있대.
여 오, 너 스케이트보드 타니?
남 응. 내 취미야. 나랑 같이 공원에 가는 게 어때?
여 그렇지만 나는 스케이트보드 탈 줄 모르는데.
남 음, 내가 가르쳐줄 수 있어.
여 스케이트보드는 나에겐 너무 어려울 것 같아. 가긴 하겠지만, 나는 대신 자전거를 탈게.

해설 | 여자가 남자와 공원에 가긴 하겠지만 자신의 자전거를 타겠다고 했으므로 정답은 ③ '자전거 타기'이다.

어휘 | skateboard [skéitbɔ:rd] 동 스케이트보드를 타다 hobby [hɑ́bi] 명 취미 seem [si:m] 동 ~인 것 같다

18 직업 고르기

정답 ③

M Yeri, your lunch looks amazing.
W Thanks! My dad made it.
M Does he cook often?
W He actually cooks in a restaurant.
M Oh, that is very cool!
W Do you want to try some?
M Yes, please!

남 예리야, 네 점심 끝내준다.
여 고마워! 우리 아빠가 만들어주셨어.
남 아버지가 자주 요리하시니?
여 그는 사실 식당에서 요리하셔.
남 오, 그거 정말 멋지다!
여 좀 먹어볼래?
남 응, 부탁할게!

해설 | 여자가 자신의 아빠가 식당에서 요리한다고 했으므로 정답은 ③ '요리사'이다.

어휘 | lunch [lʌntʃ] 명 점심 cook [kuk] 동 요리하다 often [ɔ́:fən] 부 자주 restaurant [réstərənt] 명 식당

19 적절한 응답 고르기

정답 ②

M Hi. Do you need any help?
W Yes. I'm looking for new glasses. My old ones don't fit anymore.
M Okay. Do you prefer round or square glasses?
W I prefer round ones.
M We have these black and blue frames. Which color do you like?
W I like blue.

남 안녕하세요. 도움이 필요하신가요?
여 네. 새 안경을 찾고 있어요. 쓰던 것이 더는 맞지 않아서요.
남 알겠습니다. 동그란 안경을 선호하시나요, 아니면 네모난 안경을 선호하시나요?
여 동그란 것을 선호해요.
남 검은색과 파란색 테가 있어요. 어떤 색깔을 좋아하세요?
여 저는 파란색이 좋아요.

해설 | 남자가 어떤 색깔을 좋아하는지를 묻고 있으므로 정답은 색깔을 언급하는 ② 'I like blue.'이다.

선택지 해석

① 그건 둥근 탁자 위에 있어요. ② 저는 파란색이 좋아요. ③ 그게 보이시나요? ④ 물 한 잔을 가져다드리겠습니다. ⑤ 그건 너무 작아요.

어휘 | fit [fit] 동 맞다, 적합하다 형 알맞은 prefer [prifə́:r] 동 선호하다 square [skwɛər] 형 네모난 명 정사각형 frame [freim] 명 테; 틀, 뼈대

20 적절한 응답 고르기

정답 ④

W Do you like to travel, Mike?
M Yes, I do. I travel with my family often.
W Really? Then, are you going to travel this vacation?
M Yes. I'll visit Iceland this time. What about you?
W I'm planning to go to Egypt.
M Wow, that's cool. What will you do there?
W I'll see the pyramids.

여 여행하는 거 좋아하니, Mike?
남 응, 좋아해. 나는 가족들이랑 자주 여행을 다녀.
여 정말? 그럼 이번 방학에 여행을 갈 거니?
남 응. 이번엔 아이슬란드에 갈 거야. 너는 어때?
여 나는 이집트에 갈 계획이야.
남 우와, 멋지다. 거기서 뭐 할 거니?
여 난 피라미드를 볼 거야.

해설 | 남자가 이집트에서 무엇을 할 것인지를 묻고 있으므로 정답은 할 일을 언급하는 ④ 'I'll see the pyramids.'이다.

선택지 해석

① 난 집에 가고 있어. ② 우리 비행기가 연착됐어. ③ 저분이 우리 엄마셔. ④ 난 피라미드를 볼 거야. ⑤ 그는 아이슬란드를 더 좋아해.

어휘 | travel [trǽvəl] 동 여행하다 vacation [veikéiʃən] 명 방학, 휴가 flight [flait] 명 비행기; 비행 late [leit] 형 연착한; 늦은

18회 실전 모의고사

1	④	2	⑤	3	④	4	②	5	④	6	⑤	7	④	8	②	9	①	10	②
11	②	12	④	13	③	14	②	15	④	16	①	17	⑤	18	④	19	③	20	④

1 화제 고르기

정답 ④

M This is usually made of rubber. You can remove pencil marks on your paper with this. This is usually small, so you can put it in a pencil case. What is this?

남 이것은 보통 고무로 만들어집니다. 이것으로 종이에 있는 연필 자국을 없앨 수 있습니다. 이것은 보통 작아서, 필통에 넣을 수 있습니다. 이것은 무엇인가요?

해설 | 종이에 있는 연필 자국을 없앨 수 있다고 했으므로 정답은 ④이다.

어휘 | rubber [rʌ́bər] 명 고무 remove [rimúːv] 동 없애다, 제거하다 mark [maːrk] 명 자국, 흔적 pencil case 필통

2 알맞은 그림 고르기

정답 ⑤

M Hi, I'd like to buy a notebook.
W You can choose one from here. This one has some cute dogs on it.
M But I want a notebook with rings on the side.
W What about this one with a big penguin then?
M Oh, that's perfect.

남 안녕하세요, 공책 한 권을 사고 싶어요.
여 여기서 하나 고르실 수 있어요. 이건 겉에 귀여운 강아지들 몇 마리가 있답니다.
남 근데 전 옆에 고리가 있는 공책을 원해요.
여 그럼 큰 펭귄이 있는 이건 어떠세요?
남 오, 딱 좋아요.

해설 | 남자가 옆에 고리가 있는 공책을 원한다고 했고 여자가 큰 펭귄이 있는 것이 어떤지를 묻자 남자가 딱 좋다고 했으므로 정답은 ⑤이다.

어휘 | notebook [nóutbuk] 명 공책, 노트 ring [riŋ] 명 고리; 반지 side [said] 명 옆, 측면

3 날씨 고르기

정답 ④

W Good morning. Here is the weekend weather report from ABC radio. On Saturday, the sky will be cloudy all day. On Sunday morning, it will be snowy. But on Sunday afternoon, it will be sunny. Thank you.

여 안녕하십니까. ABC 라디오의 주말 일기 예보입니다. 토요일에는 하늘이 온종일 흐리겠습니다. 일요일 오전에는 눈이 내리겠습니다. 그러나 일요일 오후에는 맑을 것입니다. 감사합니다.

해설 | 일요일 오전에는 눈이 내리겠다고 했으므로 정답은 ④이다.

어휘 | weekend [wíːkend] 명 주말 snowy [snóui] 형 눈이 내리는

4 의도 고르기

정답 ②

M Mom, can I use your bike after school?
W Yes. Why do you need it?
M Sam and I are going to the comic book store to check for a new series.
W I see. When will you come home?
M We'll come home before dinner.
W Okay. Don't forget to wear your helmet.

남 엄마, 학교 끝나고 엄마 자전거 좀 써도 돼요?
여 그럼. 그게 왜 필요하니?
남 Sam이랑 저는 새로 나온 후속편을 확인하러 만화책 가게에 가려고요.
여 그렇구나. 집에 언제 올 거니?
남 저녁 식사 전엔 집에 올게요.
여 그래. 헬멧 쓰는 거 잊지 말렴.

해설 | 남자가 학교 끝나고 여자의 자전거를 써도 되는지를 묻자 여자가 쓰라고 하며 헬멧을 쓰는 것을 잊지 말라고 했으므로 정답은 ② '당부'이다.

어휘 | bike [baik] 명 자전거 comic book 만화책 wear [wɛər] 동 쓰다, 입다

5 언급하지 않은 내용 고르기

정답 ④

M Let me tell you about my bucket list. I want to travel around the world. While I'm traveling, I'd like to collect 100 stamps from different countries. Also, I hope to learn Spanish because so many people speak it. Lastly, I want to read 500 books.

남 여러분들에게 제 버킷 리스트에 대해 말씀드리겠습니다. 저는 세계 일주를 하고 싶습니다. 여행하는 동안에, 다른 나라들의 우표 100개를 모으고 싶습니다. 또한, 스페인어를 배우고 싶은데 왜냐하면 많은 사람이 쓰기 때문입니다. 마지막으로, 전 500권의 책을 읽고 싶습니다.

해설 | ① 세계 여행하기, ② 우표 100개 모으기, ③ 스페인어 배우기, ⑤ 책 500권 읽기를 언급했으므로 정답은 ④ 'TV 출연하기'이다.

어휘 | bucket list 버킷 리스트(죽기 전에 꼭 해야 할 일) stamp [stæmp] 명 우표 speak [spi:k] 동 (어떤 종류의 언어를) 쓰다; 말하다 lastly [lǽstli] 부 마지막으로

6 시간 정보 고르기

정답 ⑤

M Emily, did you watch *Octopus Man 2*?
W Not yet. I'm planning to watch it today.
M Oh, can I join you?
W Sure. Let's meet at the movie theater at 5 p.m.
M Okay. When does the movie begin?
W It begins at 5:30 p.m.

남 Emily, <Octopus Man 2> 봤니?
여 아니 아직. 오늘 그걸 볼 계획이야.
남 오, 나도 같이 가도 돼?
여 물론이지. 오후 5시에 영화관에서 만나자.
남 알겠어. 영화는 언제 시작하니?
여 오후 5시 30분에 시작해.

해설 | 여자가 영화는 오후 5시 30분에 시작한다고 했으므로 정답은 ⑤ '5:30 p.m.'이다.

어휘 | plan [plæn] 동 계획하다

7 장래 희망 고르기

정답 ④

[Telephone rings.]
M Hello?
W Alex, this is Jiyoon. I'd like to invite you to my band's concert.
M Oh, didn't you form that band with your friends?
W Yeah. I can give you a free ticket.
M Thanks! By the way, do you sing in the band?
W No. I play the guitar. It's my dream to become a great guitarist like Jimmy Hendrix.
M That's so cool!

[전화기가 울린다.]
남 여보세요?
여 Alex, 나 지윤이야. 널 우리 밴드 콘서트에 초대하고 싶어.
남 오, 너 친구들과 함께 그 밴드 결성하지 않았어?
여 맞아. 내가 무료 표를 줄 수 있어.
남 고마워! 그런데, 넌 밴드에서 노래를 하니?
여 아니. 나는 기타를 쳐. 지미 헨드릭스처럼 훌륭한 기타리스트가 되는 게 내 꿈이야.
남 그거 멋지다!

해설 | 여자가 훌륭한 기타리스트가 되는 것이 꿈이라고 했으므로 정답은 ④ '기타리스트'이다.

어휘 | concert [kɑ́:nsərt] 명 콘서트, 연주회 form [fɔ:rm] 동 결성하다 명 형태 by the way 그런데 guitar [gitɑ́:r] 명 기타

8 심정 고르기

정답 ②

M Mia, did you read the book, *Sylvie in Paris*?
W Yes. I just finished it.
M What do you think about the main character, Sylvie?
W I feel bad for her. She had a really hard life.
M Oh, right. I was sorry for Sylvie too.
W I'm going to cry again when I think of her.

남 Mia, 너 <Sylvie in Paris>라는 책 읽었니?
여 응. 방금 다 읽었어.
남 주인공 Sylvie에 대해 어떻게 생각해?
여 그녀가 안쓰러워. 그녀는 정말 힘겨운 삶을 살았어.
남 오, 맞아. 나도 역시 Sylvie가 안타까웠어.
여 그녀를 생각하니 또 눈물이 날 것 같아.

해설 | 여자가 책의 주인공에 대해 안쓰러움을 느꼈고 그녀를 생각하니 또 눈물이 날 것 같다고 했으므로 정답은 ② 'sad'이다.

선택지 해석

① 수줍은 ② 슬픈 ③ 행복한 ④ 평화로운 ⑤ 신난

어휘 | main character 주인공, 주요 인물 feel bad for 안쓰럽다 peaceful [pí:sfəl] 형 평화로운

9 할 일 고르기

정답 ①

W Hi, Noah. How was your weekend?
M I went to the beach with my family. What about you?
W I visited Lisa in the hospital.
M Oh, what happened?
W She fell off her bike on Saturday.
M I didn't know that. I will visit her in the hospital right now.

여 안녕, Noah. 주말 어땠니?
남 가족이랑 해변에 갔어. 너는?
여 Lisa의 병문안을 갔어.
남 오, 무슨 일 있었어?
여 그녀가 토요일에 자전거에서 떨어졌거든.
남 난 몰랐어. 지금 당장 병원에 병문안을 가야겠어.

해설 | 남자가 당장 Lisa의 병문안을 가야겠다고 했으므로 정답은 ① '병문안 가기'이다.

어휘 | beach [biːtʃ] 명 해변 fall off 떨어지다 right now 지금 당장

10 주제 고르기

정답 ②

W Nick, did you hear about the new smartphone?
M Yes. But I don't know the details.
W I watched an online video about the smartphone.
M Does it have a nice camera?
W Yes. It can take pictures of objects far away.
M Wow, I want to buy it!

여 Nick, 너 새로 나온 스마트폰에 대해 들었니?
남 응. 그런데 자세한 내용은 몰라.
여 난 그 스마트폰에 관한 온라인 영상을 봤어.
남 좋은 카메라가 장착되어 있어?
여 응. 멀리 떨어져 있는 물체도 찍을 수 있어.
남 우와, 그거 사고 싶다!

해설 | 여자가 온라인 영상을 보고 알게 된 새로 나온 스마트폰에 대해 설명하고 있으므로 정답은 ② '스마트폰 신제품'이다.

어휘 | detail [ditéil] 명 자세한 내용, 세부 사항 object [ábdʒikt] 명 물체, 물건 far away 멀리 떨어져 있는

11 교통수단 고르기

정답 ②

W Inho, how can we get to Gwangju?
M Let's check on the Internet. *[Pause]* A train or a bus can take us there.
W What would you like to take?
M The train is more expensive, so I want to take the bus.
W Good point. Oh, wait. I usually feel sick on the bus.
M Okay. Let's ride the train then.
W Thank you for understanding.

여 인호야, 우리 광주에 어떻게 가야 할까?
남 인터넷에서 확인해보자. *[잠시 멈춤]* 기차나 버스로 거기까지 갈 수 있어.
여 넌 뭘 타고 싶은데?
남 기차가 더 비싸서, 버스를 타고 싶어.
여 좋은 지적이야. 오, 잠깐만. 난 보통 버스를 타면 속이 울렁거려.
남 알겠어. 기차를 타자, 그럼.
여 이해해줘서 고마워.

해설 | 여자가 보통 버스를 타면 속이 울렁거린다고 하자 남자가 기차를 타자고 했으므로 정답은 ② '기차'이다.

어휘 | expensive [ikspénsiv] 형 비싼 feel sick 속이 울렁거리다 ride [raid] 동 타다 understand [ʌ̀ndərstǽnd] 동 이해하다

12 이유 고르기

정답 ④

M Do you need to keep anything from this box, Minju?
W Can I keep the blue mat?
M Are you sure? It's so dirty.
W I need something to put my shoes on, and it looks perfect.
M Okay. Go ahead and take it.
W Thanks!

남 이 상자에서 계속 가지고 있어야 하는 것이 있니, 민주야?
여 파란색 매트를 가지고 있어도 돼?
남 정말이야? 그거 정말 더러운데.
여 내 신발을 올려둘 뭔가가 필요한데, 그게 딱 적당해 보여.
남 알겠어. 그걸 가져가.
여 고마워!

해설 | 여자가 신발을 올려둘 무언가가 필요한데 파란색 매트가 적당해 보인다고 했으므로 정답은 ④ '신발을 올려두기 위해서'이다.

어휘 | keep [kiːp] 동 가지고 있다, 유지하다 mat [mæt] 명 매트, 돗자리 dirty [də́ːrti] 형 더러운 put on 올려두다

13 장소 고르기

정답 ③

W This painting is interesting.
M Yes. The girl in it looks very serious.
W Yeah. The colors are also dark.
M I agree. Let's go to the next exhibition hall.
W What kind of art is there?
M There is a collection of Greek sculptures.

여 이 그림 흥미롭다.
남 응. 그림 속 소녀가 몹시 심각해 보여.
여 그러게. 색감도 어둡네.
남 동감이야. 다음 전시장으로 가자.
여 거기에는 어떤 종류의 미술품이 있어?
남 거기에는 그리스 조각품 컬렉션이 있어.

해설 | 여자가 그림이 흥미롭다고 말했고 다음 전시장에 어떤 미술품이 있는지 묻는 것으로 보아 정답은 ③ '미술관'이다.

어휘 | serious [síəriəs] 형 심각한, 진지한 agree [əgríː] 동 동감이다; 동의하다 exhibition hall 전시장 Greek [griːk] 형 그리스의 sculpture [skʌ́lptʃər] 명 조각품, 조각

14 위치 고르기

정답 ②

M Turn off the TV, Sujin. You're not watching it.
W Alright, Dad. Where did I put the remote control?
M Hmm... Isn't it on the table?
W No. I already checked the table, but it's not there.
M How about looking on the sofa?
W Umm... *[Pause]* Oh, I found it. It was behind the cushion.

남 TV 끄렴, 수진아. 너 안 보고 있잖니.
여 알겠어요, 아빠. 제가 리모컨을 어디에 뒀죠?
남 흠... 탁자 위에 있지 않니?
여 아뇨. 이미 탁자를 확인했는데, 거기에 없어요.
남 소파 위를 보는 건 어때?
여 음... *[잠시 멈춤]* 오, 찾았어요. 쿠션 뒤에 있었네요.

해설 | 여자가 쿠션 뒤에서 리모컨을 찾았으므로 정답은 ②이다.

어휘 | turn off 끄다 remote control 리모콘

15 부탁·요청한 일 고르기

정답 ④

M Sarah, do you remember the homework for English class?
W You mean the essay about a friend?
M Yes. I wrote about Sam. But my printer isn't working.
W What can I do to help you?
M Can you print my essay for me?
W Sure. No problem.

남 Sarah, 영어 수업 숙제 기억하지?
여 친구에 관한 에세이 말하는 거야?
남 응. 난 Sam에 대해서 썼어. 그런데 내 프린터기가 작동을 안 해.
여 내가 뭘 도와주면 될까?
남 내 에세이 좀 출력해줄래?
여 그럼. 물론이지.

해설 | 남자가 여자에게 영어 숙제로 쓴 에세이를 출력해달라고 부탁했으므로 정답은 ④ '숙제 출력하기'이다.

어휘 | remember [rimémbər] 동 기억하다 essay [ései] 명 에세이, 논문 print [print] 동 출력하다, 인쇄하다

16 제안한 일 고르기

정답 ①

W Did you know a giraffe can touch its ear with its tongue?
M No. How do you know that?
W I read a book about giraffes yesterday.
M I want to read that book too.
W How about borrowing the book at the library?
M Yes. I'll go there later.

여 너 기린은 혀가 귀에 닿을 수 있다는 것 알고 있어?
남 아니. 그걸 어떻게 알고 있는 거야?
여 어제 기린에 관한 책을 읽었거든.
남 나도 그 책을 읽어보고 싶어.
여 도서관에서 그 책을 빌리는 게 어때?
남 그래. 나중에 가볼게.

해설 | 여자가 남자에게 도서관에서 책을 빌리는 것을 제안했으므로 정답은 ① '책 대출하기'이다.

어휘 | giraffe [dʒəræ̃f] 명 기린 tongue [tʌŋ] 명 혀

17 한 일 고르기

정답 ⑤

W Junho, how was your winter vacation?
M Great! I visited Hwacheon with my family.
W Oh, what did you do there?
M I went ice fishing. How was your vacation?
W I picked tangerines on my grandmother's farm. It's in Jeju.
M That sounds like fun.

여 준호야, 겨울 방학 어땠니?
남 좋았어! 가족과 함께 화천에 방문했거든.
여 오, 거기서 뭘 했니?
남 얼음낚시를 갔어. 네 방학은 어땠어?
여 난 할머니 댁 농장에서 귤을 땄어. 제주에 있거든.
남 재미있었겠다.

해설 | 여자는 겨울 방학에 할머니 댁 농장에서 귤을 땄다고 했으므로 정답은 ⑤ '농장에서 일하기'이다.

어휘 | ice fishing 얼음낚시 pick [pik] 동 (과일을) 따다; 고르다 tangerine [tændʒəríːn] 명 귤

18 직업 고르기

정답 ④

W I'm Rita from *Sports Today*. Today, we have Fred Powell here in the studio.
M Good afternoon.
W So, how was the game today?
M Well, we didn't win. It was a tough game.
W I'm sure you will do better on the next game.
M We'll prepare harder.
W Anything to say to your team as a captain?
M Yeah. You did a good job today. Let's win the next game!

여 <Sports Today>의 Rita입니다. 오늘, 스튜디오에 Fred Powell을 모셨습니다.
남 안녕하세요.
여 자, 오늘 경기는 어땠나요?
남 음, 저희가 이기지는 못했어요. 힘든 경기였습니다.
여 다음 경기에서는 분명히 더 잘하실 거예요.
남 저희는 더 열심히 준비할 겁니다.
여 주장으로서 팀에게 할 말이 있으신가요?
남 네. 너희 오늘 잘했어. 다음 경기는 이기자!

해설 | 남자가 오늘 이기지 못했고 힘든 경기였다고 했으며 여자가 주장으로서 팀에게 할 말이 있냐고 물은 것으로 보아 정답은 ④ '운동선수'이다.

어휘 | tough [tʌf] 형 힘든, 어려운; 단단한 captain [kǽptin] 명 주장; 선장

19 적절한 응답 고르기

정답 ③

W Can you take a photo of me, Honey?
M Sure. Where do you want to take it?
W Next to the tree with the flowers.
M Okay. I will also take a picture of you in front of the lake.
W That will look nice. Do you want to take one too?
M No, that's okay.

여 내 사진 한 장만 찍어줄래, 여보?
남 물론이지. 어디에서 찍고 싶은데?
여 꽃이 핀 나무 옆에서.
남 알겠어. 호수 앞에서도 또 사진 찍어줄게.
여 그러면 근사해 보이겠어. 당신도 한 장 찍어줄까?
남 아니, 괜찮아.

해설 | 여자가 남자에게 사진을 찍어주길 원하는지 묻고 있으므로 정답은 의사를 표현하는 ③ 'No, that's okay.'이다.

선택지 해석

① 난 식구가 적어. ② 카메라를 보고 웃어 봐. ③ 아니, 괜찮아. ④ 그 꽃들 좋은 향이 나. ⑤ 그건 불공평해.

어휘 | in front of ~의 앞에 lake [leik] 명 호수 fair [fɛər] 형 공평한, 공정한

20 적절한 응답 고르기

정답 ④

M Hey, Rachel. Why are you late today?
W The traffic was bad, so I was stuck on the road for an hour.
M Oh, no. Why was it so bad?
W The traffic lights were broken.
M You must be upset.
W Yes. I will take the subway tomorrow.
M That's a good idea.

남 안녕, Rachel. 오늘 왜 늦었니?
여 교통이 안 좋아서, 한 시간 동안이나 도로에 갇혀있었어.
남 오, 이런. 왜 그렇게 안 좋았던 거야?
여 신호등이 고장 났더라고.
남 속상했겠구나.
여 응. 내일은 지하철을 탈 거야.
남 좋은 생각이야.

해설 | 여자가 내일은 지하철을 탈 것이라고 자신의 의견을 말하고 있으므로 정답은 의견에 동의하는 ④ 'That's a good idea.'이다.

선택지 해석

① 난 일찍 일어났어. ② 나 사고를 당했어. ③ 오랜만이야. ④ 좋은 생각이야. ⑤ 항상 조심히 운전해.

어휘 | traffic [trǽfik] 명 교통, 교통량 (traffic light 신호등) stuck [stʌk] 형 갇힌 accident [ǽksidənt] 명 사고 carefully [kέərfəli] 부 조심히, 주의하여

19회 실전 모의고사

| 문제 pp.170-171

1	①	2	⑤	3	⑤	4	③	5	④	6	③	7	②	8	⑤	9	③	10	②
11	④	12	⑤	13	②	14	②	15	①	16	③	17	④	18	④	19	①	20	②

1 화제 고르기

정답 ①

M You can find me in Australia. My fur is brown. I have a large tail and strong legs. I can jump well with two feet. I have a pocket in front of my belly. My baby lives in it. What am I?

남 나를 호주에서 찾을 수 있습니다. 나의 털은 갈색입니다. 나는 큰 꼬리와 튼튼한 다리를 가지고 있습니다. 나는 두 개의 발로 점프를 잘 할 수 있습니다. 나는 배 앞에 주머니를 가지고 있습니다. 나의 새끼가 그 안에서 삽니다. 나는 누구인가요?

해설 | 나(I)는 호주에서 찾을 수 있고 배 앞에 주머니가 있으며 새끼가 그 안에서 산다고 했으므로 정답은 ①이다.

어휘 | find [faind] 동 찾다 tail [teil] 명 꼬리 pocket [pákit] 명 주머니 belly [béli] 명 배

2 알맞은 그림 고르기

정답 ⑤

M You're carrying a nice bag, Mina. Where did you get it?
W Actually, I made it.
M That's cool. The cat on it looks so cute.
W Thank you. I like it too.
M But you have a parrot, don't you?
W Yes. But drawing a cat is easier.

남 멋진 가방을 메고 있구나, 미나야. 그거 어디서 샀어?
여 사실은, 내가 만들었어.
남 멋지다. 위에 그려진 고양이가 정말 귀여워.
여 고마워. 나도 마음에 들어.
남 그런데 너는 앵무새를 키우잖아, 그렇지 않니?
여 맞아. 그렇지만 고양이 그리는 게 더 쉬워.

해설 | 남자가 여자의 가방 위에 그려진 고양이가 정말 귀엽다고 했으므로 정답은 ⑤이다.

어휘 | parrot [pǽrət] 명 앵무새

3 날씨 고르기

정답 ⑤

W Here is the weather forecast. It will rain all this week. But on Friday night, the rain will stop. On Saturday, it will still be a bit cloudy and windy. On Sunday, we will have sunny skies and warm spring weather. So, go out and enjoy the beautiful flowers.

여 일기 예보입니다. 이번 주 내내 비가 내릴 예정입니다. 하지만 금요일 밤에는 비가 그칠 것입니다. 토요일에는 여전히 약간 흐리고 바람이 불겠습니다. 일요일에는 화창한 하늘과 따뜻한 봄 날씨가 되겠습니다. 그러니, 밖에 나가서 아름다운 꽃을 즐기십시오.

해설 | 일요일에 화창한 하늘과 따뜻한 봄 날씨가 될 것이라고 했으므로 정답은 ⑤이다.

어휘 | a bit 약간, 조금 spring [spriŋ] 명 봄 enjoy [indʒɔ́i] 동 즐기다 beautiful [bjúːtəfəl] 형 아름다운

4 의도 고르기

정답 ③

M Jenna, you look angry.
W I am so angry at my brother.
M Why?
W He broke my laptop, and it won't turn on.
M Did you go to a repair center?
W Not yet. Can you please search for one for me on the Internet?

남 Jenna, 너 화나 보이네.
여 난 남동생한테 엄청 화났어.
남 왜?
여 그가 내 노트북을 고장 냈는데, 이게 켜지지 않아.
남 수리 센터에 가봤어?
여 아직. 날 위해 인터넷에서 하나 찾아줄 수 있어?

해설 | 여자가 인터넷에서 수리 센터를 찾아달라고 했으므로 정답은 ③ '부탁'이다.

어휘 | angry [ǽŋgri] 형 화난 break [breik] 동 고장 내다; 깨다 laptop [lǽptɑp] 명 노트북 turn on 켜지다, 켜다 search [səːrtʃ] 동 찾다; 수색하다

5 언급하지 않은 내용 고르기

정답 ④

M Let me tell you about our family garden. My sisters and I named it Happy Garden. We grow many kinds of vegetables like lettuce, carrots, and tomatoes there. We water our garden every morning. On Sundays, we pick the vegetables, and my parents cook breakfast with them. We also share the vegetables with our neighbors.

남 저희 텃밭에 대해 말씀드리겠습니다. 제 여동생들과 저는 그곳을 Happy Garden이라고 이름 지었습니다. 저희는 그곳에서 상추, 당근, 토마토와 같은 많은 종류의 채소를 키웁니다. 저희는 매일 아침 텃밭에 물을 줍니다. 일요일마다 저희는 채소들을 따고, 부모님께서는 그것들로 아침을 요리하십니다. 저희는 또한 이웃들과 채소를 나눠 먹습니다.

해설 | ① 텃밭 이름(Happy Garden), ② 키우는 채소 종류(상추, 당근, 토마토 등), ③ 물 주는 때(매일 아침), ⑤ 채소 활용 방법(아침으로 요리, 이웃과 나눔)을 언급했으므로 정답은 ④ '텃밭 위치'이다.

어휘 | family garden 텃밭 name [neim] 동 이름을 지어주다 명 이름 lettuce [létis] 명 상추 water [wɔ́:tər] 동 물을 주다 pick [pik] 동 따다; 고르다

6 시간 정보 고르기

정답 ③

M Can I help you?
W I'd like to sign up for a swimming class.
M There are classes for beginners on Monday, Tuesday, and Thursday.
W School ends at 3 o'clock, so I can't take any classes before 3:30.
M All the classes start at 4.
W Great! I'll take a Tuesday class then.

남 도와드릴까요?
여 수영 수업을 등록하고 싶은데요.
남 월요일, 화요일, 목요일에 초보자용 수업이 있어요.
여 학교가 3시에 끝나서, 3시 30분 전에는 수업을 들을 수가 없어요.
남 모든 수업은 4시에 시작해요.
여 잘됐네요! 그럼 화요일 수업을 들을게요.

해설 | 남자가 모든 수영 수업이 4시에 시작한다고 했으므로 정답은 ③ '4:00 p.m.'이다.

어휘 | sign up for ~을 등록하다, 신청하다 beginner [bigínər] 명 초보자

7 장래 희망 고르기

정답 ②

M Hey, Jess. Are you free this Saturday?
W Yes, I'm free.
M Will you come watch our club's play? I wrote it.
W I didn't know you liked writing.
M I want to be a famous writer.
W Then, I'll go watch the play to support you.
M Great. Come and enjoy!
W Alright. See you on Saturday.

남 안녕, Jess. 이번 주 토요일에 한가하니?
여 응, 한가해.
남 우리 동아리 연극 보러 올래? 내가 썼거든.
여 네가 글쓰기를 좋아하는지 몰랐어.
남 난 유명한 작가가 되고 싶어.
여 그렇다면, 너를 응원하기 위해서 연극을 보러 갈게.
남 좋아! 와서 재미있게 봐.
여 알겠어. 토요일에 보자.

해설 | 남자가 유명한 작가가 되고 싶다고 했으므로 정답은 ② '작가'이다.

어휘 | play [plei] 명 연극 support [səpɔ́:rt] 동 응원하다, 지원하다

8 심정 고르기

정답 ⑤

W Eric, what's wrong?
M I just came from the animal hospital.
W Oh, no! Is your dog sick?
M No. It's my hamster, Tori. She got sick last night. I'm so worried.
W I'm so sorry to hear that. I'm sure she'll get better soon.

여 Eric, 무슨 문제라도 있어?
남 방금 동물병원에서 돌아왔어.
여 오, 이런! 너희 개가 아프니?
남 아니. 내 햄스터 토리가. 어젯밤에 아팠어. 나 정말 걱정돼.
여 그 말을 들으니 너무 안타깝다. 분명히 금방 나아질 거야.

해설 | 남자가 자신의 햄스터가 어젯밤에 아팠고 햄스터 때문에 정말 걱정된다고 했으므로 정답은 ⑤ '걱정스러움'이다.

어휘 | sick [sik] 형 아픈 get better (병이) 나아지다

9 할 일 고르기

정답 ③

[Telephone rings.]
W Hi, Ben. What are you doing?
M I'm watching TV. What's up?
W I'm going to go hiking in the afternoon. Do you want to join me?
M I think it's going to rain in the afternoon.
W Oh, really?
M Yeah. Let me check the weather forecast again first.

[전화기가 울린다.]
여 안녕, Ben. 뭐 하고 있니?
남 TV 보고 있어. 무슨 일이야?
여 나 오후에 하이킹을 하러 갈 거야. 나랑 같이 갈래?
남 오후에 비가 올 것 같아.
여 오, 정말?
남 응. 먼저 일기 예보를 다시 확인해볼게.

해설 | 남자가 먼저 일기 예보를 다시 확인해보겠다고 했으므로 정답은 ③ '날씨 확인하기'이다.

어휘 | go hiking 하이킹 하러 가다 again [əgén] 부 다시, 한 번 더

10 주제 고르기

정답 ②

W Junho, will you go to Blue Play's concert tomorrow?
M Yes, I will. I love their songs.
W Same here. I also like to watch their live performances.
M What about going to the concert together?
W That would be nice. Do you want to get there an hour early?
M Sounds great. Shall we meet in front of the subway station?
W Sure. See you tomorrow.

여 준호야, 내일 Blue Play의 콘서트에 갈 거니?
남 응, 갈 거야. 그들의 노래를 정말 좋아하거든.
여 나도 마찬가지야. 나도 그들의 라이브 공연 보는 거 좋아해.
남 콘서트에 함께 가는 게 어때?
여 그럼 좋지. 거기에 1시간 일찍 갈래?
남 좋아. 지하철역 앞에서 만날까?
여 그래. 내일 만나.

해설 | 여자가 남자에게 내일 콘서트에 갈 것인지를 물었고 남자가 같이 가자고 하고 있으므로 정답은 ② '콘서트 가기'이다.

어휘 | same here 나도 마찬가지이다 live [laiv] 형 라이브의, 실황인 [liv] 동 살다 performance [pərfɔ́:rməns] 명 공연

11 교통수단 고르기

정답 ④

W Justin, I think we should go home now.
M Oh, sure. I really liked the pasta at this restaurant.
W Me too. By the way, how will you go home?
M I'm going to take a subway. What about you?
W I'll take a bus. I like to look out the window.
M Can I join you?
W Of course. Let's take a bus together.

여 Justin, 우리 지금 집에 가야 할 거 같아.
남 오, 그래. 이 식당 파스타가 정말 좋았어.
여 나도 그랬어. 집에 어떻게 갈 거니?
남 지하철 탈 거야. 너는?
여 나는 버스 탈 거야. 창문 밖을 보는 걸 좋아하거든.
남 같이 가도 돼?
여 물론이지. 같이 버스 타자.

해설 | 남자가 같이 가도 되는지를 묻자 여자가 물론이라며 같이 버스를 타자고 했으므로 정답은 ④ '버스'이다.

어휘 | restaurant [réstərənt] 명 식당

12 이유 고르기

정답 ⑤

W Excuse me. The cafeteria isn't open today.
M Really? Why not?
W We are painting the walls now.
M Oh, okay. That's why it smells so bad.
W Yes. But we will finish by tomorrow.
M No problem. I will just eat somewhere else.

여 실례합니다. 오늘은 구내식당이 문을 열지 않아요.
남 그래요? 왜 안 여나요?
여 지금 벽에 페인트칠을 하고 있어서요.
남 오, 그렇군요. 그래서 이렇게 고약한 냄새가 나는 거군요.
여 네. 하지만 내일까지는 끝낼 거예요.
남 괜찮아요. 그냥 다른 곳에서 먹을게요.

해설 | 여자가 오늘은 구내식당이 문을 열지 않는다고 하면서 지금 벽에 페인트칠을 하고 있다고 했으므로 정답은 ⑤ '페인트칠 중이어서'이다.

어휘 | cafeteria [kæfətíəriə] 명 구내식당, 간이식당 wall [wɔ:l] 명 벽 smell [smel] 동 냄새가 나다 by [bai] 전 ~까지는; ~옆에

13 장소 고르기

정답 ②

W Please have a seat in this chair.
M Thank you.
W What can I do for you today?
M I'd like to have a haircut and dye my hair brown.
W Okay. Please wait while I get my scissors.

여 이 의자에 앉으세요.
남 감사합니다.
여 오늘 무엇을 해드릴까요?
남 머리를 자르고 갈색으로 염색하고 싶어요.
여 알겠습니다. 가위를 가져올 동안 기다려주세요.

해설 | 남자가 머리카락을 자르고 갈색으로 염색하고 싶다고 하자 여자가 가위를 가져올 동안 기다리라는 말을 하는 것으로 보아 정답은 ② '미용실'이다.

어휘 | have a seat 앉다 have a haircut 머리를 자르다 dye [dai] 동 염색하다 scissors [sízərz] 명 가위

14 위치 고르기

정답 ②

W Hi, Brian. What are you searching for on the Internet?
M I'm looking for a flower shop. It's my Mom's birthday.
W Really? I know a place.
M Great! How can I get there?
W Go straight two blocks, and turn right.
M Okay.
W It'll be on your left. It's next to the bakery.
M Thanks. I'll go there now.

여 안녕, Brian. 인터넷에서 무엇을 검색하고 있니?
남 꽃집을 찾고 있어. 엄마 생신이거든.
여 정말? 나 한 곳 알고 있어.
남 잘됐다! 거기 어떻게 갈 수 있어?
여 두 블록 직진해서, 우회전해.
남 알겠어.
여 네 왼쪽에 있을 거야. 제과점 옆에 있어.
남 고마워. 지금 거기로 갈게.

해설 | 꽃집은 두 블록 직진해서 우회전한 다음 왼쪽, 즉 제과점 옆에 있다고 했으므로 정답은 ②이다.

어휘 | search [səːrtʃ] 동 검색하다; 수색하다

15 부탁·요청한 일 고르기

정답 ①

M Lina, are you playing music in your room?
W No, Dad. I wasn't listening to music.
M Then, what is the sound in your room?
W Oh, I was watching a movie. Was it loud?
M Yes. Can you turn down the volume?
W Oops. I'm sorry. I will do it right away.
M Thank you.

남 Lina, 네 방에서 음악 틀어놓고 있니?
여 아니요, 아빠. 저 음악 듣고 있지 않았어요.
남 그럼, 네 방에서 나는 소리는 뭐니?
여 오, 저 영화 보고 있었어요. 소리가 컸어요?
남 그래. 음량 좀 줄여줄래?
여 이런, 죄송해요. 바로 줄일게요.
남 고맙구나.

해설 | 남자가 여자에게 음량을 줄여달라고 부탁했으므로 정답은 ① '음량 줄이기'이다.

어휘 | loud [laud] 형 (소리가) 큰 부 큰 소리로 turn down 줄이다, 낮추다; 거절하다 volume [válju:m] 명 음량; 용량

16 제안한 일 고르기

정답 ③

[Telephone rings.]
M Hello, Tina. This is Sam.
W Hi, Sam. What's going on?
M Could you lend me your ski boots? I'm going skiing this weekend.
W I'd love to, but I'm afraid my ski boots will be too small for you.
M Hmm... What should I do?
W How about visiting the rental center in the resort? They'll have your size.
M That's a good idea.

[전화기가 울린다.]
남 안녕, Tina. 나 Sam이야.
여 안녕, Sam. 무슨 일이니?
남 네 스키 부츠 좀 빌려줄래? 이번 주말에 스키 타러 갈 거거든.
여 그러고 싶은데, 내 스키 부츠가 너한테 너무 작을 거 같아.
남 흠... 어떻게 해야 할까?
여 리조트 안에 있는 대여소에 가보는 게 어때? 거기에는 네 사이즈가 있을 거야.
남 좋은 생각이야.

해설 | 여자가 남자에게 리조트 안에 있는 대여소에 가보는 것을 제안했으므로 정답은 ③ '대여소 방문하기'이다.

어휘 | rental center 대여소

17 할 일 고르기

정답 ④

M Mom, did you order a cake for Dad's birthday?
W Not yet. Why?
M I read a recipe online, and I want to bake it for him.
W That's great. Do you need anything?
M I need to buy some ingredients. Can you go to the supermarket with me on Friday?
W Yes. Then, we can bake the cake on Saturday.

남 엄마, 아빠 생신 케이크 주문하셨어요?
여 아직. 왜 그러니?
남 온라인에서 레시피를 읽어봤는데, 제가 아빠를 위해 그걸 구워드리고 싶어서요.
여 그거 좋구나. 필요한 게 있니?
남 재료를 좀 사야 해요. 금요일에 저랑 슈퍼마켓에 가주실 수 있어요?
여 그래. 그럼, 토요일에 케이크를 구울 수 있겠구나.

해설 | 남자가 여자에게 금요일에 자신과 슈퍼마켓에 가달라고 하자 여자가 그러겠다고 했으므로 정답은 ④ '슈퍼마켓 가기'이다.

어휘 | recipe [résəpi] 명 레시피, 요리법 ingredient [ingríːdiənt] 명 재료

18 직업 고르기

정답 ④

M Hi, Sumin. It's nice to see you again.
W Good morning, Dr. Kim.
M Do you brush your teeth regularly?
W Yes. I brush them three times a day.
M That's good. Are you ready to begin now?
W Yes, I am.
M Okay. Please open your mouth wide.

남 안녕, 수민아. 다시 만나서 반가워.
여 안녕하세요, 김 선생님.
남 이는 규칙적으로 닦니?
여 네. 하루에 세 번 닦아요.
남 좋아. 이제 시작할 준비됐니?
여 네, 됐어요.
남 그래. 입을 크게 벌려 보렴.

해설 | 남자가 여자에게 이를 규칙적으로 닦는지를 물었고 입을 크게 벌려 보라고 하는 것으로 보아 정답은 ④ '치과 의사'이다.

어휘 | brush [brʌʃ] 동 닦다 명 붓, 솔 regularly [régjulərli] 부 규칙적으로 wide [waid] 부 크게, 넓게 형 넓은

19 적절한 응답 고르기

정답 ①

W I really like this painting.
M Yeah. Me too. It looks beautiful.
W Do you like art?
M I love it, but I can't draw well. What about you?
W I want to be a painter one day.
M Wow, what do you want to paint?
W I want to paint people.

여 이 그림 정말 마음에 들어.
남 응. 나도. 아름다워 보여.
여 너는 미술을 좋아하니?
남 좋아하지만, 잘 그리지는 못해. 너는?
여 난 언젠가 화가가 되고 싶어.
남 우와, 무엇을 그리고 싶어?
여 나는 사람들을 그리고 싶어.

해설 | 남자가 무엇을 그리고 싶은지를 묻고 있으므로 정답은 그림을 그릴 대상을 언급하는 ① 'I want to paint people.'이다.

선택지 해석

① 나는 사람들을 그리고 싶어. ② 즐거운 하루였어. ③ 그게 그가 꿈꾸는 직업이야. ④ 그림 그리기를 끝냈어. ⑤ 그녀는 보라색을 좋아해.

어휘 | painting [péintiŋ] 명 그림 (paint [peint] 동 그리다) draw [drɔː] 동 그리다

20 적절한 응답 고르기

정답 ②

M Hi, Jiyoon. What did you do last night?
W I watched a new show on TV.
M Really? What did you watch?
W The name of the show is *Our Planet*. I loved it.
M I need to watch it next time. When does the show start?
W It's on at 7 p.m.

남 안녕, 지윤아. 어젯밤에 뭐 했니?
여 TV에서 새로운 프로그램을 봤어.
남 정말? 뭐 봤어?
여 프로그램 제목은 <Our Planet>이야. 정말 좋았어.
남 다음 번에 그거 봐야겠다. 그거 언제 시작해?
여 그건 오후 7시에 해.

해설 | 남자가 TV 프로가 언제 시작하는지를 묻고 있으므로 정답은 시작 시간을 언급하는 ② 'It's on at 7 p.m.'이다.

선택지 해석

① TV 좀 꺼줘. ② 그건 오후 7시에 해. ③ 네 시계 마음에 들어. ④ 그녀가 이미 내게 그걸 보여줬어. ⑤ 너 딱 맞춰 왔어.

어휘 | next time 다음 번에; 다음에 turn off 끄다 already [ɔːlrédi] 부 이미, 벌써

20회 실전 모의고사

1	①	2	②	3	⑤	4	③	5	②	6	④	7	⑤	8	④	9	②	10	②
11	①	12	④	13	③	14	②	15	②	16	①	17	④	18	③	19	②	20	①

1 화제 고르기

정답 ①

M Most people use these outdoors on sunny days. Some people use these while they drive a car. Their dark lenses can protect our eyes from the sun. What are these?

남 대부분의 사람들은 화창한 날에 야외에서 이것을 사용합니다. 어떤 사람들은 운전하는 동안 이것을 사용합니다. 이것의 어두운색의 렌즈는 태양으로부터 눈을 보호해 줍니다. 이것은 무엇인가요?

해설 | 이것(these)의 어두운색의 렌즈가 태양으로부터 눈을 보호해 준다고 했으므로 정답은 ①이다.

어휘 | outdoors [áutdɔ̀ːrz] 부 야외에서 drive [draiv] 동 운전하다 protect [prətékt] 동 보호하다

2 알맞은 그림 고르기

정답 ②

W Dad, did you see my lunchbox? I don't see it here.
M What does it look like, Ashley?
W It's in the shape of a heart.
M Does it have a rubber band around it?
W Yes, it does. The rubber band is mint.
M Oh, I think I saw it in my car.

여 아빠, 제 도시락통 보셨어요? 여기에서는 안 보이네요.
남 그게 어떻게 생겼니, Ashley?
여 하트 모양으로 되어 있어요.
남 고무 밴드가 둘러져 있니?
여 네, 맞아요. 고무 밴드는 민트색이에요.
남 오, 내 차 안에서 본 것 같구나.

해설 | 여자가 도시락통이 하트 모양으로 되어 있다고 했고, 남자가 고무 밴드가 둘러져 있는지를 묻자 여자가 그렇다고 했으므로 정답은 ②이다.

어휘 | lunchbox [lʌ́ntʃbɑ̀ks] 명 도시락(통) shape [ʃeip] 명 모양, 형태 rubber band 고무 밴드

3 날씨 고르기

정답 ⑤

W Here is the weather report for the weekend. It will keep raining until Saturday morning. However, it will stop in the afternoon. The air will be cleaner after the rain. On Sunday, it will be sunny and warm. Have a wonderful weekend.

여 주말 일기 예보입니다. 토요일 오전까지 계속해서 비가 내리겠습니다. 하지만, 오후에는 그칠 예정입니다. 비 온 후에는 공기가 더 맑아지겠습니다. 일요일에는 화창하고 따뜻하겠습니다. 좋은 주말 보내십시오.

해설 | 토요일 오전까지 계속해서 비가 내릴 것이라고 했으므로 정답은 ⑤이다.

어휘 | keep [kiːp] 동 계속하다, 유지하다 until [əntíl] 전 ~까지

4 의도 고르기

정답 ③

M Honey, who was on the phone?
W It was my friend. She lost her dog, so she's looking for it.
M Oh, no! Where did she lose it?
W At Regent park. They were taking a walk there.
M She must be so sad. Why don't we go out and look for her dog?

남 여보, 누구랑 통화했어?
여 내 친구였어. 개를 잃어버려서, 친구가 찾는 중이야.
남 오, 이런! 어디서 잃어버린 거야?
여 리젠트 공원에서. 그들은 거기서 산책하는 중이었어.
남 그 친구 정말 슬프겠다. 우리 나가서 그녀의 개를 찾아보는 게 어때?

해설 | 여자의 친구가 개를 잃어버려서 찾고 있다고 했고 남자가 자신들이 나가서 개를 찾아보는 것이 어떤지를 물었으므로 정답은 ③ '제안'이다.

어휘 | lose [luːz] 동 잃어버리다 look for 찾다 take a walk 산책하다

5 언급하지 않은 내용 고르기

정답 ②

M I'd like to tell you about summer camp this year. You can experience outdoor activities like playing tennis and swimming. There are artistic activities too. You can make friendship bracelets with string. Also, you can dye T-shirts in various colors.

남 여러분들께 올해의 여름 캠프에 대해서 말씀드리려고 합니다. 여러분들은 테니스 치기와 수영하기와 같은 야외 활동들을 경험할 수 있습니다. 예술 활동도 있습니다. 여러분들은 끈으로 우정 팔찌를 만들 수 있습니다. 또한, 다양한 색으로 티셔츠를 염색할 수 있습니다.

해설 | ① 테니스 치기, ③ 수영하기, ④ 우정 팔찌 만들기, ⑤ 티셔츠 염색하기를 언급했으므로 정답은 ② '보드게임 하기'이다.

어휘 | artistic [ɑːrtístik] 형 예술의, 예술적인 bracelet [bréislit] 명 팔찌 string [striŋ] 명 끈, 줄 various [vέəriəs] 형 다양한

6 시간 정보 고르기

정답 ④

W Tony, will you go to the shopping mall with me tomorrow?
M Why? Do you need something?
W I didn't get anything for Jerry's birthday yet.
M Oh, right! Let's meet at 10 in the morning then.
W Can we meet at 11:30? I come home from the gym at 11.
M Sure, no problem. See you there tomorrow.

여 Tony, 내일 나랑 쇼핑몰에 갈래?
남 왜? 뭐 필요한 것이 있어?
여 아직 Jerry 생일에 줄 것을 아무것도 안 샀어.
남 오, 맞아! 그럼 오전 10시에 만나자.
여 11시 30분에 만나도 될까? 나 체육관에서 11시에 집에 오거든.
남 물론이지, 괜찮아. 내일 거기서 보자.

해설 | 여자가 11시 30분에 만나도 되는지를 묻자 남자가 괜찮다고 했으므로 정답은 ④ '11:30 a.m.'이다.

어휘 | gym [dʒim] 명 체육관

7 장래 희망 고르기

정답 ⑤

M Hey, Minji. What are these?
W They are my favorite movie posters.
M Are you a fan of this actor here?
W No. Actually, my favorite music director made the soundtracks for these movies.
M Oh, do you want to make music for movies?
W Yes. I really want to be a famous music director someday.
M That sounds great!

남 안녕, 민지야. 이것들은 뭐야?
여 내가 가장 좋아하는 영화 포스터들이야.
남 여기 이 배우 팬이니?
여 아니. 사실은, 내가 가장 좋아하는 음악감독이 이 영화들의 사운드트랙을 제작했어.
남 오, 너는 영화 음악을 만들고 싶은 거야?
여 응. 언젠가 꼭 유명한 음악감독이 되고 싶어.
남 멋지다!

해설 | 여자가 언젠가 유명한 음악감독이 되고 싶다고 했으므로 정답은 ⑤ '음악감독'이다.

어휘 | actor [ǽktər] 명 배우 director [diréktər] 명 감독; 관리자 soundtrack [saundtræk] 명 사운드 트랙, 영화 음악

8 심정 고르기

정답 ④

W Michael, what are you doing?
M I'm packing my bag, Janet.
W Are you sleeping over at Sangho's house tonight?
M Yes. We are going to play the new computer game all night.
W Do you mean *Dragon Fire*? That one has interesting stories and characters.
M Yeah. I can't wait to play it.

여 Michael, 뭐 하고 있어?
남 나는 가방을 싸고 있어, Janet.
여 오늘 밤에 상호네 집에서 자고 올 거야?
남 응. 우리는 밤새도록 새 컴퓨터 게임을 할 거야.
여 Dragon Fire 말하는 거야? 그 게임의 스토리와 캐릭터가 흥미롭던데.
남 응. 빨리 그걸 하고 싶어.

해설 | 남자가 밤새도록 새 컴퓨터 게임을 할 것이라고 하며 빨리 하고 싶다고 했으므로 정답은 ④ 'excited'이다.

선택지 해석

① 지루한 ② 화난 ③ 슬픈 ④ 신난 ⑤ 초조한

어휘 | pack [pæk] 동 싸다, 꾸리다 sleep over 자고 오다 all night 밤새도록 interesting [íntərəstiŋ] 형 흥미로운

9 할 일 고르기

정답 ②

W Daniel, I heard you are going to Gangneung.
M Yes. I'm going there next weekend.
W I have a coupon for a hotel in Gangneung. I can give it to you.
M A one-night free coupon? Wow, thank you!
W You can book a room online.
M Okay. I'll do it right away.

여 Daniel, 너 강릉에 갈 거라고 들었어.
남 응. 다음 주말에 그곳에 갈 거야.
여 나한테 강릉에 있는 호텔 쿠폰이 있어. 너한테 줄 수 있는데.
남 1박 무료 쿠폰? 우와, 고마워!
여 온라인으로 객실을 예약하면 돼.
남 알겠어. 바로 할게.

해설 | 여자가 온라인으로 객실을 예약하면 된다고 하자 남자가 바로 하겠다고 했으므로 정답은 ② '객실 예약하기'이다.
어휘 | free [friː] 형 무료의; 자유의 book [buk] 동 예약하다 명 책

10 주제 고르기

정답 ②

W Alex, what do you want to eat?
M Let's see. *[Pause]* Oh, there's a new menu item!
W It's a burrito, but what is that?
M It's a wrap. It has meat and vegetables in it.
W Did you eat this before?
M Yes. I ate it when I was in Mexico. It's delicious.
W Oh, I want to try it.
M Okay. Let's order two burritos.

여 Alex, 뭐 먹고 싶니?
남 어디 보자. *[잠시 멈춤]* 오, 신메뉴가 있네!
여 부리토라는데, 그게 뭐야?
남 랩 샌드위치야. 고기랑 채소가 안에 들어있어.
여 이거 전에 먹었어?
남 응. 내가 멕시코에 있을 때 먹었어. 이거 맛있어.
여 오, 먹어보고 싶네.
남 그래. 부리토 두 개 주문하자.

해설 | 남자가 신메뉴가 있다고 하면서 부리토는 랩 안에 든 고기와 채소를 먹는 음식이라고 설명하고 있으므로 정답은 ② '신메뉴'이다.
어휘 | meat [miːt] 명 고기 vegetable [védʒtəbl] 명 채소, 야채 delicious [dilíʃəs] 형 맛있는

11 교통수단 고르기

정답 ①

W How will you get to the ice rink tomorrow morning?
M Let me check the map. *[Pause]* Hmm... I can take a subway or a bus.
W Which one are you going to take?
M I think the bus is better.
W But the traffic is always heavy in the morning.
M Good point. I'll take the subway then.
W Okay. See you there!

여 너 내일 오전에 빙상장에 어떻게 갈 거니?
남 지도 좀 확인해볼게. *[잠시 멈춤]* 흠... 지하철이나 버스를 탈 수 있을 것 같아.
여 어떤 거 탈 건데?
남 버스가 더 나은 것 같네.
여 근데 오전에는 항상 교통량이 많잖아.
남 좋은 지적이야. 그럼 지하철을 타야겠어.
여 알았어. 거기에서 만나!

해설 | 남자가 지하철을 타야겠다고 했으므로 정답은 ① '지하철'이다.
어휘 | ice rink 빙상장 map [mæp] 명 지도 traffic [trǽfik] 명 교통량 heavy [hévi] 형 많은, 심한; 무거운 good point 좋은 지적

12 이유 고르기

정답 ④

W Hello, Mr. Kim.
M What's the matter, Amy?
W I have a stomachache. Can I leave school early today?
M Oh, no. Of course, you can.
W Thank you. Can I get the homework for tomorrow then?
M I will email it to you. Just go home now and get some rest.
W Okay.

여 안녕하세요, 김 선생님.
남 무슨 일이니, Amy?
여 배가 아파서요. 저 오늘 학교를 조퇴해도 될까요?
남 오, 이런. 물론이지, 가도 된단다.
여 감사합니다. 그럼 내일 숙제를 받아 갈 수 있을까요?
남 이메일로 보내줄게. 지금은 바로 집으로 가서 쉬렴.
여 알겠어요.

해설 | 여자가 배가 아프다며 오늘 학교를 조퇴해도 되는지를 물었으므로 정답은 ④ '배가 아파서'이다.
어휘 | leave school early 학교를 조퇴하다 rest [rest] 명 휴식

13 장소 고르기

정답 ③

M Hello. How can I help you?
W I'd like to buy a guitar.
M Which one do you want, an acoustic guitar or an electric guitar?
W I'm looking for an electric one.
M You should look in this section then. You can also test any guitar.

남 안녕하세요. 무엇을 도와드릴까요?
여 기타를 사고 싶어요.
남 통기타 또는 전자 기타 중 어떤 것을 원하시나요?
여 전자 기타를 찾고 있어요.
남 그럼 이 구역에서 보셔야 해요. 어떤 기타든 테스트해 보실 수도 있어요.

해설 | 여자가 기타를 사고 싶다고 했고 남자가 어떤 기타든 테스트해 볼 수도 있다고 말하는 것으로 보아 정답은 ③ '악기 상점'이다.

어휘 | acoustic guitar 통기타 electric [iléktrik] 형 전자의, 전기의 section [sékʃən] 명 구역, 구획

14 위치 고르기

정답 ②

W Karl, why are you still home?
M Mom, I need my watch for my test. But I can't find it.
W Did you check on the desk?
M Yes. But it's not there.
W Why don't you look under the bed?
M Oh, there it is! Thank you, Mom.

여 Karl, 왜 아직도 집에 있는 거니?
남 엄마, 시험에 손목시계가 필요해요. 그런데 그걸 못 찾겠어요.
여 책상 위에는 확인했니?
남 네, 그런데 거기 없어요.
여 침대 밑을 보는 건 어떠니?
남 오, 거기 있네요! 고마워요, 엄마.

해설 | 여자가 침대 밑을 보라고 하자 남자가 그곳에 손목시계가 있다고 했으므로 정답은 ②이다.

어휘 | watch [watʃ] 명 (손목)시계 동 보다

15 부탁·요청한 일 고르기

정답 ②

M What's going on in here?
W Our cat suddenly jumped up on the shelf and broke a glass.
M Oh, I thought he couldn't jump up there.
W Yeah. It's so strange. I'm so sorry for the mess.
M It's okay. Could you bring me a broom?
W Sure. I'll bring it.

남 여기서 무슨 일이 벌어진 거야?
여 우리 고양이가 갑자기 선반 위로 뛰어오르더니 유리잔을 깼어.
남 오, 그 녀석 거기는 못 뛰어 올라갈 줄 알았는데.
여 맞아. 정말 이상하네. 지저분하게 해서 미안해.
남 괜찮아. 나한테 빗자루 좀 가져다줄래?
여 물론이지. 내가 가져올게.

해설 | 남자가 여자에게 빗자루를 갖다 달라고 부탁했으므로 정답은 ② '빗자루 가져오기'이다.

어휘 | go on 벌어지다, 일어나다 suddenly [sʌ́dnli] 부 갑자기 shelf [ʃelf] 명 선반 break [breik] 동 깨다, 부수다 broom [bru:m] 명 빗자루

16 제안한 일 고르기

정답 ①

W Honey, did you order food for today's party?
M Yes. I also baked a cake.
W That sounds wonderful. I chose some jazz music.
M Great! But does the dinner table look empty?
W Hmm... A little bit. Why don't we put some flowers on it?
M That would look nice.
W Okay. I'll put some flowers in a vase.

여 여보, 오늘 파티 음식 주문했어?
남 응. 내가 케이크도 구워놨어.
여 훌륭해. 난 재즈 음악을 좀 골라놨어.
남 좋아! 그런데 식탁이 비어 보이나?
여 흠... 약간. 위에 꽃을 좀 놓는 게 어떨까?
남 오, 그것 참 근사해 보일 것 같아.
여 알겠어. 내가 꽃병에 꽃을 좀 꽂아둘게.

해설 | 여자가 식탁 위에 꽃을 놓는 것을 제안하고 있으므로 정답은 ① '식탁에 꽃 놓기'이다.

어휘 | empty [émpti] 형 빈, 비어 있는 vase [veis] 명 꽃병

17 할 일 고르기

정답 ④

M Happy New Year, Cindy!
W Happy New Year! Do you have a goal for this year?
M Not yet. Why don't we set some together?
W That'll be great! Can we meet this Sunday?
M That works for me. Let's go to a café and make a new year's plan.
W Okay. I'm looking forward to the new year!

남 새해 복 많이 받아, Cindy!
여 새해 복 많이 받아! 올해 목표가 있니?
남 아직 없어. 우리 같이 세워보는 건 어때?
여 좋을 것 같아! 이번 주 일요일에 만날까?
남 나는 좋아. 카페에 가서 새해 계획을 세우자.
여 좋아. 이번 새해가 기대된다!

해설 | 여자가 이번 일요일에 만나자고 하자 남자가 좋다고 하며 카페에 가서 새해 계획을 세우자고 했으므로 정답은 ④ '새해 계획 세우기'이다.
어휘 | goal [goul] 명 목표 look forward to 기대하다

18 직업 고르기

정답 ③

M Hello, everyone. You're watching *The Morning Show*. And our next guest is Luna Smith.
W Hello. Thank you for having me.
M Of course. Luna, you decorate many celebrities' homes for your job.
W Yes. That's right.
M Are you working on anything now?
W I'm decorating a large house in Los Angeles at the moment.

남 안녕하세요, 여러분. <The Morning Show>를 시청하고 계십니다. 그리고 다음 게스트는 Luna Smith입니다.
여 안녕하세요. 초대해주셔서 감사합니다.
남 별말씀을요. Luna, 당신은 직업상 많은 유명 인사들의 집을 꾸며주시잖아요.
여 네. 맞아요.
남 현재는 어떤 일을 하고 계시나요?
여 지금은 로스앤젤레스에 있는 큰 주택의 실내장식을 하고 있어요.

해설 | 남자가 여자에게 직업상 많은 유명인사들의 집을 꾸며준다고 했으므로 정답은 ③ '인테리어 디자이너'이다.
어휘 | decorate [dékərèit] 동 꾸미다, 실내장식을 하다 celebrity [səlébrəti] 명 유명 인사, 연예인 at the moment (바로) 지금, 지금으로서는

19 적절한 응답 고르기

정답 ②

M Hey, Cathy. Did you start your science report?
W No. I can't choose a topic.
M You still have some time to decide.
W Yeah. But I want to finish it early.
M Me too. I will complete it this week.
W Why don't we check each other's work after we finish it?
M I like that idea.

남 안녕, Cathy. 과학 숙제 시작했니?
여 아니. 나 주제를 못 고르겠어.
남 아직 결정할 시간이 좀 있잖아.
여 응. 그런데 빨리 끝내고 싶어.
남 나도 그래. 난 이번 주에 끝마칠 거야.
여 우리 숙제를 끝낸 후에 서로의 숙제를 봐주는 게 어때?
남 그 아이디어 마음에 들어.

해설 | 여자가 숙제를 끝낸 후에 서로의 숙제를 봐주자고 제안하고 있으므로 정답은 제안을 수락하는 ② 'I like that idea.'이다.

선택지 해석

① 신경 쓰지 마. ② 그 아이디어 마음에 들어. ③ 네 이름이 뭐야? ④ 늦더라도 안 하는 것보다는 나. ⑤ 너 운동해야 해.

어휘 | topic [tápik] 명 주제 decide [disáid] 동 결정하다 complete [kəmplí:t] 동 끝마치다, 완료하다 형 완성된 each other 서로 work out 운동하다

20 적절한 응답 고르기

정답 ①

M Mom, can I visit Tom? He wants to play badminton with me.
W Did you clean your room?
M No, I didn't. But I can clean it later.
W I told you to clean it this afternoon.
M I know, but I was busy. I had too much homework.
W Fine. You can go, but please remember to clean it later.
M I promise I will.

남 엄마, Tom 만나러 가도 돼요? 저랑 배드민턴 치고 싶대요.
여 네 방은 청소했니?
남 아뇨, 안 했어요. 근데 나중에 청소하면 돼요.
여 오늘 오후에 청소하라고 했잖니.
남 알아요, 근데 바빴어요. 숙제가 엄청 많았거든요.
여 좋아. 가도 되지만, 나중에 청소하는 거 잊지 마.
남 그러겠다고 약속할게요.

해설 | 여자가 나중에 방을 청소할 것을 잊지 말라고 당부하고 있으므로 정답은 할 일을 약속하는 ① 'I promise I will.'이다.

선택지 해석

① 그러겠다고 약속할게요. ② 벌써 했어요. ③ 걔는 게임을 잘해요. ④ 글씨체가 멋져요. ⑤ 이게 엄마 컴퓨터예요?

어휘 | remember [rimémbər] 동 잊지 않다, 기억하다 be good at ~을 잘하다, ~에 능숙하다 handwriting [hǽndraitiŋ] 명 글씨체, 필체

21회 고난도 모의고사

| 문제 pp.188-189

1	④	2	③	3	⑤	4	①	5	④	6	②	7	⑤	8	④	9	⑤	10	③
11	②	12	③	13	⑤	14	⑤	15	⑤	16	⑤	17	①	18	②	19	④	20	④

1 화제 고르기

정답 ④

W I live deep in mud or sand near the ocean. If you dig holes on the beach, you may find me. I have a hard shell to protect my soft body. I can produce a pearl inside my body. What am I?

여 나는 바다 근처의 진흙이나 모래 깊은 곳에 삽니다. 만약 해변에서 구멍을 파본다면, 나를 찾을 수 있을지도 모릅니다. 나는 부드러운 몸체를 보호하는 딱딱한 껍데기를 가지고 있습니다. 나는 몸속에서 진주를 만들어 낼 수 있습니다. 나는 무엇인가요?

해설 | 나(I)는 부드러운 몸통을 보호하는 딱딱한 껍데기를 가지고 있고 몸속에서 진주를 만들어낼 수 있다고 했으므로 정답은 ④이다.

어휘 | mud [mʌd] 명 진흙 shell [ʃel] 명 껍데기, 껍질 produce [prədjúːs] 동 만들어 내다, 생산하다 pearl [pəːrl] 명 진주

2 알맞은 그림 고르기

정답 ③

M Hello, I'd like to exchange this pencil case.
W Do you want a different pattern? You can choose from stripes, dots, and stars.
M I don't want to change the pattern. I like this flower pattern. But the zipper doesn't work.
W Oh, I see. I'll replace it with a new one. Please wait a moment.
M Okay. Thanks.

남 안녕하세요, 이 필통을 교환하고 싶은데요.
여 다른 무늬를 원하시나요? 줄무늬, 물방울무늬, 별 무늬 중에서 고르실 수 있어요.
남 무늬를 바꾸고 싶진 않아요. 이 꽃무늬가 마음에 들거든요. 근데 지퍼가 잘 안 돼요.
여 오, 그렇군요. 새것으로 교체해드릴게요. 잠깐만 기다려주세요.
남 알겠어요. 감사합니다.

해설 | 남자가 꽃무늬가 마음에 들어서 무늬를 바꾸고 싶진 않지만 지퍼가 잘 안된다고 했으므로 정답은 ③이다.

어휘 | exchange [ikstʃéindʒ] 동 교환하다 명 교환 dot [dɑt] 명 물방울무늬, 점 replace [ripléis] 동 교체하다, 대체하다 moment [móumənt] 명 잠깐, 순간

3 날씨 고르기

정답 ⑤

M Good evening. This is the weather report. It's raining across the country now. In Seoul and Daejeon, the rain will be heavy with strong winds tomorrow. But the rain will stop in Gwangju and Busan. Gwangju will be cloudy, but there'll be clear sunny skies in Busan.

남 안녕하십니까. 일기 예보입니다. 지금 전국에 걸쳐 비가 내리고 있습니다. 서울과 대전에서는 내일 강한 바람과 함께 비가 거세질 것입니다. 하지만 광주와 부산에서는 비가 그치겠습니다. 광주는 흐리겠지만, 부산에서는 하늘이 맑고 화창하겠습니다.

해설 | 부산에서는 하늘이 맑고 화창하겠다고 했으므로 정답은 ⑤이다.

어휘 | across [əkrɔ́ːs] 전 ~에 걸쳐서; ~을 건너서 heavy [hévi] 형 거센, 심한; 무거운

4 의도 고르기

정답 ①

W Dongjin, you look worried. What's bothering you?
M My music teacher recommended that I take part in a piano competition.
W Good for you. You want to be a pianist.
M But the contest is too big. I don't want to disappoint everyone. I feel so much pressure.
W Just go for it. I believe you can do it!

여 동진아, 너 걱정이 있어 보여. 신경 쓰이는 일 있어?
남 우리 음악 선생님께서 내가 피아노 대회에 참가하기를 권하셨어.
여 잘됐네. 너 피아니스트 되고 싶어 하잖아.
남 근데 대회가 너무 큰 규모야. 난 모두를 실망시키고 싶지 않아. 너무 많은 부담이 느껴져.
여 그냥 해봐. 난 네가 할 수 있을 거라 믿어!

해설 | 남자가 모두를 실망시키고 싶지 않고 너무 많은 부담이 느껴진다고 하자 여자가 그냥 해보라며 남자가 할 수 있을 것이라 믿는다고 했으므로 정답은 ① '격려'이다.

어휘 | bother [bɑ́ðər] 동 신경 쓰다, 성가시게 하다 recommend [rèkəménd] 동 권고하다, 추천하다 take part in 참가하다 disappoint [dìsəpɔ́int] 동 실망시키다 pressure [préʃər] 명 부담; 압력

5 언급하지 않은 내용 고르기

정답 ④

M I'd like to tell you about the Junior Marathon Challenge this Sunday. Anyone under 18 can join for free. Participants can choose between running 5 or 10 kilometers for the race. Please visit our website for more information.

남 이번 일요일에 열리는 Junior Marathon Challenge에 대해 말씀드리고자 합니다. 18세 이하의 누구나 무료로 참가하실 수 있습니다. 참가자들은 5km나 10km 경주 중에서 선택하실 수 있습니다. 더 많은 정보를 위해서는 저희 웹사이트를 방문해주십시오.

해설 | ① 대회 개최일(이번 일요일), ② 참가 부문(5km나 10km 경주), ③ 참가비(무료), ⑤ 참가 자격(18세 이하)에 대해 언급했으므로 정답은 ④ '기념품'이다.

어휘 | under [ʌ́ndər] 전 ~이하의; ~아래의 participant [pɑːrtísəpənt] 명 참가자 information [ìnfərméiʃən] 명 정보

6 시간 정보 고르기

정답 ②

M Hey, Janet! What brings you here?
W Hi, Tom. I have a dentist's appointment at 4:30 in this building.
M Why did you come so early? It's just 3:30.
W What? No way. It's 4 o'clock now. *[Pause]* Oh, I read the time wrong.
M Then, how about having coffee with me?

남 안녕, Janet! 여긴 무슨 일이야?
여 안녕, Tom. 4시 30분에 이 건물에 있는 치과 예약이 있어.
남 왜 이렇게 일찍 왔어? 겨우 3시 30분인데.
여 뭐? 그럴 리가. 지금 4시인걸. *[잠시 멈춤]* 오, 내가 시간을 잘못 봤네.
남 그럼 나랑 커피 마시는 게 어때?

해설 | 남자가 겨우 3시 30분이라고 했으므로 정답은 ② '3:30 p.m.'이다.

어휘 | dentist's appointment 치과 예약

7 장래 희망 고르기

정답 ⑤

W Minho, why don't you join a book club? You said you want to become a poet.
M I changed my dream, Mom.
W Then, what do you want to do in the future?
M I want to write songs.
W That's good. You have the talent to be a good composer.
M Thanks for always believing in me.

여 민호야, 독서 동아리에 드는 게 어떠니? 너 시인이 되고 싶다고 했었잖아.
남 저 꿈을 바꿨어요, 엄마.
여 그럼, 미래에 뭐를 하고 싶니?
남 저는 곡을 쓰고 싶어요.
여 멋지구나. 네겐 좋은 작곡가가 될 재능이 있단다.
남 항상 절 믿어주셔서 감사해요.

해설 | 남자가 곡을 쓰고 싶다고 하자 여자가 남자에겐 좋은 작곡가가 될 재능이 있다고 했으므로 정답은 ⑤ '작곡가'이다.

어휘 | poet [póuit] 명 시인 talent [tǽlənt] 명 재능 composer [kəmpóuzər] 명 작곡가 believe in ~를 믿다, 신뢰하다; ~의 존재를 믿다

8 일치하지 않는 내용 고르기

정답 ④

M Soyoung, is this your painting?
W Yes. I just finished this yesterday.
M Wow, the colors look so vivid.
W Yeah. I used poster paint.
M And who is the girl in the picture?
W She is my best friend.
M Why did you draw sunflowers in the background?
W It's her favorite flower. I'll give this to her as a birthday present.
M She'll love it!

남 소영아, 이거 네 그림이니?
여 응. 어제 막 완성했어.
남 우와, 색이 정말 강렬해 보여.
여 응. 포스터물감을 사용했거든.
남 그런데 그림 속에 여자아이는 누구야?
여 내 가장 친한 친구야.
남 배경에 해바라기는 왜 그렸니?
여 그녀가 가장 좋아하는 꽃이거든. 이걸 생일 선물로 그녀에게 줄 거야.
남 친구가 정말 좋아하겠다.

해설 | 남자가 색이 강렬해 보인다고 하자 여자가 포스터물감을 사용했다고 했으므로 정답은 ④ '색연필로 색을 칠했다.'이다.

어휘 | vivid [vívid] 형 강렬한, 선명한; 생생한 sunflower [sʌ́nflauər] 명 해바라기 background [bǽkgraund] 명 배경

9 할 일 고르기

정답 ⑤

M Welcome to the Butterfly Museum. Would you show me your ticket?
W Yes. Here it is.
M And please turn off your phone. It can disturb others.
W Sorry, but I can't. I'm waiting for an important phone call.
M Then, could you silence your phone?
W Okay. I will.

남 나비 박물관에 오신 것을 환영합니다. 표를 보여주시겠어요?
여 네. 여기 있어요.
남 그리고 휴대폰을 꺼주세요. 다른 분들을 방해할 수도 있어서요.
여 죄송한데, 그럴 수 없어요. 제가 중요한 전화를 기다리고 있거든요.
남 그럼 휴대폰을 무음으로 해주시겠어요?
여 알겠습니다. 그럴게요.

해설 | 남자가 여자에게 휴대폰을 무음으로 해달라고 하자 여자가 알겠다고 했으므로 정답은 ⑤ '휴대폰 무음 설정하기'이다.

어휘 | turn off 끄다 disturb [distə́ːrb] 동 방해하다 wait for ~를 기다리다 important [impɔ́ːrtənt] 형 중요한 silence [sáiləns] 동 무음으로 만들다, 침묵시키다 명 침묵

10 주제 고르기

정답 ③

M Hanna, you just made your new study plan. Can I look at it?
W Of course.
M Oh, you plan to study Chinese for two hours a day.
W Yeah. I started last summer vacation.
M Wow, then how good is your Chinese?
W Now I can speak a few words.
M That's cool!

남 한나야, 너 방금 새로운 공부 계획을 세웠잖아. 내가 봐도 될까?
여 물론이지.
남 오, 하루에 2시간씩 중국어를 공부하기로 계획했네.
여 응. 지난 여름 방학에 시작했거든.
남 우와, 그럼 너 중국어 실력은 어느 정도야?
여 이제 몇몇 단어는 말할 수 있어.
남 멋지다!

해설 | 남자가 여자의 중국어 공부 계획에 대해 언급했고 여자는 지난 여름 방학에 중국어 공부를 시작했다고 했으므로 정답은 ③ '중국어 공부'이다.

어휘 | plan [plæn] 명 계획 동 계획하다 a few 몇몇의, 약간의

11 교통수단 고르기

정답 ②

W How will you go back to your home, Junsang?
M I came here by bicycle, so I'll go home that way.
W But you exercised a lot today.
M Yes. You're right. I'm a bit tired now.
W Then, taking a bus will be better.
M What about my bicycle?
W You can leave it in the parking area.
M Alright.

여 집에 어떻게 돌아갈 거니, 준상아?
남 여기에 자전거로 왔으니까, 그렇게 집에 갈 거야.
여 근데 너 오늘 운동 많이 했잖아.
남 응. 맞아. 지금 좀 피곤하긴 해.
여 그럼, 버스 타는 게 나을 거야.
남 내 자전거는 어쩌고?
여 주차장에 두고 가면 되지.
남 알겠어.

해설 | 여자가 남자에게 버스를 타는 것을 제안하며 자전거는 주차장에 두고 가면 된다고 하자 남자가 알겠다고 했으므로 정답은 ② '버스'이다.

어휘 | go back 돌아가다, 되돌아가다 bicycle [báisikl] 명 자전거 exercise [éksərsàiz] 동 운동하다 명 운동 parking area 주차장, 주차 구역

12 이유 고르기

정답 ③

W Kevin, you left food. Don't you like bibimbap?
M Yes. I love it. It's really delicious.
W Then, do you feel sick? I'm worried.
M Hmm... Actually, there's one reason.
W What is it?
M I'm on a diet for my health. So, I'm trying to eat less than usual.
W Oh, I see.

여 Kevin, 너 음식을 남겼네. 비빔밥을 좋아하지 않니?
남 아니야. 매우 좋아해. 정말 맛있어.
여 그럼 너 몸이 안 좋아? 나 걱정돼.
남 흠... 사실, 한 가지 이유가 있어.
여 뭔데?
남 건강을 위해 다이어트 중이거든. 그래서, 평소보다 적게 먹으려고 노력하고 있어.
여 오, 그렇구나.

해설 | 남자가 건강을 위해 다이어트 중이라고 했으므로 정답은 ③ '다이어트 중이어서'이다.

어휘 | delicious [dilíʃəs] 형 맛있는 reason [ríːzn] 명 이유 on a diet 다이어트 중인 usual [júːʒuəl] 형 평소의, 보통의

13 관계 고르기

정답 ⑤

M Welcome to the city of London. We have a lot to see today.
W What will be our first stop on the tour?
M I'll take you to Buckingham Palace first. That will take about two hours.
W Then, will we go to Tower Bridge?
M Yes. We'll head there around 11 a.m. Then, you'll have fish and chips for lunch.
W I can't wait!

남 런던시에 오신 것을 환영합니다. 저희는 오늘 볼거리가 많네요.
여 투어에서 우리가 첫 번째로 들를 곳이 어디인가요?
남 먼저 버킹엄 궁전으로 안내해드릴 거예요. 그건 대략 두시간쯤 걸릴 겁니다.
여 그리고 타워 브리지에 가는 건가요?
남 네. 우리는 오전 11시쯤에 거기로 갈 거예요. 그러고 나서, 점심으로 피시 앤 칩스를 드실 겁니다.
여 너무 기대되네요!

해설 | 여자가 남자에게 투어에서 첫 번째로 들를 곳이 어디인지를 묻자 남자가 먼저 버킹엄 궁전으로 안내해주겠다고 하는 것으로 보아 정답은 ⑤ '여행 가이드 — 관광객'이다.

어휘 | take [teik] 동 안내하다; 가지고 가다 head [hed] 동 가다, 향하다 명 머리 around [əráund] 부 대략, ~쯤; 주변에

14 위치 고르기

정답 ⑤

M I'm not sure how to get to Jim's Restaurant. Can you check the map on your phone?
W Sure, let me see. *[Pause]* Oh, we should turn right at the first corner.
M Okay, and then?
W Walk straight for a while, and we'll see it on our right. It's between a bank and a shoe store.
M Alright. Let's go.

남 나 Jim's Restaurant에 어떻게 가는지 잘 모르겠어. 네 휴대폰에서 지도를 확인해줄래?
여 물론이지, 어디 보자. *[잠시 멈춤]* 오, 우리는 첫 번째 모퉁이에서 우회전해야 해.
남 알겠어, 그다음엔?
여 직진해서 잠깐 걸어가면, 우리 오른쪽에서 보게 될 거야. 은행과 신발 가게 사이에 있어.
남 알겠어. 가자.

해설 | Jim's Restaurant은 첫 번째 모퉁이에서 우회전한 다음 직진해서 잠깐 걸어가면 오른쪽, 즉 은행과 신발 가게 사이에 있다고 했으므로 정답은 ⑤이다.

어휘 | map [mæp] 명 지도 corner [kɔ́:rnər] 명 모퉁이, 모서리, 구석 for a while 잠깐, 잠시 동안; 한동안

15 부탁·요청한 일 고르기

정답 ⑤

[Cellphone rings.]
W Hello, Dad.
M What's up, Clara?
W I'll be home late today. I have to do homework in the library.
M Do you want me to take you home by car?
W No. Just wait for me at the bus stop, please.
M When will you arrive there?
W Around 9.
M Okay. I'll be there with some snacks.

[휴대폰이 울린다.]
여 여보세요, 아빠.
남 무슨 일이니, Clara?
여 저 오늘 집에 늦게 갈 거예요. 도서관에서 숙제를 해야 해서요.
남 집에 올 때 차로 데리러 갈까?
여 아니요. 그냥 버스 정류장 앞에서 기다려주세요.
남 그곳에 언제 도착하니?
여 9시쯤에요.
남 알겠다. 간식 좀 가지고 그곳에 있으마.

해설 | 여자가 오늘 집에 늦게 갈 것이라고 했고 남자에게 버스 정류장 앞에서 기다려달라고 요청했으므로 정답은 ⑤ '정류장에 마중 나가기'이다.

어휘 | arrive [əráiv] 동 도착하다 snack [snæk] 명 간식

16 제안한 일 고르기

정답 ⑤

W Do you think I have a fever? My cheeks are so red.
M Well, I don't think so.
W Then, hold my hands. They're really hot.
M Oh, you're right. Do you feel pain anywhere else?
W I have a headache.
M You may have a cold. What about taking cold medicine?
W That'll help. I'll do that.

여 나 열 있는 것 같아? 볼이 엄청 빨개.
남 글쎄, 그런 것 같지는 않은데.
여 그럼 내 손 좀 잡아봐. 정말 뜨거워.
남 오, 그러네. 다른 데 어디 아픈 곳 있니?
여 나 두통이 있어.
남 너 감기에 걸린 걸지도 몰라. 감기약을 먹는 것이 어때?
여 그게 도움이 될 것 같아. 그렇게 할게.

해설 | 남자가 여자에게 감기약을 먹는 것을 제안하고 있으므로 정답은 ⑤ '감기약 먹기'이다.

어휘 | cheek [tʃi:k] 명 볼, 뺨 hold [hould] 동 잡다 pain [pein] 명 아픔, 고통 headache [hédeik] 명 두통 medicine [médisn] 명 약

17 한 일 고르기

정답 ①

W Steve, how did you spend last weekend?
M As you know, we had much snow. So, I built snowmen with my sister.
W Wow, that sounds fun! I envy you.
M How about you? You were going to take a family trip to Chuncheon.
W It was canceled because of snow.
M Oh, I'm sorry.
W So, I just watched a movie at home.
M That's not bad.

여 Steve, 지난 주말 어떻게 보냈니?
남 너도 알다시피, 눈이 많이 왔잖아. 그래서 여동생이랑 눈사람을 만들었어.
여 우와, 재미있었겠다! 부러워.
남 너는? 춘천으로 가족 여행 갈 거였잖아.
여 눈 때문에 취소됐어.
남 오, 안타깝네.
여 그래서, 그냥 집에서 영화 봤어.
남 그것도 나쁘지 않네.

해설 | 여자가 집에서 그냥 영화를 봤다고 했으므로 정답은 ① '영화 보기'이다.

어휘 | envy [énvi] 동 부러워하다 cancel [kǽnsəl] 동 취소하다

18 직업 고르기

정답 ②

W Jonathan, we will practice your song again in 10 minutes.
M Okay. How was the last scene?
W You did very well, but you should try to act happier in the scene.
M Alright, I'll keep that in mind.
W Your character is a very positive painter, so he should always be smiling.
M Got it.

여 Jonathan, 10분 후에 당신의 노래를 다시 연습할게요.
남 좋아요. 마지막 장면은 어땠나요?
여 정말 잘했는데요, 그 장면에서 더 행복하게 연기하려고 해보는 게 좋겠어요.
남 그렇군요, 명심할게요.
여 당신의 배역이 매우 긍정적인 화가라서, 항상 웃고 있어야 해요.
남 알겠어요.

해설 | 여자가 10분 후에 다시 남자의 노래를 연습할 것이라 했고 남자가 마지막 장면에서 더 행복하게 연기하려고 해보는 것이 좋겠다고 연출한 것으로 보아 정답은 ② '뮤지컬 배우'이다.

어휘 | scene [siːn] 명 장면 act [ækt] 동 연기하다; 행동하다 keep in mind 명심하다 positive [pάzətiv] 형 긍정적인

19 적절한 응답 고르기

정답 ④

M I have bad news, Sena.
W What's wrong?
M I'm going to move to Daegu. It's too far from here.
W Don't worry. I go there every year, so we can meet in Daegu.
M Oh, really? Why?
W My cousins live there.

남 나 안 좋은 소식이 있어, 세나야.
여 무슨 문제 있니?
남 나 대구로 이사 가. 거긴 여기서 너무 멀어.
여 걱정하지 마. 내가 매년 그곳에 가니까, 우린 대구에서 만나면 돼.
남 오, 정말? 왜?
여 내 사촌들이 그곳에 살거든.

해설 | 여자가 매년 대구에 간다고 하자 남자가 왜인지를 묻고 있으므로 정답은 대구에 가는 이유를 언급하는 ④ 'My cousins live there.'이다.

선택지 해석

① 여기에서 이사 가자. ② 이번 달 초에. ③ 네가 정말 많이 그리울 거야. ④ 내 사촌들이 그곳에 살거든. ⑤ 대구는 한국에서 가장 더운 도시야.

어휘 | move [muːv] 동 이사하다; 움직이다 far from ~에서 먼 miss [mis] 동 그리워하다; 놓치다

20 적절한 응답 고르기

정답 ④

W Hi, Scott. You look tired. What's going on?
M I was busy in the morning.
W What did you do?
M I went jogging. Also, I made breakfast and did the dishes.
W Wow. What time did you wake up?
M Around 6. What about you?
W I woke up at 8 a.m.

여 안녕, Scott. 너 피곤해 보여. 무슨 일 있니?
남 오전에 바빴어.
여 뭘 했니?
남 조깅을 하러 갔었어. 또, 아침 식사를 준비하고 설거지를 했어.
여 우와. 너 몇 시에 일어났니?
남 대략 6시쯤에. 너는?
여 난 오전 8시에 일어났어.

해설 | 남자가 자신은 6시쯤에 일어났는데 여자는 어떤지를 묻고 있으므로 정답은 일어난 시간을 언급하는 ④ 'I woke up at 8 a.m.'이다.

선택지 해석

① 난 할 일이 많아. ② 식사는 오후 7시야. ③ 그는 아침으로 달걀을 먹었어. ④ 난 오전 8시에 일어났어. ⑤ 우리 서둘러야 해.

어휘 | do the dish 설거지를 하다 wake up 일어나다, 깨다 meal [miːl] 명 식사 hurry [hə́ːri] 동 서두르다

22회 고난도 모의고사

| 문제 pp.196-197

1	②	2	①	3	⑤	4	③	5	②	6	②	7	③	8	⑤	9	⑤	10	④
11	⑤	12	⑤	13	①	14	⑤	15	③	16	②	17	④	18	③	19	②	20	⑤

1 화제 고르기

정답 ②

W You can see this in a kitchen. It has a metal blade inside. You can make juice with this. The rotating blade will crush fruits and mix them. It is useful but dangerous. So, you need to use this very carefully. What is this?

여 이것은 주방에서 볼 수 있습니다. 이것은 안에 금속 날이 있습니다. 이것으로 주스를 만들 수 있습니다. 회전하는 날이 과일을 으깨고 섞을 것입니다. 이것은 유용하지만 위험합니다. 그러므로, 이것을 매우 주의해서 사용해야 합니다. 이것은 무엇인가요?

해설 | 이것(this)은 안에 금속 날이 있고 이것으로 주스를 만들 수 있다고 했으므로 정답은 ②이다.

어휘 | metal [métl] 형 금속의 명 금속 blade [bleid] 명 날, 칼날 rotate [róuteit] 동 회전하다 crush [krʌʃ] 동 으깨다, 눌러 부수다 useful [júːsfəl] 형 유용한

2 알맞은 그림 고르기

정답 ①

W Hello, I'm looking for a mug.
M We have this one with a pig on it. It's our best seller.
W That's not bad, but I like monkeys better.
M Then, you can choose from these.
W I'd like the one with a banana on the top.
M Good choice. I'll wrap it up for you.

여 안녕하세요, 머그잔을 찾고 있어요.
남 돼지가 그려진 것이 있습니다. 이게 가장 잘 팔리는 제품이에요.
여 나쁘지 않지만, 저는 원숭이를 더 좋아해요.
남 그러면, 이것 중에서 고르실 수 있어요.
여 맨 위에 바나나가 그려진 것으로 주세요.
남 탁월한 선택이세요. 포장해드리겠습니다.

해설 | 여자가 원숭이를 더 좋아한다며 맨 위에 바나나가 그려진 것을 달라고 했으므로 정답은 ①이다.

어휘 | mug [mʌg] 명 머그잔 choose [tʃuːz] 동 선택하다 wrap [ræp] 동 포장하다

3 날씨 고르기

정답 ⑤

W Good morning. Here is the daily weather report. The rain from yesterday stopped this morning. But we still won't see sunny skies today. It will be cloudy all day long. Tomorrow, strong winds will come, so it'll be very cold. You'd better wear gloves and a scarf.

여 안녕하십니까. 일일 일기 예보입니다. 어제부터 온 비는 오늘 아침에 그쳤습니다. 하지만 오늘도 여전히 화창한 하늘은 볼 수 없을 것입니다. 온종일 흐리겠습니다. 내일은 강한 바람이 불어서, 매우 추울 예정입니다. 장갑과 목도리를 착용하는 것이 좋겠습니다.

해설 | 내일은 강한 바람이 불 것이라고 했으므로 정답은 ⑤이다.

어휘 | still [stil] 부 여전히 glove [glʌv] 명 장갑

4 의도 고르기

정답 ③

W Martin, I heard Amy invited you to lunch this Saturday.
M Yes, she did. But I don't think I can go.
W Why not?
M I have to study for the science quiz next Monday.
W Don't worry. We can study together after lunch.
M I can focus better when I study alone.

여 Martin, Amy가 이번 토요일 점심 식사에 널 초대했다고 들었어.
남 응, 그랬어. 근데 난 못 갈 것 같아.
여 왜 못 가는데?
남 다음 월요일에 있을 과학 시험을 공부해야 해.
여 걱정하지 마. 점심 먹고 나서 우리 같이 공부할 수 있어.
남 나는 혼자 공부할 때 더 집중을 잘 할 수 있어.

해설 | 여자가 점심 먹고 나서 같이 공부하면 된다고 제안하자 남자가 자신은 혼자 공부할 때 더 집중을 잘 할 수 있다고 했으므로 정답은 ③ '거절'이다.

어휘 | invite [inváit] 동 초대하다 worry [wə́:ri] 동 걱정하다 focus [fóukəs] 동 집중하다 명 중심, 초점 alone [əlóun] 부 혼자, 홀로

5 언급하지 않은 내용 고르기

정답 ②

W Let me tell you about the book *Brave Joy*. It was published in 1963. It's an adventure novel. In this book, a bear starts her journey to find her family. Her name is Joy, and she is my favorite character. I recommend that you read it.

여 <Brave Joy>라는 책에 대해 말씀드리겠습니다. 이것은 1963년에 출간되었습니다. 이것은 모험 소설입니다. 이 책에서, 곰 한 마리가 그녀의 가족을 찾기 위한 여행을 시작합니다. 그녀의 이름은 Joy이고, 그녀는 제가 가장 좋아하는 등장인물입니다. 저는 여러분이 이것을 읽어보시기를 추천합니다.

해설 | ① 도서명(<Brave Joy>), ③ 장르(모험 소설), ④ 출간 연도(1963년), ⑤ 줄거리(가족을 찾기 위한 여행)에 대해 언급했으므로 정답은 ② '작가 이름'이다.

어휘 | publish [pʌ́bliʃ] 동 출간하다, 출판하다 adventure [ædvéntʃər] 명 모험 journey [dʒə́:rni] 명 여행, 여정 character [kǽriktər] 명 등장인물; 성격

6 시간 정보 고르기

정답 ②

[Cellphone rings.]
M Minji, are you going to the piano concert tonight?
W Yes, Dad.
M When does it begin? I can take you.
W It begins at 7:30.
M Okay. I'll get home by 6:30.
W Oh, I'm having dinner at the school cafeteria now.
M Alright. It's 5:30 now, so I'll pick you up there in 30 minutes.
W Thanks, Dad.

[휴대폰이 울린다.]
남 민지야, 오늘 밤에 피아노 연주회 갈 거니?
여 네, 아빠.
남 언제 시작하니? 내가 데려다줄 수 있단다.
여 7시 30분에 시작해요.
남 알겠어. 6시 30분까지 집에 갈게.
여 오, 저 지금 학교 구내식당에서 저녁 먹고 있어요.
남 알겠어. 지금이 5시 30분이니까, 그곳에 30분 후에 데리러 갈게.
여 고마워요, 아빠.

해설 | 현재 시간이 5시 30분인데, 남자가 30분 후에 여자를 데리러 간다고 했으므로 정답은 ② '6:00 p.m.'이다.

어휘 | cafeteria [kæfətíəriə] 명 구내식당

7 장래 희망 고르기

정답 ③

W Inho, did you finish writing about your future dream job?
M Yes. My dream is to become a fashion model.
W Really? I want to work in the fashion industry too!
M What do you want to do exactly?
W I want to design beautiful jewelry.
M Cool. Someday, I might walk on a runway with your jewelry.
W That would be awesome.

여 인호야, 미래에 꿈꾸는 직업에 관해 쓰는 거 끝냈니?
남 응. 내 꿈은 패션모델이 되는 거야.
여 정말? 나도 패션 업계에서 일하고 싶어!
남 정확히 뭘 하고 싶은데?
여 아름다운 보석을 디자인하고 싶어.
남 멋지다. 언젠가, 내가 네 보석을 하고 런웨이 위를 걸을지도 모르겠다.
여 그러면 정말 굉장하겠다.

해설 | 여자가 아름다운 보석을 디자인하고 싶다고 했으므로 정답은 ③ '보석 디자이너'이다.

어휘 | industry [índəstri] 명 업계; 산업 exactly [igzǽktli] 부 정확히 runway [rʌ́nwei] 명 런웨이, 통로 awesome [ɔ́:səm] 형 굉장한, 멋진

8 심정 고르기

정답 ⑤

W Yongjun, isn't this your diary?
M Yes, it's mine. Where did you find it?
W It was behind the bench at the bus stop.
M Oh, I took some notes while I was waiting for the bus.
W And you left it there, right?
M Yeah. I really appreciate it. This means a lot to me.

여 용준아, 이거 네 수첩 아니니?
남 응, 그거 내 거야. 어디에서 찾았어?
여 버스 정류장의 벤치 뒤에 있었어.
남 오, 내가 버스를 기다리는 동안 메모를 했었어.
여 그리고 거기에 두고 갔구나, 맞지?
남 맞아. 정말 고마워. 이건 나한테 엄청 중요한 거거든.

해설 | 여자가 남자의 수첩을 가져다주자 남자가 정말 고맙다며 자신에게 중요한 것이라고 했으므로 정답은 ⑤ 'thankful'이다.

선택지 해석

① 속상한 ② 실망한 ③ 지루한 ④ 초조한 ⑤ 고마운

어휘 | diary [dáiəri] 명 수첩, 일기 take a note 메모하다 appreciate [əprí:ʃieit] 동 고마워하다; 진가를 인정하다 disappointed [dìsəpɔ́intid] 형 실망한

9 할 일 고르기

정답 ⑤

W Evan, you look so busy.
M Yeah, I have to finish baking cookies before everyone comes. But I still have a lot to do.
W Maybe I can help you.
M Then, could you pass me some salt?
W Sure. Here you are.
M Thank you. Oh, I forgot to check the oven temperature.
W It's okay. Leave it to me.

여 Evan, 너 매우 바빠 보여.
남 응, 모두가 오기 전에 쿠키 굽는 걸 끝내야 해. 근데 아직 할 것들이 많아.
여 내가 도와줄 수 있을지도 몰라.
남 그럼, 소금 좀 건네줄래?
여 물론이지. 여기 있어.
남 고마워. 오, 오븐 온도 확인하는 것을 잊어버렸네.
여 괜찮아. 나에게 맡겨.

해설 | 남자가 오븐 온도를 확인하는 것을 잊었다고 하자 여자가 자신에게 맡기라고 했으므로 정답은 ⑤ '오븐 온도 확인하기'이다.

어휘 | bake [beik] 동 굽다 pass [pæs] 동 건네주다; 지나가다, 통과하다 temperature [témpərətʃər] 명 온도 leave [li:v] 동 맡기다; 떠나다

10 주제 고르기

정답 ④

M What are you looking at, Susan?
W I'm reading our school newspaper. There is a very interesting article in it.
M What is it about?
W A singing contest will take place next month.
M Will you enter it?
W Yes. The winner will have a chance to perform in the school festival.
M Go for it! You'll do well.

남 뭘 보고 있니, Susan?
여 우리 학교 신문을 읽고 있어. 거기에 아주 흥미로운 기사가 있어.
남 뭐에 대한 건데?
여 다음 달에 노래 경연 대회가 열릴 거래.
남 너 참가할 거야?
여 응. 우승자는 학교 축제에서 공연할 기회를 갖게 될 거야.
남 도전해봐! 넌 잘할 거야.

해설 | 여자가 다음 달에 노래 경연 대회가 열리고 우승자에게 학교 축제에서 공연할 기회가 있을 것이라고 하고 있으므로 정답은 ④ '노래 경연 대회'이다.

어휘 | article 명 기사 take place 열리다, 일어나다 enter [éntər] 동 참가하다; 들어가다 perform [pərfɔ́:rm] 동 공연하다

11 교통수단 고르기

정답 ⑤

M Mom, how should we get to Sunset Beach this weekend?
W There is a subway station close to the beach. How about taking the subway?
M Well, I want to enjoy the view on the way.
W Then, shall we ride the bus?
M Great. Can I sit by the window?
W Of course.

남 엄마, 우리 이번 주말에 선셋 비치에 어떻게 갈까요?
여 그 해변 가까이에 지하철역이 있어. 지하철 타는 게 어떠니?
남 음, 전 가는 길에 경치를 즐기고 싶어요.
여 그럼, 버스를 탈까?
남 좋아요. 제가 창가 쪽에 앉아도 돼요?
여 물론이지.

해설 | 여자가 버스를 타자고 하자 남자가 좋다고 했으므로 답은 ⑤ '버스'이다.

어휘 | view [vju:] 명 경치; 견해

12 이유 고르기

정답 ⑤

W Sejin, could you lend me your laptop? M Why? You bought one last winter. W Yeah, but it's broken. M Oh, I see. But I'm afraid I can't. My brother borrowed mine. W Then, what should I do? I need a laptop for my presentation now. M Why don't you try a rental shop? It's not that expensive. W Okay, I will.	여 세진아, 네 노트북 좀 빌려줄 수 있니? 남 왜? 너 지난겨울에 하나 샀잖아. 여 응, 근데 고장 났어. 남 오, 그렇구나. 근데 미안하지만 안 되겠어. 남동생이 내 것을 빌려 갔거든. 여 그럼 어떻게 하지? 발표 때문에 지금 노트북이 필요한데. 남 대여점을 이용해보는 건 어때? 그렇게 비싸지 않아. 여 알겠어, 그럴게.

해설 | 여자가 남자에게 노트북을 빌려달라고 했지만, 남자가 남동생이 자신의 노트북을 빌려 갔다며 거절했으므로 정답은 ⑤ '다른 사람에게 빌려줬기 때문에'이다.

어휘 | lend [lend] 동 빌려주다 borrow [bárou] 동 빌리다 presentation [prèzəntéiʃən] 명 발표 rental [réntl] 명 대여 expensive [ikspénsiv] 형 비싼

13 장소 고르기

정답 ①

W Minsu, could you pass me the ball? It's right next to you. M Okay, sure. W Thanks. Why don't you play soccer with us? M Well, I'm heading to the library now. W We need one more person. Please join us. M But it's too hot. I don't like to sweat. W Then, I'll buy you an ice cream later. M Oh, really? Maybe I can play for a little while.	여 민수야, 나한테 공을 패스해 줄래? 너 바로 옆에 있어. 남 그래, 물론이지. 여 고마워. 너도 우리랑 같이 축구 하는 게 어때? 남 글쎄, 나 지금 도서관에 가는 중이야. 여 우리 한 사람이 더 필요해. 우리랑 같이하자. 남 하지만 너무 더운걸. 난 땀 흘리는 거 안 좋아해. 여 그럼, 내가 나중에 아이스크림 사줄게. 남 오, 정말? 아마 아주 잠깐은 해도 될 거야.

해설 | 여자가 남자에게 공을 패스해달라고 했고, 같이 축구를 하자는 말을 하는 것으로 보아 정답은 ① '운동장'이다.

어휘 | head [hed] 동 (특정 방향으로) 가다 명 머리 sweat [swet] 동 땀을 흘리다

14 위치 고르기

정답 ⑤

W Dad, can you get my necklace from my room? M Sure. What does it look like? W It's silver and has a heart pendant. The jewelry box is in the drawer. M Well, there's nothing in the box. W Then, look on the desk. M No, I can't see it. Oh, here it is! It's near the flowerpot.	여 아빠, 제 방에서 목걸이를 가져다주실래요? 남 물론이지. 어떻게 생겼니? 여 그건 은이고 하트 펜던트가 있어요. 보석 상자는 서랍 안에 있어요. 남 음, 그 상자 안에는 아무것도 없구나. 여 그럼, 책상 위를 봐주세요. 남 아니, 안 보이는데. 오, 여기 있구나! 화분 근처에 있어.

해설 | 남자가 화분 근처에서 목걸이를 찾았으므로 정답은 ⑤이다.

어휘 | necklace [néklis] 명 목걸이 pendant [péndənt] 명 펜던트 drawer [drɔːr] 명 서랍 flowerpot [fláuərpɑ̀t] 명 화분

15 부탁·요청한 일 고르기

정답 ③

M Wow! We're on the top of the mountain. W Yeah. It wasn't easy, but we did it. M Do you mind taking a picture of me? It's my first time climbing to the top. W Of course not. Pose and smile for the camera. M Okay. I'll stand next to the huge stone. W Excellent idea!	남 우와! 우리 산 정상에 왔어. 여 응. 쉽진 않았지만, 우리가 해냈어. 남 내 사진 좀 찍어줄래? 정상까지 오른 건 처음이거든. 여 물론이지. 카메라를 향해 포즈 취하고 웃어. 남 알겠어. 큰 바위 옆에 설래. 여 훌륭한 생각이야!

해설 | 남자가 여자에게 자신의 사진을 찍어달라고 부탁했으므로 정답은 ③ '사진 찍어주기'이다.

어휘 | pose [pouz] 동 포즈를 취하다 excellent [éksələnt] 형 훌륭한

16 제안한 일 고르기

정답 ②

[Cellphone rings.]
M Hey, Emma. Do you have any plans for the holiday?
W No, I don't have any special plans.
M Then, how about going to the Spring Flower Festival?
W Well, it ended last Sunday.
M Oh, but I want to do some outdoor activities.
W I suggest we go fishing.
M That sounds interesting!

[휴대폰이 울린다.]
남 안녕, Emma. 너 휴일에 계획이 있니?
여 아니, 특별한 계획은 없어.
남 그럼, Spring Flower Festival에 가는 것은 어때?
여 이런, 그거 지난 일요일에 끝났어.
남 오, 그렇지만 나는 야외 활동이 하고 싶은걸.
여 우리 낚시하러 가는 걸 제안할게.
남 재미있을 것 같아!

해설 | 여자가 남자에게 낚시하러 가는 것을 제안한다고 했으므로 정답은 ② '낚시하러 가기'이다.

어휘 | end [end] 동 끝나다 outdoor [áutdɔ̀ːr] 형 야외의 activity [æktívəti] 명 활동 suggest [səgdʒést] 동 제안하다

17 할 일 고르기

정답 ④

M Honey, we need to go buy some bread for breakfast tomorrow.
W Can we go later?
M The bakery will close at 9. We should go now.
W But I'm watching a baseball game.
M Then, how about having fried eggs in the morning instead?
W Why not?
M Oh, we don't have eggs either.
W In that case, let's go to the grocery store before breakfast.
M Alright.

남 여보, 우리 내일 아침 식사를 위해서 가서 빵을 좀 사야 해.
여 나중에 가도 돼?
남 빵집이 9시에 문을 닫을 거야. 지금 가야 해.
여 그렇지만 야구 경기 보는 중이란 말이야.
남 그럼, 대신 아침에 계란프라이를 먹는 것은 어때?
여 물론 좋지.
남 오, 달걀도 없네.
여 그렇다면, 아침 식사 전에 식료품점에 가자.
남 좋아.

해설 | 여자가 아침 식사 전에 식료품점에 가자고 하자 남자가 좋다고 했으므로 정답은 ④ '식료품 사러 가기'이다.

어휘 | breakfast [brékfəst] 명 아침 식사 grocery [gróusəri] 명 식료품

18 직업 고르기

정답 ③

W Charlie did a great job today. He is a really smart dog.
M That's good.
W He won't chew your shoes now.
M Thanks. How can I train him at home?
W Reward him when he follows your commands.
M Okay, I'll give his favorite treat to him.

여 Charlie는 오늘 굉장히 잘했어요. 정말 영리한 개예요.
남 다행이네요.
여 그 녀석은 이제 신발을 물어뜯지 않을 거예요.
남 감사합니다. 집에서는 어떻게 훈련할 수 있나요?
여 명령을 따르면 그에게 보상해주세요.
남 알겠습니다, 그에게 그가 가장 좋아하는 간식을 줄게요.

해설 | 여자가 남자의 개가 오늘 잘했다고 했고, 남자가 여자에게 집에서 훈련할 방법을 묻자 여자가 명령을 따르면 개에게 보상을 해주라고 했으므로 정답은 ③ '동물 훈련사'이다.

어휘 | chew [tʃuː] 동 물어뜯다, 씹다 train [trein] 동 훈련시키다 reward [riwɔ́ːrd] 동 보상하다 명 보상 command [kəmǽnd] 명 명령
treat [triːt] 명 간식 동 치료하다

19 적절한 응답 고르기

정답 ②

M Why don't we play chess, Rachel?
W Well... I don't know how to play chess.
M Don't worry. I can teach you.
W But I think it'll be difficult.
M The rules are simple. You can learn them easily.
W Great. Where are the chessboard and pieces?
M Wait here, I'll go get them.

남 우리 체스 두지 않을래, Rachel?
여 음... 나는 어떻게 체스를 두는지 몰라.
남 걱정하지 마. 내가 가르쳐줄 수 있어.
여 근데 어려울 것 같아.
남 규칙은 간단해. 쉽게 익힐 수 있어.
여 좋아. 체스판과 말은 어디 있니?
남 여기서 기다려, 내가 가져올게.

해설 | 여자가 체스판과 말이 어디에 있는지를 묻고 있으므로 정답은 직접 가져오겠다고 하는 ② 'Wait here, I'll go get them.'이다.

선택지 해석

① 그들이 게임에서 이겼어. ② 여기서 기다려, 내가 가져올게. ③ 포기하지 마. ④ 그는 밖에서 놀았어. ⑤ 최선을 다할게.

어휘 | easily [íːzili] 부 쉽게 piece [piːs] 명 (체스, 장기의) 말, 알; 조각 give up 포기하다 do one's best 최선을 다하다

20 적절한 응답 고르기

정답 ⑤

M What's wrong, Sunhee? I heard a scream.
W I saw a moth. It really scared me.
M Oh, I see. Is it gone now?
W I think so. Are you also afraid of moths?
M No, I'm not. I actually like insects.
W Then, what are you afraid of?
M I'm scared of high places.

남 무슨 일이야, 선희야? 비명을 들었는데.
여 나방을 봤어. 그건 날 정말 놀라게 했어.
남 오, 그렇구나. 이제는 갔어?
여 그런 것 같아. 너도 나방 무서워하니?
남 아니. 난 사실 곤충을 좋아해.
여 그럼 뭘 무서워해?
남 나는 높은 곳이 무서워.

해설 | 여자가 무엇을 무서워하는지를 묻고 있으므로 정답은 무서워하는 대상을 언급하는 ⑤ 'I'm scared of high places.'이다.

선택지 해석

① 거기서 많은 곤충을 봤어. ② 네 두려움을 직시해. ③ 벌 조심해. ④ 동의하지 않니? ⑤ 나는 높은 곳이 무서워.

어휘 | moth [mɔːθ] 명 나방 scare [skɛər] 동 놀라게 하다, 겁주다 be afraid of ~을 무서워하다 insect [ínsekt] 명 곤충 face [feis] 동 직시하다 명 얼굴

23회 고난도 모의고사

| 문제 pp.204-205

1	⑤	2	③	3	④	4	②	5	③	6	⑤	7	①	8	⑤	9	③	10	④
11	③	12	⑤	13	②	14	⑤	15	⑤	16	⑤	17	①	18	④	19	⑤	20	④

1 화제 고르기

정답 ⑤

W I am a flying insect. I have black lines on my yellow body. I live in a large group, and my house looks like a hexagon. I help plants to produce fruits. What am I?

여 나는 날아다니는 곤충입니다. 나는 노란색 몸통에 검은색 줄무늬가 있습니다. 나는 큰 무리 속에서 살고, 나의 집은 육각형처럼 보입니다. 나는 식물이 열매를 맺는 것을 도와줍니다. 나는 무엇인가요?

해설 | 나(I)는 날아다니는 곤충이며 노란색 몸통에 검은색 줄무늬가 있다고 했으므로 정답은 ⑤이다.

어휘 | hexagon [héksəgən] 명 육각형 produce [prədjúːs] 동 (식물이 열매, 과일 등을) 맺다; 생산하다

2 알맞은 그림 고르기

정답 ③

W There are so many kinds of phone grips here.
M Yeah. I don't know what to choose. Could you help me, Mina?
W My pleasure. How about the round ones?
M Well, I want something more unique.
W Then, a cloud shape would be better.
M You're right. Oh, I'll take the blue one with a smiley face on it. That's the best.

여 여기 정말 많은 종류의 휴대폰 그립톡이 있어.
남 응. 뭘 골라야 할지 모르겠어. 나 좀 도와줄래, 미나야?
여 물론이지. 동그란 것들은 어때?
남 음, 난 더 독특한 무언가를 원해.
여 그럼, 구름 모양이 낫겠어.
남 맞아. 오, 스마일 그림이 그려져 있는 파란색을 살래. 그게 최고야.

해설 | 남자가 스마일 그림이 그려진 파란색의 구름 모양 그립톡을 사겠다고 했으므로 정답은 ③이다.

어휘 | phone grip 휴대폰 그립톡 (grip [grip] 명 단단히 붙잡음) unique [juːníːk] 형 독특한 shape [ʃeip] 명 모양, 형태 smiley face 스마일 그림

3 날씨 고르기

정답 ④

M Good morning. This is the weekly weather forecast. The rain will start from Tuesday. But it will stop on Thursday. And we'll have hot summer weather with sunny skies for the rest of the week. Don't forget to put on sunscreen when you go out.

남 안녕하십니까. 주간 일기 예보입니다. 화요일부터 비가 내리기 시작하겠습니다. 하지만 목요일에는 그칠 것입니다. 그리고 남은 주간에는 화창한 하늘과 함께 더운 여름 날씨가 이어질 것입니다. 외출하실 때 자외선 차단제 바르는 것을 잊지 마십시오.

해설 | 화요일부터 비가 시작될 것이라고 했으므로 정답은 ④이다.

어휘 | put on (화장품을) 바르다; (옷을) 입다 sunscreen [sʌ́nskriːn] 명 자외선 차단제

4 의도 고르기

정답 ②

M Sera, why did you fight with your brother this time?
W He ate all the snacks, Dad. Those were mine.
M Okay. I'll scold him for that. But you also said some bad words.
W Yes. It was my fault.
M Then, say sorry to him.
W But it's not fair. Why do I have to do it first?

남 세라야, 이번엔 남동생과 왜 싸운 거야?
여 걔가 간식을 다 먹었어요, 아빠. 그것들은 제 거였어요.
남 알겠어. 그것에 대해선 내가 야단치마. 그런데 너도 나쁜 말을 했어.
여 네. 그건 제 잘못이에요.
남 그럼 동생에게 미안하다고 말하렴.
여 하지만 그건 불공평해요. 왜 제가 먼저 해야 해요?

해설 | 남자가 동생에게 사과하라고 하자 여자가 그건 불공평하다며 왜 자신이 먼저 해야 하냐고 했으므로 정답은 ② '불평'이다.

어휘 | fight [fait] 동 싸우다 snack [snæk] 명 간식 scold [skould] 동 야단치다, 꾸짖다 fault [fɔːlt] 명 잘못; 결점, 단점 fair [fɛər] 형 공평한, 공정한

5 언급하지 않은 내용 고르기

정답 ③

M Hello, students. Let me tell you how to prevent the flu. First, you should wash your hands frequently. Also, getting a vaccine will be helpful. And you'd better drink enough water and eat fresh fruit. Don't forget to exercise regularly.

남 안녕하세요, 학생 여러분. 독감을 예방하는 방법을 말씀드리겠습니다. 첫째로, 손을 자주 씻어야 합니다. 또한, 예방 주사를 맞는 것이 도움이 될 것입니다. 그리고 충분한 물을 마시고 신선한 과일을 먹는 것이 좋습니다. 규칙적으로 운동하는 것도 잊지 마십시오.

해설 | ① 손 자주 씻기, ② 규칙적으로 운동하기, ④ 수분과 과일 섭취하기, ⑤ 예방 주사 맞기를 언급했으므로 정답은 ③ '마스크 착용하기'이다.

어휘 | prevent [privént] 동 예방하다; 막다 flu [fluː] 명 독감 frequently [fríːkwəntli] 부 자주 helpful [hélpfəl] 형 도움이 되는 regularly [régjulərli] 부 규칙적으로

6 시간 정보 고르기

정답 ⑤

[Cellphone rings.]
W Hi, Junho! Did you eat lunch?
M Lunch? No. *[Pause]* Oh, it's already 12:15.
W Yeah. Let's have lunch together at the Kelly's Burger.
M Sounds good.
W What about meeting there in 15 minutes?
M Well, I guess I need at least 30 minutes to get there.
W Okay. Then, see you there at 1 o'clock.

[휴대폰이 울린다.]
여 안녕, 준호야! 너 점심 먹었니?
남 점심? 아니. *[잠시 멈춤]* 오, 벌써 12시 15분이네.
여 응. 우리 Kelly's Burger에서 같이 점심 먹자.
남 좋아.
여 15분 후에 거기서 만나는 게 어때?
남 음, 거기 가려면 적어도 30분이 필요한 것 같아.
여 알겠어. 그럼 1시에 거기서 보자.

해설 | 여자가 1시에 보자고 했으므로 정답은 ⑤ '1:00 p.m.'이다.
어휘 | already [ɔːlrédi] 부 벌써, 이미 at least 적어도, 최소한

7 장래 희망 고르기

정답 ①

M Hayoon, I have a problem. Can I tell you about it?
W Sure.
M I dream of becoming a firefighter, but my parents worry about it a lot.
W Oh, why?
M They say the job is too difficult and dangerous.
W Maybe you should tell them how much you want it.
M Okay. Thanks.

남 하윤아, 나 문제가 있어. 그것에 대해 얘기 해도 되니?
여 물론이지.
남 난 소방관이 되는 게 꿈인데, 부모님이 그것에 대해 많이 걱정하셔.
여 오, 왜?
남 그 직업이 너무 힘들고 위험하다고 하셔.
여 아마도 네가 얼마나 그 직업을 갖고 싶은지 말씀드려야 할 것 같아.
남 알겠어. 고마워.

해설 | 남자가 소방관이 되는 것이 꿈이라고 했으므로 정답은 ① '소방관'이다.
어휘 | firefighter [fáiərfaitər] 명 소방관 difficult [dífikəlt] 형 힘든, 어려운 dangerous [déindʒərəs] 형 위험한

8 일치하지 않는 내용 고르기

정답 ⑤

W Jason, what's the name of the tree in this photo?
M It's a lilac tree. My father planted it when I was two years old.
W Oh, I see. It is quite tall.
M It is around three meters tall.
W Wow! And its violet flowers look so beautiful.
M Yeah. It also has a strong and sweet scent.

여 Jason, 이 사진에 있는 나무 이름이 뭐야?
남 라일락 나무야. 내가 두 살 때 아빠가 심으셨어.
여 오, 그렇구나. 꽤 크네.
남 대략 3미터 정도야.
여 우와! 그리고 보라색 꽃도 너무 예뻐 보여.
남 응. 게다가 강렬하고 달콤한 향기도 나.

해설 | 남자가 자신이 두 살이었을 때 아빠가 라일락 나무를 심으셨다고 했으므로 정답은 ⑤ '키운 지 2년 되었다.'이다.
어휘 | plant [plænt] 동 심다 명 식물 quite [kwait] 부 꽤 violet [váiəlit] 형 보라색의 scent [sent] 명 향기, 향

9 할 일 고르기

정답 ③

W Do you have math class today, Jihoon?
M No, I don't.
W Then, can you lend me your textbook? I left mine at home.
M Sorry, but I need it now. I'm going to study math for tomorrow's quiz.
W Alright. I'll find someone else.

여 오늘 수학 수업 있니, 지훈아?
남 아니, 없어.
여 그럼, 교과서 좀 빌려줄 수 있어? 내 걸 집에 두고 왔어.
남 미안한데, 나도 지금 그게 필요해. 내일 쪽지 시험을 위해 수학 공부할 거라서 말이야.
여 알겠어. 다른 사람 찾아볼게.

해설 | 남자가 지금 교과서가 필요하다고 하면서 내일 쪽지 시험을 위해서 수학 공부를 할 것이라며 여자의 부탁을 거절했으므로 정답은 ③ '수학 공부하기'이다.
어휘 | lend [lend] 동 빌려주다 textbook [tékstbuk] 명 교과서 leave [liːv] 동 두고 오다; 떠나다 need [niːd] 동 필요하다 명 필요
quiz [kwiz] 명 쪽지 시험, 퀴즈

10 주제 고르기

정답 ④

W Michael, I got this letter from school.
M What does it say, Mom?
W First, it says you can't use your phone at school anymore. You should hand it in every morning.
M That's too bad.
W And some students' items were stolen recently. So, you should put yours in the locker.
M Okay. I'll follow the rules.

여 Michael, 학교로부터 이 편지를 받았단다.
남 거기에 뭐라고 쓰여 있나요, 엄마?
여 우선, 학교에서 더는 휴대폰을 쓸 수 없다는구나. 너는 매일 아침 휴대폰을 제출해야 한단다.
남 아쉽게 됐네요.
여 그리고 몇몇 학생들의 물건이 최근에 도둑질당했다는구나. 그러니, 네 물건들은 사물함에 넣어둬야 해.
남 알겠어요. 규칙을 따를게요.

해설 | 여자가 학교로부터 편지를 받았다고 하면서 학교에서 더는 휴대폰을 쓸 수 없고 물건은 사물함에 넣어야 한다고 했으며, 남자가 규칙을 따르겠다고 했으므로 정답은 ④ '학교생활 규칙'이다.

어휘 | hand in 제출하다 steal [sti:l] 동 도둑질하다, 훔치다 locker [lákər] 명 사물함 follow [fálou] 동 따르다 rule [ru:l] 명 규칙, 규정

11 교통수단 고르기

정답 ③

M Honey, why don't we go on a trip to Bailey Island?
W I'd love to! Can we take a ferry?
M Well, I get seasick.
W Oh, then, how can we go there?
M There is a long bridge. So, we can drive to the island.
W Wow, that'll be exciting!
M Yes. I can't wait.

남 여보, 우리 베일리 섬으로 여행 가는 게 어때?
여 나도 그러고 싶어! 우리 여객선을 탈 수 있을까?
남 음, 나 뱃멀미해.
여 오, 그럼 우리 거기 어떻게 갈수 있어?
남 거기에 긴 다리가 있어. 그러니, 섬으로 운전해서 가면 돼.
여 우와, 재미있겠다!
남 응. 너무 기대돼.

해설 | 남자가 섬으로 운전해서 가면 된다고 했으므로 정답은 ③ '자동차'이다.

어휘 | island [áilənd] 명 섬 ferry [féri] 명 여객선 seasick [sí:sik] 형 뱃멀미의 bridge [bridʒ] 명 다리, 교량

12 이유 고르기

정답 ⑤

M Amy, why didn't you come to the party last weekend?
W I went to the Van Gogh Art Gallery with my friend.
M Are you a fan of him?
W Not me. My friend really loves his work, and she asked me to go with her.
M I see. Did you have fun?
W Yeah. It wasn't bad.

남 Amy, 왜 지난 주말에 파티에 오지 않았니?
여 친구랑 반 고흐 미술관에 갔거든.
남 너 그의 팬이니?
여 나는 아니야. 내 친구가 그의 작품을 정말 좋아하는데, 나한테 함께 가자고 부탁했거든.
남 그렇구나. 재미있었니?
여 응. 나쁘지 않았어.

해설 | 반 고흐의 작품을 좋아하는 여자의 친구가 함께 미술관에 가자고 부탁했다고 했으므로 정답은 ⑤ '친구가 보러 가자고 해서'이다.

어휘 | art gallery 미술관, 화랑 work [wə:rk] 명 작품 동 일하다 ask [æsk] 동 부탁하다; 묻다, 질문하다

13 장소 고르기

정답 ②

W Hello. Can I try on the T-shirt with a dolphin print?
M Yes. Could you tell me your size?
W I wear a large.
M Alright. *[Pause]* Here it is.
W Thank you. Oh, there's a mark on it.
M I see. It looks like makeup. Let me get you another one.

여 저기요. 돌고래 그림이 있는 티셔츠를 입어볼 수 있나요?
남 네. 사이즈를 말씀해주시겠어요?
여 저는 라지를 입어요.
남 알겠습니다. *[잠시 멈춤]* 여기 있습니다.
여 감사합니다. 오, 여기 얼룩이 있어요.
남 그렇군요. 화장품처럼 보이네요. 다른 것으로 가져다드리겠습니다.

해설 | 여자가 돌고래 그림이 있는 티셔츠를 입어볼 수 있을지를 묻자 남자가 사이즈를 말해달라고 하는 것으로 보아 정답은 ② '옷가게'이다.

어휘 | dolphin [dálfin] 명 돌고래 mark [ma:rk] 명 얼룩, 흔적 makeup [méikʌ̀p] 명 화장품, 화장

14 위치 고르기

정답 ⑤

M Excuse me. I'm looking for Somang Elementary School.
W Go straight one block, and then turn right.
M Turn right?
W Yes. Then, go straight one more block, and you'll see the playground on your right.
M Okay.
W It will be next to the playground.
M Thank you so much!

남 실례합니다. 소망 초등학교를 찾고 있는데요.
여 한 블록 직진해서, 우회전하세요.
남 우회전이요?
여 네. 그리고, 한 블록 더 가면, 오른쪽에 놀이터가 보일 거예요.
남 알겠습니다.
여 초등학교는 놀이터 옆에 있을 거예요.
남 매우 감사합니다!

해설 | 소망 초등학교는 한 블록 직진해서 우회전한 다음 한 블록 더 직진했을 때 오른쪽, 즉 놀이터 옆에 있다고 했으므로 정답은 ⑤이다.
어휘 | elementary school 초등학교

15 부탁·요청한 일 고르기

정답 ⑤

[Cellphone rings.]
M Hello, Yuna.
W Hey, Jimmy. Do you have some time tonight?
M Yes. I'll be free.
W Great. My friend Semi invited me to dinner, and I'd like to go with you.
M Alright. Then, can you meet me at the subway station? And let's buy some flowers before the dinner.
W Okay.

[휴대폰이 울린다.]
남 안녕, 유나야.
여 안녕, Jimmy. 오늘 밤에 시간 되니?
남 응. 나 한가해.
여 잘됐다. 내 친구 세미가 나를 저녁 식사에 초대했는데, 너랑 같이 가고 싶어.
남 좋아. 그럼, 지하철역에서 나랑 만날래? 그리고 저녁 식사 전에 꽃을 좀 사자.
여 알겠어.

해설 | 여자가 자신의 친구 세미로부터 저녁에 초대받았는데 남자와 같이 가고 싶다고 하는 것으로 보아 정답은 ⑤ '저녁 식사 모임에 함께 가기'이다.
어휘 | free [friː] 형 한가한; 자유의 invite [inváit] 동 초대하다 station [stéiʃən] 명 역, 정거장

16 제안한 일 고르기

정답 ⑤

M Nayoung, get ready. It is your turn next.
W I'm so nervous, Dad.
M Calm down. You practiced a lot. You can win this ballet contest.
W Thanks. Your support means a lot to me.
M Did you drink some water?
W Yes, I did.
M You should also stretch your legs.
W Okay, I will.

남 나영아, 준비하렴. 다음이 네 차례야.
여 너무 긴장돼요, 아빠.
남 진정하렴. 많이 연습했잖니. 네가 이 발레 대회에서 우승할 수 있을 거란다.
여 고마워요. 아빠가 지지해주셔서 힘이 많이 돼요.
남 물은 마셨니?
여 네, 마셨어요.
남 그리고 다리 스트레칭도 해야 해.
여 알겠어요, 그럴게요.

해설 | 남자가 여자에게 다리를 스트레칭할 것을 제안하고 있으므로 정답은 ⑤ '다리 스트레칭하기'이다.
어휘 | nervous [nə́ːrvəs] 형 긴장되는 calm down 진정하다 contest [kántest] 명 대회 support [səpɔ́ːrt] 명 지지 동 지원하다
stretch [stretʃ] 동 스트레칭하다; (한껏) 뻗다

17 한 일 고르기

정답 ①

M Did you enjoy your weekend, Minji?
W It was great. I played basketball with my club members.
M That sounds fun! I didn't know you are interested in basketball.
W Yeah. What do you do in your free time?
M I watch soccer games. I went to the stadium last Saturday to cheer for the Tigers.

남 주말 잘 보냈니, 민지야?
여 아주 좋았어. 동아리 부원들이랑 농구를 했거든.
남 재미있었겠다! 네가 농구에 관심이 있는지 몰랐네.
여 응. 넌 여가 시간에 뭘 하니?
남 난 축구 경기를 봐. 지난 토요일에는 Tigers 팀을 응원하러 경기장에 갔었어.

해설 | 남자가 여가 시간에 축구 경기를 본다고 하면서 지난 토요일에는 Tigers 팀을 응원하러 경기장에 갔었다고 했으므로 정답은 ① '축구장 가기'이다.
어휘 | stadium [stéidiəm] 명 경기장 cheer for 응원하다

18 직업 고르기

정답 ④

W Hi, Mark. What are you looking at?
M It's my new game.
W Oh, wow. It looks great. You worked hard on it.
M Yes. It became very popular, so I'm happy.
W How do I play?
M You have to build a city and protect it.
W I usually like car games, but that looks interesting.
M Thanks. You should download it.

여 안녕, Mark. 무엇을 보고 있어?
남 이건 내가 새로 만든 게임이야.
여 오, 우와. 굉장해 보여. 이것에 공을 들였구나.
남 응. 인기가 아주 많아져서 기분이 좋아.
여 어떻게 하는 거야?
남 도시를 건설하고 지켜내야 해.
여 난 보통 자동차 게임 좋아하는데, 그것도 재미있어 보인다.
남 고마워. 다운로드해 봐.

해설 | 남자가 자신이 새로 만든 게임을 보고 있다고 하자 여자가 고생이 많았다고 했으므로 정답은 ④ '게임 개발자'이다.

어휘 | work hard 공을 들이다 build [bild] 동 건설하다, 건축하다 protect [prətékt] 동 지키다, 보호하다 usually [júːʒuəli] 부 보통, 대개

19 적절한 응답 고르기

정답 ⑤

W Hi. I would like to order an ice cream.
M Sure. What flavor would you like?
W Hmm... What do you recommend?
M Our most popular flavors are chocolate and strawberry.
W I don't really like either.
M There's also vanilla and banana. Which one do you want?
W I'll take vanilla, please.

여 안녕하세요. 아이스크림 주문하고 싶은데요.
남 네. 어떤 맛을 원하세요?
여 흠... 뭘 추천하시나요?
남 가장 인기 있는 맛은 초콜릿이랑 딸기예요.
여 둘 다 별로 안 좋아해요.
남 바닐라랑 바나나도 있어요. 어느 걸 원하세요?
여 바닐라로 주세요.

해설 | 남자가 바닐라와 바나나도 있다고 하면서 어느 것을 원하는지 묻고 있으므로 정답은 두 가지 중에서 선택하는 ⑤ 'I'll take vanilla, please.'이다.

선택지 해석

① 딸기는 제가 가장 좋아하는 거예요. ② 물 좀 마시고 싶어요. ③ 5달러입니다. ④ 배고프지 않아요. ⑤ 바닐라로 주세요.

어휘 | flavor [fléivər] 명 맛, 풍미 recommend [rèkəménd] 동 추천하다 popular [pápjulər] 형 인기 있는

20 적절한 응답 고르기

정답 ④

M Dasom, what will you do after school?
W I will go to the electronics store.
M Why will you go there?
W I'm going to buy a new computer! Mine is so old and slow.
M It must be expensive. Where did you get the money?
W I saved money for a year.

남 다솜아, 방과 후에 뭐 할 거니?
여 난 전자 기기 매장에 갈 거야.
남 거기 왜 가는 거야?
여 새 컴퓨터를 살 거거든! 내 건 너무 오래됐고 느려.
남 분명히 비쌀 텐데. 어디서 돈이 났어?
여 나는 1년 동안 돈을 모았어.

해설 | 남자가 어디에서 돈이 났는지 묻고 있으므로 정답은 돈의 출처를 언급하는 ④ 'I saved money for a year.'이다.

선택지 해석

① 나 방금 그거 샀어. ② 그 매장은 정말 가까워. ③ 결제는 현금으로 하세요, 카드로 하세요? ④ 나는 1년 동안 돈을 모았어.
⑤ 책상 밑에서 네 마우스를 찾았어.

어휘 | electronics [ilektrániks] 명 전자 기기 slow [slou] 형 느린 expensive [ikspénsiv] 형 비싼 save [seiv] 동 모으다, 저축하다; 구하다, 구조하다
cash [kæʃ] 명 현금

24회 고난도 모의고사

| 문제 pp.212-213

1	③	2	⑤	3	①	4	②	5	⑤	6	②	7	④	8	③	9	④	10	④
11	①	12	①	13	③	14	①	15	③	16	④	17	②	18	④	19	④	20	⑤

1 화제 고르기

정답 ③

M This is normally long, thin, and flexible. This is usually made of plastic. But this is also made of other materials like paper. You can use this when you drink. What is this?

남 이것은 보통 길고 얇으며 잘 구부러집니다. 이것은 대개 플라스틱으로 만들어집니다. 하지만 이것은 또한 종이와 같은 다른 소재로도 만들어집니다. 무언가를 마실 때 이것을 사용할 수 있습니다. 이것은 무엇인가요?

해설 | 이것(this)은 길고 얇고 잘 구부러지며 무언가를 마실 때 사용할 수 있다고 했으므로 정답은 ③이다.

어휘 | normally [nɔ́:rməli] 부 보통, 일반적으로 flexible [fléksəbl] 형 구부릴 수 있는, 유연한 material [mətíəriəl] 명 재료

2 알맞은 그림 고르기

정답 ⑤

W Honey, what are you doing?
M I'm making a doll for our daughter. She loves teddy bears.
W Wow, that's so sweet! Did you make this checkered dress too?
M Of course. I tried to make a checkered shirt and jeans for it, but it was too difficult.
W It's already enough. It even has a ribbon around its ear.

여 여보, 뭐 하고 있어?
남 우리 딸에게 줄 인형 만들고 있어. 딸이 곰 인형을 좋아하잖아.
여 우와, 정말 다정하다! 이 체크무늬 원피스도 만든 거야?
남 물론이지. 체크무늬 셔츠랑 청바지를 만들려고 해봤는데, 그건 너무 어려웠어.
여 이미 충분해. 심지어 귓가에 리본도 있잖아.

해설 | 남자가 딸에게 줄 곰 인형을 만들고 있다고 하며 체크무늬 원피스도 만들었다고 말했고, 여자가 귓가에 리본도 있다고 했으므로 정답은 ⑤이다.

어휘 | daughter [dɔ́:tər] 명 딸 teddy bear 곰 인형 checkered [tʃékərd] 형 체크무늬인, 바둑판무늬인 enough [inʌ́f] 형 충분한

3 날씨 고르기

정답 ①

M Hello. This is the weather report. There will be a rain shower this afternoon. The temperature will drop below zero overnight. It will be cloudy all day tomorrow. On the day after tomorrow, we'll have winter weather with some snow.

남 안녕하십니까. 일기 예보입니다. 오늘 오후에는 소나기가 오겠습니다. 밤새 기온이 영하로 떨어질 것입니다. 내일은 온종일 흐리겠습니다. 내일모레에는 약간의 눈과 함께 겨울 날씨를 보이겠습니다.

해설 | 내일은 온종일 흐릴 것이라고 했으므로 정답은 ①이다.

어휘 | rain shower 소나기 temperature [témpərətʃər] 명 기온, 온도 drop [drɑp] 동 떨어지다 명 방울 overnight [óuvərnait] 부 밤새, 하룻밤에

4 의도 고르기

정답 ②

W Mr. Jackson, I heard you were looking for me.
M Yes. Sit here, please. I'd like to talk about your history report.
W Oh, is there a problem?
M No. You did a great job. Are you interested in the history of Rome?
W Yes, sir.
M Then, I think you can join our study club.

여 Jackson 선생님, 절 찾으셨다고 들었어요.
남 그래. 여기 앉으렴. 네 역사 보고서에 관해 이야기하고 싶어서 말이야.
여 오, 무슨 문제가 있나요?
남 아니. 넌 정말 잘했단다. 로마 역사에 관심이 있니?
여 네, 선생님.
남 그럼, 우리 연구회에 가입하면 될 것 같구나.

해설 | 남자가 여자에게 로마 역사에 관심이 있는지를 물었고 연구회에 가입하면 될 것 같다고 했으므로 정답은 ② '제안'이다.

어휘 | look for 찾다 history [hístəri] 명 역사 be interested in ~에 관심이 있다 Rome [roum] 명 로마 join [dʒɔin] 동 가입하다, 참여하다

5 언급하지 않은 내용 고르기

정답 ⑤

W Hello, students. Let me introduce our summer school. It'll open on the first day of August and last for three weeks. You will learn math and English in the mornings. But on Fridays, you will go hiking. Only 50 students can participate, so please sign up quickly.

여 안녕하세요, 학생 여러분. 저희 여름 학교를 소개해드리겠습니다. 8월 첫째 날에 개학하여 3주 동안 이어질 것입니다. 여러분들은 오전에 수학과 영어를 배울 것입니다. 하지만 금요일에는 하이킹을 하러 갈 예정입니다. 50명의 학생만이 참가할 수 있으니, 서둘러 신청해주시길 바랍니다.

해설 | ① 교육 기간(3주), ② 수업 과목(수학, 영어), ③ 참가 인원(50명), ④ 야외 활동(하이킹)에 대해 언급했으므로 정답은 ⑤ '수업 장소'이다.

어휘 | last [læst] 동 이어지다, 계속되다 participate [pɑːrtísəpèit] 동 참가하다, 참여하다 quickly [kwíkli] 부 서둘러, 빨리

6 시간 정보 고르기

정답 ②

[Cellphone rings.]

W Hello, Minsu. Where are you? I'm at the gate.

M I already entered the concert hall.

W What? The show begins at 7:30. And it's 7 o'clock now.

M I hurried to buy some souvenirs before the show.

W When did you arrive here?

M One hour earlier than the show time.

[휴대폰이 울린다.]

여 안녕, 민수야. 어디니? 난 입구에 있어.

남 나 이미 공연장에 들어왔어.

여 뭐? 공연은 7시 30분에 시작하잖아. 그리고 지금 7시야.

남 공연 전에 기념품을 사려고 서둘렀어.

여 여기 언제 도착했는데?

남 공연 시간 1시간 전에.

해설 | 여자가 7시 30분에 공연이 시작한다고 했고, 남자에게 공연장에 언제 도착했는지를 묻자 남자가 공연 시간 1시간 전이라고 했으므로 정답은 ② '6:30 p.m.'이다.

어휘 | gate [geit] 명 입구, 문 souvenir [sùːvəníər] 명 기념품

7 장래 희망 고르기

정답 ④

M Yura, what are you reading?

W It's a book of photographs. The artist is my role model.

M Do you want to be a photographer?

W No. Actually, she is an amazing lawyer. I want to be like her. Taking pictures is just her hobby.

M Oh, I see.

남 유라야, 무엇을 읽고 있니?

여 이건 사진집이야. 작가가 내 롤 모델이야.

남 넌 사진작가가 되고 싶니?

여 아니. 사실, 그녀는 대단한 변호사야. 난 그녀처럼 되고 싶어. 사진을 찍는 건 그냥 그녀의 취미야.

남 오, 그렇구나.

해설 | 여자가 자신의 롤 모델인 사진집 작가는 사실 대단한 변호사라고 하면서 그녀처럼 되고 싶다고 했으므로 정답은 ④ '변호사'이다.

어휘 | photograph [fóutəgræ̀f] 명 사진 lawyer [lɔ́ːjər] 명 변호사 hobby [hɑ́bi] 명 취미

8 심정 고르기

정답 ③

M Youngmin, did you know that we won't have a sports day this year?

W Yes. My homeroom teacher said that this morning.

M I'm so sad. I was really excited for it.

W Actually, that's not that bad for me.

M Really? Why?

W I don't like playing sports, so I'm happy about it.

남 영민아, 올해에는 운동회 날이 없을 예정인 거 알았어?

여 응. 우리 담임 선생님께서 오늘 아침에 말씀해주셨어.

남 난 너무 슬퍼. 그거 정말 기대하고 있었거든.

여 사실, 나한테는 그렇게 나쁘지 않아.

남 정말? 왜?

여 난 운동하는 걸 안 좋아해서, 그렇게 된 게 좋아.

해설 | 남자가 여자에게 올해에는 운동회 날이 없을 예정인 것을 알았는지 물었고 여자는 운동하는 것을 안 좋아해서 그렇게 된 게 좋다고 했으므로 정답은 ③ '안도함'이다.

어휘 | sports day 운동회 날 homeroom teacher 담임 선생님

9 할 일 고르기

정답 ④

W Will you come here, Andy?
M Okay, Mom. What's the problem?
W I want to send money on my phone.
M Let me see. Hmm... You should install the banking app first.
W I don't know how to install it. Can you do that for me?
M Sure. Give me your phone.

여 여기로 좀 와보겠니, Andy?
남 알겠어요, 엄마. 무슨 일이에요?
여 휴대폰으로 돈을 보내고 싶은데 말이야.
남 어디 볼게요. 흠... 은행 앱을 먼저 설치해야 해요.
여 그걸 어떻게 설치하는지 모르겠구나. 나 대신 해주겠니?
남 물론이죠. 휴대폰을 제게 줘보세요.

해설 | 여자가 은행 앱을 설치해달라고 하자 남자가 물론이라고 했으므로 정답은 ④ '앱 설치하기'이다.
어휘 | send [send] 동 보내다 install [instɔ́:l] 동 설치하다

10 주제 고르기

정답 ④

W What are you watching, Minho?
M It's a video about how to make tea.
W Do you enjoy drinking tea?
M No. But my class will open a tea café during the school festival.
W Sounds good.
M What about your class?
W We're performing the play, *Romeo and Juliet.*
M Cool! I'll go to see it.

여 무엇을 보고 있니, 민호야?
남 차를 어떻게 만드는지에 관한 영상이야.
여 넌 차를 즐겨 마시니?
남 아니. 하지만 학교 축제 동안에 우리 반이 찻집을 열 거야.
여 재미있겠다.
남 너희 반은 어때?
여 우리 반은 연극 <로미오와 줄리엣>을 공연할 거야.
남 멋지다! 보러 갈게.

해설 | 남자가 자신의 반이 학교 축제 동안 찻집을 열 것이라고 했고 여자는 자신의 반이 연극 <로미오와 줄리엣>을 공연할 거라고 했으므로 정답은 ④ '축제 준비하기'이다.
어휘 | tea [ti:] 명 차 during [djúəriŋ] 전 ~ 동안 perform [pərfɔ́:rm] 동 공연하다 play [plei] 명 연극

11 교통수단 고르기

정답 ①

M Lucy, tell me about your trip to Seoul. What was your favorite place?
W The N Seoul Tower! But I also loved Namdaemun Market.
M Wow! Did you look around the city on the tour bus?
W No, I didn't.
M Why not? Isn't it more comfortable?
W The taxi drivers were very kind, so I toured by taxi.

남 Lucy, 너의 서울 여행에 대해서 말해줘. 가장 좋았던 장소는 어디였어?
여 N 서울 타워였어! 근데 남대문 시장도 아주 좋았어.
남 우와! 투어 버스로 도시를 둘러봤니?
여 아니, 안 했어.
남 왜 안 했어? 그게 더 편하지 않아?
여 택시 기사님들이 정말 친절하셔서, 택시로 돌아다녔어.

해설 | 여자가 택시로 돌아다녔다고 했으므로 정답은 ① '택시'이다.
어휘 | trip [trip] 명 여행 look around 둘러보다, 돌아다니다 tour [tuər] 명 투어, 관광 동 돌아다니다, 여행하다 kind [kaind] 형 친절한

12 이유 고르기

정답 ①

M Mina, do you like cats?
W Yes. I love them.
M Then, why don't you adopt one? My cat had four kittens.
W Oh, you can't keep all of them, right?
M Exactly. I don't have enough space.
W I wish I could. But my parents won't let me have a pet. So, I can't.
M Sorry to hear that.

남 미나야, 너 고양이 좋아하니?
여 응. 정말 좋아해.
남 그러면, 한 마리 입양하지 않을래? 내 고양이가 새끼 고양이를 네 마리 낳았거든.
여 오, 네가 그들을 다 기를 수는 없지, 그렇지?
남 정확해. 충분한 공간이 없어.
여 내가 키울 수 있으면 좋을 텐데. 하지만 우리 부모님은 내가 반려동물을 키우는 걸 허락하지 않으셔. 그래서, 안돼.
남 안타깝다.

해설 | 여자가 자신의 부모님이 반려동물을 키우는 것을 좋아하지 않아서 키울 수 없다고 했으므로 정답은 ① '부모님이 반대해서'이다.
어휘 | adopt [ədɑ́pt] 동 입양하다 have [həv] 동 낳다; 가지다 kitten [kítn] 명 새끼 고양이 exactly [igzǽktli] 부 정확히

13 장소 고르기

정답 ③

M So, what did the staff say?
W We should wait longer. The plane isn't here yet.
M Oh, no. How long will we have to wait?
W It will be two hours.
M What? That's too long. Why will it arrive so late?
W The plane couldn't take off because of the bad weather.
M Alright. Then, let's get lunch before it arrives.

남 그래서, 그 직원이 뭐라고 했어?
여 우리 더 오래 기다려야 한대. 비행기가 아직 안 왔어.
남 오, 이런. 얼마나 오래 기다려야 해?
여 2시간일 거야.
남 뭐라고? 그건 너무 길잖아. 왜 그렇게 늦게 도착하는 거야?
여 악천후 때문에 비행기가 이륙을 못 했나 봐.
남 알겠어. 그럼, 비행기가 도착하기 전에 점심을 먹자.

해설 | 여자가 직원에게서 듣기로 비행기가 아직 안 와서 더 오래 기다려야 한다고 말하는 것으로 보아 정답은 ③ '공항'이다.
어휘 | staff [stæf] 명 직원 take off 이륙하다 bad weather 악천후, 궂은 날씨

14 위치 고르기

정답 ①

M Thanks for the dinner. See you later!
W Wait! Do you have everything?
M Hmm... Oh, I think I left my phone on the table.
W I'll go get it. *[Pause]* Well, it's not there.
M Then, check around the TV.
W I still can't see it. I should call your phone. *[Cellphone rings.]* Oh, it's under the chair.

남 저녁 고마웠어. 나중에 보자!
여 기다려! 너 물건은 전부 챙겼어?
남 흠... 오, 탁자 위에 휴대폰을 두고 온 것 같아.
여 내가 가져올게. *[잠시 멈춤]* 이런, 거기에 없는데.
남 그럼 TV 주위를 확인해봐.
여 여전히 안 보여. 네 휴대폰으로 전화해야겠어. *[휴대폰이 울린다.]* 오, 의자 밑에 있네.

해설 | 여자가 의자 밑에 휴대폰이 있다고 했으므로 정답은 ①이다.
어휘 | check [tʃek] 동 확인하다 still [stil] 부 여전히

15 부탁·요청한 일 고르기

정답 ③

M Nara, I heard you will prepare carnations for the Teacher's Day celebration.
W Yes. And you will write the thank-you letter.
M Yeah. But I hope we can switch jobs.
W Why?
M Because I'm not good at writing, and you have good handwriting.
W Okay. Let's change.
M Thank you so much.

남 나라야, 네가 스승의 날 기념행사에 카네이션을 준비할 거라고 들었어.
여 응. 그리고 네가 감사 편지를 쓸 거잖아.
남 응. 그런데 우리가 할 일을 바꿀 수 있으면 좋겠어.
여 왜?
남 왜냐하면 난 글 쓰는 걸 잘 못 하는데, 넌 멋진 글씨체를 가지고 있잖아.
여 알겠어. 바꾸자.
남 정말 고마워.

해설 | 남자가 자신의 할 일인 감사 편지를 쓰는 일을 여자와 바꿀 수 있으면 좋겠다고 한 말에 여자가 승낙했으므로 정답은 ③ '감사 편지 쓰기'이다.
어휘 | celebration [sèləbréiʃən] 명 기념행사, 축하행사 switch [switʃ] 동 바꾸다 명 스위치 be good at ~을 잘하다, ~에 능숙하다 handwriting [hǽndraitiŋ] 명 글씨체, 필체

16 제안한 일 고르기

정답 ④

W Steve, you're using a tumbler.
M Yes. I want to protect the Earth.
W Me too.
M I also think we use too much plastic.
W Then, let's recycle used plastic bottles. We can make flowerpots with them this weekend.
M That's a wonderful idea!

여 Steve, 너 텀블러 쓰고 있네.
남 응. 지구를 보호하고 싶거든.
여 나도 그래.
남 난 우리가 너무 많은 플라스틱을 쓰고 있다고도 생각해.
여 그럼, 사용한 플라스틱병들을 재활용해 보자. 이번 주말에 그것들로 화분을 만들 수 있을 거야.
남 아주 멋진 생각이야!

해설 | 여자가 사용한 플라스틱병들을 재활용하자며 이번 주말에 그것들로 화분을 만들 것을 제안하고 있으므로 정답은 ④ '페트병 재활용하기'이다.
어휘 | recycle [riːsáikl] 동 재활용하다 flowerpot [fláuərpàt] 명 화분 wonderful [wʌ́ndərfəl] 형 (아주) 멋진, 놀라운

17 특정 정보 고르기

정답 ②

W Next Wednesday is Dan's birthday. What should we buy for him?
M What about buying an umbrella?
W Well, he bought a new one last week.
M Then, how about a watch?
W I don't think he needs one. He checks the time on his phone.
M Why don't we get him a gift card so he can buy whatever he wants?
W Great idea!

여 다음 주 수요일이 Dan 생일이야. 그에게 뭘 사줘야 할까?
남 우산을 사주는 것은 어때?
여 음, 그는 지난주에 새 걸 샀어.
남 그럼, 시계는 어떨까?
여 그는 그게 필요 없을 것 같아. 휴대폰으로 시간을 확인하잖아.
남 그가 원하는 것을 살 수 있도록 상품권을 주는 것은 어때?
여 좋은 생각이야!

해설 | 남자가 원하는 것을 살 수 있도록 선물로 상품권을 주는 것은 어떠냐고 제안하자 여자가 좋은 생각이라고 했으므로 정답은 ② '상품권'이다.

어휘 | umbrella [ʌmbrélə] 명 우산 gift card 상품권

18 직업 고르기

정답 ④

M That was an excellent run, Hanna. Great job.
W Thank you. Can I run some more laps?
M No. You should rest now. You worked hard enough.
W But I want to cut seconds off my record.
M Take it easy. Your record is improving.
W Well, then I'll see you at tomorrow's practice.

남 훌륭한 경주였어, 한나야. 잘했어.
여 감사합니다. 저 몇 바퀴 더 뛰어도 될까요?
남 아니. 너는 이제 쉬어야 해. 충분히 열심히 했어.
여 하지만 제 기록에서 몇 초를 줄이고 싶어요.
남 진정하렴. 네 기록은 좋아지고 있어.
여 음, 그럼 내일 연습에서 뵙겠습니다.

해설 | 남자가 여자에게 훌륭한 경주였다고 했고, 여자는 몇 바퀴를 더 뛰어도 되는지 물으며 기록에서 몇 초를 줄이고 싶다고 했으므로 정답은 ④ '육상 선수'이다.

어휘 | run [rʌn] 명 경주 동 달리다 lap [læp] 명 한 바퀴; 무릎 cut off ~을 줄이다; 잘라버리다 record [rékərd] 명 기록 [rikɔ́:rd] 동 기록하다 improve [imprú:v] 동 좋아지다; 개선하다

19 적절한 응답 고르기

정답 ④

W What are you cooking tonight, Honey?
M I'll make pasta.
W That sounds delicious. What will we eat it with?
M You can choose between chicken and fish.
W Chicken sounds good to me.
M Great.
W Do you want me to help you cook?
M Sure, thank you.

여 오늘 밤에 뭘 요리할 거야, 여보?
남 파스타를 만들 거야.
여 맛있겠다. 뭐랑 같이 먹을 거야?
남 닭고기와 생선 중에서 고르면 돼.
여 나는 닭고기가 좋아.
남 좋아.
여 요리하는 거 도와줄까?
남 그래, 고마워.

해설 | 여자가 요리하는 것을 도와주는 것을 제안하고 있으므로 정답은 제안을 수락하는 ④ 'Sure, thank you.'이다.

선택지 해석

① 난 샌드위치 먹었어. ② 여기 계산서입니다. ③ 축하해! ④ 그래, 고마워. ⑤ 낚시하러 가자.

어휘 | bill [bil] 명 계산서, 청구서

20 적절한 응답 고르기

정답 ⑤

M Hey, Mary. Why are you so sad?
W I failed the test.
M Oh, why? You studied hard.
W Maybe I was too nervous.
M That's okay. Everyone makes mistakes.
W But I'll get a very poor grade in the class. I feel terrible.
M You'll do better next time.

남 안녕, Mary. 왜 그렇게 슬퍼하고 있어?
여 나 시험을 망쳤어.
남 오, 왜? 너 열심히 공부했잖아.
여 아마 너무 긴장했었나 봐.
남 괜찮아. 누구나 실수는 해.
여 하지만 그 수업에서 엄청 형편없는 성적을 받을 거야. 기분이 안 좋아.
남 다음번엔 더 잘할 거야.

해설 | 여자가 수업에서 형편없는 성적을 받을 것이라며 기분이 안 좋다고 했으므로 정답은 격려하는 ⑤ 'You'll do better next time.'이다.

선택지 해석

① 학교는 어제 끝났어. ② 그는 3학년이야. ③ 점수 받았니? ④ 잘했어. ⑤ 다음번엔 더 잘할 거야.

어휘 | poor [pur] 형 형편없는; 가난한 grade [greid] 명 성적; 학년 terrible [térəbl] 형 기분이 안 좋은; 끔찍한 end [end] 동 끝나다 명 끝
score [skɔːr] 명 점수

MEMO

영어듣기 만점을 위한 완벽한 실전 대비서

해커스 중학영어듣기 모의고사 24회

나에게 맞는 교재 선택! | 해커스 중고등 교재 MAP

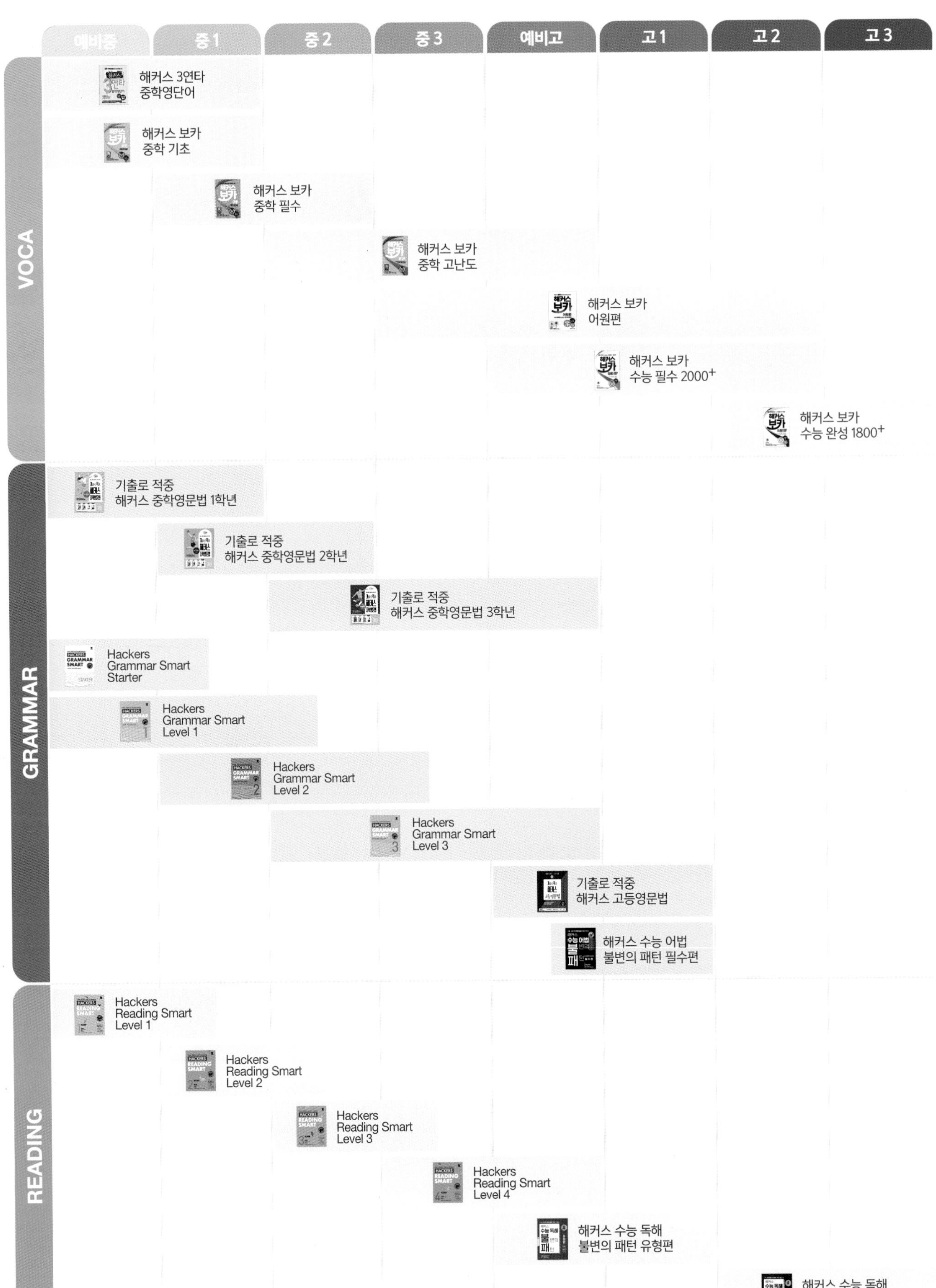